Para Charlotte

Y solo después de dar vida al resto de criaturas de la Tierra, el Creador hizo al hombre y a la mujer. Y moldeó sus cuerpos de forma que pudieran conocerse carnalmente, aunque hizo sus almas de manera que fuesen siempre extraños. Pues solo por medio de esa división podrían hallar el verdadero camino.

CALVIN SASHONE,
Creative Mythology

Agradecimientos

Por su amabilidad, su paciencia y la ayuda que me han ofrecido a lo largo de mi investigación, quiero expresar mi agradecimiento a Charles Fisher, Glenys Carl, Blaine Young, Bruce Geiss, Alexandra Eldridge, Buck y Mary Brannaman, Daisy Montfort, Andrew Martyn-Smith, Jill Morrison, Dennis Wilson y Sarah Pohl, Barbara Theroux, Doug Hawes-Davis, Dan Pletscher, Tom Roy, Elizabeth Powers, Sara Walsh, Jake Kreilick, Jeff Zealley, Gary Dale, Roger Seewald, Rick Branzell, Sandi Mendelson, Deborah Jensen, Sonia Rapaport, Richard Baron, Pat Tucker y Bruce Weide, Fred y Mary Davis, y George Anderson.

También quiero agradecer la ayuda decisiva que me han brindado, en varios aspectos, Ronni Berger, Aimee Taub, Ivan Held, Rachael Harvey, Elizabeth Davies, Gordon Stevens y Larry Finlay, Caradoc King, Sally Gaminara, Carole Baron y Charlotte Evans.

PRIMERA PARTE

1

Se levantaron antes del amanecer y salieron bajo un cielo sin luna salpicado de estrellas. Su aliento formaba nubes de aire frío, y la grava helada del aparcamiento del motel crujía bajo el peso de sus botas. El único vehículo allí estacionado era la vieja ranchera, en cuyo techo y capó cubiertos de escarcha se reflejaba tenuemente la escasa luz. El chico fijó los esquís a la baca mientras su padre guardaba las mochilas y rodeaba el vehículo para retirar el periódico que protegía los limpiaparabrisas. Estaba duro a causa del hielo y crujió entre sus manos cuando hizo una bola con él. Aguardaron un momento antes de subir al coche y permanecieron inmóviles, disfrutando del silencio y contemplando hacia el oeste el perfil de las montañas en el cielo nocturno.

El pueblo aún no había despertado, y se dirigieron silenciosamente hacia el norte por la calle principal, atravesando los débiles haces de luz que emitían las farolas y, mientras el reflejo del vehículo se deslizaba por los oscuros escaparates de las tiendas, dejaron atrás el juzgado, la gasolinera y el viejo cine. El único testigo de su partida fue un perro de pelaje gris que montaba guardia en las afueras del pueblo, con la cabeza gacha y unos ojos que emitían un destello fantasmal a la luz de los faros.

Era el último día de marzo, y a lo largo de la cuneta se extendía el rastro gris de la nieve apartada por las máquinas. El día anterior por la tarde, al dirigirse hacia el oeste cruzando las llanuras, habían visto el primer atisbo de color verde entre la hierba escarchada. Antes de que se pusiera el sol, salieron del motel a pasear por un camino de tierra y oyeron cantar a una alondra como si el invierno hubiera acabado definitivamente. Pero más allá de los ondulados pastizales, los montes Front de las Rocosas, un muro de antigua piedra caliza de ciento sesenta kilómetros de longitud, lucían aún incrustaciones blancas, y el padre del chico dijo que sin duda encontrarían buena nieve de primavera.

Tras salir del pueblo y recorrer poco más de un kilómetro y medio, se desviaron hacia la izquierda por una carretera que avanzaba otros treinta kilómetros sin apenas curvas hasta los montes Front. Vieron ciervos mulo y algún coyote, y justo cuando la carretera daba paso a la gravilla, una gran lechuza con las alas blancas surgió de entre los álamos y planeó a escasa altura delante de ellos, como si quisiera guiarlos. Entretanto, el imponente muro montañoso se cernía sobre ellos de forma cada vez más amenazadora, con su azul oscuro y profético, hasta que pareció abrirse y se hallaron en un pasadizo sinuoso, donde había un riachuelo formado por la nieve derretida que corría con fuerza entre hileras de álamos danzantes y sauces sin hojas, al pie de unas laderas pobladas de abetos y rocas de color ocre que se elevaban a lo largo de cientos de metros.

La carretera se había vuelto más empinada y, cuando empezó a resultar traicionera a causa de la nieve helada, se detuvieron para poner las cadenas. Fuera del coche el aire era frío, aunque no había viento, y podían oír el murmullo del riachuelo. Extendieron las cadenas en la nieve ante las ruedas traseras, y el padre del muchacho volvió hasta la puerta del conductor e hizo avanzar muy lentamente el coche hasta que el chico le dijo que se detuviera. Mientras su padre se arrodillaba para asegurar las cadenas, el chico se dedicó a sacudirse el frío dando patadas al suelo y soplándose las palmas para calentar pies y manos.

—Mira —dijo.

Su padre se incorporó y miro hacia donde le indicaba el joven mientras se limpiaba la nieve de las manos. Enmarcada por la V que formaban las laderas del valle, pero a mucha distancia, la cima de una enorme montaña cubierta de nieve empezaba a recibir los primeros rayos de sol. Mientras la contemplaban, las sombras de la noche empezaron a retirarse de sus pendientes bajo una franja de color rosa, dorado y blanco cada vez más intenso.

Aparcaron el coche donde empezaba el sendero y advirtieron por la falta de huellas en la nieve que nadie más había estado allí aquella mañana. Se sentaron el uno al lado del otro bajo el portón trasero y se pusieron las botas. El dueño del motel les había preparado unos emparedados y se comieron uno cada uno acompañándolo del café dulce y humeante mientras observaban cómo las sombras que los rodeaban se inundaban poco a poco de luz. La pendiente sería muy pronunciada en los primeros kilómetros, de modo que revistieron los esquís con pieles de foca para que tuvieran más sujeción. Revisaron las fijaciones y comprobaron que los localizadores para víctimas de aludes funcionaban, y en cuanto estuvieron seguros de que todo estaba en orden, se pusieron las mochilas al hombro y se colocaron los esquís.

—Tú irás delante —dijo el padre del muchacho.

La excursión que tenían planeada para aquel día consistía en un recorrido circular de veinticinco kilómetros. Hacía dos años habían hecho el mismo circuito y habían disfrutado de algunas de las mejores bajadas de su vida. Las primeras tres horas eran las más duras: un largo ascenso a través del bosque y luego un peligroso camino que serpenteaba por la vertiente nordeste de la cresta. Pero merecía la pena. La cara sur de la montaña era un perfecto estribo redondeado sin árboles que descendía en tres declives consecutivos hasta la siguiente depresión. Si todo iba bien, cuando llegasen a la cima el sol habría acabado de orientarse sobre ella, reblandeciendo la capa superior de nieve mientras la base se mantenía helada y firme.

Aquellas excursiones se habían convertido en un ritual que celebraban cada año, y al chico le hacían tanta ilusión como a su padre. Los amigos de Great Falls con los que practicaba *snowboard* creían que estaba loco. «Si quieres esquiar —le decían—, ¿por qué no vas a un sitio donde haya telesilla?» Y a decir verdad, en su primera excursión a los Tetons cuatro años antes, había llegado a temer que estuvieran en lo cierto. Para un muchacho de doce años, suponía demasiado esfuerzo para tan poca diversión; demasiadas subidas y no las suficientes bajadas. Alguna vez había estado al borde de las lágrimas a causa del esfuerzo y, a pesar de todo, regresaba cada año.

Su padre pasaba mucho tiempo lejos de casa en viajes de negocios, y no tenían ocasión de hacer muchas cosas los dos juntos. A veces al chico le daba la impresión de que apenas se conocían. Ninguno de los dos era muy hablador. Pero había algo en aquellos viajes por parajes agrestes y remotos que parecía unirlos más de lo que jamás podrían unirlos las palabras. Y poco a poco había llegado a entender por qué su padre disfrutaba del ascenso tanto como del descenso. Se trataba de una curiosa combinación de energía física y mental, como si el consumo de una de las dos estimulase a la otra. La interminable repetición rítmica que se producía al desplazar un esquí por delante del otro podía sumirlo a uno en una especie de trance. Y la emoción y la sensación de logro que se experimentaba al alcanzar la cima lejana y ver cómo una pendiente de nieve virgen de primavera se desplegaba hacia abajo ante sus ojos resultaban casi abrumadoras.

Tal vez había llegado a sentirse así simplemente porque cada año se encontraba más fuerte. Ahora era más alto que su padre y sin duda estaba más en forma que él. Y aunque todavía no era un montañero tan experto como él, probablemente esquiaba mejor. Tal vez aquel era el motivo por el cual su padre le dejó ir delante por primera vez.

Durante la primera hora, el camino ascendía por el lado sur del tortuoso cañón cercado de forma amenazante por pinos y abetos de Douglas cargados de nieve. Aunque todavía estaban a la sombra, la ascensión pronto les hizo sudar, y cuando hacían un alto para recobrar el aliento, para beber o para despojarse de alguna prenda de ropa, podían oír el murmullo sordo del riachuelo, que serpenteaba ya muy abajo. En una ocasión, oyeron el estrépito de un gran animal que emprendía la huida entre los árboles situados por encima de ellos.

—¿Qué crees que ha sido eso? —preguntó el chico.

—Un ciervo. A lo mejor un alce.

—¿Habrán abandonado ya los osos sus guaridas de invierno?

Su padre bebió un trago de su cantimplora y se limpió la boca con el dorso del guante. Aquel era un territorio de osos pardos, y los dos lo sabían.

—Supongo. La última semana hizo bastante calor.

Una hora más tarde, después de dejar atrás los árboles y salir a la luz del sol, se abrían camino a través de un barranco lleno de los restos agrietados de un alud: pedazos dentados de nieve helada y roca atravesados por árboles arrancados de raíz.

Llegaron a la cumbre poco antes de las diez y contemplaron en silencio todo lo que había debajo y alrededor de ellos: la montaña y el bosque acolchado por la nieve, y las llanuras amarillas situadas más allá. Al chico le dio la impresión de que, si forzaba la vista lo bastante, podría desafiar a la ciencia y todos los horizontes del mundo y ver sus propias espaldas; dos figuras diminutas sobre un lejano pico nevado.

El estribo redondeado que había debajo de ellos presentaba tan buen aspecto como esperaban. Iluminado por el sol, resplandecía como terciopelo blanco cubierto de lentejuelas. Se quitaron los esquís, desengancharon las pieles de foca y les quitaron la nieve con cuidado antes de guardarlas en las mochilas. Allí arriba soplaba una brisa fría, de modo que se pusieron los anoraks y se sentaron en una roca plana, donde bebieron café y comieron el último emparedado que les quedaba, mientras una pareja de cuervos volaba en círculos y graznaba por encima de ellos contra el cielo azul.

—Bueno, ¿qué te parece? —preguntó el padre del chico.

—Bastante bien.

—Yo diría que es lo más cerca que un hombre puede llegar a estar del cielo.

Mientras hablaba, uno de los cuervos voló ante ellos y su sombra se deslizó sobre la cara del padre. Se posó en la cumbre a varios metros de distancia de ellos, y el chico le arrojó un pedazo de pan. El córvido se puso a aletear y alzó de nuevo el vuelo, pero solo por un momento. Volvió a posarse e inspeccionó el mendrugo ladeando la cabeza, luego al muchacho y a continuación nuevamente el mendrugo. Cuando parecía que había hecho acopio de valor para cogerlo, su compañero se lanzó en picado y se lo arrebató. El primer cuervo emitió un graznido ronco y echó a volar tras él, y el chico y su padre se rieron y observaron cómo se precipitaban hacia el valle virando bruscamente y graznando.

Como en la subida, el chico fue el primero en realizar el descenso. El contacto de la nieve bajo los esquís era tan bueno como esperaban. El sol había derretido lo bastante la capa de la superficie para proporcionar sujeción, y el muchacho no tardó en hallar el ritmo. Extendió los brazos y sacó pecho en dirección a la pendiente como si se dispusiera a abrazarla, disfrutando del maravilloso silbido de cada curva. Su padre tenía razón. Era lo más cerca que uno podía estar del cielo.

El chico paró al pie de la primera de las tres pendientes, donde la inclinación se allanaba un poco, y miró atrás para admirar el rastro que había dejado. Su padre descendía ya siguiendo aquel rastro, imitando meticulosamente cada curva, manteniendo una trayectoria paralela y cercana, hasta que llegó al lado de su hijo y, entusiasmados, chocaron las palmas en alto.

—¡Buen rastro!

—El tuyo tampoco está nada mal.

Su padre se echó a reír y dijo que él bajaría primero la siguiente pendiente y que cuando llegara abajo tomaría unas fotos del descenso del chico. De modo que el muchacho observó el descenso de su padre y esperó a que lo llamara, y entonces se lanzó al aire luminoso, dando lo mejor de sí para la cámara.

Desde el pie de la segunda pendiente, podían ver todo el tramo de la ladera que descendía hasta el siguiente collado, donde el sol todavía no había penetrado. Sabían, por la última vez que habían esquiado allí, que el riachuelo que avanzaba por el fondo formaba una serie de charcas y abruptas cascadas. En aquella ocasión hacía más calor y había mucha menos nieve y, a excepción de la capa de hielo que había en la orilla de las charcas, el agua estaba a cielo abierto. Sin embargo, ahora permanecía enterrada bajo toda la nieve amontonada que había caído en el riachuelo, y solo veían las inquietantes grietas que hacían adivinar su presencia.

Su padre consultó el reloj y se protegió los ojos para mirar el sol. El chico sabía lo que estaba pensando. La mitad de la pendiente que tenían debajo estaba todavía a la sombra. El aire allí sería más frío, y la nieve aún no se habría reblandecido. Tal vez debieran esperar un rato.

—Parece un poco helada —dijo el padre.

—No pasará nada. Pero si te da miedo podemos esperar.

Su padre lo miró por encima de sus gafas y sonrió.

—Muy bien, esquiador de primera. Será mejor que vayas tú primero.

Le tendió la cámara al chico.

—Procura sacar alguna buena.

—Lo serán si tú esquías bien. Espera a que te avise.

El chico se metió la cámara en el bolsillo del anorak y sonrió a su padre al tiempo que se ponía en marcha. La nieve del primer tramo estaba en buen estado, pero a medida que se aproximaba al límite de la zona donde aún no había llegado la luz del sol, notó que la superficie se volvía más dura. La sujeción al girar allí era prácticamente nula y no se oía el susurro de la nieve; únicamente se oía el chirrido del hielo al entrar en contacto con los bordes de los esquís. Se detuvo en el punto donde el sol se juntaba con la sombra y alzó la vista hacia lo alto para ver a su padre de pie recortado contra el cielo.

—¿Qué tal está? —gritó su padre.

—Un poco resbaladiza, pero no hay problema.

—Espera ahí. Ya voy.

El chico se quitó los guantes y sacó la cámara. Consiguió hacer un par de fotos con el *zoom* mientras su padre descendía en dirección a él. La tercera instantánea permitiría ver más tarde el momento exacto en que las cosas empezaron a torcerse.

Su padre se disponía a realizar un giro a la derecha y, cuando desplazó el peso al borde de su esquí izquierdo, perdió la sujeción y resbaló bruscamente montaña abajo. Intentó corregir la postura, pero al hacerlo se apoyó demasiado fuerte con el otro esquí y se le soltó. Su cuerpo se tambaleó, y empezó a mover los brazos y los bastones en el aire mientras trataba de recobrar el equilibrio. Estaba patinando y se había girado de forma que se hallaba de cara a la pendiente. Por un momento resultó casi cómico, como si estuviera simulando esquiar montaña arriba. Entonces dio una sacudida, se movió hacia atrás, cayó de espaldas y se dio un golpetazo, e inmediatamente empezó a ganar velocidad.

Por un instante, el chico se planteó la posibilidad de hacer un placaje a su padre, o al menos frenar su descenso o reducir su velocidad, colocándose en su camino, pero comprendió que con el impacto sin duda también se vería arrastrado pendiente abajo. De todas formas, ya era demasiado tarde. Su padre llevaba tanta velocidad que no le daría tiempo a alcanzarlo. Se le había desprendido un esquí, que se precipitaba ladera abajo, y el otro acababa de soltársele. El chico se movió rápidamente y estiró un bastón en dirección a él, lo que estuvo a punto de provocar que perdiera el equilibrio. Consiguió tocar el esquí, pero bajaba demasiado deprisa y pasó de largo como un cohete.

—¡Levántate! —chilló—. ¡Intenta levantarte!

Era lo mismo que le había gritado su padre en otra ocasión en que él se había caído. Aquella vez, él no había conseguido ponerse en pie, y su padre tampoco lo consiguió entonces. Al pasar junto a él a toda velocidad, boca abajo y con los brazos extendidos sobre el hielo, con las gafas de sol que le daban la apariencia de un cangrejo curioso, gritó algo, pero el chico no logró entenderlo. Los bastones de su padre, uno de los cuales se hallaba muy doblado, seguían sujetos a sus muñecas e iban arrastrándose y rebotando contra el hielo. Y a pesar de todo, estaba ganando velocidad.

El chico comenzó a descender detrás de él. Aunque la tensión hacía que le temblaran las piernas y el corazón le latía con con tanta fuerza que parecía que se le fuera a salir del pecho, sabía que era crucial que no se cayera. Se repitió una y otra vez que debía permanecer tranquilo y trató de echar mano de todo lo que había aprendido. «Confía en el descenso, aunque la nieve esté resbaladiza. Inclínate. Resístete a la montaña, no te dejes llevar por ella. Termina cada giro. ¡Inclínate, inclínate! Mira hacia delante, idiota, no al hielo ni a los esquís.»

La nieve no tenía ningún agarre, pero después de unos giros vacilantes descubrió que podía controlar los esquís y recobró la confianza. Contempló hipnotizado la figura oscura y cada vez más pequeña que se deslizaba montaña abajo hasta internarse en la sombra del valle. Justo antes de que su padre desapareciera, gritó por última vez. El sonido de su voz era agudo y escalofriante, como el de un animal que temiera por su vida.

El chico giró hasta detenerse. Respiraba con dificultad y le temblaban las piernas. Sabía que era importante que recordara el punto exacto donde había desaparecido su padre, aunque no alcanzaba a entender por qué había desaparecido. Quizá había una pendiente brusca que no se podía ver desde arriba. Trató de evocar la última vez que habían esquiado en la zona, pero no recordaba si al llegar abajo el collado se volvía más pronunciado o si se nivelaba. Y no pudo menos que pensar en lo que podía ocurrir cuando su padre llegase al fondo. ¿Amortiguaría su caída la nieve amontonada en el riachuelo o estaría congelada y dura como una roca y le partiría todos los huesos del cuerpo? Con la preocupación, el chico ya se había olvidado de que debía recordar el lugar preciso donde había desaparecido su padre. Todo parecía igual en aquella zona en sombra. Tal vez hubiera algún rastro en el hielo que pudiera llevarlo al sitio en cuestión. Respiró hondo y comenzó a avanzar con cuidado.

Al dar el primer giro, el esquí inferior resbaló y estuvo a punto de caerse. Le flaqueaban las rodillas y notaba el resto del cuerpo agarrotado por la tensión, y tardó un rato en intentar moverse de nuevo. Entonces, varios metros ladera abajo, vio una mancha oscura de unos quince centímetros en el hielo. Se dirigió hacia allí descendiendo de lado, con gran dificultad.

Era sangre. Y poco más abajo había más. En el hielo también había pequeñas hendiduras, probablemente en las zonas donde su padre había intentado hincar las punteras de las botas.

Si el chico hubiera podido bajar aquella misma pendiente con buena nieve, no habría tardado más de cuatro o cinco minutos.

Pero con la capa de hielo y las piernas temblorosas, lo único que pudo hacer fue bajar de costado, con tanta tensión y tanto temor que tardó casi media hora en llegar abajo. Descendió con tal lentitud que el sol lo alcanzó, y observó cómo la franja de sombra retrocedía debajo de él y el rastro de sangre adquiría un color vivo en la nieve inmaculada.

La luz del sol le permitió ver que el rastro desaparecía al llegar a un inesperado margen y que allí había algo. Al acercarse vio que eran las gafas de sol de su padre, caídas en el último tramo empinado de la ladera, como si se hubieran parado a contemplar el punto culminante del espectáculo. El chico se detuvo y las cogió. Uno de los cristales estaba rayado, y le faltaba una patilla. Se las guardó en el bolsillo.

Por debajo de él, la pendiente descendía abruptamente unos sesenta metros hasta el fondo del valle, que se estaba viendo inundado por la luz del sol mientras el chico lo contemplaba. Miró hacia abajo con la esperanza de ver la figura de su padre. Pero no había rastro de él ni se oía nada. Únicamente un impresionante silencio blanco.

Incluso el rastro de sangre había desaparecido. De repente notó una corriente de aire, y la pareja de cuervos se abatieron a escasa altura sobre su cabeza en dirección al riachuelo, graznando como si quisieran enseñarle el camino. Y mientras el chico observaba cómo sus sombras cruzaban el torrente, vio uno de los esquís de su padre y un hueco oscuro en medio del manto arrugado de nieve.

Cinco minutos más tarde estaba allí abajo. Había un cráter de unos tres metros de ancho cuyo contorno tenía una forma irregular en las zonas donde la nieve se había resquebrajado y se había hundido. Pero el chico todavía no se hallaba lo bastante cerca para ver qué había dentro.

—¿Papá?

No hubo respuesta. Lo único que oyó fue un tenue goteo de agua procedente de algún lugar debajo de él. Desplazó los esquís de lado con cautela, tanteando la nieve a cada paso, temiendo que se desplomara en cualquier momento y se lo tragara. Parecía firme. Entonces se acordó del localizador para víctimas de aludes. Para eso servía exactamente. Se quitó los guantes, se bajó la cremallera de la cazadora y sacó el localizador, y a continuación empezó a toquetear los botones. Pero le temblaba la mano y estaba tan excitado que no recordaba cómo funcionaba aquel maldito cacharro.

—¡Mierda! ¡Mierda! ¡Mierda!

—¡Aquí! ¡Estoy aquí!

Al chico le dio un vuelco el corazón.

—¿Papá? ¿Estás bien?

—Sí. Ten cuidado.

—He visto sangre.

—Me he hecho algún corte en la cara, pero estoy bien. No te acerques mucho al borde.

Pero ya era demasiado tarde. Se oyó un sonoro crujido y el chico notó que la nieve se inclinaba bajo sus esquís, y un momento después se precipitó al vacío. Vislumbró fugazmente la cara ensangrentada de su padre, que lo miraba desde abajo, y en ese momento el borde del cráter se desplomó y no vio más que la nieve blanca que caía en cascada con él.

Cuando recuperó la conciencia, vio el rostro de su padre, que estaba sacándolo de la nieve y le preguntaba si se había hecho daño. Al principio el chico no supo qué responder, pero dijo que creía que estaba bien. Su padre sonrió.

—Buen trabajo, hijo. Acabas de abrirnos una salida.

Asintió con la cabeza, y el chico se giró y vio a lo que se refería. El hundimiento había creado una especie de rampa por la que podrían trepar. Se quedaron sentados mirándose el uno al otro; su padre seguía sonriendo y se tocaba la mejilla con un pañuelo manchado de sangre. Tenía un buen corte, pero no parecía profundo y la hemorragia se había detenido. El chico movió la cabeza con gesto de disgusto.

—Creía que no te encontraría vivo.

—Espero que hayas hecho esa foto.

—Uau, papá. Menuda caída.

Las paredes del agujero en el que se hallaban sentados estaban formadas por capas de hielo azulado que se habían hecho añicos debido a las caídas de uno y otro. Era como estar en la sección transversal de un avispero gigantesco. El suelo parecía firme, y cuando el chico apartó la nieve vio que estaban sobre hielo sólido. Se le habían soltado los esquís al caer y estaban parcialmente enterrados en la nieve. Se levantó y los recogió. Su padre también se puso en pie, despacio, e hizo una ligera mueca de dolor. El sol estaba empezando a iluminarlos.

—Supongo que deberíamos buscar mis esquís —dijo.

Su mochila estaba posada sobre el hielo justo al lado del lugar donde el chico había apartado la nieve. Un rayo de sol caía en aquel punto. El joven se inclinó para coger la mochila y al hacerlo vio algo que le llamó la atención, una figura pálida en medio del azul translúcido del hielo. Su padre vio que vacilaba.

—¿Qué pasa?

—Mira. Aquí abajo.

Los dos se arrodillaron y escudriñaron el hielo.

—¡Santo Dios! —dijo su padre en voz baja.

Era una mano humana. Tenía los dedos extendidos y la palma girada hacia arriba. El padre del chico se detuvo un momento y luego apartó un poco más de nieve hasta que vieron la cara interior de un brazo. Se miraron y a continuación, sin mediar palabra, se pusieron manos a la obra. Retiraron la nieve raspando y apartándola hasta formar una ventana de hielo a través de la cual, con cada pasada que daban con los guantes, podían ver una parte mayor de lo que había encerrado dentro.

Bajo la parte superior del brazo, medio escondida por el hombro desnudo, vieron una cara que los miraba fijamente con un ojo inexpresivo. A juzgar por el remolino de pelo, captado como en una fotografía, parecía una joven. Yacía de costado, con las piernas inclinadas perdiéndose en el hielo más oscuro de debajo. Llevaba una blusa o una cazadora carmesí arrugada y retorcida, y parecía que le hubiera sido arrancada del brazo y del hombro. La tela le colgaba como si la joven se hubiera quedado congelada intentando despojarse de ella. Tenía la piel de color pergamino.

2

El sheriff Charlie Riggs consultó su reloj. Calculó que disponía de unos quince minutos para ocuparse del montón de papeles que reposaba en frágil equilibrio en el único espacio vacío de su caótico escritorio. Si no conseguía marcharse a las dos, no podría ir a Great Falls y volver a tiempo para asistir a la fiesta del décimo cumpleaños de su hija. Tenía que ir a Great Falls a comprar su regalo, algo que debería haber hecho el día anterior, pero, como siempre, habrían surgido un montón de cosas que hacer y no había podido ir. El regalo era una silla de montar hecha a medida y confeccionada a mano que había encargado en un arrebato de extravagancia un par de meses antes. No sabía cómo había llegado a pensar que se podía permitir aquel obsequio. La idea de lo mucho que iba a costar le hacía estremecerse.

Inclinó su asiento para acercarlo al escritorio, apartó un par de tazas de café rancio y cogió la primera carpeta. Era un borrador de un nuevo informe sobre el consumo de metanfetaminas en Montana. La puerta de su pequeño y atestado despacho estaba abierta, y fuera, en la oficina, estaban sonando todos los teléfonos. Nadie atendía las llamadas porque era el día libre de Liza y la nueva chica, Mary-Lou (que todavía no le había cogido el tranquillo al trabajo), estaba en el mostrador hablando con la señora Lawson, una anciana cuyo perro había vuelto a desaparecer. Por lo visto, la viejecita se había dejado el audífono en casa, porque Mary-Lou tenía que gritar y decirlo todo dos veces. Divisó por la ventana a Tim Heidecker, uno de sus poco avispados ayudantes, que estaba aparcando su camioneta. Lo más probable es que en cuanto el muchacho entrase en el edificio, irrumpiese en su despacho con un montón de preguntas estúpidas. Charlie salió con sigilo de detrás de su escritorio y cerró la puerta de su despacho sin hacer ruido. Ya eran las dos menos diez.

No era la decepción de su hija lo que le preocupaba. Él y Lucy se llevaban muy bien, y sabía que ella lo entendería. Lo que le fastidiaba era servir en bandeja otra arma arrojadiza a la madre de la niña. Él y Sheryl se habían divorciado hacía casi cinco años, y ella había vuelto a casarse, felizmente, según se decía, aunque era un misterio cómo alguien podía ser feliz con el gilipollas con el que se había ido a vivir. A Charlie no dejaba de asombrarle que, después de todo aquel tiempo —y a pesar de que había sido ella y no él quien se había marchado—, Sheryl no dejase escapar la menor oportunidad para meterse con él. Aprovechaba cualquier cosa que tuviera que ver con Lucy con un regocijo poco disimulado. No bastaba con que Charlie hubiera sido un pésimo esposo; también tenía que ser un inútil como padre.

«El consumo de metanfetaminas está en aumento», leyó. Vaya, vaya. ¿Quién lo habría dicho? A menudo se preguntaba cuánto cobraba la gente que escribía aquellos condenados informes por volver a exponer lo que era a todas luces evidente. Demonios, si con solo navegar cinco minutos por internet o ir a la librería ya podías averiguar cómo preparar esas sustancias en la cocina de tu casa. Tal vez se estaba haciendo demasiado viejo: su cinismo era cada vez más acusado.

—Seguro que aparece, señora Lawson —estaba diciendo Mary-Lou en el mostrador.

—¿Cómo?

—He dicho que seguro que aparece.

Charlie oyó que Tim Heidecker contestaba a uno de los teléfonos. Las posibilidades de que pudiera ocuparse él solo de la llamada eran de un millón contra uno. Efectivamente, al cabo de un minuto llamaron a la puerta y, antes de que Charlie pudiera esconderse, se abrió y dejó a la vista la irritante cara del muchacho.

—Hola, jefe...

—Tim, ahora mismo estoy muy ocupado. Y, por favor, no me llames «jefe».

—Acabo de recibir una llamada de los Drummond, ya sabe, allí arriba, en los montes Front...

—Ya sé dónde viven los Drummond, Tim. ¿Puedes dejarlo para más tarde, por favor?

—Claro. Simplemente creí que debía saberlo.

Charlie suspiró y dejó caer el informe sobre su escritorio.

—Cuéntamelo.

—Una pareja de esquiadores que acababan de llegar allí dicen que han encontrado un cuerpo en Goat Creek. Una joven congelada en el hielo.

El rancho de Ned y Val Drummond era una pequeña finca situada cerca del horcajo septentrional del riachuelo. Más allá, aparte de una o dos cabañas que solo se utilizaban en verano, únicamente había monte. Charlie y Tim Heidecker tardaron casi una hora en llegar hasta allí y casi otra en interrogar a los esquiadores. Parecían buena gente y eran conscientes de la suerte que habían tenido. Si no hubieran conseguido encontrar el otro esquí que les faltaba, el padre lo habría pasado mal para salir de donde estaba. Su hijo habría tenido que bajar solo para pedir ayuda. Pero parecían listos y estaban bien preparados, que era más de lo que se podía decir de muchos de los idiotas que se metían en apuros allí arriba y tenían que ser rescatados.

El padre logró señalar con precisión en el mapa dónde habían encontrado el cuerpo. Charlie había llevado un par de motonieves en el remolque y por un instante acarició la idea de subir inmediatamente a echar un vistazo. Pero el sol estaba a punto de desaparecer tras las montañas, y cuando lo hiciera la luz se iría rápidamente y la temperatura caería de golpe. Si el cuerpo estaba congelado en el hielo como ellos decían, no iban a ganar nada. Pensó que sería mejor dejarlo para la mañana siguiente, así podría idear un plan y subir con el equipo adecuado. De todas formas, quería que el padre lo acompañara, y aunque Val Drummond le había vendado la herida lo mejor que había podido, el corte que se había hecho en la cara necesitaba sutura.

Todos se hallaban sentados bebiendo café moca en la oscura cocina con paredes de troncos de los Drummond. Charlie conocía a Val desde que eran niños y siempre había tenido debilidad por ella. De hecho, después de un baile del instituto habían vivido un pequeño episodio romántico. Él todavía lo recordaba claramente. A sus cuarenta y pocos años, seguía siendo una mujer bien parecida, alta y atlética, con un aire caballuno. Ned era más bajo y diez años mayor que ella y hablaba demasiado, como solía ocurrir con la gente que tenía demasiado tiempo libre, pero era un buen tipo. Val se había ofrecido a llevar al padre del chico al centro médico para que le cosieran el corte, y había dicho que él y su hijo se podían quedar a pasar la noche en su casa. Ambas ofertas habían sido aceptadas con gratitud. Todo el mundo se mostró de acuerdo en citarse al día siguiente a las ocho de la mañana, momento en que subirían al lugar en cuestión y echarían un vistazo al cuerpo.

Justo cuando estaban despidiéndose, Charlie se acordó de la fiesta de cumpleaños de Lucy con una sensación de ansiedad. Su móvil no tenía cobertura allí arriba, de modo que pidió a Val en voz queda si podía utilizar el teléfono de su casa. Ella lo acompañó hasta la sala de estar y lo dejó allí. Charlie se imaginaba que la fiesta estaría todavía en plena celebración, pero era imposible que llegase allí antes de que hubiera terminado. Marcó el número de Sheryl y cobró ánimo.

—¿Diga?

Ella siempre parecía bastante agradable hasta que descubría quién llamaba.

—Hola, Sheryl. Mira, lo siento mucho. Yo...

—Es un detalle por tu parte que al menos hayas llamado.

—Ha pasado algo y no he podido...

—¿Algo más importante que el cumpleaños de tu hija? Ya veo. Bueno, ¿qué le vamos a hacer?

—¿Puedo hablar con Lucy?

—Ahora mismo está ocupada. Le diré que has llamado.

—¿No puedes...?

—¿Has ido a recoger la silla de montar?

—No... no me ha dado tiempo a...

—Muy bien. Perfecto. También le diré eso.

—Sheryl, por favor...

—No ha cambiado nada, ¿verdad, Charlie? Tengo cosas que hacer. Adiós.

Oyeron el ruido de las motonieves antes de verlas. Finalmente los faros resultaron visibles; asomaron entre los árboles que había mucho más abajo, luego subieron por la empinada pendiente que salía del bosque y avanzaron dando saltos junto al riachuelo en dirección a ellos, iluminando con sus haces amarillos la agonizante luz azulada del valle.

Habían tenido que aparcar el vehículo de rescate al comienzo del sendero, casi cinco kilómetros valle abajo. Se trataba de un autobús escolar reformado provisto de un lujoso equipamiento. Los aparatos de radio normales no resultaban fiables en aquellos cañones escarpados, de modo que el autobús tenía uno con un repetidor de 110 vatios, lo bastante potente para transmitir mensajes entre las personas que se encontraban en las montañas y la oficina del sheriff, ubicada a casi cincuenta kilómetros de distancia. Todo el equipo que necesitaban tuvo que ser transportado en motonieve desde el principio del sendero. Las dos personas que ascendían en dirección a ellos llevaban sierras mecánicas, sopletes y unas lámparas potentes para que Charlie y sus hombres pudieran seguir trabajando de noche.

Charlie contaba con un equipo de diez hombres: tres de ellos eran sus ayudantes, y el resto, voluntarios para las tareas de búsqueda y rescate, aparte del tipo del Servicio Forestal, quien tenía buenas intenciones pero era joven y nuevo en el trabajo y suponía principalmente un estorbo. Habían estado trabajando por turnos y, cada pocas horas, bajaban al autobús para descansar, comer y beber; todos excepto Charlie, que había permanecido junto al cadáver todo el tiempo. De vez en cuando le llevaban comida y bebidas calientes, pero estaba cansado y tenía frío, y a esas alturas también bastante malhumorado, después de haber tenido que esperar casi una hora a que llegara el equipo.

Habían estado trabajando el día entero. Primero acordonaron toda la zona y luego registraron metódicamente la escena del crimen, haciendo fotos y grabándola en vídeo desde todos los ángulos. No habían hallado ni una sola pista que les permitiese averiguar cómo había acabado allí el cuerpo. Con toda la nieve y el hielo que había, Charlie no albergaba esperanzas de encontrar ninguna. Tal vez cuando llegase el deshielo hallasen algo. Ropa, un zapato o una mochila, quizá. Incluso huellas en una capa inferior de nieve o de barro helado, si tenían mucha suerte.

Los dos esquiadores los habían conducido hasta allí al amanecer y les habían mostrado dónde estaba el cadáver. Allí abajo, flotando en el hielo, el cuerpo de aquella chica era la imagen más fantasmal que Charlie había contemplado en su vida, y como juez de instrucción del condado y sheriff había visto un buen número de cadáveres a lo largo de los años. Los esquiadores no se habían quedado allí más de lo necesario. El padre había recibido quince puntos en la mejilla, que se le había amoratado y había adquirido el color de una remolacha. Tenía muchas ganas de llegar a casa. El chico estaba pálido y todavía estaba algo conmocionado. Había salido de casa siendo un muchacho y volvería convertido en un hombre.

Hasta primera hora de la tarde no estuvieron listos para sacar a la chica cortando el hielo. La tarea resultó mucho más complicada de lo que Charlie se había imaginado. El cuerpo tendría que ser llevado por las montañas hasta el laboratorio forense del estado, en Missoula, un viaje que duraría tres horas largas. Como el pronóstico indicaba un aumento de las temperaturas, todos coincidieron en que la mejor forma de conservar el cadáver era mantenerlo en el hielo. Hasta entonces habían estado trabajando con palancas, picando con cuidado el hielo trozo a trozo para no perder ninguna prueba que pudiera estar allí congelada. Pero era como segar un campo de heno con unas tijeras, y Charlie decidió que si no cambiaban de método podrían pasar semanas allí.

Las dos motonieves estaban subiendo los últimos metros junto al riachuelo, remolcando unos trineos cargados con el equipo. Charlie y los hombres que habían estado esperando con él se acercaron a recibirlas. Los faros hacían brillar los chalecos fluorescentes de color amarillo verdoso que todos llevaban puestos encima de sus anoraks negros. La noche estaba cayendo, al igual que la temperatura. Incluso con sus botas de material aislante, Charlie notaba el entumecimiento de sus pies. Habría dado cualquier cosa por estar en casa delante de la chimenea con el libro que acababa de empezar. Mientras caminaba penosamente por la nieve, se quitó los guantes e intentó devolver algo de calor a sus dedos soplándose las manos. Su humor no mejoró al ver a Tim Heidecker bajarse de la primera motonieve.

—¿Por qué habéis tardado tanto?

—Lo siento, jefe. La motonieve se quedó atascada en el riachuelo.

—¿Por qué no habéis llamado por radio?

—Lo intentamos, pero no conseguimos que nadie nos oyera.

—Bueno, pongámonos en marcha.

Le habían llevado sopa caliente y chocolatinas que le hicieron sentirse un poco más benevolente. Se quedó bebiendo la sopa a sorbos y dando órdenes de vez en cuando mientras los demás conectaban las luces al pequeño generador y las colocaban en su sitio. Por encima de él, las montañas se fueron volviendo borrosas hasta convertirse en formas amenazantes recortándose en un cielo que pronto se llenó de estrellas.

Al poco rato, el cráter en el que habían caído los esquiadores se convirtió en un capullo de luz. Toda la nieve del suelo había sido retirada, y a través del negro hielo bruñido, la joven, con su pelo ensortijado, su brazo extendido y su cazadora roja rasgada colgando tras ella, parecía una bailarina atrapada en obsidiana.

Tardaron otras seis horas en sacarla cortando el hielo. Una de las sierras mecánicas se atascó y tuvieron que pedir más cuchillas por radio. Y como el hielo se resquebrajaba y se volvía opaco cuando lo cortaban, tenían que parar constantemente y utilizar los sopletes oxiacetilénicos para derretirlo, de forma que pudieran ver lo que estaban cortando. Abrieron una amplia zanja paralela al lugar donde yacía la joven, colocaron allí un trineo y empezaron a levantar el bloque para subirlo a él empleando unas pértigas de madera. Pero el sarcófago de hielo pesaba demasiado y se oyeron unos terribles crujidos y chirridos. Un extremo del trineo perforó el hielo y se ladeó, y cayó al agua del riachuelo que corría por debajo. Durante unos largos minutos de peligro, pareció que la joven fuera a resbalar por el agujero, pero los hombres consiguieron rodearla con cuerdas y sujetarla bien hasta que tuvieron las pértigas debajo del trineo, y luego lo apuntalaron y lo enderezaron.

Recortaron más hielo de alrededor del cuerpo para reducir el peso, pero el bloque seguía siendo demasiado grande para meterlo en la bolsa forense, de modo que pidieron por radio lonas alquitranadas, lo envolvieron como si fuera un paquete y lo ataron con cinta adhesiva y cuerdas. Y justo antes de medianoche, tres motonieves y media docena de hombres que tiraban de las cuerdas consiguieron sacar por fin el trineo del agujero y su carga envuelta en el sudario negro.

Tardaron otra hora en bajarla hasta el autobús, y casi eran las tres cuando la cargaron en la parte de atrás de la camioneta de Charlie, aislada con mantas y cartones. Dos de sus agentes se ofrecieron voluntarios para acompañarlo hasta Missoula, pero Charlie declinó la propuesta. Se habían matado a trabajar durante casi veinticuatro horas, les dio las gracias a todos y les ordenó que se fueran a la cama. Se sentía en ese extraño estado de vigor más allá del cansancio y, por alguna razón que no acababa de entender, quería estar solo.

Atravesó Augusta y giró a la derecha para tomar la Ruta 200 en un solitario cruce donde tan solo un mes antes había ayudado a sacar a dos adolescentes muertos de un coche destartalado.

Dos carreteras rectas se juntaban en medio de ninguna parte, y pese a tener un semáforo, seguía siendo un lugar donde la gente moría con frecuencia. El recuerdo le puso nervioso y le hizo pensar en la chica muerta que yacía detrás de él, congelada en pleno salto de bailarina. La imagen se le había quedado grabada en la mente e intentó quitársela de la cabeza, pero no lo consiguió.

No dejaba de preguntarse quién era y cómo había llegado allí. Recordó un suicidio que había tenido lugar allí arriba, no muy lejos de Goat Creek: un chico de diecisiete años se había quitado toda la ropa, la había doblado con cuidado y la había metido en su mochila junto con un poema inconexo que había escrito con el que intentaba explicar por qué se sentía empujado a quitarse la vida. Se había arrojado por un precipicio y sus restos habían sido hallados un mes más tarde por unos cazadores de ciervos. Quizá el caso de aquella joven fuese similar. O quizá se había caído accidentalmente. No habían recibido ninguna denuncia de desaparición por parte de excursionistas ni esquiadores, pero aquello no convertía necesariamente el caso en algo sospechoso. Lo más probable era que la joven hubiese estado sola, que procediera de algún sitio lejano y que hubiera decidido no decirle a nadie adónde iba. Aquellas cosas pasaban. Con un poco de suerte, el cuerpo estaría en suficiente buen estado para poder identificarla.

Charlie se preguntó por sus padres o por algún otro ser querido y pensó en lo que probablemente estarían pasando: la angustia diaria de no saber dónde estaba su hija... No pudo evitar imaginar que a Lucy le ocurría lo mismo. Que su única hija desaparecía de aquel modo y que ni él ni su mujer sabían si estaba viva o si había sido asesinada y yacía en una cuneta. ¿Cómo lo afrontaría él? Diablos, una cosa así volvería loco a cualquier padre.

Cruzó la divisoria continental en Rogers Pass e inició el tortuoso descenso hacia Lincoln. Pero se hallaba tan absorto en sus siniestras cavilaciones que tomó una curva demasiado rápido y estuvo a punto de atropellar a una pareja de ciervos de cola blanca. Pisó el freno y la camioneta empezó a patinar y a serpentear por la carretera. Oyó que el cadáver se movía hacia delante, y cuando hizo derrapar el vehículo en el arcén, el cuerpo se estrelló contra el respaldo de su asiento con tal fuerza que a Charlie le dio un latigazo en el cuello y vio las estrellas.

Se quedó sentado unos instantes mientras se reponía y esperaba a que el corazón le volviera a latir con normalidad. Si la carretera no hubiera tenido grava, habría salido volando hacia las copas de los árboles. Condujo el resto de camino a unos sesenta kilómetros por hora escuchando a todo volumen una emisora de canciones antiguas para mantener los malos pensamientos a raya, mientras notaba punzadas en el cuello al ritmo de la música.

El laboratorio forense del estado era un elegante edificio de ladrillo situado junto a Broadway en dirección al aeropuerto. Había encargado a sus ayudantes que llamasen con antelación desde su oficina para que se aseguraran de que habría alguien que recogería el cuerpo y para que notificaran que pesaba mucho. Era evidente que habían recibido el mensaje, pues los dos tipos que salieron a su encuentro parecían levantadores de pesas olímpicos.

—Así que esta es nuestra Doña Nadie —dijo uno de ellos, mientras los tres cargaban el cadáver con esfuerzo en la camilla—. Tío, si hay más hielo que cuerpo.

—La frescura es nuestro lema —dijo Charlie.

Los hombres se la llevaron en la camilla directamente al depósito de cadáveres, y Charlie firmó un impreso y les deseó buenas noches.

Cuando emprendió el camino de vuelta al pueblo, el cielo se estaba aclarando hacia el este y lucía un tono rosado y gris paloma. A esas horas había algún que otro vehículo. Por un momento se planteó la posibilidad de conducir hasta casa, pero llegó a la conclusión de que no era una decisión acertada. Su trabajo ya había concluido, el cansancio se estaba apoderando de él, y el cuello le dolía terriblemente. Paró en un motel cerca de la interestatal y le dieron una habitación poco más grande que una mesa de billar. Pero tenía una cama, y aquello era lo único que le importaba. Bajó la persiana de plástico color crema, se quitó la chaqueta y las botas, y se metió debajo de las mantas. Entonces recordó que no había apagado el teléfono móvil y fue a cogerlo de la chaqueta con cansancio. La pantalla indicaba que tenía un mensaje en el buzón de voz. Volvió a la cama y apoyó el cuello con cuidado en la almohada. Apagó la lámpara de noche y activó el mensaje.

Era de Lucy. Decía que esperaba que estuviera bien y que sentía que no hubiera podido ir a su fiesta. Le decía que lo echaba de menos y que lo quería mucho. Charlie sabía que era ridículo, que no resultaba nada propio de él y que únicamente se debía a que estaba agotado. Pero, a solas en la oscuridad, habría llorado con facilidad si no se hubiera contenido.

3

Llevaba esperando casi un cuarto de hora y estaba empezando a sentirse ridícula. Al otro lado de la pequeña *piazza* con suelo de piedra blanca, un grupo de colegialas, algunas de las cuales lamían helados y todas ellas increíblemente guapas, no dejaban de mirarla fijamente. Y aunque Sarah apenas entendía una palabra de italiano, estaba segura de que estaban hablando de ella. Las chicas deberían haber estado escuchando a su profesora, una mujer de aspecto nervioso con el pelo recogido en un moño prieto que recitaba fragmentos de un libro. Sin duda las estaba informando sobre la galería que ellas —y Sarah, si la persona con quien se había citado aparecía— se disponían a visitar.

Sacó el paquete de cigarrillos del bolso y encendió uno. Le daría veinte minutos. Eso solía decir Benjamin. «Si alguien te hace esperar, dale veinte minutos y luego vete.» Según él, era de buena educación pero a la vez mostraba firmeza. Si esperabas más, la gente creería que no tenías amor propio. A Sarah le indignaba pensar que tenía que comportarse de acuerdo con las normas de Benjamin después de llevar cuatro años y medio viviendo sin él.

En muchas situaciones distintas, ya fuese comprando ropa, escogiendo un menú o expresando su opinión sobre prácticamente cualquier tema, se sorprendía preguntándose qué diría Benjamin. Entonces, para castigarse a sí misma, hacía lo contrario de lo esperado, optaba por un color o un plato principal que sabía que él detestaría, o se decidía por una opinión que le habría hecho protestar a gritos. El problema era que después de tantos años juntos, sus opiniones casi siempre coincidían. El precio de su rebeldía se podía calcular a partir del número de trajes nuevos horribles que colgaban sin estrenar en su armario.

Era su último día en Venecia y no quería perderlo esperando a un extraño virtual, un hombre como mínimo veinte años más joven que ella que, en cualquier caso, probablemente se había olvidado por completo de la cita. Había planeado pasar el día curioseando en las tiendas y comprando regalos para unas cuantas personas. Y con la intencción de haber acabado a tiempo para reunirse con aquel joven, se había levantado, había desayunado y había abandonado el hotel antes de las ocho.

Se habían conocido el día anterior por la mañana en el transbordador que llevaba a Torcello. Su grupo turístico se había dispersado durante el día y solo un puñado de viajeros había decidido hacer el trayecto de una hora de duración a través del lago. Principalmente eran matrimonios de jubilados o parejas de amigos de Nueva York o Nueva Jersey. Todos eran diez años largos más viejos que Sarah, y ella tenía pocas cosas en común con cualquiera de ellos. Se quejaban demasiado de la comida del hotel y de lo caro que era todo. Durante toda la semana había guardado las distancias, declinando educadamente las invitaciones que le hacían para que se uniera a ellos. Su mejor amiga, Iris, con la que había reservado el viaje, lo había cancelado a última hora porque su madre había tenido un derrame cerebral. Probablemente Sarah también debería haber cancelado el suyo. Pero nunca había estado en Venecia y no quería perder aquella oportunidad.

En el transbordador, estuvo charlando un rato con las viudas alegres —dos mujeres de Newark que no paraban de reír— y luego se escapó a la popa para buscar un asiento donde pudiera leer tranquilamente su libro y mirar los *vaporettos* que surcaban el agua verde resoplando.

El joven subió a bordo cuando el transbordador hizo una parada en Lido. Se colocó en un asiento situado al otro lado del pasillo mirando en la misma dirección que ella. Probablemente tenía veintitantos años, cerca de treinta, e iba vestido de forma clásica con una camisa blanca y unos pantalones negros planchados. La sorprendió mirándolo y le dedicó una hermosa sonrisa. Ella le sonrió a su vez y bajó la vista rápidamente hacia su libro, con la esperanza de que el rubor que notaba en las mejillas no fuera demasiado evidente. Por el rabillo del ojo vio cómo el joven sacaba un bloc de dibujo de su bolso negro de piel. Lo estuvo hojeando hasta que encontró la página que estaba buscando y entonces sacó un rotulador y se puso manos a la obra.

Sarah vio que estaba haciendo un dibujo preciso en tinta negra de un antiguo *palazzo*. Había trozos de estuco que se estaban desmoronando y recargadas volutas en las ventanas. Estaba dibujando hasta el más mínimo detalle; tal vez los recordaba de memoria o quizá simplemente se los estaba inventando. Fuese lo que fuera, se trataba de una obra impresionante. Una vez más la sorprendió mirándolo y le enseñó gentilmente lo que estaba haciendo. Empezaron a hablar. En un inglés enérgico, aunque defectuoso, le dijo que era de Roma y que iba a Venecia cada primavera a visitar a una tía anciana. El edificio del dibujo era su casa.

—Debe de ser una mujer muy distinguida —dijo Sarah.

—Hago que la casa pareza mucho más distinguida de lo que realmente es. A ella le gusta.

—Dibujas muy bien.

—Gracias, pero soy demasiado técnico. Soy estudiante de... *architettura*.

—Arquitectura. Mi marido era arquitecto.

—Ah. ¿Ya no lo es?

—No, quiero decir que es arquitecto. Pero ya no es mi marido.

Cuando llegaron a Torcello, caminaron juntos por un sendero que avanzaba serpenteando desde el muelle hasta la antigua iglesia de Santa Fosca. El sol de los primeros días de primavera despedía un calor agradable y se reflejaba intensamente en el cemento blanco. Sarah se quitó el jersey y se lo ató alrededor de las caderas como una adolescente. Llevaba una camiseta rosa sin mangas y una falda blanca de lino.

El joven dijo que había ido hasta allí solo para dibujar el famoso campanario de Torcello. Parecía saber un montón de cosas sobre la historia de la isla. Dijo que había sido colonizada en el siglo v, mucho antes que Venecia. Antiguamente había sido un lugar próspero, con una población de veinte mil habitantes. Pero la malaria había ahuyentado a la gente, y la mayoría de los edificios se habían convertido en ruinas y habían desaparecido. Por entonces solo vivían allí unas cuantas docenas de personas.

En el exterior de la iglesia, le mostró el trono de piedra toscamente tallado que al parecer había pertenecido a Atila el Huno.

—¿Crees que de verdad se sentó aquí? —preguntó ella.

—No por mucho tiempo. No parece muy cómodo.

—A lo mejor por eso era tan cruel.

Entraron en la iglesia. El interior era fresco y oscuro, y se respiraba un silencio reverencial. Permanecieron un largo rato contemplando con asombro un mosaico dorado de la Madonna y el niño. El joven le susurró que en su opinión era lo más hermoso que se podía ver en toda Venecia, a excepción quizá de la Scuola Grande di San Rocco. Le preguntó si la había visitado, y al ver que ella contestaba que no, se ofreció a enseñársela al día siguiente. Halagada y entretenida por la atención que le prestaba aquel hombre atractivo y algo tímido que, con su piel y sus dientes perfectos y sus ojos marrón claro, era lo bastante joven para ser su hijo, aceptó la oferta. Concertaron una cita. Sarah se separó de él cuando el joven se preparaba para dibujar el campanario, y no se dijeron sus nombres hasta el momento de estrecharse las manos. Él se llamaba Angelo, un nombre muy apropiado.

Y ahora estaba allí, esperando como una tonta, según lo acordado, en el exterior de la Scuola Grande o como quiera que se llamara aquel condenado sitio, siendo objeto de las risitas de un grupo de colegialas que probablemente, dado que estaba fumando y esforzándose por parecer elegante con sus gafas de sol y su breve vestido azul marino de Armani, la habían tomado por una fulana anticuada. Volvió a consultar el reloj. Le había dado veintidós minutos (los dos minutos de más eran un patético desafío a su marido) y ya era suficiente. Aplastó el cigarrillo con la suela del zapato, sacó la lengua a la más insolente de las colegialas y se marchó resueltamente.

Tres minutos más tarde, oyó que alguien gritaba su nombre y al mirar atrás vio que Angelo se acercaba corriendo por el puente que ella acababa de cruzar. Esperó a que la alcanzara y le dedicó la más sofisticada de sus sonrisas. Entre jadeos, el joven le explicó que su tía había enfermado esa misma mañana. «Pobrecillo —pensó Sarah—, se le podría haber ocurrido algo mejor.» Pero parecía tan sinceramente arrepentido y afligido por haberla hecho esperar que decidió perdonarle sin más. De acuerdo, era una facilona, pero qué demonios. Él era una compañía mucho más agradable que la de las viudas alegres, quienes de todas formas posiblemente la consideraban demasiado presumida.

La Scuola Grande estaba repleta de Tintorettos. La sala superior era enorme y oscura, y se hallaba suntuosamente equipada con muebles de terciopelo rojo y madera de nogal pulida que relucía a la luz de las lámparas de las paredes. Tal vez hubiera allí cincuenta o sesenta personas, incluidas las colegialas que también habían entrado, contemplando en silencio las pinturas que adornaban las paredes y el techo. Los cuadros estaban tenuemente iluminados, y Sarah tuvo que ponerse las gafas para distinguir los motivos religiosos que aparecían representados.

Angelo era un guía diligente y bien informado, como había demostrado el día anterior en la isla. Le susurró que aquel lugar había sido construido a principios del siglo XVI y que estaba dedicado a san Rocco, el patrón de las enfermedades contagiosas, con la vana esperanza de que salvara la ciudad de la epidemia. Tintoretto, según explicó Angelo, había pasado casi un cuarto de siglo decorándola. Era el tipo de información que se podía saquear fácilmente de cualquier guía, y a Sarah se le ocurrió la cruel idea de que el joven tal vez acostumbraba a escoger a mujeres turistas de cierta edad.

Se quedaron un largo rato contemplando *La crucifixión*, el

cuadro más famoso de Tintoretto, que se hallaba en una pequeña sala contigua. Sarah nunca había sabido qué pensar sobre la
religión. Su madre era una católica no practicante y su padre un
ateo no practicante que ahora, a sus setenta años, oscilaba entre
el agnosticismo y una esfera todavía amorfa de creencia. Benjamin siempre había censurado cualquier forma de creencia re-
ligiosa como una excusa conveniente para no tener que pensar.
Y aunque Sarah era menos vehemente en su escepticismo, su
actitud respecto a aquel tema —y tantos otros— se había visto
contagiada por la de él.

De modo que, una vez más, el hecho de dejarse emocionar
tanto por el cuadro quizá fuera un intento vano y semiincons-
ciente de librarse del influjo de su ex marido, de distinguirse
como una persona con una mentalidad independiente. La obra
era una vorágine de sufrimiento y belleza en la que cada grupo
de personajes se hallaba sumido en su propio drama. Y el Cristo
clavado, dotado de alas y coronado de luz contra el cielo pétreo,
mirando desde la cruz a sus verdugos, irradiaba tal serenidad
que Sarah se sorprendió embargada de una confusa e indescrip-
tible nostalgia.

Tras sus gafas, sus ojos empezaron a inundarse de lágrimas,
pero logró contener el llanto. Sin embargo, estaba segura de que
el joven que se hallaba a su lado se había dado cuenta. Estaba diciendo algo sobre la costumbre de Tintoretto de incluir un auto-
rretrato en sus cuadros, pero se interrumpió y se apartó unos
pasos para estudiar otro cuadro. Sarah lo agradeció. Si la hubiera tocado para consolarla, sin duda habría perdido el control y
habría empezado a sollozar. Y ya había llorado bastante durante
los últimos años. Le desconcertó, incluso le enfureció un tanto,
que un simple cuadro pudiera provocarle una emoción tan extrema, y echó mano de la ira para reprenderse y serenarse.

Fue un alivio volver a ver la luz del sol. Recorrieron el camino sinuoso hasta el Gran Canal justo a tiempo para tomar un *va-
poretto* que llevaba al puente de Rialto, donde según Angelo había un pequeño restaurante en el que servían buena comida. Le
dijo que allí iban los venecianos, no los turistas. Resultó ser un

sitio modesto, situado en mitad de un angosto callejón. Unos camareros vestidos de blanco, que Sarah encontró extrañamente pequeños, corrían entre las mesas con bandejas llenas de marisco fresco y pasta humeante. El que les tomó nota a ellos lo hizo con una educación llena de sequedad.

Sarah le dijo a Angelo que escogiera por ella, pues prácticamente comía de todo. Él pidió una ensalada de tomate dulce, albahaca y mozzarella de búfala y luego un pescado blanco asado a la parrilla cuyo nombre a ella no le sonaba, pero que una vez servido le recordó un poco en el aspecto y el sabor a la lubina. Pidió también una botella de vino blanco que, según comentó Angelo, estaba hecho con unas uvas que crecían en la orilla oriental del lago Garda. Estaba fresco y Sarah bebió demasiado y empezó a sentirse ligeramente achispada.

Nunca se había sentido cómoda hablando de sí misma. Era un tema sobre el que consideraba que no había nada que pudiera interesar a alguien. Naturalmente, después de separarse de Benjamin, había progresado mucho en aquel sentido. Iris y el grupo de amigas íntimas que se reunían en torno a ella no le habían dejado más opción, animándola a que analizara con ellas el fracaso de su matrimonio, examinando los rincones más miserables hasta que pareció que no quedaba nada que decir y todas se hartaron del tema.

Mucho antes de aquello, casi tanto como Sarah podía recordar, cuando ella y Benjamin estaban —al menos, por lo que a ella respectaba— felizmente casados, había desarrollado una sencilla técnica para evitar revelar demasiada información sobre sí misma. Ella solía hacer preguntas y pronto descubrió que cuanto más directa e inesperadamente personal fuera la pregunta, más probable era que el individuo interrogado (sobre todo si resultaba ser extranjero y encima hombre) empezara a hablar de sí mismo y se olvidara de seguir preguntando. Y eso mismo es lo que estaba haciendo ahora con Angelo.

Le preguntó por Roma, por sus estudios, por el tipo de arquitectura que le interesaba; le preguntó por su tía (cuya enfermedad, sorprendentemente, parecía ser auténtica) e incluso le hizo hablar de una novia alemana llamada Claudia con la que esperaba casarse algún día. Al llegar a ese punto, la disparidad entre las confesiones de él y la reticencia casi total de Sarah de hablar de ella se hizo tan evidente que Angelo posó las palmas de las manos sobre el mantel cubierto de migas y le pidió que le diera unas cuantas respuestas.

Le preguntó si trabajaba, y ella le dijo que había vendido su librería y que había supuesto un alivio librarse de ella después de todos aquellos años.

—¿No te gustaba?

—Me encantaba. Los libros son mi gran pasión, pero hoy en día las tiendas pequeñas e independientes como la nuestra tienen mucha competencia. Así que ahora en lugar de vender libros simplemente los leo.

—¿Qué otras pasiones tienes?

—Hum. A ver. Mi jardín. Aprender cosas sobre las plantas...

—Y ahora que has vendido la librería, puedes disfrutar de todas esas cosas. Eres... ¿Cómo se dice? Una mujer viciosa.

—Creo que lo que quieres decir es una mujer ociosa.

Sarah sonrió y lo miró por encima de las gafas mientras bebía lentamente otro sorbo de vino, y al hacerlo se dio cuenta de que estaba coqueteando. Hacía un siglo que no tenía la sensación de estar coqueteando con alguien. Casi creía que se le habría olvidado cómo se hacía. Pero estaba disfrutando de ello y, en ese momento, si él le hubiera preguntado si podía ir con ella a su habitación de hotel a dormir la siesta, puede que incluso le hubiera dicho que sí.

—Así que estabas casada —dijo él.

—Correcto.

—Pero ya no lo estás.

—Correcto.

—¿Cuánto tiempo estuvisteis casados?

—Una eternidad. Veintitrés años.

—¿Y vives en Nueva York?

—En Long Island.

—¿Y tienes hijos?

Ella asintió con la cabeza lentamente. Aquella era la razón de mayor peso para evitar las preguntas. Sintió que el placer se escapaba por el agujero que el joven acababa de abrir. Carraspeó y contestó en voz baja empleando el tono más sereno del que fue capaz.

—Una pareja. Un chico y una chica. De veintiuno y veintitrés años.

—¿A qué se dedican? ¿Estudian?

—Sí.

—¿Están en la universidad?

—Sí. Más o menos. ¿Te importa si pedimos la cuenta?

Necesitaba salir de allí y respirar aire fresco. Sola. Observó que, como era de esperar, Angelo se había quedado desconcertado por el repentino cambio que ella había experimentado. ¿Cómo podía alterar tanto el humor de una mujer la simple mención de sus hijos? Era el tema con el que normalmente se entusiasmaban, por encima de todos los demás. Naturalmente, el pobre muchacho malinterpretaría su reacción. Lo más probable es que supusiera que le daba vergüenza reconocer que tenía hijos casi de la misma edad que él. O que llegara a la conclusión de que no se había divorciado, de que simplemente se había escapado en busca de diversión y de que la mención de los hijos la había hecho sentirse culpable. Sarah sintió lástima por él y lamentó haber roto el trato natural y agradable que tenían entre ellos. Pero no pudo evitarlo. Se puso en pie, sacó su tarjeta de crédito del bolso y la colocó sobre la mesa delante de él, haciendo caso omiso de sus protestas. A continuación se excusó y se marchó en busca de los servicios.

Una vez fuera, él le preguntó desconcertado si le apetecía visitar otra galería y ella dijo que no y se disculpó, fingiendo que el vino le había sentado mal y que no estaba acostumbrada a beber. Le dio las gracias por haber sido tan amable y por haber hecho tan bien de guía, y por todas las cosas maravillosas que le había enseñado. Él se ofreció a acompañarla al hotel, pero ella contestó que, si no le molestaba, prefería ir sola. Le dijo adiós y le tendió la mano, pero él tenía un aspecto tan triste que en lugar de ello Sarah le puso las manos en los hombros y le dio un beso en la mejilla, lo cual pareció confundirlo todavía más. Cuando ella se fue, se quedó totalmente desolado.

Al llegar al hotel, el vestíbulo estaba en silencio. Una joven pareja británica estaba registrándose. Tenían la cara de tímida felicidad de los recién casados en luna de miel. Sarah recogió su llave y se dirigió al ascensor, haciendo resonar los tacones sobre el suelo de mármol blanco.

—¿Señora Cooper?

Se volvió y el conserje le entregó un sobre. Apretó el botón del ascensor y, mientras los cables emitían ruido y rechinaban tras la puerta de cristal, abrió el sobre. Era un mensaje de Benjamin, desde Santa Fe, donde ahora vivía con aquella mujer. Había llamado a las ocho de la mañana y luego a las diez. Quería que ella lo llamara. Era urgente, decía.

4

Ben y Eve estaban viendo una película antigua de Cary Grant en la televisión cuando llamó el agente Kendrick. Eran poco más de las nueve. Eve había encendido unas velas y las llamas parpadeaban agitadas por una corriente de aire procedente de alguna parte, proyectando sombras inclinadas y trémulas sobre las toscas paredes encaladas, los cuadros y los tapices. Pablo dormía en la habitación de al lado. Ben había ido a verlo poco antes y se había acercado a él dando traspiés entre los juguetes para tapar sus escuálidos hombros con otra manta de lana blanca. El niño se había movido y había murmurado algo en pleno sueño, y luego había vuelto a calmarse, con sus largos rizos morenos esparcidos sobre la almohada como una aureola.

Era sábado y habían disfrutado de uno de los días de primavera perfectos a los que los habitantes veteranos de Santa Fe estaban acostumbrados, pero que Ben seguía considerando milagrosos. El aire seco del desierto traía una extraña fragancia a lilas y a cerezas, el cielo era de un azul claro e intenso, y la luz, aquella luz viva, pura, casi sobrecogedora de Nuevo México con sus sombras proyectadas sobre las paredes de adobe, el tipo de luz que podría despertar incluso en un daltónico inculto el deseo de coger un pincel, todavía, después de llevar cuatro años viviendo allí, podía provocarle un estado próximo a la euforia.

Los tres habían salido a almorzar al mercado de Tesuque con el jeep y luego habían estado curioseando en los puestos del mercadillo, donde Pablo se había dedicado a correr delante de ellos como un explorador, descubriendo cosas y llamándolos para que se acercasen a mirar. Eve se había comprado un vestido antiguo estampado con remolinos de color morado, marrón y naranja cortado al bies. Tenía un agujero debajo de un brazo, y había regateado con la mujer hasta que se lo había dejado por treinta dólares; al alejarse de allí había susurrado que sería fácil arreglarlo y que valía al menos cien dólares.

Por la tarde, en el pequeño jardín, bajo la suave y dorada luz del sol, y mientras el cerezo crujía por el desmesurado peso de las flores rosas, habían asado a la parrilla filetes de atún, pimientos rojos y calabacines, mientras Pablo jugaba a pillar con la niña sueca de la casa de al lado. La casa de Eve era una de las seis viviendas de un enclave situado en el lado orientado al sur de un valle de salvia y pinos que se adentraba en el lado oeste del pueblo. Poseía un solo piso y estaba construida con adobe, y tenía las esquinas redondeadas y las puertas de una madera de pino antigua y grisácea. En la casa de Long Island donde Ben había vivido todos aquellos años con Sarah, y donde ella vivía ahora sola, podrían haber cabido tres casas y tres jardines de aquel tamaño, pero él prefería aquello. Le gustaba su aspecto funcional austero y deteriorado y el modo en que pertenecía a la tierra que la rodeaba. También le gustaba porque era de Eve, y todavía más porque no era de él. Al igual que Pablo, aquello le hacía sentirse desprovisto de cargas, como si su asociación respondiese totalmente a una elección propia. Y aquello, claro está, le hacía sentirse más joven y más libre de lo que merecía un hombre de casi cincuenta y dos años.

Justo cuando la comida estaba a punto de ser servida, los niños habían llegado corriendo por el camino, muy excitados, diciendo que los colibríes habían vuelto. Habían visto uno junto al estudio de Eve, donde el patio parecía más una selva que un jardín. Eve les había preguntado de qué especie creían que era. Era demasiado pronto para los rufos, había dicho, y a juzgar por lo que le habían contado, habían llegado a la conclusión de que debía de tratarse de un barbinegro. Después de cenar, cuando Pablo ya se había bañado y tenía el pijama puesto, se habían dedicado a hurgar en el armario en busca de los comederos de los pájaros, los habían llenado de agua con azúcar y los habían colgado de una rama baja del cerezo.

Pablo quería quedarse despierto para ver si aparecían los colibríes, y mientras Eve se daba un baño, Ben se había quedado sentado en el sofá rodeándolo con el brazo, leyendo *La isla del tesoro* y aspirando la fragancia cálida y dulce del niño; el hijo de otro hombre al que había llegado a querer como si fuera suyo. El niño tenía casi ocho años, pero era bajo y delgado y parecía más pequeño. Los colibríes no habían aparecido, y al hacerse de noche Ben lo había llevado dormido en brazos a la cama.

Fue Eve la que contestó cuando llamó Kendrick. Y por su cara y su voz, Ben supo de qué tipo de llamada se trataba. Eve le tendió el teléfono y quitó el sonido a la televisión. Se incorporó y sacó las piernas de la cama, y Ben estiró el brazo para hacer que se quedase. Ella siempre se marchaba y encontraba algo que hacer cuando Ben recibía alguna llamada relacionada con su otra vida. En cierta ocasión en que él le preguntó por esa reacción, Eve había dicho que lo hacía únicamente para darle espacio, pero él sospechaba que también lo hacía para protegerse a sí misma. Esta vez, susurró que iba a preparar más té y que volvería inmediatamente.

El agente especial Dean Kendrick trabajaba fuera de Denver y se había convertido en el principal contacto de Ben con el FBI. Él había hablado con otros agentes durante los últimos tres años y medio que Abbie llevaba fugada, y estaba seguro de que muchos más agentes lo habían vigilado, lo habían seguido, le habían pinchado los teléfonos, habían intervenido sus correos electrónicos y habían controlado sus cuentas bancarias; hombres y mujeres anónimos que probablemente sabían más sobre sus costumbres que él mismo.

Las personas cuyos nombres conocía y a las que había llamado para informarse cada dos o tres semanas eran bastante amables, pero casi nunca cordiales. Sin embargo, Kendrick era distinto. Parecía comprensivo de verdad, y se había convertido prácticamente en un amigo para él, aunque Ben solo lo había visto una vez. Ahora incluso se llamaban por sus nombres de pila. Tal vez él hiciera mejor su trabajo que los demás. Sin duda conseguía que Ben se sintiera más cómodo y, naturalmente, al sentirse de ese modo, era más probable que se le escapara algo, algún retazo secreto de información que pudiera ayudarlos a atrapar y condenar a su hija. «Ojalá —pensó Ben— tuviera algo que ocultar.»

—Ben, ¿qué tal estás?

—Perfectamente. ¿Y tú?

—Estoy bien. ¿Hay alguien contigo?

Parecía una pregunta extraña, teniendo en cuenta que acababa de hablar con Eve.

—Sí. Estábamos viendo una película. ¿Por qué?

—Tengo noticias. Sobre Abbie. Iban a mandar a uno de nuestros hombres en Albuquerque para que fuera a decírtelo en persona, pero pensé que preferirías que te lo dijera yo.

Hizo una pausa. Ben se había adelantado a él.

—Me temo que no son buenas noticias.

Aun así, le embargó la alegría. ¿Qué noticias se consideraban buenas o malas tratándose de Abbie? ¿Y buenas o malas para quién? Hacía ya casi tres años que no sabían nada de ella: ni él, ni Sarah, ni siquiera su hermano Josh. Si el FBI la había atrapado, sin duda se podía calificar de buena noticia, ¿no? Tragó saliva.

—¿Y bien?

—Han encontrado su cuerpo en los montes Front de Montana, al oeste de Great Falls. Llevaba allí un tiempo. Ben, lo siento mucho.

Cary Grant estaba a punto de recibir una paliza de manos de dos matones. Estaba intentando utilizar su encanto para salir del apuro, pero no estaba funcionando. El cerebro de Ben se bloqueó. ¿Su hija, muerta? Casi podía imaginárselo como concepto si pensaba en ello de forma desapasionada, pero no estaba dispuesto a dejar que aquella idea entrara en su cabeza. No era posible. Eve apareció en la puerta con dos tazas de té verde. Se paró y se quedó muy quieta, con su pelo suelto en negro contraste con la palidez de sus hombros, mientras salían volutas de humo de las tazas y la luz de la vela parpadeaba en las arrugas de su bata de satén color melocotón. Lo miró con aquellos serenos ojos marrones, como si fuera consciente de la gravedad de lo ocurrido.

—¿En qué estado...?

Ben fue incapaz de terminar la frase. Su niña, en estado de descomposición; un cadáver devorado por animales salvajes. No.

—¿Estáis seguros de que es ella?

—Al cien por cien. Tenemos sus huellas dactilares y su ADN. Ben, de verdad, lo siento mucho.

Se hizo un largo silencio. Se sentía como si estuviera viendo que su mundo se tambaleaba y se alejaba de él dando vueltas lentamente. Eve dejó el té y se sentó en la cama a su lado. Posó su brazo frío alrededor de los hombros de Ben. Kendrick aguardó, y cuando Ben estuvo listo siguieron hablando. Trataron cuestiones prácticas, a partir de las cuales empezó a construirse un frágil escudo para protegerse de la conmoción. Kendrick le preguntó con delicadeza si debía comunicárselo a Sarah, pero Ben dijo que lo haría él mismo y que, de todas formas, estaba en Italia. Gracias a la llamada semanal que había hecho a Josh dos días antes, sabía que no iba a volver a casa hasta el lunes.

Kendrick dijo una vez más que lo sentía mucho y que volvería a llamar por la mañana. Entonces podrían decidir lo que iban a hacer con relación a los preparativos del funeral y qué iban a contarle a los medios de comunicación. Naturalmente, tendrían que hacer alguna declaración.

—Sí —dijo Ben—. Claro.

Benjamin le dio las gracias y colgó, y se quedó sentado mirando la televisión. Estaban saliendo los títulos de crédito de la película. Cogió el mando a distancia y apagó el aparato. Y entonces se echó a llorar.

Una hora más tarde, tumbado y con la cabeza todavía apoyada sobre el pecho de Eve, cuyo camisón estaba empapado de lágrimas, empezaron a hablar de lo que debían hacer. Ben se preguntaba si sería mejor no contárselo a Sarah hasta que hubiera vuelto. Si sería preferible ahorrarle las largas horas en el avión sin nadie que la consolara, encerrada en su propio dolor. Tal vez debiera volar a Nueva York, recibirla cuando saliera del avión y contárselo entonces. Pero Eve, que era más lúcida que él y, como madre, sabía más sobre esas cuestiones, dijo que no podía esperar tanto tiempo. Sarah tenía derecho a que se lo dijera de inmediato, y si no lo hacía, ella se lo recriminaría.

Calcularon que en Venecia debían de ser las seis de la mañana. Demasiado pronto para llamar. «Deja que duerma —pensó Ben—. Ahórrale dos horas de dolor.» De aquel nuevo dolor. La llamaría a medianoche. Entonces podrían decidir entre los dos cómo comunicar la noticia a Josh y a quien tuviera que saberla.

Mientras esperaban, le dijo a Eve lo que Kendrick había comentado sobre la divulgación de la noticia a los medios de comunicación. Un par de años antes, el caso de Abbie Cooper, una niña rica convertida en ecoterrorista, buscada a lo largo y ancho de Estados Unidos por asesinato, había sido una gran noticia. Se habían emitido programas enteros de televisión dedicados a ella, con reconstrucciones dramatizadas de lo que se decía que había hecho. Durante meses, Ben había tenido que atender docenas de llamadas de reporteros cada semana, la mayoría de las veces intentando aportar un nuevo punto de vista. Pero a medida que el tiempo pasaba y no se producía ninguna detención, la prensa empezó a perder interés y el circo se había desplazado a otra parte. Quizá no diesen mucha importancia al hallazgo de su cadáver. O quizá sí.

A medianoche, cuando llamó a Venecia, le dijeron que la *signora* Cooper ya se había ido del hotel. Y cuando volvió a llamar dos horas más tarde, todavía no había regresado. Esperaron durmiendo de forma interrumpida, abrazados el uno al otro mientras las velas emitían cada vez menos luz y se iban consumiendo una a una hasta apagarse. Cuado Eve se quedó dormida a su lado, de espaldas a él, con la curva de su cadera apoyada en el estómago de Ben, él se levantó y volvió a llorar mientras los rayos de luna atravesaban la ventana.

Justo antes de las siete se despertó sobresaltado. Eve estaba de pie junto a la cama y le tendió su teléfono móvil.

—Es Sarah —dijo.

Ben vio su nombre en la pantalla, y estaba tan desorientado a causa del sueño que por un momento se preguntó por qué lo habría llamado. Entonces la triste realidad volvió a imponerse. Su hija había muerto.

Eve ya estaba vestida. La luz del sol salpicada de motas de polvo entraba oblicuamente por la ventana situada detrás de ella. Ben se incorporó y cogió el teléfono, y ella lo besó en la frente y salió de la habitación. Había dejado una taza de café en la mesita de noche. Oyó a Pablo gritar desde la cocina. Apretó el botón verde del teléfono y dijo «hola».

—¿Benjamin?

La voz de Sarah sonaba tensa y ronca, apenas reconocible. Era la única persona en el mundo que lo llamaba Benjamin.

—Cariño...

Ella lo había reprendido más de una vez por llamarla de aquella forma —«Sea lo que sea para ti ahora, Benjamin, desde luego no soy tu cariñito»—, pero resultaba difícil romper una costumbre mantenida durante tantos años. Esta vez ella lo interrumpió antes de que acabara de pronunciar la palabra.

—¿Qué pasa? —dijo—. ¿Es Abbie? ¿La han encontrado?

A Ben le sorprendió que ella lo supiera. Aunque por entonces solo hablaban para tratar sobre sus hijos. En aquel instante comprendió que al decir «encontrado» ella se refería a si la habían localizado. Tragó saliva, mientras se esforzaba por despejar su cabeza.

—Sarah...

—¡Por el amor de Dios, Benjamin! ¡Dímelo!

—Está muerta.

—¿Qué?

Era más una aspiración de aire que una palabra. ¿Cómo había podido soltarlo de aquella forma? Kendrick le había dado la noticia con mucha más delicadeza. Continuó de forma titubeante.

—Han encontrado su cuerpo. En Montana. En algún sitio de las montañas.

—No. Abbie. Oh, no. No...

Ella comenzó a emitir un tenue gemido quejumbroso y luego intentó decir algo, pero le resultó imposible. Y como el sonido era tan angustioso, Ben empezó a hablar para no tener que oírlo. Habló y siguió hablando, tratando de parecer sereno y lúcido, diciéndole lo que sabía, hablándole del ADN, de las huellas dactilares, del lugar donde tenían el cuerpo y de las decisiones que iban a tener que tomar, hasta que ella le gritó y le dijo que parara. Al oír aquello, la voz de él se quebró y perdió el control, como si todas las palabras que había pronunciado lo hubieran vaciado y debilitado.

Y separados por tantos miles de kilómetros y por otra clase de distancia mucho más grande, empezaron a sollozar en su respectiva soledad como si fueran un solo ser por la tierna vida que habían engendrado, amado y perdido por separado.

Según le habían dicho a Ben, el tanatorio estaba a escasa distancia del aeropuerto de Missoula y había decidido que iría allí en cuanto su avión llegase. No le había dicho a Sarah que iba a hacer aquello, y sabía que probablemente debería esperar a que ella llegara de Nueva York para que pudieran ir juntos. Pero cuando aterrizó y encendió su teléfono móvil, había recibido un mensaje de Sarah en el que le decía que iba a tener que tomar un vuelo que salía más tarde. Sarah no llegaría a Missoula hasta la noche y para entonces el tanatorio estaría cerrado. Aquello significaba que tendría que ir con ella al día siguiente. Y él no podía esperar tanto.

Únicamente había llevado equipaje de mano, y fue uno de los primeros pasajeros en abandonar el avión. La alegre joven de la compañía Hertz le dio la bienvenida como si fuera una vieja amiga, aunque posiblemente la hubieran formado para ello.

—¿Está de vacaciones? —preguntó ella.

—No, he venido... a ver a mi hija.

—Qué bien. Está en la Universidad de Montana, ¿verdad?

—Lo estaba, sí.

Tardó pocos minutos en rellenar todo el papeleo. La joven le dijo el número de la plaza del aparcamiento donde le esperaba el coche alquilado y le entregó los documentos y las llaves.

—Bueno, ya está. Que lo pase bien.

Benjamin le dio las gracias y salió por las puertas de cristal de dos hojas. El cielo estaba copado por nubes de color pizarra, y soplaba un aire cálido y agitado como si se fuera a echar a llover en cualquier momento. Abbie solía decir que el tiempo de Montana era como la caja de bombones de Forrest Gump: nunca sabías lo que te iba a tocar. Recordó la primera visita que había hecho a Missoula, hacía ya más de cinco años, cuando él y Sarah habían volado hasta allí con ella para ver la universidad. Estaban a finales de octubre y al llegar la temperatura era de veintiséis grados. Al despertarse al día siguiente, había una capa de nieve de treinta centímetros, y tuvieron que salir a comprar ropa de abrigo. Le habían comprado a Abbie un anorak de color cereza que costaba más de doscientos pavos en una tienda de North Higgins. Dios, qué hermosa estaba aquel día. Tan segura, tan llena de alegría.

Ben se detuvo. No debía pensar en ella de aquella forma. Había demasiadas cosas que resolver, decisiones importantes que tomar, gente con la que hablar (el sheriff, los agentes locales del FBI) para averiguar lo que creían que había ocurrido. Si la recordaba de aquella forma, toda radiante y feliz, sin duda perdería el control y sería incapaz de pensar con claridad. Por encima de todo, Sarah necesitaba que fuera fuerte. Él no quería decepcionarla ni darle otro motivo para que lo odiase.

El coche era un pequeño vehículo japonés de color plateado. Tuvo que echar el asiento hacia atrás al máximo para poder meter las piernas debajo del volante. Seguramente Sarah pensaría que era un tacaño y que debería haber alquilado algo más grande. Hacía más de un año que no se veían, y ya notaba el temor en el estómago. Arrancó el coche, dio marcha atrás para salir del aparcamiento y se dirigió despacio hacia la autopista.

La segunda vez que habían hablado por teléfono, antes de que Sarah regresara de Italia a casa, ella había recuperado totalmente la compostura. Se había mostrado fría, casi formal. Ninguno de los dos había derramado una sola lágrima. Ben temía que entablaran una discusión, pero había sido más bien como escuchar una serie de declaraciones. El cuerpo sería enviado de vuelta a Nueva York, había dicho Sarah, y el funeral se celebraría allí, donde vivían todos los seres queridos de Abbie. Aquello excluía a Ben, por supuesto, pero él lo dejó correr. Y sería enterrada, que era el procedimiento empleado por la familia de Sarah en aquellos casos. Ben había pensado sugerir que la incinerasen y que esparciesen las cenizas allí, en Montana, el lugar que Abbie más amaba en el mundo. Pero no estaba dispuesto a pelearse por aquello.

Sin embargo, la cosa no acababa ahí. Sarah ya había telefoneado a Josh a Nueva York. En palabras de ella, estaba «desolado pero bien». La forma de comunicar la noticia a su hijo era otro de los temas que Ben esperaba discutir con ella. Estaba furioso. Lo había preparado todo para viajar a Nueva York y decírselo en persona, y ahora deseaba no haber esperado. Además, Sarah también había dispuesto que el chico se quedara en Bedford con sus padres. De hecho, ellos ya habían ido a la ciudad a recogerlo. Sarah lo vería, aunque brevemente, cuando regresara de Italia y luego volaría a Missoula. Y según le había dicho, Josh no iba a ir con ella.

De modo que ella se le había adelantado y lo había desplazado totalmente. Y, como siempre, Ben se tragó su ira y no dijo nada. Era una técnica que Sarah había perfeccionado a base de utilizarla una y otra vez desde que él la había abandonado, excluyéndolo de las decisiones importantes que afectaban a sus hijos con un aplomo y un aire despreocupado —en ocasiones incluso cordial— que hacía que pareciera grosero quejarse. El mensaje subyacente siempre era el mismo: al marcharse, él había demostrado su absoluta falta de amor hacia ellos y, de ese modo, había perdido todo derecho a ser consultado.

A veces lo hacía de forma tan brillante que él no podía más

que sentirse impresionado. Y aunque le sorprendió que ella hubiera recurrido a aquella técnica en aquel momento, cuando los dos padecían la misma tortura, más tarde se percató de que en realidad se había superado a sí misma. Y es que ahora Ben tendría que llamar a Josh al campo enemigo de sus ex suegros. George y Ella Davenport siempre lo habían considerado indigno de su niña bonita, y su deserción había justificado su desprecio. Ben se hallaba ahora debidamente confinado a un estrato inferior poblado por tramposos, embusteros e inútiles.

Inmediatamente después de que acabara de escuchar la lista de decisiones de Sarah, llamó a Josh a su móvil.

—Hola, Joshie.

—Hola.

—Había pensado coger un avión y contarte lo de Abbie, pero mamá me ha dicho que ya te ha dado la noticia.

—Sí.

—¿Qué tal estás?

—Bien, supongo.

Hubo una larga pausa. A Ben le pareció que oía unos susurros de fondo.

—¿Estás con los abuelos?

—Sí. Estamos en el coche.

—Ah. Está bien. Bueno, salúdalos de mi parte.

—Vale.

—Mamá me ha dicho que no vas a venir a Missoula.

—¿Para qué?

Su voz sonaba tan apagada y desvaída que Ben se preguntó si el muchacho no habría tomado demasiados antidepresivos como los que acostumbraba a consumir durante los últimos meses. O a lo mejor simplemente estaba aturdido por la noticia, quizá incómodo por tener que hablar delante de Ella o George. Ben se maldijo por no haber ido a Nueva York. Era él quien debería estar con su hijo en aquel momento, y no aquellos dos.

—Supongo que tienes razón. Escucha, ¿me llamarás cuando tengas un momento?

—Vale.

—Adiós, entonces. Te quiero, hijo.

—Sí, adiós.

El tanatorio y crematorio Valley View —«Al servicio de los familiares de los difuntos de Missoula desde 1964»— se hallaba situado entre el aparcamiento de un concesionario de coches de segunda mano y un bar de aspecto siniestro llamado Mountain Jack's. Estaba rodeado por una fina franja de césped que intentaba parecer elíseo. Ben estacionó el coche en el aparcamiento, que por lo demás estaba vacío, y se dirigió hacia la recepción con las manos en los bolsillos de su abrigo. El edificio estaba construido con columnas de estilo paladiano y estuco de color crema, un curioso híbrido de templo y hacienda que en cualquier otro momento habría hecho sonreír al arquitecto que había en él. Más allá del edificio, hacia el oeste, un relámpago parpadeó contra la mortaja de bronce que se había posado sobre las montañas. El aire olía a polvo húmedo y, justo cuando llegó a la parte cubierta del pórtico, las primeras gotas gruesas de lluvia empezaron a golpear y salpicar el asfalto.

La zona de recepción era un espacio silencioso con una alfombra rosa claro y las paredes color magnolia, decorado con elaborados adornos de flores falsas y grabados enmarcados. En un rincón del fondo, una televisión sin sonido entretenía a una mesita de café y un par de sillones vacíos de terciopelo azul. Ben apretó el botón del mostrador de recepción y mientras esperaba se dedicó a pasear sin hacer ruido, examinando los cuadros. Todos eran de paisajes y en todos aparecía el agua en distintas representaciones: un río, un lago o un mar. Había en ellos un elemento de calma unificadora y anodina; nada demasiado conmovedor ni arriesgado, ni puestas de sol ni cielos tormentosos, ni atisbos del infierno ni del Juicio Final. Se preguntó si censurarían los cuadros a fin de adaptarse a la especial sensibilidad de sus clientes. A lo mejor habían hecho aquello con él, pues no había ni una sola montaña nevada en las paredes.

—¿En qué puedo ayudarle?

Un joven de cara afable y redondeada y un cuerpo que parecía demasiado largo para sus piernas estaba cruzando la recepción en dirección a él. Ben se presentó y advirtió una pequeñísima alteración en la sonrisa del hombre. No estaba exagerándola, sino hallando la graduación adecuada de empatía profesional. Aquel individuo era el tal Jim Pickering con el que Ben y Sarah habían hablado por teléfono.

—Su mujer ha llamado para decir que no iban a llegar hoy.

—Ha tenido que coger otro vuelo. Yo he llegado esta mañana desde Albuquerque. Estamos divorciados.

No sabía por qué había comentado aquello, pero el hombre asintió con la cabeza, reajustando su sonrisa de nuevo con un ligero toque de preocupación.

—¿Hay algún problema en que vea a...? —Ben fue incapaz de acabar la frase. ¿Debía decir Abbie? ¿Mi hija? ¿El cadáver?

—En absoluto. Lo tenemos todo listo para usted.

—Simplemente quería, ya sabe, asegurarme...

—Lo entiendo perfectamente.

El joven le pidió a Ben que esperase un momento y se fue a toda prisa por donde había venido. Desapareció por un pasillo y volvió a hacerse el silencio. Aquel sitio tenía la mejor insonorización que Ben había encontrado en mucho tiempo. Se sorprendió preguntándose por los materiales que habrían utilizado. ¿Qué demonios le pasaba? ¿Estaba esperando para ver el cadáver de su hija y se ponía a pensar en la maldita acústica?

Jim Pickering regresó y pidió a Ben que lo siguiera. Mientras recorrían una serie de pasillos, le explicó que habían embalsamado el cuerpo, como había solicitado la señora Cooper, y que los hombres del servicio de búsqueda y rescate habían facilitado mucho la tarea al mantenerlo rodeado de tanto hielo durante el rescate y el traslado. Los resultados, dijo, eran por consiguiente mucho mejores que los obtenidos en las circunstancias que cabría esperar. Ben era incapaz de determinar si el hombre estaba haciendo un modesto alarde profesional o si simplemente estaba intentando aliviar su ansiedad.

—No teníamos ropa, así que lleva puesto lo que llamamos un camisón de hospital. Por supuesto, no disponíamos de ninguna referencia para el peinado y el maquillaje, así que verá que hemos optado por un estilo natural. Si lo desean, cabe la posibilidad de hacer algún pequeño ajuste. Y el ataúd es solo temporal. La señora Cooper no nos ha dicho si estaban interesados en comprar uno de nuestros ataúdes o de la funeraria del este. Tenemos una amplia variedad.

—No me cabe duda.

—Bueno, ya hemos llegado. Esta es nuestra capilla ardiente.

Se detuvo ante unas puertas blancas de doble hoja, con las manos preparadas para abrirlas. Estaba mirando a Ben a la espera de la señal para proceder.

—¿Está listo?

Ben asintió con la cabeza.

La sala tenía unos cuatro metros por tres y estaba iluminada con un fulgor rosado por cuatro altos apliques, cuya parte superior brillaba como si fueran lirios. El sencillo ataúd de color claro se hallaba abierto sobre una mesa que llegaba hasta la cintura de una persona. Desde la puerta, lo único que Ben podía ver de su interior era una franja de forro de satén rosa.

—Lo dejaré solo —dijo Jim Pickering—. Estaré al otro lado del pasillo. Tómese el tiempo que necesite.

—Gracias.

Las puertas se cerraron silenciosamente a su espalda. Durante un instante Ben permaneció inmóvil, tratando de recurrir a su absurda esperanza inicial de que el cadáver correspondiese a otra persona. Pero sabía que era Abbie. Notaba cómo el pulso le palpitaba veloz e insistentemente en los oídos y cómo un peso gélido se revolvía en la boca de su estómago. Tragó saliva y dio un paso adelante.

Hacía casi tres años que no la veía. Por aquel entonces llevaba el pelo teñido de negro, corto y peinado de punta, como para demostrar su ira. Pero ahora el cabello había recuperado su color natural rubio rojizo, era más largo y estaba perfectamente peinado, de tal forma que enmarcaba su fino cuello y suavizaba su aspecto. El rostro, con su nariz respingona y sus cejas arqueadas de forma encantadora, se hallaba a años luz de la contorsión hostil y vociferante que había lucido su cabeza desde aquella noche terrible. La muerte, en un gesto perverso, la había vuelto más cálida. El maquillaje funerario había otorgado a su piel un lustre atractivo y saludable. Incluso en la inclinación de su barbilla y en los hoyuelos de las comisuras de su boca se advertía una curiosa inminencia. Como si algún elemento de un sueño le hubiera hecho gracia y fuera a sonreír en cualquier momento o a despertarse y decirle a su padre de qué se trataba. Y a abrir aquellos ojos. Unos ojos de un gris verdoso moteado de color avellana. Ojalá hubiera podido verlos una sola vez más.

El único cadáver que había visto Ben hasta entonces era el de su padre, casi veinte años antes. Y los de la funeraria se habían equivocado en todo: su pelo, su expresión, la forma en que se hacía el nudo de la corbata, todo. Le habían puesto tanto colorete, rímel y lápiz de labios que parecía una espantosa *drag queen* sin peluca.

Pero con su camisón blanco, como la novia que jamás llegaría a ser, su hija lucía un aspecto sereno, inocente e increíblemente hermoso.

—Oh, cielo —susurró—. Mi cielo.

Se agarró al borde del ataúd, agachó la cabeza y cerró los ojos. Cuando los sollozos le hicieron estremecerse, no intentó contenerlos. Ahora, a solas, podía permitírselo; ya se reprimiría cuando llegara Sarah.

No supo cuánto tiempo estuvo allí de pie. Cuando fue incapaz de llorar más, se irguió y atravesó la sala en dirección a una mesita donde había colocada una caja de pañuelos de papel. Una vez que se enjugó la cara y se serenó, volvió hacia el ataúd, se inclinó y besó a su hija en la mejilla. No olía a nada y su piel estaba fría como una piedra al contacto con sus labios.

5

Sarah dejó que la camarera le llenara la taza de café por tercera vez y procuró no mirar a los dos hombres que estaban terminando su desayuno al otro lado de la mesa. La visión y el olor de toda aquella cantidad de huevos, beicon y patatas fritas le estaban revolviendo el estómago.

Después de medianoche, se había tomado un somnífero para superar el desfase horario y lo único que había conseguido era sumirse en un estado de semicoma superficial con sueños agitados. Se había despertado enrollada en las sábanas como una momia, confusa y con un dolor de cabeza que no habían conseguido despejar los dos analgésicos que había tomado. Fuera estaba lloviendo. No había parado desde que ella había llegado.

Benjamin la había ido a buscar al aeropuerto y la había llevado al hotel en el ridículo cochecito que había alquilado. Sarah no entendía por qué era tan tacaño, pero prefirió no mencionarlo. En el vuelo se había dado a sí misma instrucciones estrictas a fin de ser amable. Pero, Dios santo, qué difícil resultaba. Incluso la imagen de él comiendo su desayuno y hablando de trivialidades con aquel sheriff la sacaba de quicio. Se había dejado el pelo largo y se había comprado unas gafitas modernas con montura metálica. Todo muy propio de Santa Fe.

Benjamin había reservado unas habitaciones contiguas para ambos en el Holiday Inn Parkside, y después de registrarse la noche anterior habían pedido prestado un paraguas y habían ido dando un paseo a un restaurante japonés de North Higgins. La comida era buena, pero la conversación había resultado terriblemente artificial, tal vez porque los dos se estaban esforzando mucho por evitar hablar de Abbie. Benjamin parecía incapaz de mirarla a los ojos y no había parado de hacerle todo tipo de preguntas sobre Venecia. A ella le habían entrado ganas de gritarle que se callara. ¿Quién demonios se creía que era? Aquel extraño educado con el que había compartido su vida durante tantos años ahora la trataba como si fuera una invitada con la que hubiera coincidido en un cóctel.

Sarah sabía que estaba siendo injusta y que probablemente ella tenía la culpa de que él se estuviera comportando de aquella forma. En su cerebro parecía haberse activado un curioso mecanismo de defensa. La única forma de soportarlo que tenía era mostrándose fría, cruel e irascible con él. Si se permitiera ser más amable o más receptiva al consuelo, perdería su punto de apoyo, se caería por el precipicio y descendería al remolino negro que la estaba esperando abajo. Su niña muerta, fría, en una caja... No, no pensaba dejar que aquello le pasase por la cabeza. Pero cuando él la rodeó con el brazo al volver al hotel, estuvo a punto de caer. Y volvió a ocurrirle cuando le dio un beso de buenas noches en el sombrío pasillo y cada uno se fue a su solitaria cama de matrimonio, separadas por un tabique tan fino que podían oír los pasos del otro, sus toses y el sonido de la cisterna del retrete.

La oficina del sheriff Charlie Riggs no estaba en Missoula, y por eso les había sugerido que se reunieran para desayunar en The Shack. Era un lugar al que Abbie los había llevado en una ocasión, un sitio escondido en West Main al que habían ido desde el hotel dando otro paseo bajo la lluvia.

El sheriff los estaba esperando allí, con su sombrero de vaquero empapado por la lluvia y una bolsa de plástico blanca apoyada junto a él en el banco del pequeño reservado de madera. Se levantó para saludarlos; era un hombre alto, más alto incluso que Benjamin, y más corpulento que él, con un bigote poblado que se estaba llenando de canas. Tenía unos ojos dulces, y en ellos se advertía una tristeza que Sarah sospechó permanente y no solo adoptada como deferencia hacia ellos. Tenía los modales anticuados del Oeste a los que ella nunca había podido resistirse, y al estrecharle la mano asintió con la cabeza educadamente y la llamó «señora».

Inmediatamente declaró lo mucho que sentía lo de Abbie.

—Yo también tengo una hija —dijo—. No puedo soportar la idea de que le pasara algo así.

—Espero que todavía no sea sospechosa de asesinato —dijo Sarah con aire desdeñoso antes de poder refrenarse.

El pobre hombre hizo una mueca y Benjamin apartó la vista.

—No, señora —dijo el sheriff serenamente.

Se sentaron y los dos hombres estuvieron charlando sobre el tiempo hasta que la camarera llegó y les tomó nota. Luego, tras inclinarse hacia delante y empezar a hablar en voz baja para que los demás no lo oyeran, el sheriff Riggs les contó lo que había pasado. Les relató el hallazgo que habían llevado a cabo los esquiadores y les explicó que la autopsia no había podido determinar ni cómo había acabado allí Abbie ni cómo había muerto exactamente. Les preguntó si tenían alguna idea de qué podía estar haciendo en aquella parte del mundo, y Benjamin contestó negativamente. Abbie había sufrido heridas en la cabeza, prosiguió el sheriff, así como la fractura de una pierna y la dislocación de un hombro. Y tenía agua en los pulmones, lo que hacía pensar que podía haberse ahogado. Por el momento, la mejor hipótesis era que las heridas se habían producido a raíz de una grave caída, cuya causa seguía siendo un misterio.

—¿Quiere decir que alguien podría haberla empujado? —preguntó Benjamin.

—Es una posibilidad, señor. —El sheriff miró a Sarah, evaluando indudablemente su grado de sensibilidad ante la conversación. Ella se sintió ligeramente ofendida.

—¿Y qué hay del suicidio? —dijo.

Benjamin la miró sorprendido.

—Abbie nunca habría hecho algo así —dijo él.

—¿Cómo lo sabes? —le soltó ella.

Los dos hombres se la quedaron mirando. El rencor de Sarah parecía brotar de forma espontánea. Ella continuó hablando rápidamente, tratando de suavizar el tono.

—Quiero decir, cómo podemos saberlo cualquiera de nosotros. Llevaba mucho tiempo desaparecida. No sabemos lo que ha podido estar pasando.

—Tiene razón, señora Cooper —dijo Charlie Riggs suavemente—. Hay algunas posibilidades que todavía no podemos descartar.

Sarah sabía que él se estaba formando una idea de cómo estaban las cosas entre ella y Benjamin. Probablemente ya la había tachado de zorra mayor. Iba a tener que calmarse y refrenar la lengua.

—De todas formas —prosiguió el sheriff—, quiero que sepan que este es un caso de máxima prioridad. Vamos a seguir trabajando allí arriba mientras la nieve empieza a derretirse. Con un poco de suerte, encontraremos algo que nos ayude a hacernos una idea de lo que pasó.

Les dijo con cierta incomodidad que si alguno de los dos quería ver dónde había sido hallada Abbie, él les mostraría el lugar encantado. Benjamin le dio las gracias y dijo que a lo mejor regresaría al cabo de una semana o dos para ello. «Qué absurdo e inútil», pensó Sarah, pero evitó decirlo en voz alta. No se le ocurría nada peor, excepto ver el cadáver, lo que tenían pensado hacer más tarde, aunque no estaba del todo segura de que pudiese afrontarlo.

Parecía que el sheriff se dispusiera a decir algo más cuando la camarera llegó con la comida. De ser así, se lo pensó mejor y no volvió a hablar del tema mientras él y Benjamin comían. Sarah había pedido unas tostadas de pan de trigo, pero ni siquiera las tocó. Lo que realmente le apetecía era un cigarro, pero no estaba dispuesta a dejar que su dignidad se viese todavía más maltrecha saliendo a fumar en medio de la lluvia.

Cuando hubieron terminado Charlie Riggs dijo que, si no les importaba, los llevaría a la oficina de los federales en Pattee Street para presentarles al agente local del FBI, quien tenía que hacerles unas cuantas preguntas rutinarias que les podían ayudar a averiguar lo que le había ocurrido a Abbie. Sarah dijo que no tenían inconveniente. Entonces, con un aire un tanto incómodo, el sheriff cogió la bolsa de plástico que tenía al lado.

—Esta. es la ropa que llevaba puesta su hija cuando la encontramos —dijo—. No sabía si les gustaría conservarla, pero una de las chicas de la oficina la ha lavado y planchado. La cazadora está muy rota. Supongo que debido a la caída. En fin.

Le entregó la bolsa a Benjamin, quien en lugar de limitarse a darle las gracias y dejarla a un lado, sacó el anorak rojo y lo abrió. Sarah vio cómo los ojos se le llenaban de lágrimas al mirar la prenda. «Por el amor de Dios —pensó—. Aquí, no; ahora, no.» Si él perdía el control, seguro que ella también lo perdería. Alargó el brazo en silencio, le quitó la cazadora y volvió a meterla en la bolsa.

Charlie Riggs carraspeó.

—Hay algo importante que todavía no les he dicho —afirmó.

Su voz sonó seria, e hizo una pausa como si estuviera buscando las palabras correctas.

—Algo que han descubierto en la autopsia que probablemente ustedes no sepan. En el momento de su muerte, Abbie estaba embarazada de dos meses.

A lo largo de los años, Charlie había conocido a más de un agente del FBI y había llegado a llevarse bien con casi todos. Uno o dos se habían mostrado demasiado duros o algo condescendientes, pero los demás siempre habían sido corteses y amables y habían hecho bien su trabajo. Jack Andrew, el último con el que había tratado en la oficina de Missoula y al que los Cooper habían conocido cuando su hija había desaparecido, le caía muy bien. Pero su sucesor, el joven presuntuoso Wayne Hammler, era distinto.

Llevaban casi una hora sentados en su pequeño despacho mal ventilado y durante ese tiempo prácticamente no había dejado que nadie metiera baza. Incluso con su corte de pelo de soldado y su elegante chaqueta azul, aparentaba unos quince años. Tal vez por ese motivo creía que tenía que pontificar con pomposidad. Ahora mismo estaba dando un discurso a los Cooper sobre la «sinergia entre agencias» y los «sistemas de análisis de información forense», fueran lo que fuesen. Lo único que había hecho hasta entonces era repetir lo que ya les había explicado Charlie. El señor Cooper todavía parecía escucharlo educadamente, pero su ex mujer se había pasado los últimos diez minutos mirando por la ventana.

Charlie la había estado observando. Era difícil no hacerlo. Se preguntaba cuántos años tendría. Las mujeres de la costa Este sabían cuidarse. Tal vez tuviera cuarenta y tantos. Era alta y elegante, y saltaba a la vista que había sido una mujer despampanante. En unas circunstancias menos dramáticas, si engordara algún que otro kilo y se hubiera dejado crecer un poco aquel cabello rubio tan corto, aún podría serlo. El vestido azul marino que llevaba le quedaba bien, y Charlie habría apostado a que los pequeños diamantes que llevaba en las orejas eran auténticos. En general, Sarah Cooper era lo que su padre solía llamar «una dama con clase». Lo cierto era que su lengua afilada parecía obligar a su ex marido a andarse con pies de plomo. Charlie sabía por su relación con Sheryl cómo debía de sentirse aquel pobre hombre. Pero había visto con anterioridad a madres que habían perdido a sus hijos comportarse de aquella forma. La ira posiblemente no fuera más que un modo de aferrarse con uñas y dientes a la cordura.

Pero de vez en cuando, tras aquella fachada de frialdad, había podido vislumbrar lo frágil y dolida que se sentía aquella mujer. Y le conmovió ver que una criatura tan elegante sufría tanto dolor. Al enterarse de que su hija estaba embarazada, sus ojos habían adoptado una mirada casi desgarradora, y aquella mirada seguía allí, mientras contemplaba la lluvia por la ventana. Desde que Charlie les había dado la noticia, prácticamente no había pronunciado palabra.

Ben Cooper aguantaba su dolor de forma más visible. Parecía un buen hombre. En el pasado debían de haber formado una buena pareja: la clase de pareja que aparece en las revistas de sociedad, sentados en un yate o junto a una piscina, felices y perfectos, y probablemente a punto de divorciarse. Charlie se preguntaba qué habría fallado entre los dos, si todo se debería a su hija o si habrían emprendido por sí mismos otro sendero hacia la infelicidad. No le cabía la menor duda de que ellos tenían su propia historia, además de la vieja historia que él e incontables personas más habían vivido; una historia de culpabilidad, rencor y esperanzas rotas.

Siguió la mirada de la mujer. La lluvia había arreciado y ahora soplaba viento. Los árboles del exterior estaban empezando a brotar, y entre las ramas que se movían frenéticamente divisó cómo el chaparrón castigaba los techos de tres camionetas de correos aparcadas en la calle. Una joven que llevaba un chubasquero de plástico claro estaba empujando a un muchacho sentado en una silla de ruedas por la acera procurando taparlo con un paraguas rojo. Charlie volvió a mirar a la señora Cooper y descubrió que lo estaba mirando. Sonrió e intentó pedirle disculpas con la mirada por la conducta de Hammler, que seguía hablando en tono monótono tras su escritorio ordenado de forma inmaculada. Había un pequeño bote cromado con unos lápices perfectamente afilados y una bandeja a juego para las grapas y los clips. El muy maniático incluso tenía un posavasos para la taza del café. Charlie recordó que alguien le había dicho en una ocasión que no se podía confiar en un hombre con un escritorio ordenado. El de Hammler era de una obsesividad extrema.

La señora Cooper no le devolvió la sonrisa. En lugar de ello, se volvió y lanzó una mirada fulminante a su ex marido. Charlie no supo si lo hizo por la atención que el pobre hombre estaba prestando amablemente a Hammler o si se debía a otra transgresión.

—De modo que así están las cosas por lo que respecta a la investigación —estaba diciendo el agente—. Y ahora, si no les importa, me gustaría hacerles unas preguntas.

—Está bien —dijo el señor Cooper—. Si puede servir de algo. Adelante.

Hammler tenía todas las preguntas anotadas claramente en forma de lista en un cuaderno, colocado justo delante de él con un bolígrafo nuevo. La primera hacía referencia a la última vez que los Cooper habían visto o habían hablado con su hija. Charlie indicó a Hammler que él ya les había hecho aquella pregunta, pero fue en vano. El señor Cooper esperó pacientemente, aunque con cierto aire de cansancio, pero Charlie advirtió que su ex mujer estaba empezando a ponerse furiosa. Finalmente, cuando el agente comenzó a interrogarlos sobre el carácter y la personalidad de Abbie y les preguntó si la describirían como «propensa a los ataques depresivos», ella estalló.

—Mire. Ustedes mismos nos han preguntado eso Dios sabe cuántas veces. Hemos venido a oír lo que nos tenía que decir, no a pasar otra vez por todo esto. Si quiere saber esas cosas, consulte los informes. Está todo allí. Todo lo que Abbie hizo o dijo incluso lo que tomaba para desayunar está allí. Solo tiene que buscarlo.

Hammler se sonrojó. Charlie estuvo a punto de prorrumpir en vítores.

—Señora Cooper, sé perfectamente que este es un momento difícil...

—¿Difícil? ¡Difícil! No tiene ni la más mínima idea.

—Señora Cooper...

—¡Quién demonios se cree que es usted!

Ella se había levantado y se dirigía hacia la puerta.

—No pienso seguir escuchando más chorradas.

Los tres hombres también se habían levantado. Hammler parecía un niño al que le acabaran de robar los caramelos. Empezó a decir algo, pero la señora Cooper, que había abierto la puerta de golpe, se volvió para mirarlo y lo interrumpió.

—Cuando tenga algo nuevo que contarnos, le aseguro que lo escucharemos encantados. Pero esta mañana, Wayne, andamos un poco escasos de tiempo. Tenemos que ir a recoger a nuestra hija fallecida y llevarla a casa para el funeral. Así que, si nos disculpa, nos iremos. Vamos, Benjamin.

Y se marchó. Sus pisadas resonaron airadamente por el pasillo. Hammler se había quedado boquiabierto y parecía a punto de salir en busca de ella. Charlie dio un paso adelante y lo disuadió con delicadeza.

—Deja que se vaya —dijo suavemente.

—Pero quedan muchas cosas...

—Más tarde. Ahora no es el momento.

Ben Cooper permaneció de pie con la cabeza gacha, luciendo un aspecto triste y avergonzado. Charlie cogió el abrigo del pobre hombre y le posó una mano en el hombro.

—Vamos —dijo—. Necesitarán que alguien les acompañe.

El sheriff aparcó fuera del hotel y se quedaron unos minutos dentro de su camioneta mientras la lluvia tamborileaba en el techo. Volvió a asegurarles que haría todo lo que estuviera en su mano para averiguar cómo había muerto Abbie. Ben estaba en el asiento delantero y no dejaba de lanzar miradas por encima del hombro a Sarah, que no había dicho nada y ni siquiera parecía estar escuchando. Permanecía encorvada junto a la ventanilla de atrás, perfilada contra el torrente de agua plateado que descendía por el cristal. Tenía el pelo mojado y lacio, y el cuello de su gabardina blanca le quedaba tan alto que parecía que fuera a desaparecer en su interior en el momento menos pensado.

El sheriff se disculpó nuevamente por el hombre del FBI y prometió que los llamaría tan pronto como tuviera novedades. Ellos le dieron las gracias y entraron en el hotel para pagar y recoger su equipaje. Mientras Ben se ocupaba de la factura, ella se quedó sola debajo del pórtico. Una vez que él terminó y salió para reunirse con ella, Sarah no lo esperó y se giró y se puso a caminar delante de él en dirección al coche, sin hacer caso a la lluvia, con los brazos cruzados contra el pecho. Ben se fijó en que ella tenía las pantorrillas manchadas de barro, y ese detalle lo conmovió e hizo que le entraran ganas de decir algo tranquilizador, aunque solo fuera para manifestar su admiración por la forma en que Sarah se había enfrentado a aquel capullo del FBI. Pero ahora se sentía incapaz de dar con las palabras y el tono adecuado.

Mientras recorrían Broadway a escasa velocidad en dirección a la funeraria, el ruido y el susurro repetitivo que emitían los limpiaparabrisas hizo que el silencio que había entre ellos resultase insoportable para Ben.

—¿Cómo demonios pudo quedarse embarazada? —soltó.

Aunque lo hubiera pensado con una semana de antelación, no se le habría ocurrido algo más desastroso. Sarah se giró y lo miró, y él tragó saliva, miró hacia delante y se preparó para recibir un sarcasmo devastador. Pero ella no dijo nada.

Jim Pickering estaba esperando en la zona de recepción para recibirles. Llevaba un traje elegante de un tono azul intermedio, lo bastante oscuro para resultar formal pero no sombrío. Tras lanzar una mirada a Sarah, pareció percatarse de que convenía pronunciar la menor cantidad de palabras posible y, al poco rato, estaba mostrándoles nuevamente el camino hacia la capilla ardiente.

Ben preguntó a Sarah si quería que entrase con ella, y cuando ella contestó que prefería ver a Abbie sola no se sorprendió ni se sintió ofendido, sino únicamente aliviado. La imagen de la chica con el camisón blanco se le había quedado grabada en la mente, y dudaba que pudiera soportar la visión de la madre y la hija juntas. De modo que se fue con Jim Pickering al despacho que había al otro lado del pasillo para ocuparse del papeleo.

Había que firmar documentos y proporcionar datos para el certificado de defunción, así como rellenar formularios para el traslado del cuerpo a Nueva York. La única compañía aérea que podía transportar cadáveres fuera de Missoula era Northwest, lo que significaba que tenían que hacer escala en Minneapolis. Jim Pickering había hecho las gestiones necesarias. El ataúd de Abbie, según explicó, sería colocado en un objeto llamado «cajón aéreo», una caja con el fondo de madera contrachapada y la parte superior de cartón.

La noche anterior, durante la cena, Sarah había anunciado de pasada que su padre iba a recibirlos en La Guardia y le había dicho que sería buena idea que Ben volviese a Nuevo México desde Minneapolis.

72

—Había pensado quedarme en Nueva York hasta el funeral —había dicho él—. Ya sabes, para organizar las cosas y pasar un tiempo con Josie.

—Nosotros podemos encargarnos de eso.

—Ya lo sé. Pero me gustaría participar.

—Por favor, no hagas de esto un motivo de discusión.

—No es mi intención. Yo...

—No hay nada que no se pueda solucionar por teléfono. Ven si quieres, pero no podría soportar una escena entre tú y mi padre en el aeropuerto.

—Supongo que no habrá inconveniente en que vaya al funeral.

—¿Por qué tienes que ser tan hostil?

Ben había evitado decir algo de lo que pudiera arrepentirse, aunque por poco. Pero se estaba cansando de verse intimidado y excluido, y no pensaba dar su brazo a torcer en aquel asunto. Cualquier padre haría lo mismo.

—Escucha —había dicho, con toda la firmeza de la que había sido capaz—. También es mi hija. Y no va a haber ninguna escena. Sé manejarme con tus padres. Lo he hecho durante años. Iré contigo a Nueva York.

El papeleo ya estaba terminado, pero Sarah todavía no había salido de la capilla, de modo que Ben se dedicó a recorrer la habitación, donde había una selección de urnas y ataúdes expuestos. Mientras se paseaba inspeccionándolos, se le ocurrió que tal vez debería haber optado por algo más suntuoso que el sencillo ataúd de madera. Incluso ahora, probablemente Sarah estaría pensando que había sido un tacaño. Los más espléndidos costaban en torno a los cuatro mil dólares. Pero parecían muy pretenciosos y demasiado grandes. Seguro que tenían una selección especial para los difuntos más jóvenes, pensó. Lo único que resultaba de su agrado era una urna de bronce ornamentada, labrada con un dibujo de una montaña con pinos y tres ciervos: un macho con cornamenta, una hembra y un bonito cervatillo. Recordaba un poco la estética de Walt Disney, pero era mucho más propio de Abbie. Aunque, claro está, no iban a incinerarla.

—¿Nos vamos?

Sarah se hallaba de pie enmarcada por la puerta, seguida discretamente por Jim Pickering. Llevaba unas gafas de sol y tenía la cara tan pálida como su gabardina. Ben se dirigió hacia ella. Le entraron ganas de rodearla con los brazos. Parecía el acto más natural del mundo. Pero ella adivinó sus intenciones y, con un levísimo gesto de la mano, le indicó que no lo hiciera.

—¿Estás bien? —preguntó él, como un tonto.

—Perfectamente.

—He estado aquí echando un vistazo y me preguntaba si no deberíamos comprar un ataúd mejor —dijo Ben, metiendo nuevamente la pata—. Me gusta ese ataúd sencillo, pero...

Tras sus gafas de sol, Sarah recorrió la habitación rápidamente con los ojos con aire burlón.

—Aquí no hay nada. Compraré uno en casa.

El avión despegó a la hora prevista en medio de un cielo azul despejado. La lluvia había cesado justo cuando habían llegado al aeropuerto, como si hubiera hecho aparición únicamente durante su visita. Desde las ventanas de la sala de embarque, habían visto el vehículo que transportaba a Abbie por el asfalto mojado hasta el avión, donde cuatro hombres habían levantado el féretro y lo habían introducido en la bodega al tiempo que charlaban entre ellos.

Mientras el avión se ladeaba y se dirigía hacia el este, y el bosque se deslizaba velozmente por las portillas con sus intensos tonos verdes iluminados por el sol, Sarah pensó en el cuerpo que se estaría inclinando dentro de su estrecho cajón en la oscuridad de la bodega. La muerte de su hija seguía siendo un acontecimiento demasiado vasto que escapaba a su entendimiento, y tal vez esa fuese la razón por la que su mente no paraba de saltar de un suceso menor a otro, revisando los detalles circunstanciales relacionados con la presencia inanimada de Abbie.

Al quedarse a solas en la funeraria junto al ataúd abierto se había sobresaltado, pero no había reaccionado de aquel modo ante la visión del cuerpo, tan hermoso, tan ridículamente preparado, sino ante su propia sensación de indiferencia. Ella esperaba que en aquel momento las compuertas cerradas de su dolor se abrirían por fin. Pero había sido como verse a sí misma en una película o a través de un grueso vidrio que no pudiese traspasar ninguna emoción. Se había puesto las gafas, que aún no se había quitado, no porque tuviera los ojos arrasados de lágrimas, sino por lo contrario. Se sentía como una impostora. Y quizá fue ese el motivo por el que después había rechazado el abrazo de Benjamin tan cruelmente. Había advertido —no sin lástima— lo mucho que aquello le había dolido.

Pobre Benjamin. Lanzó una mirada a su ex marido, cuyo asiento estaba al otro lado del pasillo. El avión no se había llenado ni siquiera hasta la mitad, y los brazos de los asientos se podían levantar. A petición de Sarah, habían ocupado cada uno una fila vacía para disponer de más espacio. Él estaba mirando las montañas, absorto en sus pensamientos. Con su aire afligido, seguía siendo un hombre atractivo, aunque al dejarse el pelo largo daba la impresión de que intentaba aparentar menos años. No estaba tan demacrado como la última vez que lo había visto, y los kilos de más le sentaban bien. Se alegraba de poder examinarlo de aquella forma, casi objetivamente, sin anhelar su regreso. Ya ni siquiera lo odiaba. Él debió de notar que lo estaba observando, pues se volvió para mirarla con cautela. Sarah le sonrió para ocultar sus pensamientos y él, como un perro castigado capaz de percibir el perdón, le devolvió la sonrisa. Se levantó de su asiento y cruzó el pasillo para ponerse a su lado. Sarah movió su bolso para hacerle sitio.

—Acabamos de sobrevolar la divisoria —comentó él. Y rápidamente aclaró—: Me refiero a la divisoria continental.

Sarah miró un momento por la ventana.

—Bueno —dijo—. Entonces el rancho debe de estar bastante cerca.

—No. Está más al sur y al oeste.

—Ah.

Allí era donde había empezado todo. O donde había empezado a terminarse. El rancho para turistas La Divisoria al que iban verano tras verano y donde habían disfrutado de las mejores vacaciones de su vida. El sitio donde Abbie se había enamorado de Montana y a cuya universidad se había propuesto ir con tanta determinación. Y el lugar donde seis años antes, lo que ahora parecía una eternidad, Benjamin se había enamorado (o lo que fuera que le hubiera pasado) de Eve Kinsella y había iniciado la destrucción de su matrimonio.

Durante un rato ninguno de los dos dijo nada. El auxiliar de vuelo estaba empujando un carrito con bebidas y aperitivos por el pasillo en dirección a ellos. Los dos pidieron agua. En la cabina hacía frío y olía de forma artificial y antiséptica.

—Habla conmigo —dijo él en voz queda.

—¿Qué?

—Por favor, Sarah. ¿No podemos hablar un poco? ¿No podemos hablar de Abbie?

Ella se encogió de hombros.

—Si tú quieres. ¿Qué queda por decir?

—No lo sé. Solo creo que si hablásemos de ello, podríamos... consolarnos un poco el uno al otro.

—Ah.

—Sarah, no debemos culparnos...

—¿Culparnos?

—No, no me refiero...

—Benjamin, yo no me culpo de nada. De nada.

—Lo sé, yo simplemente...

—Te culpo a ti. Tú y solo tú... —Se interrumpió y sonrió. También estaba aquella mujer, claro está. Advirtió en los ojos de Benjamin que le había adivinado el pensamiento—. Bueno, no solo a ti.

—Sarah, ¿cómo puedes decir eso?

—Porque es verdad. Abbie no ha muerto porque se cayera o saltara o la empujaran por un precipicio o lo que sea que haya pasado. Benjamin, ha muerto por lo que tú nos hiciste a todos.

SEGUNDA PARTE

6

El rancho La Divisoria estaba en un lugar que parecía querer mantenerse en secreto. Estaba oculto al final de un valle profundo y tortuoso que descendía hasta otro más imponente aún, donde había una carretera que seguía los meandros del río Yellowstone. Junto a esa carretera, y para todo aquel que pudiera distinguirla y descifrarla, había una especie de señal. Pero el álamo nudoso al que había sido clavada mucho tiempo atrás prácticamente la había desgastado, y las palabras ahora parecían formar parte de la corteza. Unos treinta kilómetros más adelante había un camino de grava clara que se bifurcaba a la altura de un riachuelo, y la única señal de que conducía a alguna parte era un buzón de hojalata abollado.

Lost Creek, el riachuelo perdido, cuyo curso seguía el camino de grava, tenía un nombre de lo más acertado. En verano se secaba o, en el mejor de los casos, apenas quedaba de él un hilillo de agua, y sus orillas estaban plagadas de cerezos negros y sauces, cuyas hojas se hallaban cubiertas por una capa de polvo blanco levantado por la pista de grava. El agua se veía mermada por los prados de heno que se extendían a ambos lados y por los abrevaderos que había río arriba, donde la tierra empezaba a elevarse y la pradera se llenaba de salvia.

Lost Creek ni siquiera resultaba visible cuando la nieve se derretía en primavera, ni tan solo en sus tramos más altos. Pero su hermano mayor, al otro lado del espinazo de roca cubierto de pinos que hacía de división natural y daba su nombre al rancho, era mucho más caudaloso y llamativo. Bautizado por un explorador olvidado hacía mucho tiempo pero indudablemente entusiasta, el Miller's Creek corría con fuerza y de forma desbordante a lo largo de ocho dramáticos kilómetros de meandros llenos de cantos rodados, cascadas y charcas, en cuyas aguas se formaban remolinos y abundaban las truchas.

Se tardaba quince minutos en subir desde la carretera, y el rancho no se veía hasta llegar al último kilómetro. Justo cuando la cuesta parecía volverse demasiado empinada y el bosque inquietantemente frondoso, el camino dejaba atrás los árboles y se adentraba abruptamente en la cavidad formada por unos ricos prados, donde unos elegantes Cuartos de Milla amblaban y pastaban sacudiendo las moscas con sus lánguidas colas. Más allá, en un terreno más elevado y polvoriento, había un grupo de establos encalados construidos con tablillas, una parcela de arena rojiza y corrales con vallas de madera blanqueadas. Y en la zona más alta, rodeada de parterres con flores y césped, destacando frente a las montañas que se alzaban majestuosamente por detrás, se hallaba la casa del rancho.

Era un edificio alargado y bajo, hecho con troncos y que daba a un porche de unos tres metros de ancho con mesas y sillas, donde por las tardes los huéspedes solían sentarse a mirar por encima de las copas de los árboles para contemplar cómo las montañas que había al este del valle recibían el resplandor ocre del sol al ponerse. Los riachuelos se separaban detrás de la casa y formaban un foso a ambos lados, donde el terreno únicamente se hallaba conectado con los prados ovalados del bosque. A lo largo de su perímetro, situadas discretamente entre los pinos, había dos pistas de tenis, una piscina y veinte cabañas, cada una con su propio porche.

Montana tenía ranchos más lujosos, con una cocina más selecta y huéspedes más ostentosos. Pero había pocos, si es que había alguno, tan hermoso como aquel. La Divisoria no hacía publicidad ni trataba de captar clientes, pues no lo necesitaba. Sus huéspedes acudían allí por recomendación y volvían una y otra vez. Y aquel era el caso de la familia Cooper. Las dos últimas semanas de junio siempre reservaban las cabañas seis y ocho. Aquella era su cuarta visita y sería la última, las vacaciones que cambiarían sus vidas para siempre.

Ese día Ben cumplía cuarenta y seis años y se despertó al ritmo de la versión más espantosa del «cumpleaños feliz» que había oído en su vida. Estaba aturdido por el exceso de cervezas y la falta de sueño, y el canto desafinado penetró en su cabeza como un sacacorchos oxidado. Abrió los ojos y vio a Sarah sonriéndole desde la almohada. Su mujer se inclinó y le dio un beso en la mejilla.

—Buenos días, cumpleañero.

—Así que es eso lo que cantan.

El sol que entraba a través de las cortinas rojas y blancas proyectaba un dibujo reluciente con forma de tablero de ajedrez sobre el suelo de madera, y Ben se dirigió descalzo hacia la puerta mientras se ponía el albornoz por el camino. Abbie, Josh y un coro irregular de reclutas se hallaban reunidos en el prado situado justo debajo del porche de la cabaña, y prorrumpieron en vítores al ver que él aparecía, protegiéndose los ojos del sol.

—Ah, sois vosotros, chicos —dijo—. Creía que había una manada de coyotes enfermos aquí fuera.

—Feliz cumpleaños, papá —gritó Abbie.

Había reunido a sus amigos y a dos de sus empleados favoritos del rancho. Había ocho o nueve muchachos, todos sonriendo, deseándole feliz cumpleaños y haciendo comentarios ingeniosos sobre su edad. Abbie subió la escalera con Josh y los dos le besaron y le entregaron una caja grande envuelta en un papel decorado con pequeños caracteres. Sarah había salido al porche y estaba cubierta con su albornoz blanco a juego. Se acercó para situarse entre los dos niños y les rodeó los hombros con los brazos. Todos estaban bronceados y su pelo lucía un tono más rubio gracias al sol. Ben nunca los había visto tan radiantes, tan luminosos.

—Es de parte de todos —dijo Abbie.

—Vaya, gracias. ¿Puedo abrirlo ya?

—Claro.

Había un sobre encima y lo abrió en primer lugar. Era una de esas tarjetas que los padres se ven obligados a fingir que encuentran divertidas. En la parte delantera tenía un dibujo de un dinosaurio, y dentro ponía: «Feliz cumpleaños, fósil». Ben asintió con la cabeza y sonrió.

—Gracias —dijo—. Yo también os quiero.

Dentro de la caja había un elegante sombrero de vaquero de fieltro beis.

—Uau, esto es lo que yo llamo un sombrero.

Se lo puso. Todos dieron vivas y silbaron. Se ajustaba a su cabeza a la perfección.

—Te sienta estupendamente con el albornoz —dijo Abbie.

—¿Cómo habéis averiguado mi talla?

—Simplemente pedimos la más grande —dijo Josh.

Todos se echaron a reír y Ben hizo como si fuera a agarrarlo, pero el chico se escabulló fácilmente.

—¿Señor Cooper?

Ty Hawkins, uno de los empleados del rancho, dio un paso adelante y le ofreció un pequeño paquete. Las dos mejores amigas de Abbie, Katie y Lane, estaban riéndose entre dientes detrás de él y resultaba evidente que habían sido ellas las que lo habían incitado a hacerlo. Era un joven apacible con una mata de pelo rubio y la clase de atractivo desaliñado pero inocente que había hecho que a casi todas las mujeres del rancho les flaquearan las piernas. Sobre todo a Abbie. Ella se había asegurado de formar parte de su grupo de equitación todos los días desde el comienzo de las vacaciones.

—Las chicas han pensado que esto le podría venir bien para acompañar al sombrero.

Ben abrió el paquete y sacó un cordón estampado de cuero trenzado con pelo de caballo. Sabía lo que era, pero no quería echar a perder la broma.

—¿Para qué sirve?

Ty sonrió.

—Creo que sirve para sujetar el sombrero.

—Se llaman correas para nenazas —gorjeó Katie.

El cumpleaños de Ben Cooper se había convertido en un ritual de las vacaciones en el rancho, y aunque él se consideraba buena persona y disfrutaba de la atención que se le prestaba, a veces le parecía injusto que su edad se tuviera que hacer pública por rutina. El año anterior le habían regalado un Porsche rojo de juguete en una caja adornada con las palabras «La Menoporschia de Ben». Pese a que no le obsesionaba tanto envejecer como a algunos hombres que conocía, no podía decir que fuera un proceso que le entusiasmara: el crujido de los huesos al salir de la cama, la negativa del pelo a seguir creciendo en la cabeza para brotar en las orejas y la nariz... El día anterior, en la ducha, había descubierto su primera cana en el vello púbico y estaba intentando no interpretarlo como algo simbólico.

—Será mejor que volvamos al trabajo —dijo Ty—. ¿Va a montar esta mañana, señor Cooper?

—Si tienes un caballo lo suficientemente macho para este sombrero.

—Tenemos un semental que necesita que lo domen, si le parece bien.

—No hay problema. Ensíllalo.

La técnica de equitación de Ben era otro motivo de broma familiar. Al igual que hacía con la mayoría de deportes, se dedicaba a él con más entusiasmo que pericia. Abbie, que montaba desde que tenía seis años y había heredado la elegancia natural de su madre, decía que encima de un caballo parado se parecía a Clint Eastwood, pero que en cuanto al animal se movía se transformaba en la rana Gustavo.

Ty y el otro empleado dijeron que irían a ensillar los caballos y todo el mundo acordó reunirse en la casa del rancho al cabo de veinte minutos para desayunar. Ben y Sarah se quedaron en el porche iluminado viendo cómo el pequeño grupo se alejaba y se dispersaba por el prado.

Lane y Katie estaban tomándole el pelo a Josh y él estaba haciéndose el enfadado, aunque era evidente que estaba disfrutando de la atención que le concedían. Daba gusto verlo. Durante el último año las hormonas del muchacho se habían disparado.

Había empezado a afeitarse y estaba creciendo tan rápido que uno apenas podía seguir el ritmo de su desarrollo. Afortunadamente, la mayoría de ropa que le gustaba era lo bastante grande para dar cabida a dos chicos de su tamaño.

De los dos hijos que tenían, Josh siempre había sido el que había preocupado más a Ben y Sarah. Quizá simplemente se debía al contraste con su hermana, que tenía todos los dones que podían desearse en un niño. Mientras que hasta entonces Abbie se había movido por la vida sin problemas, su hermano parecía encontrar trabas en cada curva del camino. La misma postura encorvada de sus hombros parecía indicar la gran carga que suponía enfrentarse al mundo para él.

Era un muchacho amable y dulce y tenía muchas otras buenas cualidades, pero carecía de la elegancia natural y la belleza de su hermana. Y aunque Ben jamás se lo habría confesado a nadie, pues sabía que era una emoción impropia, el amor que sentía por el chico siempre había estado impregnado de algo próximo a la lástima. Había presenciado demasiadas decepciones, había visto reflejado su fracaso en el éxito de los demás y había contemplado cómo él se quedaba mirando mientras los chicos de su edad, más listos, más atléticos, más atractivos o simplemente más extravertidos, recogían los laureles. Ben sospechaba que Sarah sentía lo mismo, pero nunca habían sido capaces de tratar el tema sin acabar peleándose. Ella se ponía a la defensiva y se tomaba como una ofensa personal cualquier insinuación de que su hijo no fuera perfecto.

El verano anterior Josh había mostrado una timidez patológica con Katie y Lane. Pero a juzgar por la forma en que ahora corría alegremente por el camino con ellas, parecía que su actitud había cambiado. Y al verlos, Ben deseó que al menos los problemas del chico se solucionasen. Todos los niños parecían hacer sus grandes progresos a partir de una edad determinada. Tal vez aquella fuese la de Josh. Katie le dio un empujón y echó a correr delante de él con Lane, mientras las dos se reían y le hacían burla, y Josh, como un cachorro grande de labrador, se puso a perseguirlas con aire juguetón.

Aquello permitió que Abbie y Ty caminasen solos. Sin saber que estaban siendo observados, se acercaron el uno al otro. Ella se acercó todavía más a él y se inclinó para susurrarle algo, y él se rió y metió el pulgar en el bolsillo trasero de sus pantalones. Ben y Sarah se miraron.

—Parece que nuestra chica ha ganado la competición —comentó él.

—¿Acaso ha perdido alguna vez?

—Parece un chico bastante simpático.

Se quedaron mirando, sin decir nada más, hasta que lo único que quedó en el prado fue un abanico de pisadas sobre el rocío y el sonido cantarín de las voces de las chicas, que se fue apagando en el aire sin viento de la mañana.

Mientras Sarah se duchaba en el estrecho cuarto de baño con paredes de troncos de la cabaña, Ben se afeitó ante el espejo del lavabo vestido únicamente con su nuevo sombrero y decidió que ese día iba a ser distinto entre ellos. «Sé agradable con ella —se dijo—. Deja de ser tan gruñón y de hacérselo pasar (y hacértelo pasar) tan mal. Olvídate de cómo han sido las cosas durante la última semana y vuelve a empezar.»

—No puedo creer cómo está Joshie —dijo Sarah desde detrás de la mampara de cristal.

—¿A qué te refieres?

—A cómo está este año. A cómo se ha transformado.

—Sí. Es increíble lo que el sexo puede hacer en un chico.

—¿No lo dirás en serio?

Lo decía en broma. Simplemente estaba siendo pícaro.

—¿Por qué no?

—Benjamin, solo tiene quince años, por el amor de Dios.

—Ya lo sé, pero algunos chicos tienen mucha suerte.

Lo dijo sin pensar y sin el menor ánimo de provocarla. Pero a juzgar por el silencio de Sarah, ella no lo interpretó así. Ben trató de cambiar de tema, pero no lo consiguió.

—¿Abbie va muy en serio con ese joven vaquero?

—No lo sé, pero será mejor que tenga cuidado de que no lo despidan. Según se dice, son muy estrictos con esa clase de cosas.

—¿Qué clase de cosas?

—Ya sabes, juntarse con los huéspedes.

—¿Juntarse?

—Ya sabes a qué me refiero.

Ella normalmente se reía cuando él se mofaba de ella por sus eufemismos, pero ese día no lo hizo. El agua se cerró y la mampara de la ducha se abrió. Ben observó cómo su mujer salía y cogía una toalla, evitando cuidadosamente el menor contacto visual.

A sus cuarenta y dos años, todavía era esbelta y tenía los senos firmes, e incluso después de veinte años de matrimonio la visión de su cuerpo desnudo rara vez no conseguía excitar a Ben. Tal vez se debía a que el acceso que había tenido a él siempre había sido menor que el deseo. Hacía mucho tiempo que la situación entre ellos era así, y las evasivas de ella a la lujuria de él se habían vuelto cada vez más hábiles y mecánicas. Como en aquel preciso momento, cuando él se giró y dio un paso en dirección a Sarah, y ella se envolvió enérgicamente con la toalla para estar cubierta cuando él se le acercase. Ben la abrazó por los hombros, y ella sonrió con voluntad apaciguadora y le dio un beso rápido y casto en los labios.

—Es un sombrero estupendo.

—Gracias, señora.

—¿De verdad crees que Josh y Katie están...?

—¿Juntos? Por supuesto.

—¿No deberíamos hablar con él?

—Claro, si lo que queremos es avergonzarlo.

Todavía la estaba abrazando e intentó poner fin a la conversación defensiva de ella con un beso.

—Benjamin, hablo en serio.

—¿No podemos hablar de eso más tarde? Hay otro miembro masculino de la familia Cooper que necesita un poco de atención.

Se había excitado y estaba apretándose contra ella. Sarah miró hacia abajo y arqueó una ceja.

—¿De qué miembro estamos hablando exactamente?

—De él. Olvídate de mí. Esto es totalmente altruista.

—Más tarde. Quiero darte tu regalo.

—Tú eres el único regalo que quiero.

La atrajo más hacia sí, la besó en el cuello y ella se lo permitió, pero detuvo su mano cuando intentó quitarle la toalla.

—Más tarde.

Él la besó en la boca. Pero ella no pensaba ceder. Le puso las manos en el torso y lo rechazó con delicadeza.

—Benjamin, vamos a llegar tarde a desayunar.

Él la soltó, se apartó y se vio reflejado en el espejo, hosco, erecto y súbitamente ridículo con aquel sombrero. Se lo quitó y lo lanzó sobre una silla.

Era la misma historia de siempre. El mismo ciclo predecible de desaire y malhumor, de rechazo sexual y orgullo herido que había acompañado su matrimonio prácticamente desde el principio. Pese a saber cómo eran las cosas, él todavía albergaba aquellas absurdas y románticas ideas sobre lo diferente que podría ser su relación cuando estaban juntos de vacaciones. Era como si en realidad quisiera sentirse decepcionado.

Sarah había desaparecido metiéndose en el dormitorio y regresó al cabo de un rato vestida en actitud protectora, con una toalla enrollada en el pelo y el regalo envuelto con elegancia y atado con una cinta roja. Él estaba secándose la cara, aparentando que no la veía. Probablemente le habría comprado una camisa, se disculparía por ello y pronosticaría que no le iba a gustar. Probablemente a él no le gustaría, pero fingiría, con escasa convicción, que le agradaba.

—Si no te gusta, se puede cambiar.

—Oh, gracias.

Cogió el regalo y lo dejó en la silla.

—Lo abriré más tarde. Vamos a llegar tarde a desayunar.

Y lanzando una mirada de reojo para calibrar el impacto de su ofensa, se metió en la ducha y cerró la mampara tras él.

Esa mañana montaron a caballo hasta el mirador. Era uno de los sitios favoritos de la familia, un espolón de piedra rojiza que se erguía por encima del bosque como la frente de un noble guerrero que contemplase sus dominios. Se trataba de un trayecto largo y empinado durante los primeros kilómetros de tortuosa ascensión por el cañón. Pero al cabo de una hora, la tierra se nivelaba y daba paso a unos altos prados, y allí es donde se encontraban ahora, cruzando un valle extenso y llano donde a los caballos les gustaba correr antes de detenerse para descansar y beber agua.

Ese año la hierba había crecido mucho y había adquirido un aspecto exuberante con las abundantes lluvias primaverales, y los caballos tenían que alzar la cabeza a medida que la atravesaban, separándola con el cuello como si fueran barcos de sangre caliente surcando un mar verde. Había nueve jinetes, incluyendo a Sarah, y como siempre ella era la última de la fila. Aparte de Jesse, el empleado del rancho que los iba guiando, ella era con diferencia la que mejor montaba, pero le gustaba ir la última para poder pararse cuando quería sin molestar a nadie. Y eso era lo que se disponía a hacer en ese momento. Sembradas en la hierba, había visto unas flores blancas y amarillas que no reconocía. Quería coger un par de ellas para llevarlas al rancho y buscarlas en su nueva edición de *Plantas de las montañas Rocosas*.

Retenía mentalmente los nombres de las plantas —tanto el nombre común como el científico— del mismo modo que retenía los nombres de libros y escritores. Pero ese verano, en La Divisoria, había tal abundancia que no podía localizarlas todas. Al ascender por el cañón, había identificado la *basamorhiza sagittata*, el pincel indio y la estrella fugaz. Pero las que acababa de encontrar eran nuevas para ella. Dejó que los demás se adelantaran, redujo el paso y dio la vuelta.

Ella y Benjamin iban con los Delstock y dos mujeres de Santa Fe que habían llegado el día anterior por la tarde. Abbie, Josh y todos los niños iban con Ty, y se dirigían hacia el mirador siguiendo un camino distinto. Delstock era el apellido colectivo con el que Abbie había bautizado a los Bradstock y los Delroy, las dos familias que habían conocido allí tres años antes, durante la primera visita de todos ellos. Sus hijos —en todos los casos, un niño y una niña aproximadamente de la misma edad— habían establecido un vínculo inmediato entre ellos, y los padres habían hecho otro tanto. Desde entonces se reunían cada año. El hecho de que durante las restantes cincuenta semanas del año, exceptuando las esporádicas llamadas telefónicas de Navidad y el día de Acción de Gracias, hubieran podido vivir perfectamente en planetas distintos intensificaba su amistad.

Tom y Karen Bradstock eran de Chicago. Los dos eran abogados y ambos ejercían su oficio de forma privada, aunque tenían clientes muy distintos. Karen representaba a pobres y oprimidos, y Tom, a los opresores ricos o, como Karen los llamaba, «los diferentes gángsteres corporativos». Él tenía un salario abundante, y ella, conciencia social, y aquel era el tema de discusión constante entre ellos, algo que solían hacer en público recurriendo a ingeniosas y falsas ofensas y al apoyo de todo aquel al que conseguían captar. Prácticamente en todos los demás aspectos, en la medida en que se podían juzgar aquellas cosas, parecían formar una buena pareja. Los dos eran corpulentos, ruidosos y entusiastas, y desprendían una especie de mutua y casi desvergonzada sensualidad que a Sarah en ocasiones le resultaba incómoda.

Los Delroy, de Florida, eran más sofisticados, más delgados y mucho más misteriosos. Phil (a quien todo el mundo, incluida su esposa, llamaba Delroy) dirigía su propia compañía de software, cuyo cometido nadie parecía capaz de determinar, salvo por el hecho de que estaba «orientada al entretenimiento». Tom Bradstock a menudo se mofaba de él diciendo que aquello era un eufemismo para referirse al porno, pero Delroy le lanzaba una de sus sonrisas inescrutables y dejaba el misterio en el aire. Tenía el bronceado de alguien aficionado a la playa y llevaba su canoso pelo moreno atado en una coleta. En el hombro derecho lucía un tatuaje de un símbolo chino cuyo significado, una vez más, nunca revelaba. Tenía el sentido del humor lacónico y distendido que algunas mujeres encontraban atractivo, aunque no era el caso de Sarah, quien lo consideraba excesivamente artificial.

Maya Delroy era una especie de curandera que practicaba la medicina alternativa. Tenía algo que ver con el «centro cinético», pero cada vez que intentaba explicar lo que significaba aquello,

Sarah se distraía, lo que probablemente indicara que también ella necesitaba una sesión. Maya era liviana y ágil, vestía muchas prendas de color rojo, ámbar y amarillo, y todas las mañanas, temprano, tendía una esterilla en la hierba del exterior de su cabaña y hacía yoga. La mayoría de aquellos detalles la capacitaban para ser el tipo de mujer que normalmente Sarah evitaría a toda costa. Pero había en la ideología alternativa de Maya un elemento minador, una suerte de ingenio procaz y autoparódico que la redimía, como si toda su imagen espiritual fuese una gran farsa.

Benjamin tenía la teoría de que los Bradstock y los Delroy eran tan distintos que probablemente no se habrían tomado la molestia de llegar a conocerse de no haber sido por él y Sarah, quienes habían tendido un puente entre ellos. Lo cierto era que ninguna de las tres parejas tenía muchas cosas en común, y tal vez fuera aquella disparidad, junto con las edades complementarias de sus hijos, lo que hacía que la reunión anual que celebraban durante dos semanas funcionara.

Todos se habían adelantado a lomos de sus caballos y habían desaparecido. El sol estaba alto y calentaba mucho, y casi no soplaba ninguna brisa que agitase la hierba o retirase las pocas nubes esponjosas que flotaban en torno a las montañas. Sarah había desmontado para buscar los especímenes perfectos. Se quitó su sombrero de paja e inclinó la cabeza hacia el sol y, con los ojos cerrados, trató de impregnarse de la paz del lugar. Lo único que oía era el zumbido de los insectos, el susurro que emitía su caballo al agitar la cola y el ruido de sus dientes al mascar los pastos fragantes. Su montura, como las del resto de jinetes, era un Cuarto de Milla, un fuerte caballo bayo de catorce años llamado Rusty por su color rojizo. No era el mejor animal del rancho, y como el jefe sabía lo bien que Sarah montaba, cada año le ofrecía un caballo mejor. Pero aquel era valiente y generoso, y ella no aceptaba ningún otro.

Abrió los ojos y se enjugó el sudor del cuello. Era hora de ponerse en marcha. Cogió las flores, una amarilla y otra blanca, y las metió en el botecito para las semillas que guardaba en el bolsillo del pecho de su camisa de algodón blanca. Sabía dónde estarían descansando los caballos de los demás antes de emprender el último tramo de la ascensión al mirador, de modo que no hacía falta darse prisa. Se subió a la silla de montar de un salto e hizo avanzar a Rusty a paso lento, mientras se llenaba los pulmones del aroma cálido de la hierba y pensaba, como había estado haciendo toda la mañana, en Benjamin.

Nunca dejaba de sorprenderla el poder de la costumbre humana. ¿Cómo era posible que dos personas inteligentes y buenas que se querían se vieran tan atrapadas en unas pautas de conducta con las que ninguno de los dos —o eso suponía ella— disfrutaba? Parecía como si cada uno supiera cuál era el papel que se esperaba que asumiera y no tuviera otra opción que interpretarlo. Sarah se preguntaba con frecuencia si Benjamin también sentiría que su papel en aquel drama no era el adecuado. Ella siempre interpretaba a la zorra frígida, y él al bruto libidinoso. A medida que habían pasado los años, como los actores de un manido culebrón televisivo, se habían convertido en caricaturas, aislados en sus tristes clichés, incapaces de contemplar otra forma de relacionarse entre ellos. Dios, qué cansada estaba de todo aquello.

Durante más de una semana, Ben la había ignorado por completo. Simplemente porque su primera noche allí, después de las horas de viaje y de quedarse levantada hasta tarde con los Delstock, se había sentido demasiado cansada para hacer el amor. ¿No podía haber esperado a la mañana siguiente? ¿No podía haberle dado un abrazo? Si lo hubiera hecho, sin forzar la situación, ella se habría dejado engatusar, a pesar del cansancio, y habría hecho lo que él hubiera querido. Pero por aquel entonces con Benjamin ya no había abrazos. Todo tenía que conducir al sexo. Y las mujeres no funcionaban así. Por lo menos, ella no.

Él no había sido así siempre, aunque el cambio se había producido de forma demasiado gradual para precisarlo. Estaba claro que él siempre había querido más sexo del que ella le podía ofrecer. Pero ¿acaso no le ocurría eso a la mayoría de parejas? Aunque a menudo hubiera querido hacerlo, Sarah nunca había sido una mujer capaz de hablar con franqueza sobre aquellos temas con sus amigas, pero le daba la impresión de que la mayoría de mujeres sentía lo mismo; al menos, después de los excitantes primeros dieciocho meses más o menos, durante los cuales uno nunca se cansa del otro. Cuando la pasión había dado paso a la familiaridad y luego a los niños y a la vieja y sencilla rutina de vida, las cosas habían cambiado. El sexo se había convertido más bien en una comodidad.

Aquello no significaba que le resultase aburrido o que no pudiera excitarse. Había habido ocasiones, sobre todo en los viejos tiempos, cuando estaban fuera de casa y se encontraban solos, en las que el sexo le había resultado excitante. Pero por aquel entonces, cuando los niños eran mucho más pequeños, él era más paciente, más dulce y más comprensivo. Ahora, si ella no se ponía a tono inmediatamente, la hacía sentirse cruel, fría y asexuada.

Quizá aquella impaciencia era algo que afectaba a todos los hombres cuando alcanzaban la madurez y veían que su juventud desaparecía. Quizá aquel primer atisbo de la propia mortalidad hacía que se sintieran más exigentes y más ansiosos por demostrar lo que valían, y que interpretasen el más mínimo desvío del deseo como una daga clavada en el corazón de su masculinidad.

Fuese lo que fuera, aquella conducta ofendía cada vez más a Sarah. Era tan injusta. Tan irrespetuosa. Y la rutina que la acompañaba resultaba casi insoportable. El mal humor. Los silencios inquietantes y siniestros. ¿Se suponía que todo aquello tenía que lograr que se sintiera más inclinada a hacer el amor? Y la hipocresía de todo ello, pues en público —delante de los niños y de los Delstock, sobre todo— él era todo dulzura y alegría. La noche anterior por ejemplo. Abbie había comentado entusiasmada la suerte que tenían de ser una familia tan feliz. La familia más feliz que ella conocía, había dicho con presunción. Por lo visto ni ella ni ninguna otra persona se había percatado de que su padre apenas había dirigido la palabra a Sarah desde hacía más de una semana.

Y, por supuesto, nadie sabía cómo eran las cosas cuando se

quedaban solos y que él únicamente rompía el silencio si tenía la suerte de encontrar algo que criticar. De lo contrario, se ocultaba detrás de su periódico o de su ejemplar del *Architectural Digest* —o aquella maldita biografía de Le Corbusier que había estado intentando leer durante los últimos seis meses— y se comportaba como si ella solo existiera en los márgenes más fríos y remotos de su conciencia.

Naturalmente, Sarah sabía que en realidad ella estaba presente en sus pensamientos. Y también sabía que le ponía furioso que ella sobrellevase su exilio con tanta calma, como si no fuera consciente de la rabia de él o no le importase. Quizá a todos los matrimonios les pasaba lo mismo. Cada cónyuge hallaba un arma adecuada y aprendía a utilizarla de la mejor manera posible. La de él era su silencio glacial. La de ella —y sabía que era la más potente— consistía en fingir que no se daba cuenta.

De todas formas, esta vez Sarah estaba decidida a aguantar lo máximo posible. Se sentía culpable por lo que había pasado esa mañana. Después de todo, era el cumpleaños de Ben, y aunque él no se había disculpado (ya que nunca lo hacía), debía de haberle costado interrumpir su enfado e insinuarse a Sarah cuando salió de la ducha. Pero su lado terco, la famosa obstinación de los Davenport que había ayudado a labrar la fortuna de su padre, se había impuesto y le había dicho que no sucumbiera. Al fin y al cabo, lo único que él quería era follársela. ¿Y por qué demonios tenía que permitírselo después de haberle hecho el vacío durante tantos días?

Sin duda, todo se solucionaría, como siempre pasaba. Con el tiempo, la tensión se volvería tan insoportable que ella acabaría desmoronándose y gritando y se culparía de lo ocurrido, diciéndole que se marchase y que buscase a otra, alguien más joven, más atractiva y más normal. Y se pondría a sollozar y, probablemente, él hiciese lo mismo. Y se acostarían. Y sería trágico, desesperado y sísmico.

Ya veía a los demás, muy por delante, en la hierba susurrante. Había una hilera de álamos donde algunas personas estaban tomando la sombra mientras las demás daban de beber a los caballos en una charca del arroyo que corría por debajo. Los troncos claros de los árboles casi parecían brillantes al contrastar con el azul brumoso de las lejanas montañas.

Tom Bradstock y Delroy estaban con los caballos, hablando con Jesse y las dos mujeres de Santa Fe. Benjamin, que llevaba su sombrero nuevo, había buscado el frescor de la sombra junto con Maya y Karen. Cuando Jesse vio a Sarah le gritó, y todos los demás se giraron para mirar y la saludaron con la mano. Excepto Benjamin, que se quedó sentado mirando, como si la estuviese evaluando, durante tanto tiempo que incluso desde lejos Sarah se sintió desconcertada y cohibida. Se preguntó qué estaría pensando y si todavía la querría. Y es que a pesar de todo el dolor que él le causaba y de lo mucho que la castigaba, ella no tenía ninguna duda acerca de sus sentimientos por él. Lo quería y siempre lo querría.

7

Ty y su grupo habían estado tocando casi una hora, y Abbie todavía no podía creer lo buenos que eran. El lugar era totalmente alucinante. Todas las mesas y las sillas del gran comedor habían sido retiradas; el grupo estaba en un extremo, la barra en el otro, y todo el que aún se mantenía en pie estaba bailando: niños, padres y abuelos, además de los empleados. Ninguna de las personas bailaba con nadie en particular, sino con quien tuviese delante en un momento determinado. Aunque todas las puertas y ventanas que daban a la terraza estaban abiertas de par en par, aquel sitio parecía un horno y todos estaban empapados en sudor, pero a nadie parecía importarle.

El grupo se llamaba Hell to Breakfast, un nombre que Abbie no acababa de entender, pero al menos era original. Sus canciones propias eran increíbles, aunque esa noche habían estado tocando principalmente viejos éxitos: un montón de temas de los Rolling Stones, los Beatles y los Eagles. En aquel preciso momento, estaban tocando una versión estupenda de «Born in the USA». Abbie estaba bailando con Lane Delroy y su hermano Ryan. Él y Abbie se habían liado el verano anterior, pero afortunadamente él lo había olvidado y se lo había tomado con calma, y ahora volvían a ser buenos amigos. Todo el mundo estaba riéndose del padre de Ryan, Delroy, a quien Abbie encontraba en el fondo un poco inquietante. Era uno de esos tipos que siempre estaban rodeándote con el brazo, sin llegar a meterte mano pero casi. Ahora mismo estaba intentando enseñar a Katie Bradstock y a su madre a bailar una divertida especie de danza tribal africana.

Sarah estaba bailando con Tom Bradstock, que tenía una forma graciosísima de arrastrar los pies imitando a los Blues Brothers, mientras Ben hacía de Bruce Springsteen ante Maya Delroy. Unos cuantos años antes, Abbie se habría muerto de vergüenza al ver a sus padres haciendo el ridículo de aquella forma, pero ahora estaba orgullosa de ellos. Daba gusto verlos tan felices y divirtiéndose tanto.

Su mirada volvía constantemente hacia Ty. Era demasiado perfecto para ser de verdad. No solo era dulce y sensible y se parecía a Brad Pitt (bueno, vale, de lejos, un poco), sino que también tocaba la guitarra y cantaba como una auténtica estrella de rock de las que salían en la MTV.

El otro día, cuando él le había comentado que tenía un grupo con unos amigos de la universidad y que si ella quería podían tocar en el cumpleaños de su padre, Abbie no había esperado ni por asomo algo tan divertido. Estaba guapísimo con sus tejanos azules y su camisa blanca de botones nacarados empapados de sudor. Abbie estaba bailando para él y notaba sus ojos posados en ella adondequiera que iba. Solo faltaban cinco días para volver a casa. Lo iba a echar de menos terriblemente. Sobre todo después de la noche anterior.

Cada tarde, después del último paseo, soltaban los caballos y un par de empleados del rancho los acompañaban al prado para que llegasen sin ningún percance. El día anterior le había tocado a Ty y, con el pobre pretexto de que su compañero no se encontraba bien, le había pedido a Abbie que fuera con él a caballo. Era la primera temporada que él trabajaba en La Divisoria, y desde el momento en que se habían fijado el uno en el otro se había hecho evidente que existía cierta complicidad entre ambos y que, si no lo impedían, ocurriría algo.

Hacía días que Abbie bajaba a los establos para ayudarlo con los caballos y, después de hablar mucho y tocarse el uno al otro como por accidente, él la había besado por fin dos días antes. El problema era que apenas disponían de momentos en que pudieran estar los dos solos, y para no poner en peligro su trabajo, tenían que ser discretos. Lane y Katie eran las únicas que lo sabían. Y aunque Abbie sospechaba que estaban un poco celosas, la habían ayudado la tarde anterior.

La visión de los caballos trotando con estruendo por el campo de artemisas, levantando tras ellos una nube de polvo rojo iluminado por el sol, resultaba impresionante. Los animales no necesitaban que los llevasen en manada, y Abbie y Ty se limitaron a seguirlos. Una vez llegaron al prado, lo atravesaron en dirección a una colina baja y se tumbaron el uno al lado del otro en la hierba de dulce aroma que había al pie de los árboles, y se dedicaron a contemplar cómo pacían los caballos. Él se mostró tierno y más indeciso de lo que ella esperaba, casi tímido. Y aunque ella solo había hecho el amor una vez, con un chico del colegio en una fiesta de ese año, imaginó que era la primera vez de Ty y se sorprendió tomando la iniciativa, ayudándolo con el condón cuando él empezó a manipularlo torpemente y diciéndole que no se preocupara si se corría demasiado rápido. La segunda vez era mucho más fácil y mejor.

Al anochecer, cuando ya se vestían, oyeron voces y, antes de que pudieran fingir que estaban haciendo otra actividad más inocente, dos figuras aparecieron como salidas de la nada. Eran las mujeres de Santa Fe cuyos nombres, según descubriría Abbie más tarde, eran Lori y Eve. Era su primer día en el rancho y estaban dando un paseo y explorando el terreno. Sin duda habían visto a Abbie y a Ty con la suficiente claridad para reconocerlos y descubrir lo que estaban haciendo, pero actuaron como si no hubieran visto nada y, sin pronunciar palabra, cambiaron de dirección y se encaminaron hacia el rancho.

Esa mañana, durante el paseo a caballo, Abbie se horrorizó al llegar al mirador y ver que las dos mujeres estaban allí esperando con su madre y su padre junto a los Delstock.

—Supongo que será mejor que vaya empezando a buscar otro trabajo —dijo Ty en voz baja mientras bajaban de sus caballos.

Pero no había indicios de que las mujeres hubieran divulgado la noticia. De todos los hombres presentes, el padre de Katie era el más guasón, y siempre soltaba algún comentario embarazoso. Fue él quien se decidió a presentar a Eve y Lori a Ty y los chicos, ninguno de los cuales, supuestamente, se conocía aún.

—Y esta es la adorable princesa Abbie —dijo Tom Bradstock.

Las mujeres sonrieron y la saludaron cordialmente, y Abbie, que por lo general nunca se mostraba tímida, les devolvió el saludo y las miró a los ojos el tiempo justo para comprobar que no había en su mirada el menor atisbo de complicidad.

—Y este es Ty, el vaquero más guapo del mundo. Trae locas a las chicas.

Ty estrechó la mano a las dos y solo entonces, al ver que el padre de Katie seguía sin lanzar ninguna mirada delatora ni hacer ningún comentario agudo, Abbie se relajó un poco y empezó a pensar que se habían salido con la suya.

Ahora mismo, mientras observaba cómo él cantaba y tocaba la guitarra, le habría gustado que todo el mundo lo supiera. Todos estaban entonando el estribillo final de «Born in the USA» y parecía que el techo estuviera a punto de saltar. Cuando la música cesó, se oyó una gran ovación, y Ty aguardó junto al micrófono, sonriente y reluciente de sudor, hasta que se le pudiera oír bien.

—Muchas gracias —dijo—. Vamos a hacer un descanso. Me parece que a alguno de vosotros también os vendrá bien. Esto ha sido solo el calentamiento. Volveremos dentro de un rato y tocaremos rock and roll del bueno.

Había ponche de frutas en la barra, pero Abbie solo quería agua. Después de que le dieran una botella de agua, salió a la terraza, que había sido decorada con pequeñas luces blancas. Había demasiada gente y demasiado ruido, y bajó por la ancha escalera de madera que descendía hasta el césped. Las lámparas de los parterres de las flores lanzaban haces de luz a través de la hierba, pero Abbie decidió quedarse a la sombra situada entre ellos, disfrutando del contacto del aire fresco en sus mejillas sonrosadas y de la hierba en sus pies descalzos. Echó la cabeza hacia atrás y apuró la botella de agua de un largo trago, contemplando las estrellas. Mientras miraba el cielo, pasó una estrella fugaz, y al cabo de un instante, otra.

—Espero que hayas pedido dos deseos.

Creía que estaba sola y la voz la asustó. Por un momento no supo de quién se trataba, y entonces vio a Eve, que le sonreía desde la sombra.

—Ah, hola. Bueno, si tú también las has visto, creo que deberíamos repartírnoslas.

—Vale, trato hecho.

Eve cerró los ojos y ofreció su rostro sonriente al cielo. Desde la tarde del día anterior, Abbie se había sentido demasiado incómoda para dedicar a la mujer algo más que una mirada furtiva. Probablemente tenía treinta y tantos años, era alta y poseía un largo cuello, y esa noche llevaba su pelo moreno largo y ondulado recogido con un pañuelo de seda del mismo color verde salvia que su vestido. Su cara tenía algo fuera de lo común, con una nariz ligeramente larga y una boca ancha. Aunque no era exactamente hermosa, sin duda era atractiva, sobre todo ahora, que volvía a tener los ojos abiertos. Miraba de una forma calmada y directa que a Abbie le resultaba un tanto desconcertante.

—¿Has pedido tu deseo?

—Todavía no. Tengo tantos que no sé por cuál decidirme.

—Qué maravilloso es ser joven. A medida que te haces mayor, los deseos se van reduciendo y acabas pidiendo siempre lo mismo.

—¿Quieres decir que los demás deseos se hacen realidad?

—No. Solo algunos. Pero concéntrate en el más importante.

—El que no puede hacerse realidad.

Eve se rió.

—Tal vez sea ese.

Durante un rato ninguna de las dos dijo nada y se quedaron mirando el cielo, esperando a que pasara otra estrella fugaz. La risa de Tom Bradstock resonaba desde la terraza, detrás de ellas.

—Eres de Nueva York, ¿verdad? —dijo Eve.

—Sí. De Long Island.

—¿Estás en la universidad?

—Iré el año que viene.

—¿Sabes adónde vas a ir?

—Mi madre y mi padre están empeñados en que vaya a Harvard.

—Pero tú no.

—No. Yo quiero venir aquí.

—¿Te refieres a Montana?

—A lo mejor. Por lo menos a algún sitio del oeste. Me encanta esto. Colorado, Oregón, quizá. No lo sé. El caso es que me interesa mucho la vida salvaje, el medio ambiente y ese tipo de cosas. Y quiero estar en algún sitio donde no haya sido todo destruido. Por cierto, mi madre y mi padre todavía no lo saben, ¿vale?

—No te preocupes.

—Y tampoco saben lo de...

—Abbie, siento lo que pasó. Estábamos echando un vistazo. No teníamos ni idea...

—No fue culpa vuestra. Pero os estaría muy agradecida si...

—Te prometo que ni Lori ni yo hemos dicho una palabra a nadie. No es asunto nuestro. Lamento haberte hecho sentir incómoda.

—No, la que lo lamenta soy yo.

—Bueno, ¿por qué no dejamos de lamentarlo y nos olvidamos de todo?

—Vale.

Debido a lo que había ocurrido, Abbie estaba predispuesta a que aquella mujer le cayera mal, y se sorprendió al descubrir lo simpática que era. Ryan Delroy y Will, el hermano de Katie, habían iniciado el rumor de que ella y su amiga Lori eran lesbianas —o, en palabras de Will, y pese a la corrección política de su padre, «bolleras»— simplemente porque estaban pasando las vacaciones juntas.

—Eres de Santa Fe, ¿verdad?

—Así es. Al menos es donde vivo ahora. Me crié en California.

—Tú eres pintora y Lori es la dueña de una galería, ¿no?

—Exacto. Es ideal, ¿verdad?

—¿Qué clase de cuadros pintas?

—Hum. Bueno, la mayoría son de arte figurativo, pero no lo que se dice realistas. Son más psicológicos, más exploratorios. Supongo que se puede decir que pinto lo que pasa en mi vida. Es como una terapia, pero más barato. Últimamente he hecho muchos cuadros sobre mi hijo.

—¿Tienes un hijo?

—Sí. Se llama Pablo y tiene casi dos años y, cómo no, es el niño más maravilloso sobre la faz de la Tierra.

—¿Dónde está ahora?

—Con su padre. No vivimos juntos.

—Ah. Debes de echarlo de menos... a Pablo, quiero decir.

—Sí. Pero solo será una semana y ellos siempre se lo pasan bien juntos. ¡Mira, otra estrella! ¿La has visto?

—Sí.

—Esa es tuya. Yo ya estoy servida.

—Apuesto a que sé lo que has pedido antes.

—¿Ah, sí? ¿También eres adivina?

—No. Es que mi padre dice que cuando tienes hijos lo único que deseas es que estén sanos y sean felices. Y como me has dicho que tienes uno, supongo que eso es lo que has deseado.

—Que esté sano y sea feliz son dos deseos.

—Pues entonces será mejor que te quedes también esa estrella.

Ben descansaba apoyado en la barandilla de madera de la terraza, donde Tom Bradstock estaba entreteniendo a un pequeño grupo con una de sus historias. Había ido a por más bebidas, de modo que no había oído la anécdota desde el principio, pero trataba sobre una rata que se había instalado en la casa donde Tom y Karen vivían con sus hijos cuando eran pequeños. El exterminador había echado veneno y unos días más tarde, en plena noche, habían oído un extraño chapoteo que venía del cuarto de baño de los niños.

—Así que fui a echar un vistazo y me quedé escuchando. Nada. Entonces levanté la taza del retrete y allí estaba, mirándome, una rata enorme. Era grande, del tamaño de un perro pequeño. En serio. Bueno, vale, del tamaño de un perro muy pequeño. Por lo visto el veneno les da sed y se había metido allí a beber. Así que cerré la tapa y tiré de la cadena para que se fuera por el váter, pero cuando volví a levantarla seguía allí, mirándome, empapada pero agarrándose desesperadamente.

Movió la nariz imitando a la rata y todos se echaron a reír. Casi todos. Ben estaba al lado de Karen y la oyó suspirar, y al mirarla, la mujer le dedicó una sonrisa irónica y movió la cabeza con gesto incrédulo.

—Dios —dijo en voz baja—. Si le dieran diez dólares cada vez que cuenta esa historia, sería rico.

—Para entonces Karen había venido a ver lo que pasaba —continuaba Tom—. Así que le dije...

—Karen, tráeme la caja de herramientas —le dijo Karen a Ben moviendo mudamente los labios.

—... Karen, tráeme la caja de herramientas.

Ben sonrió. La historia continuó y, aunque se hacía un poco larga, era buena y Tom sabía contarla. Justo cuando estaba intentando matar a la rata con un martillo de orejas y el animal no paraba de chillar y retorcerse, la pequeña Katie, de cuatro años, apareció en la puerta con cara de sueño y dijo que quería hacer pipí. Preguntó qué estaba haciendo su papá y él le dijo, como si estar allí en cueros a las tres de la mañana con un martillo manchado de sangre en la mano fuera lo más normal del mundo, que el váter se había roto y lo estaba arreglando, así que tendría que utilizar el lavabo de sus papás.

—Si la pobre niña se hubiera encontrado una rata en el fondo del retrete o la hubiera visto toda ensangrentada y retorciéndose, se le habrían quitado las ganas de volver a utilizar jamás un inodoro, ¿no creéis? Se habría vuelto anoréxica para el resto de su vida. Así que Karen la llevó a hacer pipí y la metió otra vez en la cama mientras yo terminaba el trabajo. Entonces llevé el cuerpo abajo, lo envolví en periódicos y lo tiré a la basura, y luego me quité toda la sangre de las manos y del martillo en el fregadero. Como un asesino, que es exactamente lo que soy ahora. Luego volví arriba y me metí en la cama. Y me quedé allí tumbado el resto de noche, con los ojos como platos, mirando al techo...

Karen se volvió nuevamente hacia Ben y dijo la frase de remate moviendo mudamente los labios:

—Sintiéndome como Anthony Perkins en *Psicosis*.

—... como Anthony Perkins en *Psicosis*.

La anécdota fue bien recibida. Luego Maya Delroy empezó a contar una historia sobre un encuentro que había tenido con un escorpión, pero ella no tenía la gracia de Tom y Ben no se molestó en escuchar.

—¿Es exclusivo de los hombres o las mujeres también contáis las mismas historias una y otra vez? —preguntó a Karen.

—Dímelo tú.

—Sarah no lo hace.

—Yo tampoco.

—Pero probablemente yo sí que lo haga. Todos los hombres tenemos nuestro numerito para las fiestas.

—¿Lo ves?

—¿Y por qué las mujeres no lo hacéis?

—Porque no sentimos que tengamos que impresionar a todo el mundo con nuestro ingenio y nuestra inteligencia.

—¿Y los hombres sí?

—Por supuesto. Constantemente.

—Bueno, ahí tienes a Maya, contando una historia. ¿Está intentando impresionar al personal?

—No. Ella simplemente está contando una historia.

Ben sacudió la cabeza, sonrió y bebió un trago de su botella de cerveza. Siempre le había caído bien Karen, quien tenía un humor subversivo del que cualquier cosa y cualquier persona podían ser objetivos legítimos.

—¿Cuánto lleváis casados vosotros dos? —preguntó.

—Este otoño hará doscientos años.

—Venga ya. Parece que os lleváis estupendamente.

—Y así es. En el fondo. Pero ¿acaso el matrimonio no es un infierno? ¿Quién lo inventó? Dos personas que tienen que aguantarse un año sí y otro también, y que poco a poco empiezan a aburrirse mortalmente la una de la otra. Los ronquidos, los pedos... Se supone que somos la especie más evolucionada, que somos superinteligentes, ¿y esto es lo mejor que se nos ocurre?

—Yo creo que está pensado para dejar la mente libre, y así poder dedicarla a otras cosas.

—¿El matrimonio?

—Sí. De lo contrario, dedicaríamos toda nuestra energía creativa a andar unos detrás de otros.

—A mí no me molestaría.

Ben se rió.

—No, en serio —continuó Karen—. ¿Qué sentido tiene el matrimonio hoy en día? Me refiero a que la idea original era mantener a los hombres atados más tiempo, para que trajesen a casa el pan de sus hijos y ahuyentasen a los tigres feroces. Pero ahora las mujeres pueden ocuparse prácticamente de todo ellas solas. Supongo que es por el sexo. Es la razón por la que se casó la generación de nuestros padres. Pero luego apareció la píldora, así que ya no es una razón válida.

—Sospecho que eso parece más un argumento contra los hombres que contra el matrimonio.

—Ni hablar. Los hombres son fantásticos. Aunque ahora que lo dices, a lo mejor no necesitamos a tantos de vosotros. ¿Sabes? Podríamos tener unos cuantos especímenes de primera en jaulas para preservar la especie y saciar nuestro apetito carnal.

—Suena estupendamente.

—¿Crees que te salvarías?

—¿Te impresiono con una de mis historias?

Karen le tocó el brazo y se rió. Delroy subió la escalera desde el césped y se unió al pequeño grupo que estaba escuchando la historia del escorpión de su mujer. Tenía los ojos enrojecidos y calzaba una sonrisa de oreja a oreja. Una de las pocas cosas que no ocultaba era su afición a la hierba. La mayor parte de las noches, después de cenar, se escabullía silenciosamente entre los árboles a fumar. Siempre bromeaba diciendo que iba a buscar pájaros. Ben, que no había fumado maría ni tan siquiera un cigarrillo desde la universidad, últimamente había sentido el deseo inexplicable de acompañarlo, pero por el momento le había dado demasiada vergüenza pedírselo.

—Hola, Del —dijo Tom Bradstock en voz baja—. ¿Has visto algún pájaro carpintero con tres patas esta noche?

Delroy sonrió.

—He visto una bandada entera.

Maya estaba terminando su historia. No parecía contener nada parecido a una frase de remate, pero sin duda tenía un mensaje más profundo y kármico que a Ben se le había escapado. No había estado escuchando con atención. Había estado pensando en lo que había dicho Karen y mirando a Sarah. Ella se encontraba al otro lado de la terraza, hablando y riéndose con Lane y Katie y una pareja de chicos del grupo. Él siempre había admirado, e incluso envididado ligeramente, la facilidad que ella tenía para entenderse con los chicos de aquella edad. Elegante como nunca con su vestido suelto de lino color crema, el pelo recogido con cuidado detrás de las orejas y unos pendientes de perlas, parecía salida de un anunio de Ralph Lauren. Entretenida pero un tanto distante. Inalcanzable. Mientras la observaba, se sintió extrañamente desapegado, como si estuviera examinando a una extraña. Y se dio cuenta de que Karen lo estaba examinando a él.

—¿Qué tal estás? —dijo ella.

—¿Yo? Estupendamente. ¿Por qué?

—Porque salta a la vista que no es así.

—¿A qué te refieres?

—Este año estás cambiado. Pareces... no sé. Preocupado. Un poco triste, quizá.

Ben arqueó las cejas y le dedicó una sonrisa recelosa.

—Perdona —dijo Karen—. No es asunto mío.

—No, no pasa nada. Pero estoy bien, de verdad. Supongo que hace un par de meses que no disfruto en el trabajo. Y parece que me haya olvidado de dormir.

—¿Y eso a qué se debe?

—A nada. Escucha, estoy bien, sinceramente. Venga, hoy es mi cumpleaños, me lo estoy pasando de maravilla.

—Vaya, Ben, eso es... fantástico.

Karen apartó la vista y bebió un trago, y Ben se sintió terriblemente mal por estar tan tenso y ponerse a la defensiva. Pero ¿qué podía haber dicho? ¿Que sentía que su mundo se estaba desmoronando poco a poco bajo sus pies? ¿Que se sentía aislado, vacío y afligido y no sabía por qué? No era sencillo charlar sobre aquellas cosas. Al menos no con una mujer que, a pesar de la franqueza con la que todos hablaban cada verano durante aquellas dos semanas, no era precisamente una amiga íntima. De hecho, no se imaginaba hablando de ello con nadie. Y no era porque le diera miedo hacer confidencias, sino porque no sabría por dónde empezar.

Al mirar esa mañana a Abbie y a Josh alejarse por la pradera, había compartido su alegría palpable. Pero la imagen se había instalado durante todo el día en su cabeza y —en contraste con lo que había venido después— se había transmutado en algo lúgubre y simbólico. Dos jóvenes adultos felices, que se alejaban solos, fuertes y seguros, mientras sus padres se retiraban a un espacio cada vez más frío donde solo había eco. Al reproducir la imagen una y otra vez, como si fuera un tráiler que uno no quiere ver porque le avanza lo fundamental de la película, había tenido el presentimiento de una profunda pérdida.

A decir verdad, todo tenía que ver con Abbie. Aunque jamás se lo habría confesado a nadie, ella siempre había sido su favorita, como Josh lo era de Sarah. Tal vez fuera así como se dividían las familias compuestas por cuatro miembros: el padre se asociaba con la hija, y la madre, con el hijo. Desde luego eso era lo que había ocurrido cuando él estaba creciendo. Y los resultados habían sido perjudiciales, pues la adoración ciega que su madre sentía por él había despertado los celos de su marido, lo que había acabado arruinando su matrimonio y había levantado un muro entre padre e hijo que ninguno de los dos había sido capaz de trepar.

Ben siempre se había empeñado en que no ocurriera lo mismo entre él y Josh. Y no había sido así. Los dos se llevaban bien. Pero a pesar de que quería mucho al chico, el amor que sentía por él era distinto al que sentía por Abbie. Ella era la luz que lo había sustentado durante mucho tiempo. Y ahora, a medida que el haz de aquella luz se orientaba hacia fuera y empezaba a brillar en el mundo, notaba que la sombra invadía su terreno.

Era algo ilógico, pues se enorgullecía sinceramente de la independencia cada vez mayor de sus hijos. Le gustaba citar las palabras de *El profeta*, de Kahlil Gibran, que Martin —su mejor amigo y su socio en el trabajo, además del padrino de Abbie— había leído en su bautizo; palabras que recordaban que los padres nunca debían sentir que eran dueños de sus hijos. Más bien debían considerarse los arcos desde los cuales eran lanzados sus hijos e hijas a modo de flechas vivientes. Ben creía en ello y consideraba, además, que aquello era justo y que debía ser así. Pero lo que nadie le decía a uno era lo que le ocurría al arco una vez que las flechas habían desaparecido. ¿Eso era todo? ¿Se quedaba apoyado en un rincón de un armario acumulando polvo?

Lo egoísta de aquella idea le sorprendió y, para apagar la sensación, apuró el resto de cerveza y dejó la botella en una mesa. Karen se había apartado y estaba hablando con otra persona. Mientras atravesaba el grupo de gente repartido a lo largo de la terraza, cuyas caras se volvían hacia él, le sonreían y le deseaban feliz cumpleaños, vio que Abbie subía la escalera. Llevaba puestos unos tejanos azules y una blusa rosa claro que dejaba a la vista sus caderas y su barriga. Estaba sensacional. Ella lo vio, se dirigió a él y lo abrazó rodeándole el cuello con los brazos.

—¿Por qué has hecho eso? —dijo Ben.

—Por nada. Parecía que lo necesitabas.

Él la apartó cogiéndola de los brazos descubiertos para examinarla. Parecía que brillase.

—¿Te lo estás pasando bien? —preguntó Ben.

—Genial. ¿Y tú?

—Claro.

—¿Por qué no llevas puesto el sombrero?

—No quería que el resto de hombres se pusieran celosos.

—¿Dónde está mamá?

—Por ahí, coqueteando con los chicos del grupo.

—¿A que son increíbles?

—No están mal. Excepto el cantante.

—Ya lo sé. Tienen que deshacerse de él sea como sea.

Abbie sonrió y entornó los ojos ligeramente, y él notó que estaba intentando averiguar cuánto sabía su padre.

—Ty me ha preguntado si me gustaría ir a visitar su rancho el jueves. ¿Puedo ir?

—¿Tiene su propio rancho? Bueno, eso lo cambia todo.

—Es de sus padres. El jueves es su día libre. Está en Wyoming, muy lejos, así que tendríamos que irnos el miércoles por la tarde. ¿Te importa?

Ben se encogió de hombros.

—Supongo que no. Ve a ver qué dice tu madre.

Abbie alargó la mano y le dio un beso en la mejilla.

—Gracias, papá.

Se marchó a buscar a Sarah. Ben se giró para ver cómo se alejaba.

—Debes de estar muy orgulloso de ella.

Se volvió y vio a Eve enfrente de él, sonriendo. Probablemente había estado allí todo el rato que él había estado hablando con Abbie.

—¿No es curioso que uno siempre sepa cuándo quieren algo...? Sí, bueno, comparada con otras hijas, supongo que no está tan mal. Tú eres Eve, ¿verdad?

—Y tú Benjamin.

—Es evidente que has estado hablando con mi mujer. El resto de gente me llama Ben.

—Ben.

Él le tendió la mano y ella la estrechó con una solemnidad fingida, tal vez porque ya habían sido presentados por la mañana durante el paseo a caballo. Las mujeres atractivas siempre le hacía actuar con torpeza. La mano de ella tenía un tacto frío.

Se había fijado en ella al verla entrar en el comedor la noche anterior. Y aunque no habían intercambiado palabra durante el paseo, él había pasado mucho rato mirándola con picardía. Había reparado en su sonrisa, larga y ligeramente sardónica, en aquella voz grave que no arrastraba exactamente las palabras, en la forma resuelta en que te clavaba aquellos ojos oscuros, como si supiera más sobre ti de lo que te gustaría; lo cual, teniendo en cuenta que había estado hablando con Sarah, no debía tomarse a la ligera.

—Abbie me ha dicho que venís aquí cada verano.

—Sí. Esta es nuestra cuarta visita. Tal vez sea hora de que vayamos a otro sitio.

—¿Por qué?

—Oh, no sé. Supongo que porque es bueno cambiar de sitio, hacer algo distinto.

—A los chicos parece encantarles.

—Sí. No te creerías lo mal que nos lo hizo pasar Abbie el primer año cuando dijimos que habíamos hecho reservas para un rancho de turistas. A ella siempre le ha gustado salir fuera, pero estaba atravesando esa fase en la que parece que lo único que quieren hacer las chicas es pasar el rato en el centro comercial. Todas sus amigas iban a ir de vacaciones a Europa, a Hollywood o a Miami, y ella iba a ir a un rancho para turistas. Todavía me acuerdo de lo enfurruñada que iba en el asiento de atrás cuando subíamos por el camino, diciendo: «Anda, mira, una vaca. Anda, mira, otra vaca».

Eve se rió.

—Evidentemente, vio la luz.

—Tardó unos cinco minutos.

Se hizo una breve pausa. Se sonrieron el uno al otro, y Ben se dio cuenta de que estaba mirando la boca de la mujer con demasiada intensidad.

—¿Te traigo una copa? —dijo.

—No, ya tengo suficiente, gracias. Pero ve si tú quieres...

—No, yo también tengo suficiente.

Se quedaron allí un rato mientras Ben buscaba algo que decir. Todo el mundo parecía estar riéndose y hablando excepto ellos. Eve estaba mirando a su alrededor como si quisiera escapar y de repente miró hacia él y lo sorprendió observándola.

—Sarah me ha dicho que eres arquitecto. ¿Diseñas casas o...?

—A veces. No tan a menudo como me gustaría. Mi socio se queda con la mayoría del trabajo excitante. Yo me encargo de las cuestiones aburridas del negocio: perseguir a la gente que nos debe dinero, esa clase de cosas. Cada cierto tiempo hago alguna remodelación para no perder la práctica. Y de vez en cuando, algún edificio nuevo. De hecho, últimamente he estado trabajando en uno.

—¿De qué se trata?

—Es una pequeña urbanización. En los Hamptons.

—Yo creía que nadie hacía cosas pequeñas en los Hamptons.

—Bueno, no está exactamente en los Hamptons. Y el problema es que no es lo bastante pequeño. Es un solar reducido, muy bonito. Con muchos árboles, perfecto para un par de casas de tamaño medio. Pero ahora los promotores quieren librarse de todos los árboles, duplicar el número de casas y hacerlas el doble de grandes. En fin, otro montón de ridículas McMansiones.

—McMansiones. Me gusta.

—¿No lo habías oído antes? Hoy día están por todas partes. En realidad, lo que esos tipos querían era algo más Garaj-Mahal.

Ella se rió.

—De todas formas, probablemente no se lleve a cabo. Al menos, conmigo. Antes de que viniéramos aquí tuve una discusión colosal. Me marché de una reunión. Ya sabes, en plan arquitecto endiosado. Me levanté y me fui. No lo había hecho en mi vida, pero desde luego a partir de ahora voy a hacerlo mucho más a menudo.

—¿Se siente uno bien?

—Se siente de maravilla.

—Sarah me ha dicho que diseñaste vuestra casa.

—Sí.

—¿Cómo es?

Ben no se imaginaba qué interés podía encontrar ella en aquello. Por un momento se preguntó si no lo estaría tratando con condescendencia.

—¿Conoces ese edificio increíble de Frank Gehry que está en Bilbao?

Ella asintió con la cabeza de forma entusiasta.

—¿El museo Guggenheim?

—Bueno, pues no se le parece en nada.

Ella volvió a reírse, y su risa pareció sincera. Dios, se sentía gracioso.

—Es blanca, tiene varios pisos y un jardín grande en la parte de delante con un maravilloso cornejo y un camino de entrada de ladrillo en forma de curva. Tiene suelos de roble y de piedra caliza, y una escalera ridículamente exagerada digna de Audrey Hepburn, que en realidad solo puse para impresionar a mis suegros...

—¿Y les impresionó?

—En absoluto. También tiene un gran estudio para mí en la parte de atrás con unas persianas que puedo cerrar, lo que me permite quedarme dormido o ver la televisión sin que nadie me pille. Y el garaje está escondido y cubierto con una enredadera para que nadie pueda decir que es un edificio Garaj-Mahal.

—Parece muy bonita.

—Oh, no. Es una copia de los edificios de Frank Lloyd Wright, construida en plan barato y mal situada. Me encantaría derribarla y empezar de nuevo. Pero es acogedora y práctica.

Se oyó un estruendo procedente del sistema de megafonía del interior y luego la voz melodiosa de Ty al micrófono, invitando a todo el mundo a arremangarse y a volver a la pista de baile. Ben estaba a punto de preguntar a Eve si quería bailar cuando alguien lo agarró por los hombros desde atrás. Se giró y vio que era Sarah.

—Vamos, cumpleañero. No has bailado conmigo en toda la noche.

—No he podido abrirme paso entre todos esos jóvenes vaqueros.

—Pues ha llegado tu oportunidad, amigo.

Ella casi nunca bebía, y cuando lo hacía no se excedía, pero tenía las mejillas coloradas y su euforia parecía un tanto forzada. Se volvió hacia Eve y le dedicó una sonrisa de conspiradora que a Ben le resultó desconcertante.

—¿Nos disculpas?

—Claro.

—Me he enterado de que juegas a tenis. ¿Jugamos mañana?

—Por mí, encantada.

—Bien.

Sarah le tiró de la mano en dirección a la puerta que daba al comedor y justo cuando él se disponía a seguirla, se giró y vio que Eve todavía los estaba mirando. Ella sonrió y él le devolvió la sonrisa. Y algo se produjo dentro de Ben durante aquel instante fugaz de conexión. No sería hasta mucho después cuando llegaría a reconocer de qué se trataba, e incluso entonces no se atrevería a ponerle un nombre tan vulgar, escurridizo o grandilocuente como enamoramiento. Pero sabía que era un cambio, como la apertura de una puerta o la entrada en una casa vacía.

El grupo empezó a tocar un tema que Ben no conocía. Sarah lo condujo hasta la pista de baile y dijo algo que se perdió en medio de la música. Él acercó su cabeza a la de ella.

—¿Cómo?

—He dicho que es encantadora.

—¿Quién?

—Eve.

Él sabía exactamente a quién se refería. Aquel fue su primer engaño. Asintió con la cabeza y se encogió de hombros, como si todavía no se lo hubiera planteado.

—Sí —dijo—. Parece simpática.

Más tarde, en la cama, con la luz apagada y dándole la espalda en señal de rechazo y de defensa, notó que Sarah le rozaba con los dedos el vello de la columna y luego lo acariciaba lentamente en dirección a la nuca. Y permaneció inmóvil y frío como el mármol, y aunque se excitó, consideró cruelmente la posibilidad de no hacerle caso. Rechazar a quien rechazaba, mostrarle lo que se sentía. Lo había hecho a menudo anteriormente, y aunque sabía que al hacerlo se castigaba a sí mismo tanto como a ella y que no conseguiría más que alargar su sufrimiento mutuo, brindándoles otra noche, otro día, otra semana de frío rencor, estuvo a punto de volver a hacerlo.

Pero no lo hizo. En lugar de ello, se giró, estiró la mano en dirección a ella y la encontró desnuda, fría y vacilante. La abrazó un rato, como siempre la abrazaba, y ella levantó su muslo, como siempre hacía, y lo puso encima de su torso. El ritual, la sensación, el aroma tan familiar de ella, la lenta reacción de su cuerpo que siempre conseguía excitarlo...

Sin embargo, entonces, como impulsada por una nueva determinación, ella se colocó encima de él, bajó la cabeza y le dio un beso profundo, asombroso, cubriendo sus caras con su cabello. Él ladeó las caderas y la penetró, y ella se inclinó hacia atrás hasta que hizo daño a Ben, que soltó un grito y tuvo que agarrarla de las caderas para detenerla. Había en ella una urgencia insólita, y de no haber sido por su melancólica resaca, no le habría hecho ascos movido por el puro deseo.

En la oscuridad solo podía distinguir encima de él su figura esbelta, sus pechos de tono marmóreo, sus pezones oscuros y sus costillas como arena ondulada. Su cara estaba escondida en las sombras, pero vio el brillo de sus ojos y se sorprendió, pues siempre que hacían el amor los cerraba, como si no quisiera verse en tal estado de lascivia.

Llegaron rápido al orgasmo y lo hicieron al mismo tiempo, y ella gritó con una voz tan grave y salvaje que él no la reconoció. Luego se quedó muy quieta. Durante un largo rato no se movió, y permaneció como una escultura encima de él, mientras la respiración de ambos se hacía más lenta hasta apagarse y el silencio se instalaba a su alrededor. Tenía la cabeza echada hacia atrás, de modo que él ya no le podía ver la cara, sino únicamente el contorno de su barbilla y el pálido declive de su cuello y sus hombros. Entonces se estremeció y lo hizo de forma tan violenta y abrupta que por un momento él lo confundió con un espasmo final del orgasmo. Pero estaba llorando. Él estiró la mano y se la posó en el hombro.

—¿Qué pasa?

Ella negó con la cabeza, aparentemente incapaz de recuperar el habla. Ben se incorporó apoyándose en los codos, y acto seguido ella se apartó girándose.

—¿Cariño? ¿Qué pasa?

—Nada —susurró ella.

Él la hizo colocarse de costado con delicadeza e intentó mecerla. Ella empezó a sollozar. Tenía los brazos cruzados con fuerza y se abrazaba como si quisiera reprimir la angustia secreta que brotaba de ella, sacudiendo todo su cuerpo. Ben no había oído jamás un sonido tan terrible.

—Dímelo —declaró—. Por favor, dímelo.

—No es nada.

8

Hicieron galopar a los caballos por el campo cubierto de salvia y ascendieron un risco de escasa altura con una hendidura rojiza en la ladera, donde la roca se había desmenuzado por el efecto del viento y la lluvia. Desde la cima, Abbie observó cómo el río brillaba entre los álamos que bordeaban sus orillas y vio la pelusa que desprendían poco a poco en el aire cálido del mediodía. Refrenaron a sus caballos un rato —Ty, a la derecha de ella, y su padre, a la izquierda— y observaron cómo las sombras de las nubes surcaban el prado y el paisaje ondulado del fondo como barcos inciertos. El padre de Ty señaló hacia el este, donde el río desaparecía tras un estribo lejano de roca, y dijo que allí era donde terminaba su tierra y empezaba la del vecino.

—¿Qué montañas son esas? —preguntó Abbie.

—Los montes Bighorn. Y los de más al norte, los Rosebud.

—Es precioso.

—Lo es.

—¿Cuánto hace que viven aquí?

—Desde hace tres generaciones. La de Ty será la cuarta.

Parecía que iba a decir algo más, pero se lo pensó mejor y se limitó a frotarse la barbilla y a mirar el terreno en silencio. Muy por encima de los brillantes remansos del río, había una enorme ave que volaba lentamente en círculos aprovechando una corriente de aire, cantando como si se lamentase por una gran pérdida. Abbie preguntó de qué ave se trataba, y Ty dijo que era un águila real y que había tenido suerte, pues no se veían muy a menudo por allí. Abbie se sintió afortunada. Un poco antes, cuando cabalgaban por las montañas a mayor altura, donde comenzaba el bosque, habían visto un alce, una cabra salvaje y una osa negra que empujaba a su cachorro entre los árboles.

—Vamos a ver los potros —dijo el padre de Ty.

Azuzó a su caballo para que avanzase, y Abbie siguió el movimiento de la cola de la yegua gris por entre los cantos rodados y la salvia, seguida de Ty. Le habían ensillado un elegante bayo castrado, cuyos flancos estaban ahora resbaladizos por el sudor. Ty montaba un joven caballo ruano que había criado él mismo. Ninguno de los tres caballos llevaba bocado, sino cabestros, una forma nueva de montar para Abbie. Nunca había visto un caballo tan manso y a la vez tan enérgico y tan a tono. Aquellos animales no eran comparables a los de La Divisoria, aunque, por otro lado, el padre de Ty se ganaba la vida criándolos. Un Cuarto de Milla de Ray Hawkins, según descubriría ella más tarde, siempre salía más caro.

Abbie calculó que Ray debía de tener la misma edad que su padre, aunque la continua exposición al sol había curtido su piel y le hacía parecer más viejo. Tenía los ojos del mismo color azul claro que los de Ty, y cuando sonreía prácticamente desaparecían entre las arrugas de su cara. Poseía la misma serenidad silenciosa que a veces advertía en Ty cuando estaba concentrado en su trabajo. De hecho, su madre también la poseía, así como los caballos, los perros y casi todo animal vivo del rancho. Era un poco inquietante, como si estuvieran en posesión de un secreto especial. Tal vez simplemente era consecuencia de vivir en un lugar tan maravilloso.

El viaje del día anterior desde La Divisoria había sido largo. Montados en la vieja camioneta verde claro de Ty, con el sol a sus espaldas dorando las llanuras y las cimas de las montañas, habían viajado hacia el este durante horas por la interestatal, pasando por Billings, Hardin y Little Bighorn, y luego habían avanzado hacia el sur, cruzaron la frontera del estado y entraron en Wyoming y en Powder River Basin. Habían hablado mucho, pero a esas alturas se sentían lo bastante cómodos el uno con el otro para poder estar en silencio. Ty había puesto algunos de sus discos favoritos, pertenecientes a desconocidas bandas de country de las que Abbie no había oído hablar nunca. Ella se había acurrucado junto a él y se había quedado dormida, y al despertarse estaban en Sheridan, cruzando la vía del tren y pasando por delante de una antigua máquina de vapor orgullosamente estacionada junto a ella.

El rancho de los Hawkins estaba ubicado entre escarpadas montañas a unos ocho kilómetros del pueblo, y se llegaba a él por una sinuosa red de caminos de grava. Cuando llegaron estaba oscuro, y Abbie tuvo que esperar hasta la mañana siguiente para ver el entorno tan espectacular en el que se encontraba. Los padres de Ty se habían quedado levantados para recibirlos, y aunque Abbie habría preferido irse directamente a la cama, habían insistido en servir una cena opípara compuesta de jamón y pavo cocido, ensalada de col y patatas al horno, seguido de tarta de arándanos y helado; un festín que Ty había devorado como si no hubiera probado bocado desde hacía semanas. Y entretanto, Ray y Martha, que habían comido antes, se habían quedado sentados mirándolos y sonriendo, bebiendo sorbos de sus tazas de leche caliente sin apenas decir palabra, y limitándose a escuchar mientras su hijo relataba entre bocado y bocado lo que había ocurrido en La Divisoria.

Él era su único hijo, y los dos irradiaban orgullo al mirarlo. Su madre parecía una de las mujeres escandinavas que Abbie recordaba de las fotografías tomadas por los primeros exploradores: pecosas, rubias y abotonadas hasta el cuello; mujeres capaces de hacer un bordado y disparar a un coyote entre los ojos a cincuenta metros de distancia con la misma determinación y destreza.

Los potros que iban a ver ahora habían sido dejados sueltos en el último de los prados que bordeaban el río. Había una docena de ellos y al ver que los jinetes se acercaban, alzaron las cabezas, levantaron las orejas y se quedaron mirando. Cuando todavía estaba a cien metros de distancia, Ray se detuvo, bajó del caballo y se dirigió a ellos a pie. Los potros agacharon las cabezas y acudieron a su encuentro arrastrando las patas como una pandilla de adolescentes flipados.

Ray se paró y dejó que se acercaran, y cuando los potros llegaron hasta él, lo rodearon y se pusieron a rozarlo con el hocico. Él les acarició el cuello y el hocico y les frotó el lomo mientras les hablaba. Llamó a Abbie para que se aproximara, y tanto ella como Ty se dirigieron caminando hacia él. A pesar de que los animales se mostraban un poco más tímidos con ella que con Ty y su padre, dejaron que los tocara, les soplara el hocico y notara su aliento cálido y dulce.

Una vez en la casa, mientras comían otro suntuoso banquete compuesto de fiambres, ensalada y pan casero, Abbie declaró que no había visto nunca un lugar tan maravilloso. El padre de Ty sonrió y asintió con la cabeza, pero su mujer, que estaba sirviendo agua a Abbie, suspiró y se encogió de hombros.

—Ahora es maravilloso —dijo—. Otra cosa es cuánto tiempo durará así.

—¿Qué quiere decir? —preguntó Abbie.

Martha miró a Ray, como para pedirle permiso para continuar. Él no parecía muy entusiasmado. Ty estaba tan perplejo como Abbie.

—¿Qué pasa? —dijo.

—Tu madre se refiere a las perforaciones, eso es todo.

—¿Por qué? ¿Qué ha pasado?

—Nada. No va a pasar nada.

—Por el amor de Dios, Ray. Cuéntale lo de la carta.

—¿Qué carta? —dijo Ty.

Abbie sintió que se estaba entrometiendo en un asunto familiar y se preguntó si debería excusarse y fingir que quería ir al cuarto de baño. El padre de Ty suspiró, pero cuando empezó a hablar, lo hizo dirigiéndose a ella.

—En esta zona se hacen muchas perforaciones.

—¿Por el petróleo?

—Por el gas. El metano contenido en las capas de carbón. La tierra de aquí está llena de él, todo Powder River Basin. El gas se queda atrapado en las vetas de carbón. Nadie se ha preocupado por él hasta hace bastante poco. Pero ahora han encontrado una forma muy barata de extraerlo.

—¿No irá a hacer perforaciones aquí? —dijo Abbie.

Ray se rió tristemente.

—No, Abbie, no vamos a hacerlo. Y aunque quisiéramos, no podríamos. Como les pasa a muchos rancheros de la zona, cuando mi abuelo compró esta tierra, el gobierno solo le vendió los derechos sobre la superficie. Ellos se quedaron con los derechos sobre el mineral y últimamente los han estado arrendando. Hace poco nos hemos enterado de que alguien ha arrendado nuestra tierra.

—Enséñale la carta a Ty —dijo Martha.

—Ahora no.

—Ray, tiene derecho a...

—Mamá, no pasa nada. La leeré más tarde. ¿Quién la ha arrendado?

—Una pequeña compañía de Denver.

—¿Y qué tienen pensado hacer?

El padre de Ty se encogió de hombros.

—Supongo que nos enteraremos la semana que viene. Van a mandar un equipo para que haga una prospección.

—No se lo permitas.

—Eso es lo que yo le digo —afirmó la madre de Ty.

Ray sonrió.

—No podemos impedirlo. La ley está de su parte. Pueden recorrer la tierra en coche, cavar, perforar, lo que quieran. Te dan una cosa llamada «contrato de daños sobre la superficie», pero todo el mundo por aquí sabe que no vale ni el papel en el que está escrito. Y si nos negamos a firmarlo, pueden seguir adelante de todas formas.

—Es terrible —dijo Abbie.

—Probablemente todo se quede en nada. Muchos de esos tipos arriendan la tierra y luego se quedan sentados sin hacer nada.

Ni siquiera él parecía convencido de lo que estaba diciendo, pero cambió de tema y preguntó a Abbie cómo era vivir en Nueva York. Ella dijo que estaba bien y que antes le gustaba más que ahora. El problema era que cuanto más tiempo pasaba en el oeste, donde había tanto espacio, más le costaba volver a casa.

—Ty dice que quieres venir aquí a la universidad —comentó Martha.

—Sí, definitivamente.

—Eso es estupendo. ¿Qué les parece a tu padre y a tu madre?

—Todavía no se lo he dicho. Creo que mi padre estará de acuerdo.

—Pues te diré una cosa, jovencita —dijo Ray—. A juzgar por la forma en que manejas los caballos, yo diría que este es tu sitio.

A media tarde partieron de vuelta hacia La Divisoria. Cuando estaban saliendo de Sheridan, Ty dijo que quería enseñarle una cosa y salió de la carretera para tomar un camino de grava. Ante ellos se alzaba una gran nube de polvo rojizo y, al doblar una curva, vieron dos gigantescas excavadoras amarillas abriendo un cráter en una ladera.

—Están cavando un pozo de agua —dijo Ty—. Cuando se perforan las vetas de carbón se libera una cantidad enorme de agua. Cualquiera diría que eso es bueno en un sitio tan seco como este. Pero es agua salada, y en la tierra que queda inundada por ella no crece nada. Lo mata todo. ¿Ves aquello de allá abajo?

Señaló el fondo del valle.

—¿Aquellas manchas blancas de allí, cerca del riachuelo? Es sal. Eran prados de primera, unas cuarenta hectáreas. El dueño es amigo de mi padre. Ahora no sirven para nada. Antes también se pescaban allí muchas truchas, pero ahora no hay un solo pez. Los han exterminado. Las compañías de gas revisten de plástico esos grandes agujeros, como están haciendo ahí. Pero tienen fugas y el agua se derrama. Y como les importa un bledo, no los arreglan.

Abbie se quedó callada. Reemprendieron el viaje y, de vez en cuando, Ty le señalaba cosas: manantiales, estaciones de compresión, cables de alta tensión y gasoductos, caminos de tierra excavados en el paisaje virgen. Descendieron a otro valle y pararon junto a un puente de madera bajo, donde el agua de otro arroyo burbujeaba con el metano liberado por las perforaciones. Ty le dijo que un día un amigo suyo había acercado una cerilla y había prendido fuego a todo el riachuelo.

En otros lugares, como en la casa desierta del rancho que le enseñó de camino a la carretera, pozos artesianos que habían funcionado sin ningún problema durante cuarenta años súbitamente habían empezado a desprender burbujas de gas o a quedarse secos porque unos estúpidos barreneros habían destruido el acuífero a ocho kilómetros de distancia.

—¿Nadie puede evitar que hagan esto?

—No. Hay un grupo de protesta bastante numeroso, pero el problema es que mucha gente cree que las perforaciones benefician al pueblo. Crean puestos de trabajo, hacen ganar clientes a las tiendas, ese tipo de cosas. Chorradas. La mitad de las veces las compañías traen mano de obra barata y todo el pueblo tiene que hacer frente a todo tipo de problemas.

—¿Eso también pasa en Montana?

—Todavía no. Pero no tardará mucho.

Después de aquello no hablaron mucho. Se dirigieron hacia el norte y el oeste por la I-90, mientras Steve Earle cantaba canciones tristes en el equipo de música y un sol pálido se escondía ante ellos tras una nube oscura. Ty dijo que parecía que el tiempo estaba a punto de cambiar. Abbie nunca lo había visto tan serio y triste. Encendió los faros y ella estiró la mano y le acarició la nuca.

—Dos días más —dijo él—. Y luego te irás.

Las primeras gotas de lluvia salpicaron el parabrisas.

—Volveré —dijo ella.

Llovió durante todo el viernes y la mayor parte del sábado, y solo unos cuantos entusiastas ataviados con chubasqueros —entre los que, inevitablemente, se encontraba Abbie— se aventuraron a realizar los últimos paseos a caballo. De los huéspedes que no lo hicieron, los más valientes bajaron lentamente hasta el riachuelo vestidos con ropa impermeable para pescar o subieron por los caminos mojados hacia el bosque, pero la mayor parte de los huéspedes se quedó en el salón de la casa del rancho leyendo o jugando a juegos como el Monopoly o el Scrabble.

Mientras Abbie iba a montar o rondaba por los establos «ayudando» a Ty, Josh se relacionaba con los hijos de los Delstock. Fundamentalmente aquello equivalía a repantigarse en una de sus cabañas (normalmente la de Lane y Ryan Delroy, porque a sus padres no les molestaba el desorden), para escuchar música y mantener discusiones informales y sardónicas sobre temas que evolucionaban de forma surrealista de la paz mundial al *trash metal*, pasando por los aros en la nariz y el esmalte de uñas. Concretamente, Josh se repantigaba lo más cerca posible de Katie Bradstock siempre que tenía ocasión. Y eso era lo que estaba haciendo en aquel preciso momento.

En el curso de los últimos doce días, se había apoderado de él un deseo febril. No había un momento del día en el que no pensara en ella. Katie estaba presente en cada nervio y cada vena de su cuerpo. Al verla, olerla o incluso pensar en ella, sentía un extraño dolor. Todo su ser era una herida abierta andante. Una herida abierta andante con una erección perpetua. Tan perpetua que le preocupaba que pudiera hacerse daño.

Parte del problema consistía en que llevaba demasiado tiempo esperando a que algo así ocurriera. En el colegio, daba la impresión de que todos los chicos de su edad (y más pequeños aún) ya se habían acostado con alguien. Él sabía que no era precisamente un adonis, pero desde el otoño del año pasado, tras conseguir deshacerse de las gafas para empezar a llevar lentes de contacto, perder algunos kilos y empezar a ponerse ropa un poco más moderna, creía que no parecía tan pazguato. Y, por suerte, no tenía muchos granos; aunque, pensándolo bien, aquello no parecía impedir que tipos como Kevin Simpson, un imbécil integral, se acostasen con chicas.

Claro que Josh no era tan tonto como para creer todas las historias que contaban capullos como Kevin. Muchos chicos fingían que lo habían hecho cuando no era así. Allá ellos. El caso era que aquella historia con Katie le estaba afectando. Las vacaciones estaban tocando a su fin y ni siquiera se habían besado todavía. Estaba seguro de que ella tenía tantas ganas de que ocurriera algo entre ellos como él. Y había estado a punto de suceder en un par de ocasiones. Como la noche anterior en la fiesta de cumpleaños de su padre, cuando estaban bailando juntos y el grupo de Ty había empezado a tocar una canción lenta, y ella le había rodeado la nuca con los brazos y le había sonreído de una forma que había hecho que se sofocase. Entonces Lane y Abbie se habían metido en medio y lo habían echado todo a perder poniéndose a bailar con ellos.

Ese era el verdadero problema. Todos formaban una pandilla y siempre lo hacían todo juntos, lo cual era genial y resultaba muy divertido. Pero el inconveniente era que él y Katie apenas tenían momentos para estar a solas, momentos en los que pudieran dejar de ser solo amigos y convertirse en algo más excitante. Los dos se habían reído, habían bromeado, habían hablado, se habían perseguido e incluso se habían hecho cosquillas el uno al otro. Pero aún no habían conseguido ir más allá. Como un disco rayado. Y ninguno de los dos parecía saber qué botón tenían que apretar para que la música siguiera su curso.

El sábado por la tarde, los seis hermanos y hermanas —incluida Abbie, que había vuelto de los establos con paja en el pelo— se hallaban echados en las camas de la cabaña de Lane y Ryan. Estaban escuchando el nuevo disco de Radiohead, que según Ryan era «supremo». Josh sentía en su fuero interno que si lo escuchaba una vez más acabaría ahorcándose. La habitación olía a calcetines rancios y a humo de cigarrillos, cuyo hedor se esforzaban por eliminar dejando las ventanas de la parte trasera abiertas y rociando periódicamente la estancia con el desodorante Calvin Klein de Lane, que todos habían prometido reembolsarle, aunque probablemente no lo harían. Will Bradstock decía que hacía que la habitación oliera a burdel turco y se había llevado una decepción al ver que nadie se molestaba en preguntarle cómo podía saber aquello. Todos se encontraban o bien aburridos o demasiado resacosos después de haberse escondido la noche anterior detrás de la piscina a fumar la hierba que Ryan había robado del alijo de su padre.

Todos salvo Josh. Él no estaba ni aburrido ni resacoso. Se hallaba demasiado ocupado pensando en su muslo derecho, que durante los últimos diez minutos de dicha había permanecido apretado contra Katie. Ella estaba tumbada de lado de espaldas a Josh, apoyada en un codo, con su espléndido trasero arrimado a él y un hombro descubierto inclinado delicadamente contra su torso. Estaba leyendo un ejemplar atrasado de *People Magazine* que tenía apoyado contra la espalda de Ryan, quien se había quedado dormido enfrente de Abbie. O a lo mejor solo estaba fingiendo que leía, pues todavía no había girado la página.

Katie llevaba puesto un top amarillo breve y sexy y una minifalda tejana de cintura baja que dejaba a la vista unos quince centímetros de piel. A veces, cuando se contoneaba, se le podía ver la parte de arriba de las bragas, que eran de color rosa y de encaje. Josh estaba haciendo ver que leía la revista por encima de su hombro, pero lo cierto es que se dedicaba a mirar furtivamente el escote abierto del top, por el que podía ver su pecho derecho, que asomaba ligeramente, oprimido por el sostén (que también era rosa, pero parecía hecho de satén más que de encaje). Su proximidad, la presión de su trasero contra su muslo y el olor dulce, cálido y animal que ella desprendía le habían provocado una tremenda erección, que, sirviéndose de su mano derecha discretamente colocada, estaba consiguiendo disimular contra su vientre.

La zona donde su muslo rozaba el trasero de Katie se estaba calentando. Ella podría haberse apartado, pero no lo había hecho. Era imposible que no se hubiera dado cuenta. Probablemente estaba disfrutando tanto como él. Tal vez aquel fuera el momento. El momento de mostrarle lo que realmente sentía.

El corazón empezó a latirle con fuerza. Rogó a Dios que ella no pudiera oírlo ni notarlo. «Adelante —se dijo—. El chico es el que tiene que dar el primer paso. Seguramente ella lo está esperando y se está muriendo de ganas de que le hagas saber lo mucho que la deseas.» Y había una forma evidente y sencilla de lograrlo que no dejaría lugar a la menor duda. Respiró hondo y retiró lentamente la mano con la que se oprimía el vientre para apretarse contra la chica con su miembro erecto.

Katie Bradstock dio un brinco como si la hubieran pinchado con una aguja. Se elevó claramente quince centímetros por encima de la cama.

—¡Josh! —chilló—. ¡Dios mío!

Todo el mundo lo estaba mirando. Notó que la cara le empezaba a arder.

—¿Qué? —dijo, tratando infructuosamente de adoptar un tono inocente de sorpresa.

—¿Qué pasa? —dijo Abbie, en nombre de todos los presentes.

Katie se puso a gatear por la cama sobre la maraña de cuerpos sobresaltados.

—Nada —dijo—. Tengo que ir a un sitio.

Había salido de la cama y se apresuró hacia la puerta, y segundos más tarde ya se había ido. A continuación, se hizo un largo silencio de confusión. Todo el mundo estaba ahora despierto y alerta, y se miraban unos a otros en busca de una pista que les permitiera averiguar lo que había pasado. Josh intentaba parecer desconcertado, mientras su cerebro buscaba frenéticamente una excusa medio plausible.

«Bichos», pensó.

—A lo mejor le ha picado un bicho.

Se puso de rodillas, cometiendo la estupidez de olvidarse de su erección, que estaba disminuyendo rápidamente pero todavía abultaba en su pantalón corto. De forma inmediata, y sin duda cómica, adoptó una postura encorvada para ocultarla, mientras fingía que buscaba bichos entre las sábanas arrugadas. Abbie y Lane salieron por la puerta en busca de Katie. Will y Ryan se lo quedaron mirando.

—¿Qué ha pasado? —dijo Will.

—No tengo ni idea. Creo que la han picado o algo así...

Los ojos de Ryan descendieron lánguidamente a la entrepierna de Josh y luego volvieron a centrarse en sus ojos, mientras esbozaba lentamente una sonrisa.

—Sí, claro —dijo—. Me pregunto qué tipo de bicho la habrá picado.

Ben metió el último bolso en el maletero de la camioneta alquilada y cerró el portón trasero. El avión de los Cooper salía antes que el del resto de gente que tenía que marcharse esa mañana, y todo el mundo había atravesado el césped en tropel hacia el aparcamiento situado detrás de los establos para ver cómo se iban. Las despedidas afectuosas y demás rituales se hallaban en su punto álgido. Abbie, Katie y Lane, todas al borde de las lágrimas, estaban abrazándose, dándose besos y prometiéndose unas a otras que se mantendrían en contacto por teléfono y correo electrónico. Sus hermanos estaban llevando a cabo una versión masculina más reservada e incómoda, llamándose «hermano», «tío» y «colega», estrechándose las manos de forma complicada y dándose palmadas en la espalda.

Mientras tanto, sus madres estaban realizando una vez más otro ritual consistente en prometer que se visitarían unas a otras. Ben oyó decir a Sarah que al año siguiente sin duda visitarían a los Delroy en Florida. A lo mejor todos conseguían librarse de los abuelos y reunirse el día de Acción de Gracias. O ir a esquiar a algún sitio en febrero. Naturalmente, nada de aquello llegaría a ocurrir, y en el fondo todos lo sabían. Pero el fingimiento mutuo hacía que todo el mundo afrontase mejor la despedida.

Se trataba de un ritual en el que, por razones que Ben no acababa de entender, los hombres nunca participaban. Tal vez eran demasiado cínicos. Él, Tom Bradstock y Delroy se hallaban de pie junto a la camioneta, contemplando indulgentemente la escena y tratando temas más viriles e importantes, como los procedimientos de seguridad de los aeropuertos y la cantidad de kilómetros que habían recorrido por aire cada uno de ellos. Tom había empezado a hablarle de un perro rastreador que le había tomado simpatía en el aeropuerto O'Hare de Chicago y que iba directo a él cada vez que entraba en la zona de recogida de equipaje.

—Intento explicarles a los adiestradores que solo somos buenos amigos, pero nunca me creen y siempre me acaban registrando.

Ben le escuchaba con suficiente atención para poder reírse en los momentos adecuados. Estaba mirando a Josh y volvía a sentir lástima por él. La noche anterior el chico se había saltado la cena alegando que no se encontraba bien. Ni siquiera había aparecido en la fiesta habitual de final de vacaciones que se celebraba más tarde en el bar. Toda su alegría de los días precedentes parecía haberse desvanecido. Sarah había dicho que era evidente que había pasado algo entre él y Katie. Y al mirarlos ahora a los dos, evitándose cuidadosamente el uno al otro, Ben supuso que debía de estar en lo cierto. Para colmo, Abbie había estado llorando antes del desayuno tras despedirse de Ty. «Hombres y mujeres —dijo Ben para sus adentros, suspirando—. Que Dios nos asista a todos.»

Entonces vio a Eve. La había buscado en el desayuno, pero ella no había aparecido y ya se había resignado a marcharse sin decirle adiós. Probablemente fuera mejor así. Pero allí estaba, hermosa como de costumbre con su traje de montar, caminando por el césped. El paseo a caballo de la mañana estaba a punto de dar comienzo, todos los caballos se encontraban ensillados y colocados en fila fuera de los establos, y algunos de los huéspedes ya estaban montando en ellos. Y por un momento Ben pensó que ella se dirigía hacia allí. Pero entonces Eve lo saludó con la mano y se encaminó hacia el aparcamiento. Lo miró y los dos intercambiaron sonrisas, pero ella se unió al grupo de las mujeres.

Tom Bradstock había terminado su historia y había ido al otro lado a hablar con los demás jinetes. Delroy estaba mirando fijamente a Eve.

—Daría lo que fuera por ser Adán —dijo en voz baja.

Ben necesitó un par de golpecitos para entender a qué se refería.

—Ah, claro. Sí. Es agradable.

—¿Agradable? Ben, eres tan... comedido. Se me ocurre una docena de cosas que llamarla antes que «agradable».

Dos noches antes, Ben se había armado de valor para acompañar a Delroy en su paseo nocturno por el bosque. No tenía claro si la hierba era más potente entonces o si simplemente había pasado demasiado tiempo desde la última vez que la había probado, pero después de unas cuantas caladas, había notado que la cabeza se le empezaba a comprimir y se había visto obligado a volver tambaleándose a su cabaña, invadido por las náuseas, para quedarse tumbado en la cama durante lo que le habían parecido horas enteras, convencido de que iba a morir. La humillación había resultado suficientemente mortificante, pero peor aún era el hecho de que Delroy supusiera que habían pasado a ser íntimos. ¿Comedido? ¿Qué demonios sabía él? Ni siquiera se conocían. Ben consultó su reloj.

—Bueno —dijo—. Creo que ya va siendo hora de que nos vayamos.

Mientras se dirigía hacia las mujeres, oyó que Sarah le preguntaba a Eve si solía ir a Nueva York.

—De hecho, voy a ir en septiembre a la exposición de un amigo.

—Pues deberíamos vernos.

—Con mucho gusto.

—Podríamos ir al teatro. ¿Te gustan los musicales?

—Me encantan.

Mientras intercambiaban sus números de teléfono, Ben reunió a los niños y todo el mundo se despidió definitivamente. Cuando Eve rozó con su mejilla fresca la de él, sintió una punzada de melancolía en el pecho. Ella le dijo lo mucho que le había gustado conocerlos a todos ellos. No a él, según advirtió Ben, sino a «todos ellos». Lori estaba todavía en la cama, pero le había pedido que se despidiera de ellos en su nombre. Los Cooper se subieron a la camioneta y Ben giró la llave.

—Procura llamarnos —dijo Sarah a Eve.

—Te lo prometo.

Naturalmente, no lo haría nunca. Mientras se alejaban por el camino de entrada y los niños gritaban y se asomaban por las ventanillas para despedirse con la mano, Ben alzó los ojos al espejo retrovisor y lanzó a Eve la que estaba seguro de que sería la última mirada que le dedicase.

9

Era un punto de partido y, como siempre, el padre de Sarah iba a ganar. A nadie le sorprendería. Incluso las lagartijas que tomaban el sol a lo largo del perímetro de la pista miraban con una especie de fatalismo desganado. Sin embargo, el hecho de que George Davenport todavía pudiera, a sus sesenta y ocho años, aniquilar a su yerno en dos sets le proporcionaba claramente más placer del que podía disimular. Con sus cortos y elegantes pantalones blancos y su polo, su cabello plateado y lustroso y un debilísimo brillo de sudor en su frente bronceada, botó la pelota y se dispuso a sacar. En el otro extremo, vestido con su camiseta gris empapada y unas bermudas floreadas que lucía en una infantil muestra de desafío a la etiqueta deportiva de Westchester, Benjamin se preparó como un prisionero ante un pelotón de fusilamiento.

Era el domingo del fin de semana del día del Trabajo, y esa mañana los Cooper habían viajado en coche de Syosset a Bedford a la luz de la penumbra para asistir a la comida ritual que celebraban con los padres de Sarah. El que la costumbre se hubiera mantenido durante todos aquellos años, cuando a todos los implicados —con la posible excepción de la madre de Sarah— les horrorizaba tanto, era un misterio casi tan profundo como la alegría insaciable que le causaba a George Davenport derrotar por enésima vez a un oponente tan mediocre. Tal vez para alargar el sufrimiento de Benjamin, sacó y cometió su primera doble falta del partido.

—¡Cuarenta, quince!

La comida estaba esperando en la terraza que se extendía majestuosamente en el lado de la casa orientado hacia el sur e, intuyendo lo que pasaba por ser el clímax del partido, Sarah, su madre, Abbie y Josh habían atravesado el césped con la limonada y una alegría firme aunque algo tensa. La pista, como el resto de elementos materiales de la residencia de los Davenport, era inmaculada. Cuidada dos veces por semana por uno de sus varios jardineros, y rodeada de un entorno de ladrillo y gravilla sembrado de rosas, hibiscos y cojines de lavanda, estaba revestida de la más moderna hierba sintética que, según el padre de Sarah, permitía jugar mejor incluso que la auténtica. El hecho de que un hombre cuyas donaciones a la nación incluían varias clases arcanas de fondos de protección pudiera mejorar también la obra de Dios no habría sorprendido a nadie, y menos a Benjamin, que, con la cara colorada y sudando a mares, se preparaba para encarar el segundo punto de partido.

—¡Ánimo, papá! —gritó Abbie desde la sombra del cenador situado a un lado de la pista.

—Silencio, por favor —dijo su abuelo. Y no bromeaba.

Sacó y esta vez lanzó la pelota con velocidad a escasa altura y la envió dentro. Benjamin se abalanzó a trompicones hacia la derecha y pegó a la pelota justo con el borde de la raqueta, pero únicamente consiguió alzarla por encima de la red en un globo elevado.

Su suegro observó cómo la bola descendía durante el tiempo suficiente para que un hombre viera pasar su vida ante él en cámara lenta, preparando su raqueta para el golpe como si fuera una cobra. Y con un disparo demoledor y perfectamente calculado, envió la pelota entre los pies de Benjamin con un bote épico. Tras saltar por encima de la malla metálica, la bola cayó entre las rosas. Haciendo gala de distintos grados de ironía, los cuatro espectadores prorrumpieron en vítores y se pusieron a aplaudir.

—¡Gracias, Ben!

—Gracias, George.

Sarah observó cómo los dos hombres más importantes de su

vida se estrechaban la mano ante la red y luego se dirigían hacia la puerta; su padre rodeaba los hombros sudorosos de su yerno con el brazo en un gesto condescendiente.

—Al abuelo aún le queda cuerda para rato, ¿eh?

—Yo diría que para bastante rato, George.

—Pobre Benjamin —dijo su madre, suspirando.

—Bueno, papá, ¿cómo habéis quedado? —dijo Josh, como si ninguno de ellos lo supiera.

—Es cuestión de educación. No hay que ganar al anfitrión, ¿no te lo había dicho nadie?

—¿Y cómo es que también pierdes siempre con el abuelo en casa?

Los hombres habían salido ya de la pista y estaban secándose con unas toallas junto a la mesa de madera de teca que había en el cenador, mientras la madre de Sarah servía limonada y respondía a la pregunta de Josh.

—La razón, Josh, es que tu padre sabe perfectamente que no hay un hombre en la Tierra al que le guste más ganar que a tu abuelo. Es el gen maldito de los Davenport. Esperemos que tú no lo hayas heredado.

—No te preocupes, abuela —dijo Abbie—. Los genes de perdedor de mi padre lo compensarán con creces.

—Por favor —dijo Benjamin—. Que nadie se corte. Hoy toca incordiar a Ben.

Terminó su limonada y subió trotando a la casa para ducharse y cambiarse de ropa. El padre de Sarah, probablemente para indicar que no necesitaba ninguna de las dos cosas, volvió paseando con el resto de la familia por el césped, interrogando a Abbie sobre su intención recién anunciada de ir a la Universidad de Montana. Sarah era menos partidaria de la idea que Benjamin, pero en aquel momento no quería dejar que Abbie se pusiera de parte de su padre, quien, como era de esperar, se mostraba escéptico. Abbie estaba exponiendo bien sus argumentos, y Sarah decidió no meterse en la conversación y se puso a caminar sola delante del grupo. Josh avanzaba el último con su abuela, mientras la ponía al corriente de cómo iban los Cubs de Chicago. El viernes había recibido una carta de Katie Bradstock y estaba eufórico desde entonces. No pensaba revelar lo que ponía en la misiva, pero fuera lo que fuese lo que había pasado entre ellos, se había solucionado.

Hacía semanas que no llovía, pero la hierba, con su sistema de aspersión de última tecnología, lucía un color verde deslumbrante y absurdo. Se había levantado un poco de viento y estaba soplando entre las ramas secas de los robles grandes y viejos que había a lo largo del camino de entrada. Sarah cerró los ojos, respiró hondo e intentó disfrutar de la calidez del sol y del tacto del césped bajo sus pies descalzos. Pero el nudo que se le había formado debajo de las costillas no se aflojaba.

Aquel sitio siempre la ponía tensa. Con su fachada de falso estilo colonial y su número disparatado de habitaciones, nunca lo había considerado un hogar. Cuando Sarah tenía quince años y el negocio de su padre fue comprado a cambio de una cantidad obscena de dinero por un gran banco de Wall Street, abandonaron una casa mucho más pequeña y acogedora situada al otro lado del pueblo y se mudaron allí. Nunca había llegado a entender qué necesidad tenían ellos de semejante palacio, salvo la pura ostentación. Sobre todo teniendo en cuenta que casi nunca recibían visitas y que ya los habían enviado tanto a ella como a su hermano Jonathan al internado. En su día, Sarah había culpado de la decisión a su madre, que venía de una familia más distinguida de Nueva Inglaterra. Pero al hacerse mayor había llegado a pensar —aunque nunca lo había reconocido delante de Benjamin— que el verdadero esnob era su padre. Solo que a él se le daba mejor ocultarlo.

Habían llegado a la escalera que subía a la terraza, y a juzgar por lo que Sarah estaba oyendo, Abbie se estaba irritando. ¿Por qué demonios, estaba diciendo su abuelo, alguien tan lista como Abbie, una estudiante de sobresalientes, quería irse al quinto pino, cuando podía escoger entre muchas universidades mejores que estaban más cerca de casa?

Sarah se volvió hacia él.

—Papá, por el amor de Dios, es Montana, no Mongolia.

—Pues acabamos de hacer un trato con unos tipos de Mongolia. Y en realidad, es un sitio con bastante actividad.

—No tendrá nada que ver, por casualidad, con cierto joven vaquero, ¿verdad? —preguntó la madre de Sarah.

—Josh, rata asquerosa, ¿qué has ido diciendo?

Él levantó las manos en un gesto de inocencia.

—¡Yo no he dicho nada!

—Mientes fatal. A lo mejor deberías decirle a todos porque eres tan aficionado a los Cubs de Chicago. ¿No tendrá nada que ver con que estés colado por la pequeña Katie Bradstock?

—¿Pequeña? Claro, como tú eres tan grande y tan madura, ¿verdad?

—Niños, niños —dijo Sarah.

Cuando llegaron a la terraza, la discusión se había calmado y Abbie accedió de mala gana a hablarles un poco de Ty a sus abuelos. Consiguió desviar hábilmente la conversación a la visita que habían hecho al rancho de los padres de él, de la que había vuelto prácticamente en estado de éxtasis, diciendo que era el sitio más espectacular que había visto jamás, todavía más hermoso que La Divisoria.

La comida estaba compuesta de langosta fría de Maine, enviada en avión por encargo especial el día anterior. También había ostras y camarones, y una increíble variedad de ensaladas preparadas por Rosa, que cuidaba la casa desde hacía nueve años, durante los cuales, que Sarah supiera, no había sonreído una sola vez. Benjamin decía que probablemente todavía estuviera esperando una razón para hacerlo. La mesa oval estaba cubierta con un grueso mantel de lino blanco, a la sombra de dos enormes sombrillas de lona color crema. Como mínimo había sitio para una docena de personas, y en lugar de colocarse en una punta, los seis se sentaron a gran distancia unos de otros, tan aislados en su propio espacio que si necesitaban pasarse algo, tenían que llamar a Rosa, que permanecía apartada y a la espera, en actitud hosca.

Normalmente los huecos los habrían llenado el hermano de Sarah y su familia. Jonathan era cinco años más pequeño que ella y nunca habían estado unidos. Al igual que su padre, se dedicaba a algún sector impenetrable de las finanzas y hacía poco que había empezado a trabajar en Singapur, adonde se había llevado a Kelly, su mujer tejana, y a sus dos hijas gemelas malcriadas. Mientras todo el mundo masticaba la langosta desmesuradamente grande y el silencio se hacía cada vez más persistente, Sarah casi empezó a echarlo de menos.

¿Por qué seguía sometiendo a Benjamin y los niños a aquella penitencia anual cuando ella la detestaba casi tanto como ellos? La última semana se había visto enturbiada por una prolongada discusión con Abbie y Josh, que hasta esa misma mañana se habían negado a acudir. En el desayuno, Sarah finalmente había pronunciado una arenga sobre la importancia de la familia, echando mano de todas las tácticas rastreras que se le habían ocurrido para inspirarles culpabilidad. Como la buena disposición con que aceptaban los generosos cheques que sus abuelos les daban en los cumpleaños o los regalos de Navidad que les hacían, frente a su negativa a dedicar a cambio unas pocas horas a comer con ellos. O el hecho de que su abuelo tuviese una edad considerable y no fuese a estar con ellos mucho más tiempo (aunque, a decir verdad, gozaba de una escandalosa buena salud y probablemente los sobreviviera a todos). Incluso se había rebajado a mencionar a Misty, el poni que sus abuelos habían regalado a Abbie cuando tenía once años. Benjamin se había mantenido al margen. Y aunque no había pronunciado palabra, ella había notado por su expresión altiva lo mucho que estaba disfrutando con la revolución. Al ver aquella expresión, a Sarah le habían entrado ganas de lanzarle algo.

Pero allí estaban ahora; la culpabilidad había comprado un billete de ida y vuelta y en ese momento se compadecía de todos ellos. Incluso de Benjamin. Desde que habían vuelto de La Divisoria, se había mostrado esquivo durante muchas semanas. Había estado distante y parecía preocupado. Lo estaba pasando mal en el trabajo, y Sarah había decidido achacar su estado a ello. Tal vez ella tuviera tanta culpa como él, pues las cosas tampoco estaban yendo bien en la librería. De hecho, estaba pasando por su peor año. Una de las grandes compañías libreras había abierto una nueva tienda justo a un par de manzanas y Jeffrey, su adorado y fiel encargado, que actualmente llevaba el negocio perfectamente él solo, había vuelto a mencionar la posibilidad de dimitir. Sin embargo, aunque a Sarah le gustaba hablar de sus problemas, Benjamin ya no parecía querer escuchar ni discutir de los suyos. Su padre, que era perspicaz como un sabueso, preguntó a Benjamin por el trabajo.

—¿Qué tal va vuestro proyecto de los Hamptons?

—La verdad es que no pinta muy bien, George.

—¿Cómo se llamaba el tipo? No me acuerdo.

—¿El promotor? Hank McElvoy.

—McElvoy, eso. El otro día le pregunté a Bill Sterling por él. Me dijo que estaba en apuros y que los bancos le estaban retirando toda la financiación. ¿Ese es el problema?

—No, en realidad el problema ha sido lo que se llaman «diferencias creativas».

—Papá es un héroe —dijo Abbie desde el otro lado de la mesa—. Querían cortar todos esos árboles tan bonitos y él se negó.

—Es una lástima perder un trabajo por unos cuantos árboles.

—¡Abuelo!

—Bueno, probablemente te hayas librado de una buena.

—Sí, probablemente.

Benjamin comió otro bocado de langosta y miró a Sarah. Ella le sonrió para mostrar su solidaridad, pero apartó la vista.

—Sarah me ha dicho que tu empresa ha ganado hace poco un premio importante —continuó su padre.

—Así es, por el centro comercial que hicimos en Huntington.

—¿Era un proyecto tuyo o de Martin?

—Bueno, todos trabajamos en él. Pero supongo que se puede decir que era un proyecto de Martin.

—Es un tipo listo.

—Sí, lo es.

—Felicítalo de mi parte.

—Gracias, George. Lo haré.

En cierta época, una humillación tan poco disimulada habría puesto furioso a Benjamin. Durante los primeros años de su matrimonio, solo habría aguantado un poco y luego habría entablado una discusión sobre otro tema que, inevitablemente, habría ganado su padre. Y es que fuera cual fuese el tema e independientemente de quién tuviera la razón, la técnica de su padre consistente en sonreír y mantener la calma acababa siempre irritando a Benjamin, que solía cerrar las conversaciones con su suegro a gritos. Pero al mirarlo ahora, sentado frente a ella, sudando todavía tras su humillación en la pista de tenis, Sarah no veía la menor señal de dolor o ira, sino tan solo una resignación llena de cansancio. Y aquello le preocupaba más que cualquier pelea de gallos que hubiera podido tener lugar.

Más tarde, en el camino de vuelta a casa, fueron Abbie y Josh los que explotaron, y no Benjamin. Él ni siquiera sonrió ni mostró ningún indicio de placer mientras los chicos desahogaban su ira con Sarah y le hacían prometer por lo más sagrado que aquella sería la última comida del día del Trabajo que tendrían que aguantar. Ella les pidió disculpas sin poner reparos, lo cual pareció desarmarlos, y a continuación se hizo el silencio. Josh se puso los auriculares para escuchar música, y Abbie se acurrucó junto a él y al poco rato se quedó dormida. Benjamin se recostó contra el reposacabezas y se quedó mirando por la ventanilla con una expresión vaga. Parecía tan triste que ella le posó la mano en el brazo, pero él no reaccionó de ninguna forma y al cabo de unos instantes la retiró.

—Yo creía que la edad suavizaba el carácter de la gente —dijo ella—. Pero mi padre cada vez está peor.

—Siempre ha sido así.

—Parece que todo lo que diga lo haga con segundas.

—Siempre lo ha hecho.

Benjamin cerró los ojos, y Sarah se dio por aludida y siguió conduciendo en silencio. Vio por el espejo retrovisor que Josh también se había quedado dormido. La autopista estaba atascada debido al tráfico de las vacaciones, de modo que tomó una salida y siguió lo que ellos llamaban la «ruta de la serpiente», pero estaba igual de congestionada y avanzaron lentamente por las afueras, bache tras bache, kilómetro tras kilómetro. Encendió la radio, pero no consiguió encontrar ninguna emisora que no la irritase ni la hiciese sentir más alienada. La gente de los coches que había a su alrededor parecía estar hablando y pasándoselo bien.

La culpable fue una vieja ranchera Volvo. Se hallaba en el carril de al lado y seguía avanzando. Era igual que una que ellos habían tenido, solo que aquella era azul en lugar de blanca. En la baca había amontonadas bicicletas y equipamiento de acampada, como solía estar la de ellos. Dentro había una pareja y dos críos, un niño y una niña, los dos rubios e increíblemente guapos. Todos estaban riéndose y parloteando. Sarah intentó no mirar. Tensó los músculos de la cara para contener las lágrimas que últimamente brotaban con tanta facilidad. Y miró con resolución hacia delante, reprendiéndose por ser tan boba y sentimental y diciéndose que no debía sucumbir. Que no debía dejar que entrase en su cabeza aquella imagen de su propia felicidad perdida.

10

Se habían conocido durante el segundo año de universidad de Sarah en Wellesley. Un chico de Harvard había pedido a una chica de su clase de Tragedia shakespeariana, alguien a quien apenas conocía y que ni siquiera le caía bien, que llevase un autobús lleno de «nenas» a una fiesta de Cambridge. En Wellesley no había tantas chicas que respondieran a ese apelativo, y Sarah debería haberlo interpretado como una señal, pero no tenía nada mejor que hacer y se había apuntado.

Resultó ser uno de esos horrorosos eventos de las fraternidades, lleno de deportistas borrachos y repugnantes que gritaban, se daban tono y vomitaban en los parterres de las flores. Benjamin, de pie en un rincón, con el pelo largo y su cazadora de piel, parecía bohemio e interesante y, al menos estaba sobrio. Saltaba a la vista que era mayor que los demás, pues ya no era un muchacho, y era evidente que estaba tan consternado y aislado como ella. Los dos se concentraron el uno en el otro y parecieron establecer un vínculo antes de hablar siquiera.

La relación de él con la fiesta resultó tan vaga como la de ella. Dijo que estaba allí en calidad de chófer. Tenía coche, y unos chicos que habían sido invitados lo habían engatusado para que los llevara desde Syracuse, donde estaba estudiando arquitectura.

—Me dijeron que tenía que ver lo que se cocía en esta parte.

Bebió un sorbo del supuesto ponche de frutas e hizo una mueca. Le habían echado alcohol puro robado de los laboratorios de química, o eso se rumoreaba. Alguien puso otro disco de los Wings.

—Pues ahora ya lo sabes —dijo Sarah.

—Sí. Por lo menos me han pagado la gasolina. La música me está matando. ¿Nos vamos a otra parte?

Se adentraron en Boston con el viejo Ford Mustang de Ben. Tenía un silenciador roto y hacía tanto ruido que todo el mundo se giraba y se quedaba mirando. Encontraron un pequeño restaurante italiano donde ella había estado una vez y pidieron unos platos humeantes de *spaghetti vongole* y una botella de Chianti barato y se quedaron hablando hasta que cerraron el local. Sarah dijo que recordaba un bar cercano y fueron a buscarlo, pero al ver que no lo encontraban, siguieron caminando. Era una noche clara de otoño y soplaba un aire frío, y ella se sorprendió entrelazando su brazo con el de él. Debían de haber caminado varios kilómetros y no habían parado de hablar en ningún momento.

Él le dijo que venía de Abilene, Kansas, donde sus padres tenían una ferretería. Dijo que le tenía más aprecio al lugar en esa época, en que no tenía que vivir allí, pero que cuando estaba creciendo se moría de ganas de largarse de Abilene. Tenía una hermana mayor a la que apenas veía y no se llevaba bien con su padre, que seguía enfadado con él por no haberse hecho abogado. Sarah le preguntó si siempre había querido ser arquitecto y él dijo que no, en absoluto. Lo que de verdad quería era ser actor.

—Bueno, no actor exactamente —se corrigió—. Estrella de cine. Una gran estrella de cine famosa. Como Paul Newman o alguien por el estilo.

—¿Y qué pasó?

—No se me daba nada bien. En la universidad lo único que hacía eran dramas. Participé en todas las obras. Y conseguí buenos papeles. Pero, por suerte, tuve un momento de lucidez.

—Cuéntamelo.

—¿En serio? Está bien, tú lo has querido. Estaba haciendo de Ángelo en *Medida por medida*... ¿Conoces la obra?

Ella la conocía perfectamente, pero se limitó a asentir con la cabeza.

—Vale. ¿Sabes el momento en que Isabella se niega a acostarse con él y Ángelo ordena que le corten la cabeza a su hermano Claudio, pero no lo hacen, sino que fingen que lo han hecho y se la cortan a otro pobre desgraciado?

—Bernardino.

—Impresionante. En fin, el caso es que el director hizo que me dieran la cabeza en una cesta y, claro, se suponía que yo no sabía que no era de Claudio y tenía que levantar el trapo y mirar lo que había provocado. Y el director me dijo: «Ben, quiero náuseas, náuseas de verdad. Y un atisbo de culpabilidad».

—Un atisbo de culpabilidad. Suena a título de libro.

—Sí, es la historia de mi vida. Así que cada noche miraba dentro de la cesta, donde había una ridícula cabeza de goma toda cubierta de ketchup, y lo intentaba, lo intentaba con todas mis fuerzas, pero lo único que conseguía era que me entraran ganas de reír.

—¿Y te reías?

—No. Salvo una noche, cuando alguien puso una rana hinchable en la cesta en lugar de la cabeza. No, simplemente fingía las náuseas y la culpabilidad. Y lo hacía bien. Conseguí unas críticas estupendas. Pero sabía que si no podía sentirlo, me refiero a sentirlo de verdad en las entrañas, no estaba hecho para ser actor.

—¿Crees que todos los actores sienten de verdad lo que interpretan?

—No, pero creo que los mejores sí que lo hacen.

Ella, a su vez, le habló de su familia y le contó cómo había sido crecer en Bedford, ante cuyo nombre él puso una cara de fingida impresión, como si ahora supiera con quién estaba tratando. Aquello hizo que inmediatamente ella empezara a quitar importancia a todo lo que hiciera pensar en el dinero, los privilegios o las buenas relaciones. Como si el hecho de que Sarah estuviera en Wellesley no le bastara para identificarla.

Nunca había conocido a un chico que supiera escuchar tan bien. Cuando por fin, y más por casualidad que gracias a su sentido de la orientación, dieron con el sitio donde él había aparcado el coche, la grúa se lo había llevado. Consiguieron recuperarlo cuando ya estaba amaneciendo y los dos volvían a tener hambre. Se dirigieron a la autopista de peaje de Massachusetts y encontraron un restaurante de carretera, donde pidieron unos platos grandes y grasientos de beicon con huevos y croquetas.

Había sido una de las mejores noches de la vida de Sarah. Y cuando él se despidió besándola castamente en la mejilla y se marchó a recoger a sus amigos para llevarlos de vuelta a Syracuse, ella supo —bueno, no, pensó, o se aventuró a imaginar— que aquel era el hombre con el que se casaría y tendría hijos.

No solo era algo manido, sino también absurdo. Todo el mundo sabía el chiste de los padres que mandaban a sus hijas a Wellesley para conseguir el tratamiento de señoras. Pero se suponía que una tenía que pescar a un chico ambicioso y rico de Harvard, y no al hijo de un tendero de Kansas que estudiaba en una universidad perdida de la mano de Dios. Además, acababa de cumplir veinte años y todavía era virgen. Solía pensar que era la única que quedaba en toda la universidad. Estaban en plena década de los setenta, la época posterior a la píldora y anterior al sida, y todo el mundo practicaba el sexo como conejos, o eso parecía. Excepto Sarah Davenport.

No era por falta de propuestas, ni porque fuera una mojigata o le diera miedo o no tuviera interés. Sabía que su razonamiento era peculiar y probablemente un poco estúpido. Iris, su compañera de habitación, sin duda pensaba que era ambas cosas, además de una locura absoluta. Las dos habían nacido la misma semana de septiembre, y su amiga le recordaba constantemente que al ser cinco días mayor que Sarah era una persona infinitamente más sabia. Desde luego ella era la única persona con la que Sarah se atrevía a mantener unas conversaciones tan íntimas. Iris había crecido en Pittsburgh, donde, según ella sostenía, absolutamente todo el mundo se acostaba a los dieciséis.

—Hazlo de una vez —le decía—. Y luego ya te pondrás quisquillosa.

Pero Sarah creía que aquello era importante. Puede que fuera anticuado pensar que debía querer al hombre con el que iba a hacerlo por primera vez, pero a ella le parecía lo correcto. Aunque había tenido novios y había hecho con ellos casi todas las demás cosas —o lo que creía, a partir de sus conversaciones con Iris, que eran «todas las demás cosas»—, estaba empezando a sentirse un bicho raro en cierto modo. Y aquellas cosas se acababan sabiendo de alguna forma. Sabía a ciencia cierta que un cretino con el que había estado saliendo un tiempo se había dedicado a llamarla calientapollas. Y aunque, por lo que Iris había oído, la tenía tan pequeña que no merecía la pena que se la calentasen, a Sarah le molestó.

Si Benjamin le hubiera propuesto hacer el amor, incluso aquella misma noche en la parte de atrás de su Mustang, ella habría aceptado gustosa. Al final, ni siquiera estuvieron cerca de hacerlo durante otros cinco meses. Hablaban por teléfono como mínimo una vez a la semana y se citaron unas cuantas veces en Nueva York para ver una película o una exposición nueva de arte, todas ellas seguidas de una cena y otro beso de despedida en la mejilla. Y justo cuando Sarah se estaba resignando a la idea de que lo único que él quería era ser su mejor amigo y de que probablemente tenía una novia en Syracuse o en Kansas, Benjamin se presentó de improviso en Wellesley el día de San Valentín con un enorme ramo de amarilis encarnadas de aspecto vagamente carnívoro y le declaró su amor.

Ella no descubriría hasta más tarde que no había sido una iniciativa tan arriesgada y que él había tomado en secreto la precaución de llamar a Iris para comprobar si Sarah tenía otros planes y preguntarle si, en caso de que no fuera así, recibiría bien su propuesta.

Ese verano encontró trabajo en una ajetreada aunque poco estimulante empresa de arquitectos del Upper East Side, donde lo único que le dejaban hacer era contestar al teléfono y traer cafés. Por medio de un colega comercial de su padre, Sarah hacía otro tanto para una compañía que realizaba anuncios de televisión. Ninguno de los dos percibía un sueldo y —gracias a la asignación que recibía Sarah— a ninguno le importaba aquel detalle. Estaban demasiado ocupados descubriéndose el uno al otro.

Un viejo amigo de Syracuse de Benjamin estaba pasando tres

meses en Florencia y les dejó que usaran su apartamento: una caja de zapatos con dos habitaciones ubicada entre la Noventa y Tres y Amsterdam. Fue uno de los veranos más calurosos de los que se tenía constancia, y el piso no tenía aire acondicionado. Las aceras brillaban y echaban humo, y en el interior de la caja de zapatos se estaba más o menos igual.

Sarah había supuesto que Benjamin tenía experiencia con las mujeres, aunque no por algo que él hubiera dicho, sino por su aire sofisticado y mundano. Pero en sus primeras cópulas se mostró casi tan novato en la materia como ella y tardaron un tiempo en vencer su mutua reserva. Y aunque Sarah no acababa de entender por qué se suponía que el sexo era algo tan importante, e incluso entonces, durante aquellas noches febriles, con las ventanas abiertas de par en par, el clamor de la calle y la sangre ardiente, era incapaz de satisfacer el deseo insaciable de Benjamin, tenía una sensación casi vertiginosa de alivio y liberación.

Fue a principios de julio cuando lo llevó por primera vez a Bedford para que pasara allí un fin de semana y conociera a sus padres, quienes para entonces ya conocían su existencia y sentían curiosidad. Naturalmente, no sabían que cuando su hija se quedaba a pasar la noche en la ciudad, algo que hacía con una frecuencia cada vez mayor, no se quedaba con una amiga de Wellesley, como ella aseguraba.

Le había hablado a Benjamin lo bastante de ellos para lograr que estuviera un poco inquieto. Se había cortado el pelo especialmente para la ocasión —lo que Sarah interpretó como un acto de devoción—, e incluso llevó una americana deportiva (pero sin corbata) para la cena, lo que no consiguió engañar a su madre, a quien más tarde oyó describirlo como «encantador, aunque un poco bohemio».

El padre de Sarah trató de disimular su desdén respecto a cualquier universidad que no perteneciera a las ocho más prestigiosas del país mostrando un interés demasiado entusiasta por la Universidad de Kansas, donde Benjamin se había graduado antes de ir a Syracuse. La cena fue como una entrevista laboral. Su padre sabía tanto sobre arquitectura como Benjamin sobre finanzas, pero era evidente que se había documentado. Mientras Sarah y su madre comían en silencio, se dedicó a interrogar al pobre muchacho durante veinte largos minutos sobre Werner Seligman, un profesor de Harvard que acababa de trasladarse a Syracuse y que en los años venideros transformaría aquel lugar. Afortunadamente, Benjamin era un admirador de aquel hombre y pasó la prueba con facilidad. Y aunque quizá perdió unos puntos algo más tarde, al tropezarse con su madre cuando salía medio desnudo de la habitación de Sarah, lo compensó a la mañana siguiente al ser vapuleado por primera vez en la pista de tenis por su futuro suegro.

El domingo comieron con ellos dos parejas que vivían cerca. Las dos tenían hijos pequeños que recibieron a Benjamin como si lo conocieran de toda la vida. Él se puso a bromear con ellos y a hacer el tonto, y al poco rato los pequeños estaban partiéndose de risa. No lo dejaban solo en ningún momento. Sarah sabía que muchos hombres de la edad de Benjamin podían conseguir aquello, pero lo que le sorprendió fue que también fuera capaz de hablar con ellos, incluso sobre temas serios y situándose totalmente a su nivel, sin el menor rastro de condescendencia por su parte. Su madre la sorprendió mirándolo y, por su sonrisa de complicidad, Sarah se dio cuenta de que había adivinado sus intenciones.

Se casaron por todo lo alto en Bedford el verano que Sarah se licenció en Wellesley. Y la primera impresión que se había formado de él la noche que se conocieron no se vio alterada en lo más mínimo durante los emocionantes meses previos ni durante muchos años después. Adoraba casi todo de Benjamin. Su dulzura, su ingenio, su generosidad, el modo en que le pedía su opinión y se interesaba por lo que ella pensaba, decía y hacía. La forma en que la hacía sentarse con una taza de té cuando tenía un problema y cómo dejaba que se lo contase, sin intentar solucionarlo por ella. Adoraba la pasión que sentía por su trabajo y estaba convencida de que, si existía la justicia en el mundo, algún día conseguiría grandes cosas.

Sus intereses no coincidían exactamente, pero los dos parecían igual de abiertos a las cosas que le gustaban al otro. Él leía principalmente obras de no ficción, pero pronto ella consiguió que leyera novelas —Jane Austen y Henry James, así como Updike, Bellow y Roth— y le impartió un curso acelerado de música clásica. Durante un tiempo, Benjamin estuvo prácticamente obsesionado por las óperas de Mozart. Ella no olvidaría jamás las lágrimas que le habían caído por las mejillas en el Metropolitan Opera House mientras escuchaba la famosa serenata de *Così fan tutte*. Él, por su parte, la llevó a ver películas europeas poco conocidas de directores de los que ella apenas había oído hablar, como Herzog y Fassbinder. Y le puso todos sus discos de Miles Davis y Neil Young, y la llevó a siniestros garitos del centro a escuchar a oscuros grupos de punk que, por lo general, eran tan espantosos que también a ella le entraban ganas de llorar.

Parecían encontrarse tan en sintonía, tan compenetrados el uno con el otro, que en ocasiones a Sarah le costaba determinar exactamente dónde terminaba ella y empezaba él. A veces le preocupaba que fuera tan maleable, que sin darse cuenta se estuviera viendo desarmada y reformada. Cuando iban a comprar ropa, comida o muebles, o cuando estaban redecorando su apartamento, eran los gustos de Benjamin los que casi siempre prevalecían. Aunque, sin embargo, no ocurría en contra de su voluntad. Ella transigía encantada porque, en general, no sabía lo que quería, a diferencia de él, que siempre lo sabía. Al tener que enfrentarse a una docena de formas distintas de copas de vino o a veinte tonos diferentes de color azul, se sentía aturdida o los ojos se le ponían vidriosos. Tal vez aquellas cosas no le parecían lo bastante importantes. Y de todos modos, se justificaba diciéndose que el trabajo de Benjamin consistía en tener opiniones formadas sobre texturas, colores y formas y que aquellas cosas eran propias de él.

Sabía que a la mayoría de parejas no les ocurría eso. Muchos hombres cedían la batuta de aquellas decisiones a sus mujeres. Y sin duda, Benjamin tenía una tendencia a controlar las cosas. Recordaba haber leído sobre ese tipo de gente cuando cursaba una asignatura de psicología en Wellesley. El deseo de controlarlo todo de esas personas a menudo era el resultado de una inseguridad profundamente arraigada, un temor a que si no se mostraban decididos y lo supervisaban todo, estallaría el caos y los arrollaría. Tal vez Benjamin padeciese una versión moderada de aquella patología. De ser así, Sarah estaba encantada de vivir con ello. Él no era un tirano. Y, francamente, a menudo aquella conducta suponía un alivio.

También podía resultar temperamental y difícil, sobre todo cuando las cosas no le iban bien en el trabajo. Y había en él una inquietud por la que tal vez Sarah debería haberse preocupado más. Cuando discutían (lo que no sucedía con frecuencia y por ello resultaba tanto más terrible cuando ocurría), él podía mostrarse cruel y parecía que le costase pedir disculpas o perdonarla. Los dos sabían manejar las palabras con rapidez e inteligencia, pero él tenía la lengua más afilada, e incluso cuando la culpa era de él sabía cómo tergiversar las cosas para que fuera ella la que terminara pidiendo perdón.

Durante los primeros años, sus peores discusiones guardaban relación con los padres de Sarah. Quizá de forma inevitable, Benjamin estaba resentido con ellos y le molestaba tener que depender del dinero de ella mientras terminaba sus estudios en Syracuse y superaba con dificultad tres años crueles y tediosos, para finalmente obtener el título de arquitecto y verse sin un céntimo. Había empezado a referirse a la casa de Bedford como «el club de campo» y, cuando estaba acompañado, a veces bromeaba diciendo que la clave del éxito para un arquitecto era casarse con alguien a quien le sobrara el dinero. Pero Sarah sabía que aquellos comentarios eran meramente preventivos e iban dirigidos a sí mismo, y no a ella.

Lo cierto era que a Sarah le gustaba casi tan poco como a él depender del dinero de sus padres. Hacía que se sintiera superflua, como si fuera indiferente si triunfaba en la vida o fracasaba estrepitosamente. Tras abandonar la universidad, le ofrecieron un trabajo en la misma compañía donde se había dedicado a llevar cafés, pero como el contacto inicial era de su padre, y no suyo, renunció a la propuesta. En lugar de ello, solicitó empleo y se sorprendió al acabar en un puesto de documentación de una compañía de televisión especializada en documentales.

Su primer proyecto fue una serie para la televisión pública sobre grandes escritores norteamericanos. Por desgracia, para figurar en la lista tenían que estar todos muertos, de modo que en lugar de sus héroes de la época, Roth, Bellow y Updike, los elegidos fueron el grupo habitual que se estudiaba en los institutos, compuesto por Melville, Twain y Scott Fitzgerald. El productor, un inglés condescendiente que llevaba zapatos blancos de ante y tupé, decía que las razones de ello tenían que ver con «el presupuesto, los derechos de autor, etc.», empleando un tono que indicaba que Sarah no debía preocuparse por aquel tema. Todas las alternativas que ella propuso fueron rechazadas. Henry James era demasiado afeminado; Poe y Bierce, demasiado disparatados; y Hemigway, demasiado masculino. Su comentario de que Edith Wharton probablemente fuera demasiado femenina no benefició en absoluto a sus perspectivas de trabajo.

El sueldo era irrisorio, pero al menos lo estaba ganando por sí misma. Siempre había aprendido con rapidez, y al cabo de un par de años estaba trabajando por el doble de dinero para una compañía más joven y moderna del Soho que producía una serie propia, esta vez sobre escritores que seguían vivos, aunque en cierta ocasión realizó una entrevista tan poco natural y aburrida que llegó a sospechar que el interrogado podría haber estado perfectamente embalsamado.

Ella y Benjamin llevaban una vida frugal pero feliz en su diminuto apartamento de alquiler de las afueras de Greenwich Village. Por aquel entonces, él estaba trabajando para Dawlish & Drewe, una compañía conservadora aunque importante que realizaba en su mayor parte proyectos industriales y comerciales a pequeña escala. Ganaba poco más que ella y el trabajo era rutinario, pero no tardó en conseguir que se fijaran en él. Era uno de los mejores delineantes y maquetistas del despacho, y pasó a ser muy requerido en las presentaciones.

Lo que le divertía era trabajar junto a un joven arquitecto inteligente y talentoso que había sido contratado nada más salir de la Universidad de Columbia el otoño del año anterior. Bajo, moreno y (exceptuando su lustrosa coronilla) excesivamente peludo, poseedor de unos pícaros ojos negros y un cerebro tan agudo como su gusto para vestir, Martin Ingram tenía el estilo creativo y la ambición que las compañías como Dawlish & Drewe eran incapaces de apreciar. Su sentido del humor era todavía más mordaz que el de Martin, y en sus escritorios contiguos se dedicaban a hacer imitaciones de Adrian Dawlish, con su aire quisquilloso y su pajarita, y de los demás socios mayoritarios. Se hicieron amigos íntimos y pronto estaban urdiendo su escapada para fundar una sociedad propia.

Martin se había criado en el condado de Nassau, en el pueblo de Syosset, un nombre que a los ojos de Sarah solo poseía connotaciones negativas. De niña la habían llevado allí una vez a visitar un lugar llamado la Granja de los Caramelos, donde la mordió una cabra, comió demasiados caramelos y los acabó vomitando todos en el asiento trasero del coche nuevo de su madre. Para Martin, sin embargo, Syosset representaba la Norteamérica pura, dorada e idílica, la clase de sitio donde la gente nunca cerraba las puertas con llave y siempre ayudaba a sus vecinos. Estaba deseando volver allí. Él y su mujer, Beth —una agente inmobiliaria considerablemente más alta que él, con una voz muy grave y un cabello pelirrojo ensortijado—, lo tenían todo calculado. Cuando tuvieran hijos, aparentemente en una fecha ya fijada, se iban a marchar a Syosset.

La noche que el plan maestro se dio a conocer (al menos, para Sarah), los cuatro estaban comiendo una pizza para llevar ante la mesa de cristal redonda del apartamento de los Ingram, que se hallaba en un barrio más elegante que el de ellos y era mucho más grande, aunque, en opinión de Sarah, acusaba un exceso de diseño. De repente, Martin y Beth empezaron a darles la tabarra con Syosset, ensalzando sus virtudes ante Sarah de tal forma que se quedó perpleja durante un rato.

Entre otras incontables ventajas, por lo visto el sitio tenía buenas escuelas, un aire más puro, un índice de criminalidad más bajo, una biblioteca completamente nueva y una estupenda tienda de comida para llevar llamada Bahnhof, en Jackson Avenue. Además, según le aseguró Martin, ya no había cabras que mordieran. La Granja de los Caramelos había cerrado en 1967. Y lo que era más importante, dijo —y entonces es cuando Sarah empezó a comprender adónde llevaba todo aquello—, escaseaban los buenos arquitectos locales, de modo que estaba lleno de posibilidades para la embrionaria ICA: Ingram Cooper Asociados. Los apellidos debían figurar por ese orden, había dicho Martin, pues ya existía una compañía llamada CIA.

—¿Y nosotros también nos vamos a mudar allí? —dijo Sarah alegremente. Solo estaba bromeando, pero al reparar en la pausa que siguió a sus palabras y en la expresión de Benjamin, supo exactamente lo que él tenía en mente.

—Bueno, es algo que deberíamos plantearnos —dijo él.

—Ah, claro. ¿Y cuándo vamos a hacerlo?

Durante semanas hicieron poca cosa más. Y las conversaciones se intensificaron hasta desembocar en una pelea con todas las de la ley. Resultó que él ya había hecho una visita al lugar con Martin y que le había gustado lo que había visto. Dijo que se los imaginaba viviendo allí. Sarah lo acusó de esconderle todo aquello y de ser un machista al dar por hecho que su carrera profesional debía anteponerse a la de ella y creer que podía decidir dónde iban a vivir. Ella dijo que no quería vivir en una zona residencial. Tal vez se debiera al modo ligeramente despectivo en que pronunció aquellas palabras, pero, por primera vez, él la acusó de ser una esnob de Westchester, y aquello la enfureció tanto que se pasó tres días sin hablar. Ninguno de los dos parecía dispuesto a romper el hielo. No se tocaron durante más de un mes.

Una soleada mañana de sábado de principios de primavera, mientras empujaba con expresión hosca un carrito por los pasillos de un vivero de las afueras al que habían ido con el fin de comprar plantas para sus dos metros cuadrados de azotea, de repente Benjamin se detuvo y cogió una clemátide.

—Esta es para ti —dijo. Estaba sonriendo de forma extraña, pero por un momento Sarah pensó que su actitud era genuinamente amistosa y que tal vez se tratara de una propuesta de paz. Entonces vio la etiqueta. El nombre de la variedad era «Reina del Ártico».

Se olvidaron de su discusión con respecto al lugar donde iban a vivir. Pero aquel acto imprevisto de rencor tardó en desaparecer del corazón de Sarah. Era la primera vez que él la acusaba de ser frígida, y le provocó sorpresa y dolor.

Abbie nació dieciocho meses más tarde. Y dos años después, el mismo mes que Ingram Cooper Asociados consiguió su primer encargo serio, llegó Josh. En cada parto, Sarah organizó su trabajo de forma que pudiera tomarse unos cuantos meses libres. Su carrera, pese a no ser exactamente próspera, estaba progresando bastante bien. Un documental había llevado a otro. Una película que realizó sobre los montajes fotográficos de David Hockney incluso fue nomidada a un premio Emmy. Ahora vivían en el Upper West Side, en otro apartamento de alquiler, más cómodo y espacioso que su antiguo nido de amor. Pero con dos niños pequeños y una niñera que trabajaba a jornada completa y que apenas se podían permitir, seguía resultando pequeño y distaba de ser perfecto. Cada mañana Benjamin se metía en su ranchera Volvo y avanzaba con dificultad entre el tráfico rumbo a Syosset.

Fieles a lo programado, Martin y Berth y sus dos hijos, nacidos con tan solo diez meses de diferencia, ya estaban viviendo allí, mientras que la sede de Ingram Cooper Asociados y su creciente equipo se hallaban alojados en un estudio alargado con techo de cristal ubicado entre los arces de su espacioso jardín. Y para el cuarto cumpleaños de Abbie, los Cooper decidieron unirse a ellos. Con un préstamo avalado (pese a la reticencia de Benjamin) por el fondo fiduciario de Sarah, compraron una casita blanca de madera a escasa distancia de la de los Ingram, y pocos meses después pagaron un anticipo del terreno de casi media hectárea de suave pendiente rodeado de árboles situado en las afueras del pueblo, donde Benjamin construiría una magnífica casa de diseño propio.

Más tarde, a Sarah le costaría precisar el momento en que

había empezado a gustarle la idea de mudarse. Se trataba más bien de un proceso de desgaste, una creciente inquietud ante la idea de criar a sus hijos en Manhattan. A diferencia de Abbie, Josh era un niño con problemas. Era un imán para toda clase de virus pasajeros. Tras un terrible fin de semana en que le costaba respirar y se puso de color morado y tuvieron que llevarlo corriendo al hospital, le diagnosticaron asma. Era un niño tímido y enmadrado que no estaba hecho para el ajetreo y el estruendo de la ciudad. Cada mañana lloraba durante una hora cuando ella se marchaba al trabajo. Y cuando a la niñera le resultó demasiado difícil de manejar y dejó el empleo, Sarah empezó a rechazar trabajo para pasar más tiempo en casa.

Los fines de semana veraniegos que pasaban en casa de Martin y Beth haciendo barbacoas bajo los árboles, reuniéndose con sus vecinos y contemplando cómo Abbie y Josh corrían libres, seguros y felices con los demás niños, Sarah llegó a la conclusión de que si iba a convertirse en una madre a tiempo completo, tal vez aquel no fuera un mal sitio para hacerlo.

El tema que zanjó la cuestión —y sobre el que Benjamin y su padre mantuvieron su primera pelea seria— fue la educación. Aunque a ICA le iba bien, la empresa no estaba produciendo suficientes beneficios para pagar las facturas de los lujosos colegios privados de Manhattan. Cuando Sarah les contó a sus padres por primera vez sus planes de mudanza, reaccionaron con una especie de incredulidad condescendiente. Su padre opinaba que Long Island podía ser un buen sitio para aparcar un yate, pero desde luego no era un sitio donde uno pudiera vivir. Nunca había estado en Syosset, pero no le hacía falta para saber la clase de sitio que era. Y el hecho de que su hija y sus nietos se vieran obligados a emigrar allí era la prueba largamente esperada de la incapacidad de Benjamin para mantenerlos como era debido. Si querían marcharse de la ciudad, ¿por qué no iban a Bedford?

En un intento desesperado por evitar que se mudaran, su padre los llevó a comer a su club, un lugar anticuado donde las mujeres solo poseían un estatus ligeramente superior al de un perro de caza mal adiestrado. Benjamin se sintió herido en su orgullo antes de sentarse siquiera. Había una temperatura de treinta y dos grados y se había presentado con una camisa con el cuello abierto, pero en la entrada lo habían obligado a tomar prestada una corbata y una chaqueta que le quedaba varias tallas más grande y olía a humo de puro. Mostrando más entusiasmo del que realmente sentía, Sarah estuvo hablándole a su padre de la casa que iban a construir. Él escuchó en silencio, masticando con seriedad sus chuletas de cordero.

—Y allí hay unos colegios increíbles —concluyó Sarah.

Él miró por encima de sus gafas de concha con forma de media luna.

—¿Vas a llevar a Abbie y a Josh a un colegio público?

—Sí.

—Estoy pasmado.

—Bueno, George —dijo Benjamin afablemente—. A mí me sirvió.

El padre de Sarah se volvió lentamente y lo miró.

—¿De verdad?

—¿Perdón?

—¿Te sirvió? Es solo una pregunta. No quiero faltarte al respeto. Estoy seguro de que la educación que recibiste era la mejor que el pueblo de... Lo siento, no me acuerdo...

—Abilene.

—... podía ofrecer. Pero ¿has pensado alguna vez lo que podrías estar haciendo hoy en día si tus padres te hubieran mandado a un sitio mejor?

Era un comentario tan grosero que Benjamin miró a Sarah y sonrió. Ajeno a aquello, su padre continuó.

—¿Por qué no les damos el mejor comienzo posible en la vida? Yo correré con los gastos.

Benjamin se levantó.

—Gracias, George, pero no será necesario. Son mis hijos... y de Sarah, claro está... y haremos con ellos lo que consideremos mejor. Y ahora, lo siento, pero tengo que ir a ganar dinero.

Fue un momento de tensión, pero Sarah siempre lo admiraría por el firme y solemne autodominio con que manejó aquella situación y muchas otras parecidas en el futuro.

La vida en una zona residencial resultó mejor de lo que Sarah se creía con derecho a esperar. La casa que Benjamin construyó finalmente, con tres niveles separados, era exquisita. Y alrededor, dejando que los árboles y las rocas de la zona dictaran su diseño, Sarah creó el jardín que merecía. Los niños iban creciendo. Ya fuese en el partido de fútbol de los sábados por la mañana o en la clase de equitación, en la función del colegio o en el campamento de vacaciones en los montes Adirondacks, Abbie siempre triunfaba sin esfuerzo.

Josh tardó más en adaptarse. Con solo tres años perdió la parte superior del dedo índice cuando Benjamin se lo pilló sin querer con la puerta del coche. Se sometió a una serie de operaciones para que adquiriera mejor aspecto, y no parecía estorbarle a la hora de escribir, dibujar o hacer cualquier otra cosa. Pero aquello contribuyó a que fuera todavía más vergonzoso y tímido. El colegio le resultaba difícil y le costaba hacer amigos, y de no haber tenido a Abbie para protegerlo, habría sido víctima de los matones de la escuela. Sin embargo, aunque se hallaba constantemente a la sombra de su hermana, fue ganando poco a poco en fuerza y confianza, y sus ataques de asma se volvieron menos graves. Era un niño sensible y cariñoso, pero tenía una suerte de resistencia tenaz, resultado sin duda de un exceso de sufrimiento a una edad temprana. Naturalmente, Benjamin nunca se perdonó por el accidente, ni siquiera después de que Josh empezara a bromear sobre el tema, levantando dos dedos y diciendo con la voz de un hippy colocado: «Casi paz, tío», que pasó a ser una especie de gesto privado de saludo y despedida de la familia.

El precio de acompañar a su hijo en sus tribulaciones —aunque ella se negaba a considerarlas como tales— fue la carrera profesional de Sarah. Había ido dejando su empleo poco a poco, y finalmente el teléfono dejó de sonar. Y cuando por fin él se sintió feliz, sano y seguro y ella empezó a hacer llamadas, descubrió que el mundo había seguido girando. La televisión se había vuelto todavía más despiadadamente comercial y nadie parecía interesado en la clase de documentales que ella había realizado. Ya ni siquiera eran películas exactamente. Se había impuesto una nueva tecnología. Todo el mundo estaba rodando documentales con cámaras de vídeo ligeras; en las salas de montaje, habían tirado las viejas moviolas Steenbeck y las habían sustituido por mesas electrónicas. Sarah no habría tardado en adaptarse, pero algo la refrenó: la sensación de que su vida había seguido avanzando y de que tal vez debería probar algo nuevo.

Fue Benjamin quien se lo propuso. Una tarde, al llegar a casa, mencionó de pasada que acababa de ver un cartel fuera de la librería local que indicaba que estaba en venta. No era un sitio de lo más estimulante, y aunque Sarah y muchas amigas y vecinas la frecuentaban por pura lealtad, todo el mundo se quejaba de lo poco imaginativa, inepta y en ocasiones totalmente grosera que era su dueña. Tener su propia librería siempre había sido una de las fantasías de Sarah, pero hasta que Benjamin lo sugirió, siempre había pensado en ello de la misma forma que él soñaba con ser Paul Newman.

—No nos lo podemos permitir —dijo ella.

—Sí que podemos.

—No sabría cómo llevarla.

—Sabes perfectamente que lo harías de maravilla.

Y así fue. Al cabo de tres años, había sacado a flote la librería Village y había empezado a obtener unos modestos beneficios. Encargó a Benjamin que diseñase una ampliación en la parte trasera y, mucho antes de que a alguien se le ocurriera la idea, hizo que pareciera un estudio poniendo lámparas de pie y cómodos sofás de cuero, así como una pequeña barra donde se podía tomar café, refrescos y galletas caseras. Transformó un rincón en una zona para niños con juguetes y mesas bajas donde los pequeños podían sentarse a leer o hacer dibujos con lápices de colores. Estableció nuevos sistemas de clasificación más rápidos y recurrió descaradamente a sus viejos contactos, adulando y rogando a todo escritor que se le ocurrió para que acudiera a dar una charla y vendiera unos cuantos libros.

Mientras tanto, la empresa de Benjamin y Martin iba viento

en popa. En la panadería en ruinas del centro que habían transformado en un moderno estudio, tenían ahora empleadas a más de cincuenta personas. Poco a poco, casi de forma imperceptible, y sin que se hubiera tomado ninguna decisión formal al respecto, Benjamin había pasado a dirigir el negocio mientras que Martin se había convertido en la fuerza creativa que lo impulsaba. Y aunque Benjamin no estaba del todo satisfecho con aquel reparto de tareas y notaba una comezón al ver que un nuevo proyecto iba cobrando forma en la mesa de dibujo, reconocía que las cosas parecían funcionar mejor de aquella forma.

—Él es el genio y yo el que arregla las cosas —decía.

Y a pesar de que Sarah siempre negaba aquello, no solo porque notaba que él quería que lo hiciera, sino también porque siempre había albergado la esperanza de que algún día sería un gran arquitecto, llegó a aceptar que él tenía razón. Él era un editor antes que un creador. Si alguien le enseñaba algo, ya fuera el borrador de una carta, un anuncio de la librería para el periódico o el proyecto de un sensacional edificio en el que Martin estaba trabajando, inmediatamente podía localizar los puntos débiles e indicar cómo mejorarlos. Se trataba de un talento excepcional, pero él no parecía valorarlo. De vez en cuando, para no perder la práctica, se implicaba más en un proyecto o incluso diseñaba algo él mismo. Y cuando aquello ocurría, Sarah apreciaba el cambio que se experimentaba en él, en su ánimo y su energía, y lo mucho que aquello lo estimulaba y alegraba.

Era el mejor padre que ella podía haber deseado para Abbie y Josh. Siempre estaba disponible para ellos, ya fuera para ayudarles a hacer los deberes de matemáticas o jugar a baloncesto con ellos en el jardín, para llevarlos en coche a clase de violín o a un partido, o disfrazarse de Drácula para entretener a veinte niños en Halloween. A veces, sobre todo durante los tres años que Sarah tuvo que trabajar tantas horas para sacar adelante la librería y todavía no había contratado a Jeffrey como ayudante, Benjamin los veía más que ella. Incluso se sorprendía sintiéndose un poco celosa cuando los niños acudían a él en busca de ayuda antes que a ella.

Sus amigas siempre estaban diciendo lo estupendo que era Ben, las muchas cosas que hacía más que sus maridos y la suerte que tenía Sarah de haberlo encontrado. Pero el comentario que se le quedó grabado para siempre en la cabeza lo hizo Iris. Ella y su marido Leo —quien, cuando no estaba trabajando como corredor de bolsa, pasaba la mayoría del tiempo en el campo de golf— vivían en Pittsburgh, aunque residían en un barrio mucho más elegante que donde ella había crecido. Iris se había dedicado al periodismo y trabajaba de ayudante de edición en el *Post-Gazette*. Un par de veces al año viajaba a Nueva York con sus revoltosos tres hijos, pero sin Leo, para pasar un largo fin de semana con los Cooper.

Una soleada mañana de sábado, durante una de esas visitas, las dos mujeres se encontraban sentadas a la mesa de la cocina, bebiendo café y poniéndose al día, mientras Benjamin, que había preparado el desayuno para todos, llenaba el lavavajillas, ordenaba la colada, hacía la lista de la compra (sin tener que consultar a Sarah) y luego metía alegremente a los cinco niños en el coche y los llevaba al centro comercial.

—¿No es un poco raro?

—¿Qué?

—Que él lo haga todo. Que lo sepa todo. Se supone que los hombres no saben si hay mantequilla en la nevera. Apuesto a que él sabe hasta el número de los zapatos de los niños.

—Así es.

—¿Y los números de teléfono de sus amigos?

—Sí.

—Leo ni siquiera sabe cómo se llaman. ¿Sabe Ben tu talla de ropa?

—Sí.

—¿Y la de sujetador?

—No me gusta ir de compras. Él me compra la mayoría de ropa.

—¿Sabe cuándo te viene la regla?

—Iris...

—¿Lo sabe?

—Sí.

—No es natural.

—Iris, por Dios, no estamos en los años cincuenta.

—No me malinterpretes. Es fantástico... bueno, algunas cosas... pero no es natural.

Poco después, lo bastante para que resultara evidente que había una relación entre ambas ideas, Iris pasó a contarle a Sarah algo que le había contado una amiga de Pittsburgh, una importante abogada de divorcios.

Lo esencial del comentario era que había dos tipos de hombres que huían del matrimonio: los pícaros y los necesitados. El pícaro era un individuo simple que pensaba con la polla y que no podía evitarlo. Sin embargo, pese a que podía querer mucho a su familia, ésta siempre iba después de su principal objetivo en la vida: andar detrás de las mujeres. El necesitado era fundamentalmente inseguro y siempre intentaba demostrarse a sí mismo lo mucho que lo quería todo el mundo. Su familia era, en efecto, una gran máquina de amor que necesitaba un control y unas atenciones constantes por su parte. Cuando los niños se hacían mayores y pasaban a vivir sus propias vidas, el padre dejaba de ser tan necesario y de repente se asustaba y se sentía viejo e inútil. De modo que escapaba para buscar una nueva máquina de amor en otra parte.

Iris relató todo aquello más como un chiste que como un serio ejemplo de observación social. Pero durante los días siguientes, Sarah pensó en ello. Y cuanto más lo hacía, más furiosa se ponía ante lo que aquello insinuaba.

Ella y Benjamin eran más felices que casi todas las parejas que conocía. Bueno, tal vez él fuera un poco quisquilloso, siendo como era arquitecto. Todo tenía que estar en su sitio, en el ángulo adecuado, perfectamente equilibrado y ordenado y bien pulido. Y Sarah tenía que reconocer que era un hombre un poco necesitado de afecto. Le gustaba agradar. Pero ¿acaso no le ocurría eso a la mayoría de hombres?

La idea de que él fuera de la clase de hombres capaces de levantarse de repente y largarse, si es que aquello era lo que Iris había dado a entender (aunque, al mismo tiempo que pensaba en ello, Sarah era consciente de que estaba siendo un poco paranoica), resultaba absurda. Ellos se querían y confiaban el uno en el otro. Y aunque su vida sexual no fuera tan excitante como a él le gustaría y durante mucho tiempo hubiera sido una fuente de tensión entre ambos, en todos los años que llevaban casados ella no había sospechado ni una sola vez que él la engañara. Él no era de esa clase de personas. Ni ella tampoco.

Además, en todos los demás aspectos se llevaban estupendamente. ¿Acaso no era así? Había tantas esposas y madres que siempre estaban diciendo lo terribles que eran sus maridos, lo egoístas, groseros y poco comunicativos que se mostraban... Pero Sarah nunca se había sentido así. Ella y Benjamin siempre hablaban. Hablaban de la gente que conocían, de sus respectivos trabajos, de todo tipo de cosas. Principalmente, claro está, de Abbie y Josh. De sus progresos, problemas y esperanzas, de sus éxitos en el colegio y de sus decepciones. Se enorgullecía de decir que sus hijos eran para ellos el centro del universo. Por suerte era así. Un matrimonio consistía en criar a los hijos, hacer todo lo que uno podía para que fueran felices, protegerlos y prepararlos para la vida, ¿no? ¿Acaso podía haber algo más importante?

No sería hasta mucho más tarde, cuando los niños se hallaban en plena adolescencia y Sarah estaba empezando a desear con impaciencia todas las cosas que ella y Benjamin podrían hacer dentro de poco, los sitios a los que viajarían ellos dos solos, que repararía en la sombra que a veces parecía posarse sobre él. Lo sorprendía mirando a lo lejos con una mirada tan desoladora que le hacía pensar que había pasado algo terrible, que él estaba a punto de contarle que tenía cáncer o que alguien a quien querían había muerto. Le preguntaba si estaba bien, y él sonreía inmediatamente y decía que claro que estaba bien, ¿por qué lo preguntaba?

El día de su boda, la hermana mayor de su padre había llevado a Sarah al altar y, haciendo gala de una discreta vehemencia, le había dado un consejo. Elizabeth siempre había sido su tía favorita y en otra época había sido una famosa belleza de la alta sociedad. No había tenido hijos y había disfrutado de lo que la familia denominaba una vida «movidita», una palabra en clave con la que, según descubrió Sarah más tarde, se aludía al hecho de irse a la cama con cualquiera. Por aquel entonces, Elizabeth estaba en su tercer matrimonio (moriría posteriormente poco después del cuarto), de modo que a Sarah le pareció un tanto divertido y gracioso que se permitiera ofrecerle consejo.

—Cuidad el uno del otro —le dijo en confianza.

No era precisamente algo trascendental, pero Sarah sonrió educadamente y dijo que lo haría. Elizabeth negó con la cabeza impacientemente.

—No, no lo entiendes. Cuidad el uno del otro. Como pareja. Cuando tengáis hijos, querréis anteponerlos a todo. No lo hagáis. El matrimonio es como una planta. Para mantenerlo con vida hay que regarlo y nutrirlo. Si no lo hacéis, cuando vuestros hijos se hayan ido, miraréis a un rincón y veréis que está muerto.

11

Eve nunca había tenido intención de cumplir su promesa de llamar a los Cooper, al menos no de forma consciente. E incluso después de haberlo hecho, se negó a analizar sus motivos. Con todo el dolor que pronto se desencadenaría, no quería considerarse la culpable del conflicto. En lugar de ello, prefería creer que todo era cuestión del destino. De no haber sido entonces y de aquel modo, el azar habría encontrado otra forma de unirlos a ella y a Ben Cooper.

Durante la semana que habían pasado en La Divisoria, ella y Lori se habían hecho muy amigas de todo el mundo y Eve se había sentido conmovida por el cálido recibimiento que les habían dado. Sarah, en particular, había procurado que se integrasen desde el principio. A Eve le caía bastante bien, pero no mejor que cualquiera de las otras mujeres. Era interesante e ingeniosa, y saltaba a la vista que era muy lista, pero resultaba ligeramente rígida, ni solemne ni superior, sino un tanto distante e inaccesible. Daba la impresión de que si uno se quedase abandonado con ella en una isla desierta durante diez años, probablemente no llegaría a descubrir quién era realmente. Pero su marido tenía algo que había atraído a Eve de forma extraña.

No fue en absoluto algo inmediato. De hecho, al principio, de entre todas las caras nuevas del rancho, no había prestado mucha atención a la suya. Estaba claro que él era uno de los hombres más interesantes y con más inquietudes artísticas de los allí presentes. Le gustaba su actitud sardónica ante la vida y el hecho de que le hubiera preguntado por Pablo, su trabajo y su vida en Santa Fe. Y realmente parecía interesado en las respuestas. Pero a medida que la semana avanzaba, aunque como mucho había hablado en serio con él en dos o tres ocasiones, había empezado a percibir entre ellos una curiosa compatibilidad.

Cuando se encontraban en grupo y el tal Bradstock u otra persona estaba hablando largo y tendido, ella y Ben se cruzaban la mirada e intercambiaban una sonrisa irónica. Habían hablado mucho sobre pintura, y no cabía duda de que ella se sentía halagada por el interés que Ben había mostrado por su obra. Sin embargo, lo que la había conmovido, como más tarde descubriría, había sido su tristeza.

Pero estaba casado. No sabía si felizmente, aunque daba lo mismo. Estaba vedado. Eve siempre había sido estricta en lo tocante a evitar los líos amorosos con hombres casados. Y no era por escrúpulos morales, sino más bien porque sabía por las experiencias de varias amigas que casi siempre terminaban mal.

En la pared de su cocina de Santa Fe, encima del teléfono, había un panel de corcho, un collage desordenado de obsoletas notas y listas de la compra, fotos y postales, junto con las pinturas más recientes (y, naturalmente, brillantes) que Pablo había hecho con los deditos. En medio de ese caos que Eve nunca tenía tiempo de ordenar, estaba la invitación a la inauguración de la exposición de su amigo William. Se iba a celebrar en una importante galería del Soho; era su primera exposición individual, y estaba tan nervioso que llamaba a Eve casi a diario para que le diera apoyo moral. Clavado junto a la invitación estaba el trozo de papel en el que Sarah había escrito el número de teléfono de los Cooper. Hasta que, cierta mañana, a mediados de julio, después de recibir una llamada de William, Eve lo vio y se lo quedó mirando un instante, y a continuación cogió el teléfono y marcó el número.

Fue Sarah la que contestó. Pareció alegrarse sinceramente de tener noticias de ella. Tras nuevas consultas, durante las cuales Eve se sorprendió fingiendo una vez más y sin motivo aparente que le gustaban los musicales, decidieron que reservarían cuatro entradas para ir a ver *Bésame, Kate* (pues William, quien realmente adoraba los musicales, insistió en asistir a la cita de Eve). Reservaron una mesa para después de la función en un restaurante de Madison llamado La Goulue, que Eve no conocía pero que Sarah aseguró que le encantaría.

Cuando el taxi de Eve paró delante del teatro y vio a Ben Cooper esperando fuera, guareciéndose de la lluvia junto a muchas otras personas bajo los focos, supuso que Sarah debía de haber entrado ya o que todavía no había llegado. De repente sintió vergüenza y estuvo a punto de decirle al taxista que siguiera y diera la vuelta a la manzana, pero había gente que estaba pidiendo el taxi a voces, de modo que pagó y salió del vehículo. No llevaba paraguas, de manera que atravesó los charcos dando saltos todo lo rápido que pudo, y aun así se empapó.

Él no la vio hasta que no la tuvo al lado, y cuando se giró y la vio, su cara abandonó la expresión ceñuda de agobio y lució una sonrisa tan cálida y cordial que algo se removió dentro de ella. Intentaron besarse en la mejilla, pero los dos eligieron el mismo lado, de forma que sus caras se toparon y estuvieron a punto de besarse en los labios. Se pusieron a bromear sobre la lluvia y el tráfico, y entonces ella le dijo que lo sentía, pero que William no había podido acompañarla. Un corpulento marchante alemán había entrado en la galería justo antes de que cerraran y había dicho que quería comprar toda la exposición.

—Habría llamado, pero era demasiado tarde.

—Nosotros también queríamos llamarte, pero Sarah no encontraba tu número de móvil.

—¿Está dentro o...?

—Tampoco ha podido venir. Un coñazo de escritor que tenía que dar una charla mañana por la noche en la librería acaba de echarse atrás. Van a venir un montón de personas y no tiene a nadie que hable. Así que ahora está haciendo llamadas para encontrar a otra persona. No te puedes imaginar lo enfadada que está. Tenía tantas ganas de verte.

De modo que estaban ellos dos solos. Y aunque ambos siguieron la formalidad de preguntarse si debían cancelar el plan y marcharse cada uno por su lado, era evidente que ninguno de los dos quería hacerlo. Había gente haciendo cola para las devoluciones, y Ben le entregó las dos que les sobraban a una joven pareja y se negó a dejar que le pagaran.

La obra era maravillosa. ¿Cómo había podido pensar que no le gustaban los musicales? Salieron entusiasmados, comentando que no sabían que todas aquellas canciones famosas pertenecían a aquella obra. Todavía estaba lloviendo, pero consiguieron encontrar un taxi. Una vez más, actuaron por rutina y se preguntaron si debían dejarlo por ese día y marcharse a casa. Pero, por supuesto, no lo hicieron. Sentada junto a él en el estrecho asiento trasero del taxi de camino al restaurante del centro, mientras iban riéndose y hablando de la función, rozándose con las piernas sin que ninguno de los dos hiciera el menor esfuerzo por apartarse, pensó en lo atractivo que era y en lo bien que olía y se reprendió bruscamente.

El restaurante estaba atestado y se sentaron en un rincón al lado de una joven pareja que era incapaz de mantener los labios separados, lo cual resultaba un tanto desconcertante. Eve llevaba el mismo vestido verde que había lucido la noche de la fiesta de cumpleaños de Benjamin, aunque más por accidente que a propósito. Pensó en lo elegante y cambiado que estaba él con su polo negro y su chaqueta negra moteada.

—¿Por qué todo el mundo viste de negro en Nueva York? —dijo.

—Tal vez todos estemos de luto.

—¿Por qué?

—Por la inocencia perdida.

Pidieron bistec y ensalada y una deliciosa botella de Margaux. Él le preguntó qué tal estaba Pablo, y Eve acabó hablándole del padre del niño, Raoul, y de la pareja poco convencional que habían formado: dos buenos amigos que habían cometido el error de convertirse en amantes. Aunque, teniendo en cuenta que el fruto de aquella relación había sido Pablo, dijo que sin duda había sido el mejor error de su vida.

Luego le tocó a él contestar a las preguntas. Ella se interesó por Abbie y Josh, y aquello desembocó en una larga discusión sobre el hecho de ser progenitores y cómo eran sus propios padres. Eve le contó que los suyos seguían más o menos felizmente casados y que vivían en San Diego, un lugar que a ella no le atraía mucho. Ben le habló de su padre y le dijo que nunca habían logrado llevarse bien.

—Él me consideraba un cabrón arrogante, y probablemente tenía razón. Lo era. Han pasado casi diecinueve años desde que murió y no he hecho las paces con él hasta ahora mismo. Es curioso descubrir cómo estas cosas evolucionan por etapas. Al principio estaba furioso con él. Solía echar pestes contra él, diciendo que nunca me había querido y que siempre me criticaba. En realidad, le odié durante un tiempo. Luego, de algún modo, aquello pasó y simplemente me sentí triste. Un poco defraudado, ¿sabes? Me molestaba que no fuéramos capaces de acercarnos el uno al otro. Y ahora, es curioso, pero puedo decir sinceramente que lo quiero. Y sé que, a su manera, él también me quería. Simplemente era de otra generación. Se suponía que los hombres no podían mostrar sus sentimientos como se hace hoy día. Y se portó estupendamente con Abbie cuando era un bebé. La adoraba. Solía sentarla sobre sus rodillas y le contaba cuentos. Era muy dulce y tierno con ella. Nunca lo había visto así. Era como si estuviera intentando darle a ella el amor que no había sido capaz de ofrecerme a mí.

Sonrió.

—Claro que si ves fotografías mías de cuando era niño entenderás por qué debía de costarle tanto.

—Eras feo, ¿a que sí?

—Más bien repelente.

—En las mías parezco fea y repelente. Una mezcla de niña repipi y rana.

—Me cuesta creerlo.

—Lo dices porque ahora soy tan increíblemente guapa...

Fue un comentario estúpido e inadecuado, como si lo estuviera menospreciando por intentar ligar con ella, que no era el caso. Él pareció avergonzado, sonrió y tomó un sorbo de vino. Los jóvenes de la mesa de al lado estaban dándose de comer mutuamente mousse de chocolate con sus cucharas.

—¿Sabes una cosa? —dijo ella, tratando de arreglar la situación—. Si él estuviera vivo, probablemente los dos seríais amigos.

—Tienes razón. Creo que ahora podríamos ser amigos.

Eve le preguntó por su madre, y él le dijo que siempre había sido su preferido, que a los ojos de ella nunca hacía nada malo, que habría podido decirle que era un asesino en serie y aun así ella habría hallado una forma de racionalizarlo y admirarlo por ello. Su adoración, dijo, se había convertido en una especie de broma familiar.

—No hace mucho vino a casa a pasar unos días e íbamos en coche por la ciudad. Ella iba sentada delante, y Abbie, Josh y Sarah, detrás. Y cuando conseguí aparcar en un sitio que, todo sea dicho, no era un espacio tan pequeño, dijo: «Ben, lo cierto es que aparcas de maravilla». De verdad. Al mirar por el retrovisor vi que Sarah y los niños se estaban partiendo de risa. Todavía me lo dicen cada vez que aparco el maldito coche.

Eve se rió, y él sacudió la cabeza, sonrió y tomó otro sorbo de vino.

—No tiene nada de malo —dijo ella—. Te quiere, eso es todo. Dicen que las madres quieren con locura a sus hijos. Así les dan más seguridad.

—Pues quien lo dice se equivoca. Cuando murió mi padre estuve haciendo terapia unos meses. Y el especialista me dijo que si sientes que alguien te quiere por algo que sabes que es injustificado o falso, en otras palabras, si sabes que no eres el superhéroe que la otra persona cree que eres, no vale. Esa clase de amor no te da más seguridad, sino que te hace sentir como un impostor. Así que ten cuidado con tu hijo.

—Él aparca su triciclo mejor que nadie.

—¿Lo ves?

Él se había negado a dejar que ella le pagara el dinero de las entradas del teatro, de modo que Eve pagó la cuenta furtivamente al volver del servicio. Él se molestó un poco, pero al rato se le pasó. Había dejado de llover. Las calles y las aceras relucían, soplaba un aire fresco y húmedo y olía a otoño por primera vez. Caminaron un par de manzanas, y de repente él se dio cuenta de lo tarde que era y de que corría el riesgo de perder el último tren. Pidieron un taxi y Ben le dijo al taxista que fuera deprisa a Penn Station. Cuando llegaron allí, metió un billete de veinte dólares por la mampara y se aseguró de que el taxista sabía adónde debía llevarla.

—Me lo he pasado muy bien —dijo Eve—. Gracias.

—Yo también.

Se besaron en la mejilla, esta vez sin problemas.

—Me tengo que ir corriendo —dijo él, mientras salía del vehículo—. Te llamaré... Quiero decir, te llamaremos, ¿vale?

—Vale. Ve a ver la exposición de William si puedes.

—Lo intentaré. Adiós.

—Adiós. ¡Saluda a Sarah y los niños!

Pero cuando ella dijo aquello, él estaba cerrando la puerta y no pareció oírlo. Eve contempló cómo entraba trotando en la estación mientras el taxi se alejaba, y cuando desapareció, recostó la cabeza contra el asiento y se quedó mirando el forro manchado del techo. Como Lori decía siempre, aquella era una de las faenas de la vida: los únicos hombres agradables que conocía estaban casados o eran gays.

Eve llamó a la mañana siguiente y se sintió aliviada y al mismo tiempo un poco decepcionada cuando Sarah contestó al teléfono. Las dos dijeron que sentían mucho no haber podido verse. Sarah había encontrado un sustituto menos famoso para que reemplazase al escritor, pero aun así le preocupaba tener que comunicar la noticia a los clientes cuando llegaran. Eve iba a tomar el avión de vuelta a Nuevo México por la tarde, pero dijo que iba a Nueva York dos o tres veces al año y que en su próxima visita se reunirían sin falta.

—Sin falta —dijo Sarah.

—Tú y Ben deberíais venir alguna vez a Santa Fe. Traeos también a los niños.

—Me encantaría. No he estado nunca.

En el viaje de vuelta a casa y durante los días que siguieron, se sorprendió pensando en Ben de vez en cuando y en lo mucho que le gustaba. Sin embargo, no pensaba en él con nada remotamente parecido al ansia o a los remordimientos. La idea de su destino común todavía tenía que cobrar forma. A lo largo de los años, había aprendido que mirar con anhelo los caminos bloqueados no provocaba más que dolor. Y por ello se limitó a aceptar que las cosas eran así y que no podían ser de otra forma.

Aunque Ben hubiera estado soltero, su actitud no habría variado necesariamente. Aquel hombre poseía una intensidad que despertaba su interés, pero también la intimidaba. Y no sentía la necesidad de ello en aquel momento de su vida. Siempre había sido una persona segura de sí misma, incluso de niña. Sus padres habían sido afectuosos pero ligeramente distantes, y habían fomentado en sus tres hijos una independencia que más tarde Eve valoraría como su regalo más preciado.

Se trataba de un rasgo que los demás, sobre todo los hombres, a menudo interpretaban erróneamente como una falta de compromiso, creyendo que un amor sin dependencia era en cierta forma incompleto. El único hombre que lo había entendido a la perfección era Raoul, quien evidentemente estaba hecho de la misma pasta que ella. Incluso durante los dos años que habían vivido juntos lo habían hecho como dos almas separadas, cada una de ellas sola y contenta de estarlo. Como viajeros cuyos distintos periplos hubieran coincidido en un tramo del mismo camino.

Antes de estar con Raoul, había vivido sola durante prácticamente toda su vida adulta. Y aunque había experimentado varias clases de dolor, nunca había concebido la soledad más que como una idea o una condición que afectaba a los demás. Siempre había tenido su trabajo y sus amigos y, a veces, cuando le parecía correcto y sencillo y existía un deseo mutuo, había tenido amantes.

Una noche, unos diez días después de regresar de Nueva York, cuando Ben Cooper había desaparecido ya de sus pensamientos y ella había vuelto a sentirse plenamente conectada con su vida en Santa Fe, soñó con él. Ella estaba en un teatro que no era tan lujoso ni imponente como en el que habían estado, y la puesta en escena parecía más propia de un instituto que de Broadway. Eve no se encontraba entre el público, sino sobre el escenario. Le tocaba hablar, pero no había tenido tiempo de aprenderse sus frases de diálogo. Entonces vio a Ben en la fila de delante, sentado junto a una anciana a la que no reconoció. Estaba moviendo los labios, tratando de recordarle a Eve su frase, pero ella no podía entender lo que decía y se estaba poniendo cada vez más nerviosa. Entonces se despertó.

Esa misma mañana, cuando volvía a casa después de haber dejado a Pablo en la guardería, paró a comprar el periódico en un quiosco cafetería de Garcia Street y se encontró con Lori. Mientras bebía a sorbos un té verde con menta en la soleada terraza, le contó su sueño. Durante la semana que habían pasado en Montana, habían coincidido en que Ben Cooper era uno de los hombres más atractivos del rancho, y Lori, con una falsa envidia, le había pedido un relato detallado de la cita nocturna en Nueva York. Tras doce años de psicoanálisis junguiano, se consideraba casi una experta a la hora de descifrar los sueños. Aquel, declaró, estaba más claro que el agua.

—La vieja que está sentada a su lado —dijo—. ¿Cómo se comportaba?

—¿Que cómo se comportaba?

—Su actitud. ¿Estaba sonriendo, fruncía el ceño? ¿Qué hacía?

—No lo sé.

—Eve, es importante. Era su madre. Está claro que quieres saber si ella da su aprobación.

—No es así.

—Sí que lo es. Por eso aparecía.

—La trajo él, no yo.

—No te lo estás tomando en serio.

—Lo sé. Y en cualquier caso, ¿a qué tenía que dar su aprobación?

—A lo vuestro. A lo que hay entre tú y Ben.

—Lori, corta el rollo. No hay absolutamente nada entre Ben y yo.

Pero mientras lo decía, una voz en su interior dijo que lo habría.

Él se registró en el hotel que había junto al Plaza, un local oscuro y pintoresco con aspecto de haber conocido tiempos mejores. Lo había escogido sin buscar demasiado en una guía turística que afirmaba que tanto John Fitzgerald Kennedy como Errol Flynn se habían hospedado allí. Mientras dejaba su maleta en la habitación estrecha y sobrecalentada, a Ben le pasó por la cabeza que, considerando el verdadero motivo de aquel viaje, la elección del alojamiento podía haberse visto influida por un deseo inconsciente de asociarse con dos épicos libertinos como aquellos.

Tenía tiempo de sobra y estuvo a punto de llamar a Eve para ver si podía quedar antes, pero llegó a la conclusión de que si lo hacía parecería demasiado ansioso. El avión que había salido de Kansas había llegado pronto, y pese a la nieve y la multitud de turistas y esquiadores del aeropuerto, había viajado en coche desde Albuquerque en poco más de una hora. La interestatal estaba despejada, y el único peligro era que sus ojos no paraban de desviarse hacia el oeste a través del paisaje de un blanco fantasmal, en dirección a la puesta de sol de color morado y bermejo que se veía en las montañas.

La nieve le había brindado la excusa para alquilar un todoterreno, un Ford Explorer rojo metálico que le hacía sentirse como alguien duro del oeste, al igual que la chaqueta de lana a cuadros roja y negra, las botas de excursionismo y el gorro de tejido polar, prendas que había comprado el mes anterior en Missoula cuando habían llevado a Abbie a ver la universidad de Montana. Ben había estado a punto de lucir su sombrero de vaquero, pero había decidido que no tendría el valor de ponérselo. En su opinión, la chaqueta le hacía parecer sofisticado y mundano, aunque Abbie decía que simplemente le daba un aire de atracador geriátrico.

En cualquier caso, se alegraba de haber ido debidamente equipado. Estaba empezando a nevar otra vez, y cuando volvió a entrar en el coche, el termómetro le informó de que en el exterior la temperatura era de once grados bajo cero. Sin mirar el mapa, se abrió paso entre el tráfico de la tarde hasta el paseo de Peralta.

Hacía casi doce años que había estado en Santa Fe, pero incluso a oscuras y con todo lleno de decoración navideña, descubrió que aún se acordaba del trazado básico del lugar y, al poco rato, vio la señal que estaba buscando. Tomó un desvío y ascendió lentamente la colina, y cuando encontró un sitio donde aparcar, siguió a pie. Los copos de nieve eran ligeros como plumas y caían de forma vacilante debido al aire sin viento, como si el tiempo y la gravedad se hallaran suspendidos. La nieve se aplastaba bajo sus botas con facilidad. Aquello hacía que su misión pareciese mucho más intrépida.

Canyon Road era un decorado de cine. Había luces en los árboles y en las fachadas de adobe de las tiendas y galerías. Las ventanas estaban llenas de adornos florales y guirnaldas de espumillón, y allí donde uno miraba había adornos luminosos y pequeñas velas en bolsas de papel cargadas de arena. En una esquina incluso había un corrillo de gente cantando villancicos poco conocidos alrededor de una pequeña hoguera. Ben creyó que, en el momento menos pensado, alguien gritaría «¡Corten!».

Se acordaba de las galerías de arte, pero parecía que se hubieran multiplicado y la mayoría de ellas seguían abiertas; cuevas de Aladino rebosantes de calor y colorido, cuyas ventanas derramaban cuadriláteros de luz amarilla sobre la nieve de la acera. La última vez, y la única, que Ben había estado allí, había jurado que si alguna vez se dedicaba a la pintura viviría en aquel sitio. Algunos de los cuadros expuestos eran buenos, pero la mayoría no lo eran. Y aun así, los turistas acudían en tropel desde todas las partes del mundo y pagaban por ellos unos precios más elevados de lo normal. Mientras fuera grande, estuviera lleno de colorido y tuviera un marco suntuoso, parecía que uno lo pudiera vender prácticamente todo.

Todavía no acababa de creerse que estuviera allí. Era como

ver que las botas de otro hombre lo llevaban colina arriba; un doble más atrevido y temerario que él. El mismo que había hecho las llamadas telefónicas, había hallado el tono de voz adecuadamente despreocupado, le había dicho que iba a ir a Kansas a visitar a su madre, quien no se encontraba bien, y que Kansas estaba a un tiro de piedra de donde vivía ella. Y que, si estaba interesada, podía ser una buena oportunidad para que hablasen de la posibilidad de que Eve hiciese unos murales para el vestíbulo del emocionante nuevo proyecto que él y Martin estaban desarrollando en Cold Spring Harbor. Tal vez ella pudiera mandarle unas fotografías de sus obras recientes por medio de una empresa de mensajería urgente. Martin se había sorprendido a sí mismo. ¿Quién era aquel hombre? ¿Y de verdad sabía lo que él quería?

Por supuesto, no era la primera infidelidad que cometía. Todavía recordaba el rejuvenecedor estremecimiento de la expectación, aquella vitalidad inicial que anulaba toda perspectiva de culpabilidad. Porque, hasta la fecha, ¿qué había hecho para sentirse culpable? Solo había engañado a Sarah dos veces en todos aquellos años de matrimonio, y había conseguido racionalizar aquel detalle hasta el punto de que lo inusual de su transgresión se había convertido en la prueba de una contención casi virtuosa.

Conocía a muchos hombres, entre ellos Martin, que eran habitualmente infieles, que nunca rechazaban la menor oportunidad que se les presentaba y que las buscaban activamente. Ben había visto cómo se comportaba su socio cuando los dos estaban en alguna conferencia y había presenciado cómo se fijaba en alguna joven en una fiesta o en el bar del hotel. Martin aseguraba que podía reconocerlas a cien metros de distancia. Ben había observado cómo atacaba. Había observado, sin asombro pero indudablemente impresionado, cómo se presentaba, cómo inmediatamente las hacía reír, cómo escuchaba, seguro y concentrado, creando un ambiente íntimo cual jardinero que cuida de una flor muy preciada. Y en nueve de cada diez ocasiones —bueno, tal vez nueve no; tal vez seis, tal vez cuatro— triunfaba.

—El secreto está en no dar importancia cuando te rechazan

—le dijo Martin una vez—. Incluso las que dicen que no normalmente se sienten halagadas cuando alguien se lo pide.

Ben envidiaba su tranquilidad, la ausencia de preocupaciones y remordimientos. Para Martin, se trataba simplemente de sexo. Él y Beth, quien o bien se merecía un Oscar o era la única persona del condado de Nassau que no estaba al tanto de las transgresiones de su marido, probablemente seguirían siempre casados. Pero las dos veces que Ben se había descarriado —una, con una joven abogada de Queens que por aquel entonces le estaba preparando unas escrituras de traspaso, y la otra, con una mujer casada de mayor edad que había conocido en el club de tenis— había terminado enamorándose. Y como no tenía intención de abandonar a Sarah (ni, lo que era más importante, a los niños, que entonces eran todavía muy pequeños), ninguna de esas historias había durado mucho tiempo y las dos habían acabado en enconadas disputas. Era un milagro que nadie lo hubiera descubierto. La única persona a la que Ben había hablado de ello era a Martin.

—¿Sabes cuál es mi problema? —le confesó en un momento de imprudente autocompasión, después de que su idilio tenístico terminara—. Por lo visto, no sé separar el amor del sexo.

Martin se echó a reír.

—Mi problema es que nunca he sido capaz de unir las dos cosas.

De modo que había vuelto a las andadas. En lo más profundo de su ser, al menos, era un adúltero renacido. No estaba del todo seguro de que se hubiera enamorado, pero le faltaba poco. Lo cual era ridículo por diferentes motivos. Apenas conocía a aquella mujer. Y aunque supiera que, ya en La Divisoria, y sobre todo aquella noche en Nueva York, ella le gustaba e incluso había algo más entre ellos, aquello no significaba nada. Tal vez debiera olvidarse de todo. Ser agradable pero formal. Tomar una copa, hablar de los murales. Y volver a casa.

Sin embargo, en cuanto la vio supo que las cosas no iban a ser así. Cansado y prácticamente aquejado de daltonismo después de su recorrido por las galerías, se hallaba sentado en el rincón de atrás del bar donde se habían citado, tomándose un margarita. Se trataba de un salón alargado, oscuro y estrecho, con el suelo de madera pulida y cuadros en cada centímetro de pared (al parecer, no había forma de escapar a eso en Santa Fe). Vio que la puerta se abría y de repente entró una ráfaga de copos de nieve, y cuando desaparecieron, allí estaba ella. Llevaba puesto un viejo sombrero de vaquero gastado y manchado y un abrigo consistente en un gran manto de color rojo y verde intenso sujeto con un cinturón. Se sacó el sombrero, se sacudió el pelo y quitó la nieve del ala dándole unos golpecitos, y uno de los hombres sentados a la barra, alguien a quien evidentemente ella conocía, le dijo algo que Ben no alcanzó a oír. Ella se rió y se acercó al hombre, que la rodeó con el brazo y le dio un beso, apoyó el brazo en su hombro y se quedó un rato hablando y riéndose con todos los presentes.

Entonces uno de los hombres se giró en su taburete y señaló a Ben, y Eve miró en su dirección y se encaminó hacia él. Ben observó cómo atravesaba el local de un lado a otro, sin apartar en ningún momento los ojos, que centelleaban bajo la luz de las lámparas, y su sonrisa se alteró ligeramente, como si le hubiera pasado por la cabeza un pensamiento o una advertencia; luego la sonrisa volvió a asentarse en sus labios, igual de cálida que antes, pero más serena.

Él se levantó y la saludó, pero ella no contestó y se inclinó por encima de la mesa para ponerle una mano en el brazo y presionar su gélida mejilla contra la de él, y el olor que desprendía estuvo a punto de hacer gemir a Ben. La galería de Lori, dijo, se encontraba justo enfrente y estaba a punto de cerrar. De modo que él dejó su margarita, cogió su abrigo y la siguió hasta el otro lado de la calle. Lori había salido, pero había dejado un mensaje para Ben en el que decía que todos los amigos de La Divisoria tenían derecho a un diez por ciento de descuento.

Los cuadros de Eve, dos enormes trípticos pintados al óleo, se hallaban colgados bajo una luz inquietante en una sala con paredes de piedra situada al fondo de la galería. Eran mucho más impactantes de lo que parecían en las fotografías que le había mandado. El más grande de los dos se titulaba *La visitación*. Parecía de temática bíblica, con sus intensos y oscuros colores violeta, añil y carmín. En las dos pinturas exteriores, animales de muchas clases, en tonos más claros de color hueso y piedra, se retorcían y enredaban entre raíces, como si un fuerte viento los estuviese arremolinando. En el panel central, en medio de un foco de luz, se alzaba una enorme figura alada, en parte caballo, en parte humano y en parte reptil, poderosa y a la vez benevolente. Ben se quedó impresionado y conmovido, pero no sabía qué decir salvo que era maravilloso y extraordinario y que tenía una fuerza asombrosa. Pensó que el atrio de la oficina de una compañía de seguros de Long Island tal vez necesitara algo un poco más comedido, pero le pareció mejor no decirlo.

Volvieron al bar y se sentaron a la misma mesa. Ben pidió una copa de vino tinto para ella y otro margarita para él, y estuvieron hablando sin parar durante una hora. Charlaron del tiempo, de Pablo, de lo que habían hecho el día de Acción de Gracias, del viaje que él había realizado el último mes a Missoula con Abbie para ver la universidad y de los planes de ella de trabajar para Greenpeace el verano siguiente. Y, por supuesto, de aquellos espurios murales, la excusa de su presencia en Santa Fe aquella noche nevada e irreal. Todo salía de forma natural. Parecían entenderse, se reían de las mismas cosas y recordaban pequeños detalles de sus respectivas vidas. Ella incluso le tomó el pelo preguntándole dónde había aparcado y qué tal lo había hecho.

Ben le preguntó si había cenado, y ella contestó que no y que estaba muerta de hambre, de modo que ocuparon una mesa junto a la chimenea circular del laberíntico restaurante que lindaba con el bar y comieron camarones, pollo asado bien condimentado y alubias, hablando sin parar. Ella vestía unos viejos tejanos azules y una chaqueta de cachemir gris verdosa que acabó quitándose al cabo de un rato, sofocada por el calor de la chimenea. Debajo llevaba un top sin mangas a juego que marcaba la forma de sus pechos. Con los hombros descubiertos a la luz de las velas, lucía una hermosura tan desconcertante que Ben tuvo que hacer un esfuerzo para no quedarse boquiabierto.

Si ella no se hubiera sentido tan cómoda y desenvuelta, quizá no hubiera dicho lo que dijo. Se trataba de la clase de comentario capaz de parar los pies a los hombres. Y, más tarde, al volver la vista atrás, a Ben le pareció un milagro que un seductor tan inepto como él no se hubiera hecho un ovillo y se hubiera escondido debajo de la mesa. Pero cuando acabaron de cenar y, por primera vez en toda la noche, se hizo el silencio y se quedaron mirando el uno al otro de una forma que parecía expresar en enormes letras de neón: ¿Y AHORA, QUÉ?, ella bebió un trago, dejó la copa y dijo:

—Bueno, Ben. Dime por qué has venido realmente.

Lo dijo con dulzura y con una sonrisa que no resultaba ni socarrona ni reprobatoria. Y en lugar de encogerse de miedo o vergüenza, y haciendo tan solo una breve pausa sin apartar la mirada, Ben le dijo simplemente que se había enamorado de ella. Le dijo que desde la noche de su fiesta de cumpleaños en La Divisoria no había podido dejar de pensar en ella. Que nunca antes había sentido algo tan intenso por una mujer.

Aquella declaración asombrosa (incluso para él mismo) no era algo que Ben tuviera ensayado o preparado. No era su versión torpe de la técnica de seducción del maestro Martin. Y al oírse a sí mismo revelar sus verdaderos sentimientos en una especie de parodia de confesionario, supo el imprudente riesgo que estaba corriendo y que lo más probable era que aquello la ahuyentase. Pero no se detuvo.

Siguió hablando en voz baja y mesurada y le dijo que desde la noche que habían pasado en Nueva York había estado volviéndose loco, preguntándose qué hacer y cómo conseguir volver a verla, y que había intentado escribirle una carta varias veces, pero que no había logrado dar con las palabras adecuadas.

Hablaba dirigiéndose principalmente a sus manos, que tenía juntas sobre la mesa delante de él. De vez en cuando alzaba la vista para valorar el efecto que podían estar teniendo sus palabras, pero lo único que detectaba era una nula sorpresa. Entonces, justo cuando estaba acabando, ella le miró las manos y Ben se dio cuenta de que durante todo aquel rato había estado toqueteándose la alianza de matrimonio.

175

Sonrió y se encogió de hombros.

—Bueno, ya lo he dicho —declaró.

Se hizo un largo silencio. Ella se recostó y lo miró fijamente.

—Vaya —dijo, por fin—. No sé qué decir.

—Lo siento. No tienes por qué decir nada.

—Ah, está bien.

—No. Lo que quiero decir es que al preguntarme que por qué había venido, era evidente que sabías que no era solo por los cuadros. Así que pensé: «Qué narices. ¿Por qué fingir? Cuéntaselo».

Ella cogió la copa y bebió, sin dejar de mirarlo en ningún momento.

—¿Así que al final no era mi obra lo que te interesaba?

—Tus cuadros son maravillosos.

—Entonces, ¿el trabajo es mío?

—Si lo quieres.

—¡Uf! Bueno, eso es lo único que importa.

Se quedaron un rato sonriéndose con tristeza el uno al otro.

—¿No se supone que deberías decir que Sarah no te entiende?

—En realidad sí que me entiende. Probablemente demasiado bien. Pero ya no somos las mismas personas. Te agradecería que te taparas los hombros.

Ella se puso la chaqueta despacio.

—Aunque a lo mejor no es tan buena idea —dijo él.

—Dime, ¿sueles hacer esto a menudo?

—No.

—Eso me parecía.

—Gracias.

La camarera se acercó y preguntó si habían terminado, y se quedó un tanto desconcertada al ver que ellos se echaban a reír. Ben pidió la cuenta. Cuando la mujer desapareció, Eve alargó el brazo por encima de la mesa y le cogió la mano.

—Ben, me gustas mucho. Pero nunca he tenido una relación con un hombre casado y no pienso empezar ahora. Si estuvieras libre sería distinto.

Se dieron un beso de despedida en la calle como buenos amigos, y ella se marchó colina arriba sin mirar atrás. Había dejado de nevar, pero él tuvo que quitar unos buenos quince centímetros de nieve del parabrisas del coche. Se encaminó hacia el hotel en un estado de euforia juvenil. Y a la mañana siguiente, mientras el avión en el que viajaba se ladeaba hacia el norte y el este contra el cielo sin nubes color cobalto, contempló cómo las montañas formaban surcos a través del desierto y experimentó una suerte de lucidez.

Se dirigía a casa. Pero se trataba de una palabra cuyo significado había cambiado, un lugar que, en el fondo de su corazón, ya había abandonado. Aunque en realidad Eve no lo había dicho, Ben la había oído decir que accedería a estar con él si antes se liberaba. Y con la dicha temeraria del ignorante, ya había iniciado el proceso.

12

Era difícil perderse en Missoula aunque uno lo intentase. Allí donde uno estuviera, lo único que tenía que hacer para orientarse era mirar a su alrededor y buscar la gran letra M, grabada en relieve sobre un fondo blanco en mitad de la empinada elevación cubierta de hierba que se alzaba en la orilla sur del río Clark Fork. Pese a no ser más que una colina, se llamaba monte Sentinel, y si se tenían las piernas, los pulmones y la inclinación a recorrer a pie el sendero que ascendía sinuosamente por ella, desde la altura del letrero se podía mirar al otro lado del pueblo y contemplar una imagen del bosque y la montaña espolvoreada con la nieve de principios de otoño digna de un folleto turístico. Si el caminante conseguía apartar la vista del paisaje, al mirar abajo, justo por encima de la puntera de sus botas, veía el campus de la Universidad de Montana que se extendía al pie de la colina.

Era un lugar tranquilo y agradable, aunque los edificios más antiguos, construidos con ladrillo rojo un siglo antes, parecían esforzarse por exhibir una majestuosidad que era evitada por los más modernos. El centro del campus era una amplia extensión de hierba conocida como el Óvalo, donde en verano a los estudiantes les gustaba tomar el sol y jugar al disco volador. Atravesado por caminos de piedras grises y adoquines rojos conservados de las calles del centro de viejo Missoula, había sido embellecido con imponentes olmos que habían ido enfermando

uno a uno. Aparte de unos pocos pinos amarillos, sus sucesores
—arces, robles rojos y acacias negras— todavía parecían tiernos
y frágiles. Para protegerlos, había un enorme oso pardo colocado sobre un pedestal de cemento gris en la entrada oeste del
Óvalo.

El animal se alzaba sobre las patas traseras, mirando a lo lejos, con la boca abierta en un silencioso rugido esculpido en
bronce, como si percibiera un ataque inminente. Y para aquellos que conocían su historia reciente, la postura del oso no resultaba inadecuada. Y es que durante los treinta y tantos años
que llevaba allí, la universidad había sido objeto de frecuentes y
brutales asaltos. El sector conservador de la población de Montana —y aquello significaba la mayor parte de ella— contemplaba el lugar como una olla a presión que bullía con el veneno liberal, cuya dosis más potente se elaboraba en el edificio situado
justo detrás del hombro del oso.

El edificio Rankin se erguía sobre una base de roca toscamente labrada, y sus doce macizos escalones conducían a una
puerta de dos hojas con forma de arco flanqueada por columnas
clásicas. En el vestíbulo, entre los carteles, las caricaturas y los
anuncios de próximos conciertos y exposiciones, había una fotografía enmarcada en tono sepia de la mujer cuyo apellido daba
nombre al edificio. Con su sombrero de plumas, su camisa de
cuello alto y su traje apagado, Jeannette Rankin, sufragista, pacifista y primera mujer elegida para la Cámara de los Representantes de la nación, parecía una figura demasiado recatada para
presidir semejante semillero de polémica. Sin embargo, aquello
era precisamente lo que ella hacía allí, pues el edificio Rankin era
la sede del programa de ecología de la universidad que gozaba
de tan mala fama.

Nacido durante los años de protesta contra la guerra de Vietnam, el programa contaba con el discreto orgullo de preparar a
activistas que, según afirmaban sus críticos, habían contribuido
a la ruina de la economía del Estado robando el dinero de miles de trabajos del sector de la minería y la explotación forestal;
como supuesta consecuencia de ello, los habitantes de Montana

tenían ahora los cuadragésimo sextos peores ingresos per cápita de la Unión. Aunque la realidad era más compleja, los esfuerzos de los conservadores por clausurar el programa no se habían visto alterados. Constantemente se llevaban a cabo intentos por controlarlo y reducir sus fondos. Los profesores eran acusados de premiar a los estudiantes que se manifestaban, que clavaban clavos en los árboles para disuadir a los leñadores de su tala o que se encadenaban a los camiones que transportaban troncos. En una ocasión, basándose en la patética suposición de que un mapa de los bosques de Montana con chinchetas de colores clavadas constituía en realidad un plan maestro del sabotaje forestal, los agentes federales habían irrumpido en el edificio empuñando armas, para poco más tarde ser expulsados con chorretones de huevo en la cara.

Cuando Abbie Cooper se propuso ir a aquella universidad, no sabía nada de aquello. Y de haber sido así, no le habría dicho una palabra a nadie, sobre todo a su abuelo, que no solo consideraba su decisión aberrante, sino también prácticamente una afrenta personal. Su madre se había puesto de parte de él, quizá un poco a regañadientes, y había repetido la opinión de su abuelo, quien decía que era un pecado que alguien con el talento de Abbie al menos no echase un vistazo a Harvard primero. Como era de esperar, el padre de Abbie estaba de su lado. Pero como concesión a su madre y su abuelo, ella accedió a hacer una visita y, bajo una llovizna grisácea que se confabuló contra ella, recorrió penosamente Cambridge y más tarde («Vamos, cariño, solo está carretera abajo») Wellesley.

A nadie le sorprendió que por la tarde anunciara, con un tono considerablemente melodramático, que preferiría hacer de reponedora en un supermercado a ir a cualquiera de aquellos dos centros. Y fue entonces cuando su madre se dio por vencida y llegaron a un acuerdo. Iría a la Universidad de Montana, donde, como cabía esperar, le habían prometido una plaza para el otoño. Naturalmente, se especializaría en ecología.

El verano que siguió a la graduación en el instituto fue el mejor de su vida. Pasó dos semanas en Wyoming con Ty trabajando en el rancho. Había pensado quedarse más tiempo, pero él se estaba entusiasmando demasiado, y aunque le gustaba mucho, Abbie no estaba preparada para la clase de compromiso que él parecía desear. Dos semanas antes de lo previsto, voló a Vancouver e ingresó en Greenpeace.

El trabajo no era ni muy duro ni verdaderamente emocionante, pero la gente que conoció lo compensó sobradamente e hizo muchas amistades. Lo más destacado eran las excursiones que hacían en kayak por el mar, explorando ensenadas situadas más arriba de la costa. Observaban a los osos pescar salmones en los bajíos y remaban a lo largo de las manadas de orcas, tan cerca de ellas que podían estirar la mano y tocarlas. De noche acampaban junto a la orilla y escuchaban los soplidos de las ballenas y los aullidos lejanos de los lobos en el bosque que los rodeaba.

Las únicas sombras de aquellos largos e idílicos días eran las aves marinas que hallaban muertas o moribundas en las charcas marinas, con las alas cubiertas de residuos petrolíferos. Salvaban a todas aquellas que podían, pero la mayoría había muerto hacía tiempo. La visión de su sufrimiento encendía la ira en el corazón de Abbie.

Volvió a casa en agosto, con una semana escasa para prepararse para la universidad. Su madre estaba crispada y parecía más frágil que nunca, y se advertía en ella una tristeza que Abbie no había visto antes. Su padre también parecía en cierto modo distinto, más callado y un poco más preocupado. Cuando le preguntaba, su madre le quitaba importancia diciendo que los dos tenían mucho trabajo y que no habían podido tomarse vacaciones. Josh acababa de volver a casa después de estar un mes con los Bradstock en el lago Michigan y pasó la mayor parte de la semana hablando por teléfono con Katie o cariacontecido en su habitación. A Abbie todo le resultaba un poco deprimente.

La noche antes de viajar a Missoula, su madre entró en su cuarto cuando Abbie estaba preparando su equipaje. De repente, la imagen pareció sobrepasarla y se vino abajo y se echó a llorar. Abbie la rodeó con los brazos.

—Lo siento. No era mi intención —dijo, sorbiéndose la nariz e intentando parecer alegre—. Me estoy portando como una boba. Creo que a las madres se nos permite soltar unas cuantas lágrimas cuando nuestras hijas se van de casa.

—Oh, mamá. Voy a volver.

—Ya lo sé.

—¿Seguro que eso es lo único que te pasa?

—¿Por qué? ¿No te parece bastante? Te lo vas a pasar estupendamente y me da envidia, eso es todo.

La habitación de Abbie en la Universidad de Montana estaba en el edificio Knowles, un inmueble pulcro pero poco atractivo compuesto de cuatro plantas de ladrillo y cemento cuyo único detalle caprichoso consistía en un porche festoneado de blanco lleno de bicicletas. Se hallaba junto al Óvalo, en una acera bordeada de arces que por aquellas fechas, después de la primera helada rigurosa del otoño, estaban pasando del naranja encendido al rojo. La habitación propiamente dicha, ubicada en mitad de uno de los seis pasillos idénticos, estaba amueblada con dos camas, dos escritorios, dos sillas y dos sencillas estanterías de madera de pino, que Abbie y su compañera de habitación habían dispuesto para crear una sensación de intimidad. Por suerte, y sorprendentemente, las dos se llevaban bien.

Melanie Larsen procedía de un pueblecito de las afueras de Appleton, Wiscosin. Era hija de un granjero y su aspecto así lo confirmaba. Rubia, colorada y con unos muslos y unos hombros que hacían pensar que podría sacar un tractor de un pantano sin ayuda, ella también se iba a especializar en ecología. Mientras que las paredes del rincón de Abbie estaban decoradas con pósters de montañas y animales salvajes y de héroes como John Lennon y el Che Guevara, las de Mel solo lucían tres fotografías con bonitos marcos en las que aparecían su madre y su padre, sus cuatro hermanos, y ella abrazando a una vaquilla que había ganado todos los premios en un concurso local.

Mel era tan bulliciosa y sociable que, al cabo de un par de meses, su habitación se había convertido en una especie de epicentro social. La puerta rara vez se hallaba cerrada. Sin embargo, aquel día sí lo estaba. Y el bloc que había pegado a ella con un bolígrafo que colgaba de una cuerda, era todo un mosaico de mensajes.

Eh, chicas, ¿dónde os metéis? Chuck/Rooster
¡Mel, tengo entradas para el concierto! Llámame. Jazza
Abigail, tía buena, ¿qué vas a hacer esta noche? B XXX

Y otros por el estilo. Era la hora de comer y normalmente sus amigos se dejaban caer por allí con cafés y emparedados que acababan de comprar en La Peak, el pequeño café que había al otro lado del pasaje del Lommason Centre. Cada pocos minutos, sus amigos pasaban de uno en uno o de dos en dos por el pasillo y veían la puerta cerrada. Fruncían el ceño, llamaban a la puerta y se quedaban escuchando un momento, y al no oír nada, se encogían de hombros, garabateaban un mensaje y se iban otra vez por el pasillo arrastrando los pies en dirección al hueco de la escalera. Abbie y Mel no estaban en casa y nadie sabía por qué.

Abbie estaba empezando a desear haberse quedado. El dolor se estaba volviendo tan intenso que temía que no fuera a aguantar. Lo notaba en forma de espasmos nauseabundos que la dejaban al borde de las lágrimas. Pero no estaba dispuesta a dejar que la vieran llorar. No había ninguna parte del cuerpo que no le doliera. Le dolían músculos que no sabía que tuviera.

Durante las últimas cinco horas había estado sentada sujeta por el cuello a una puerta de metal. Parecía que llevara allí cinco días. El candado era como el que se usaba para las bicicletas, con forma de U y hecho de acero templado, y la barra a la que estaba sujeta era tan alta que notaba como si la columna se le hubiera estirado varios centímetros. Cada vez que trataba de relajarse, el candado la dejaba agarrotada. Los moretones del cuello se le debían de haber inflamado, porque parecía que el candado le apretaba cada vez más. No paraba de repetirse que no se dejase dominar por el pánico.

Había sido una mañana soleada y, para estar a finales de octubre, más templada que de costumbre. Pero el viento había cambiado de dirección hacia el norte, aparecieron unas grandes nubes y la temperatura había empezado a bajar de golpe. El frío húmedo del camino de tierra roja había conseguido penetrar la lona alquitranada que le habían dado para que se sentara, así como todas las capas de ropa impermeable y térmica que llevaba, y ahora le subía por todos los huesos del cuerpo como una neblina gélida. Lo único que podía hacer era esperar que pronto se quedase entumecida.

—¿Cómo lo llevas, hermana? —preguntó Hacker.

Abbie forzó una sonrisa. Incluso aquello dolía.

—Genial —dijo ella.

—¿Tienes frío?

—No, estoy bien.

A esas alturas se había organizado una buena fiesta. Incluyendo a Abbie y a sus diez compañeros de protesta, probablemente había unas cuarenta o cincuenta personas y una flota entera de vehículos aparcados colina abajo; al mirar vio que paraba otro más. Había agentes del Servicio Forestal, el sheriff del condado y todo un ejército de ayudantes, gente de la compañía maderera, reporteros y fotógrafos, todos ellos situados alrededor, mirando, charlando y esperando a que pasara algo. Incluso el alegre hombrecillo del Servicio Forestal que se había pasado la mañana entera grabándolo todo en vídeo parecía haberse quedado sin ideas y se hallaba ahora apoyado en el capó de su camioneta con la misma cara de aburrimiento que los demás. Las interferencias y los barboteos de una docena de radios de onda corta y la constante vibración subterránea del helicóptero que había estado izando pinos talados en el valle toda la mañana resonaban en el aire helado. La camioneta que acababa de llegar pertenecía a una cadena de televisión local. La reportera y el cámara subían tranquilamente por la colina en dirección a ellos. Hacker inició el cántico una vez más.

¡La explotación forestal se tiene que acabar!
¡La explotación forestal se tiene que acabar!

—¡Vamos, chicos, que siga el espectáculo!

A su insidiosa manera, el cántico resultaba ahora casi tan doloroso como el candado que llevaba alrededor del cuello, pero Abbie se obligó a unirse al grupo. Utilizando la menor cantidad de músculos posible, miró de reojo y vio a Scott y a Mel, que se hallaban igualmente sujetos a lo largo de la puerta. Dios, parecían tan fuertes y relajados, incluso felices, cantando con todas sus fuerzas. Abbie se sintió como una debilucha.

¡El Servicio Forestal se tiene que acabar!
¡El Servicio Forestal se tiene que acabar!

En el margen de su campo de visión, en el lado de la puerta situado cuesta arriba, vio que Todd y P. J. se habían vuelto a poner sus gigantescos disfraces de trucha confeccionados con papel maché y estaban bailando un vals de forma ridícula ante la cámara de televisión. Parecían un par de canoas borrachas con piernas. A unos seis metros por encima de ellos, suspendido todavía con su arnés junto a la pancarta que habían sujetado a unos árboles situados a ambos lados de la carretera, Eric empezó a tocar nuevamente su acordeón. Su repertorio compuesto de cuatro canciones estaba empezando a resultar un poco cargante. En la pancarta ponía: «Basta ya de matar los bosques de Montana».

¡La avaricia empresarial se tiene que acabar!
¡La avaricia empresarial se tiene que acabar!

La reportera de televisión se detuvo a hablar con el sheriff y los del Servicio Forestal a unos cincuenta metros de distancia, mientras el cámara se acercaba a la puerta y se ponía a hacer fotos de las truchas danzarinas y de Abbie, Mel y Scott. Abbie hizo todo lo posible por mostrarse dura y desafiante, y tuvo la vanidad de esperar ser entrevistada y conseguir sus quince minutos de fama. Pero cuando la reportera subió la colina, solo quiso hablar con Hacker.

Ella y el cámara lo situaron ante la puerta para que las truchas danzarinas y la pancarta se pudieran ver detrás de él. Con su tono seguro, explicó que estaban bloqueando la carretera para detener una venta de árboles ilegal, y que la compañía maderera, pese a fingir que estaba retirando árboles muertos que podían provocar incendios, en realidad estaba talando árboles verdes con el silencioso consentimiento del Servicio Forestal.

Por la forma experta en que pronunciaba las jugosas citas, se notaba que había hecho aquello antes. Joel «Hacker» Hackman, veterano con cientos de actos similares a sus espaldas y tantas otras detenciones, era una de las leyendas menores de la ecología en Missoula. Parcialmente calvo, con barba y la constitución de un oso con barriga cervecera, tenía por lo menos quince o veinte años más que el resto de ellos. Se había licenciado en ingeniería forestal por la Universidad de Montana a principios de los ochenta y no había vuelto a su casa en Omaha, Nebraska («¿Por qué habría de hacerlo?», le gustaba bromear, antes de que otro lo dijera). Se había construido una cabaña en la región de las Bitterroots y había fundado una pequeña organización llamada Acción Forestal, cuyo objetivo principal, si no el único, consistía en hacer la vida imposible al Servicio Forestal y a las compañías madereras. Abbie y Mel lo habían conocido dos meses antes durante su primera semana en la universidad, cuando estaban echando un vistazo a los distintos grupos medioambientales de la zona. Cautivadas y llenas de motivación, habían hecho tareas de voluntariado para él desde entonces, lo que hasta la fecha significaba principalmente llenar sobres.

Hacker había estado casado y tenía un hijo de catorce años al que adoraba, pero actualmente no lo veía con mucha frecuencia, pues el muchacho se había mudado con su madre a Santa Bárbara. Nadie sabía con seguridad si la mujer se había cansado más de tener que pagar la fianza para sacar a Hacker de la cárcel cada pocos meses o de su legendario éxito con las mujeres. Había intentado ligar con Abbie en un par de ocasiones, y la segunda vez, en una fiesta a altas horas de la noche y después de beber demasiado, ella había estado a punto de sucumbir. Sin duda lo encontraba más atractivo que los chicos que había conocido hasta entonces en la Universidad de Montana: tipos como Scott y Eric, con los que se divertía pasando el rato, pero que eran un poco inmaduros. Por las miradas de complicidad que Hacker le había estado lanzando desde entonces, Abbie sabía que él la consideraba un asunto pendiente.

Para ser sincera, la perspectiva no le desagradaba, y tal vez lo único que la refrenaba era su sentido de la lealtad hacia Ty, que resultaba confuso y estaba matizado por un ligero sentimiento de culpabilidad. Durante los dos meses que había estado en Missoula solo se habían visto una vez, cuando él había viajado desde Wyoming para pasar un fin de semana con ella. Y aunque se había alegrado de verlo, lo había encontrado poco elegante y fuera de lugar entre su grupo de amigos universitarios más sofisticados, con su sombrero, sus botas y sus modales educados y anticuados.

La reportera de televisión que estaba entrevistando ahora a Hacker era una mujer de unos treinta años con la cara demacrada. Llevaba un voluminoso anorak negro con capucha de pelo que hacía que pareciera que estaba siendo engullida por un oso. Estaba escuchando el monólogo de Hacker con una media sonrisa que expresaba al mismo tiempo condescendencia y desaprobación. Aunque tal vez simplemente estuviera aburrida y tuviera frío, como Abbie.

—¿Y qué hay de los peces que bailan?

—Este arroyo es una de las últimas zonas buenas que quedan para el desove de la trucha —dijo Hacker—. Al despoblar estas laderas, como están haciendo ahí abajo ahora mismo con el helicóptero, toda el agua se escapa del arroyo y arrastra la tierra mineral con ella. Los sedimentos se acumulan y los peces dejan de desovar. Se mata a los árboles y a los peces. Es la clase de avaricia empresarial imprudente a la que estamos acostumbrados en Montana.

Justo cuando la entrevista estaba concluyendo, se oyó el sonido de un vehículo que bajaba por la colina al otro lado de la puerta y luego un prolongado toque de bocina. Hacker se volvió para mirar y, por primera vez, la reportera mostró interés. Le dijo al cámara en un susurro que siguiera grabando. El sheriff y sus ayudantes y los hombres del Servicio Forestal subieron a toda prisa en dirección a ellos. Abbie se preparó para el dolor y se giró justo a tiempo para ver cómo las truchas se apartaban de un salto y dejaban paso a una camioneta roja salpicada de barro. El vehículo se detuvo en seco a escasos centímetros de la puerta emitiendo un chirrido.

—¿Qué pasa?

—Son los taladores —dijo Hacker en voz queda.

Las puertas de la camioneta se abrieron y cuatro hombres salieron para ver qué estaba ocurriendo. Llevaban gorras y lucían expresiones de desagrado mezclado de diversión. Todos ellos excepto uno, que a juzgar por su paso decidido y arrogante parecía ser el que estaba al mando, eran más o menos de la misma edad que los protestantes. Pero aquello era lo único que tenían en común. Al lado de ellos, incluso Hacker parecía un muchacho. Dio un paso adelante con una sonrisa de camaradería.

—Hola, amigos. Perdonad por las molestias. Estamos protestando pacíficamente por la tala ilegal que se está llevando a cabo.

El capataz, en caso de que lo fuera, no contestó, sino que se limitó a mirarlo y pasó de largo en dirección al otro extremo de la puerta. Tenía una coleta y un pendiente, y su boca pequeña y prieta se hallaba rodeada por una barba de forma redondeada y un bigote. Con los pulgares engarfiados en las presillas del cinturón de sus tejanos, pasó tranquilamente por delante de Mel y Scott y les lanzó una mirada despectiva como si se encontrase ante una forma inferior de vida. Se detuvo delante de Abbie y se quedó allí, masticando algo y mirándola fijamente con una extraña media sonrisa.

—Debe de estar bien no tener que hacer nada en todo el día y poderte quedar con el culo sentado —dijo él.

—Desde luego es mejor que matar árboles como idiotas —dijo Abbie.

Vio que Hacker fruncía el ceño y se preguntó por qué. El capataz entornó los ojos. Hundió los carrillos, giró la barbilla ligeramente y escupió un amasijo de tabaco negro que cayó en el camino a escasos centímetros de la bota de ella. Abbie sintió el impulso repentino de darle una patada en las pelotas, pero decidió que tal vez no fuera una decisión acertada.

—¿A quién has llamado idiota, putita abrazaárboles?

Hacker dio un paso adelante. La cámara de televisión seguía grabando. Casi se podía ver a la reportera babeando de emoción.

—Eh, chicos, tranquilos —dijo Hacker.

A Abbie le latía el corazón a toda velocidad. Tenía la esperanza de no parecer la mitad de asustada de lo que estaba. Por suerte, justo en ese momento llegaron dos de los ayudantes del sheriff e Iverson, el agente de mayor rango del Servicio Forestal. Era alto, tenía un bigote rubio rojizo y unas gafas de montura dorada, y tocado con su sombrero parecía una figura mucho más autoritaria que el sheriff menudo y rechoncho que avanzaba tras él jadeando. Aquel hombre se había ocupado de la protesta durante todo el día haciendo gala de un buen humor firme pero cortés.

—Está bien, esto va por todos. Que nadie pierda la calma.

—No tenemos nada en contra de vosotros, amigos —dijo Hacker al capataz—. Sabemos que solo estáis haciendo vuestro trabajo. Son vuestros jefes los que deberían tener más sentido común.

El hombre se giró para situarse de cara a él.

—Tú también estás diciendo que somos unos putos ignorantes.

—No, señor. No estoy diciendo eso. Comprendemos que tienen que ganarse la vida...

—Llevamos desde las cinco de la mañana rompiéndonos los cuernos a trabajar y queremos irnos a casa, ¿vale?

—Lo siento, pero...

—Abre la maldita puerta.

—Está bien, caballeros, ya basta —dijo Iverson, situándose entre ellos con las manos levantadas y colocándose de cara al talador—. Señor, si usted y sus compañeros son tan amables de volver a su vehículo, nosotros intentaremos solucionar el problema.

Al cabo de veinte minutos de negociación, el momento que tanto había estado esperando Abbie llegó. Alguien sacó las llaves de los candados de bicicleta, y Hacker los fue liberando uno a uno: primero a Mel y a Scott, y luego a Abbie. Cuando se arrodilló junto a ella, Abbie pensó que le diría que lo había hecho bien o que le preguntaría qué tal se encontraba, pero no dijo una palabra y ni siquiera la miró a los ojos.

Cuando se levantó, tenía las articulaciones como si se le hubieran congelado y estuvo a punto de caerse. Pero sin duda era agradable estar libre. Todos se hicieron a un lado, y cuando la camioneta de los taladores pasó por delante, vio que el capataz la miraba fijamente a través del cristal. Aquella mirada le hizo desear que no volvieran a encontrarse jamás.

El viaje de vuelta a Missoula duró casi tres horas, y entraron en el primer restaurante que encontraron y recobraron energías comiendo pizza, patatas fritas y tarta de chocolate, todo ello acompañado de café caliente en abundancia. Todos estaban muy animados y se reían y bromeaban mientras evocaban de forma alborotada los acontecimientos del día. Todd y P. J. no paraban de tomarle el pelo a Abbie por lo que le había dicho al talador, imitando su acento ligeramente altivo de la costa Este, en el que ella no había reparado hasta hacía bien poco.

—¡Fuera de aquí, asesino de árboles idiota! —gritó Todd.

Ninguno de sus comentarios tenía mala intención, y Abbie les devolvió las bromas. Eric dijo que iba a escribir una nueva canción titulada «Asesinos y abrazaárboles», y ella le replicó que si alguien necesitaba una canción nueva era él. Luego pasaron a hablar de la posibilidad de ir a Seattle al mes siguiente, después del día de Acción de Gracias, para protestar contra la reunión de la Organización Mundial del Comercio. Todd, que ya estaba haciendo pancartas, dijo que iba a ser un desmadre y que todo el mundo iba a acudir. Apretujada entre sus nuevos amigos, unida a ellos por la juventud, la aventura y el idealismo exaltado, y a medida que el frío de sus huesos se transformaba en una sensación de bienestar cálida y reconfortante, Abbie se sentía alegre, orgullosa y ridículamente heroica.

Cuando salieron, había oscurecido. Mientras se dirigían hacia el aparcamiento a por sus coches, se quedó a solas un momento con Hacker.

—Has estado bien —dijo él.

—Gracias.

—¿Se te ha descongelado ya el trasero?

—Casi.

—Lo que le dijiste a aquel tío fue un error, ¿sabes? Lo convertiste en tu enemigo.

—No parecía precisamente que quisiera ser mi amigo.

—Puede que no. Pero es mejor hacerle sonreír que escupirle. Hay que seguir la norma que dice «Calma la tensión, no la aumentes». Con un solo comentario sarcástico, todo el ambiente saltó por los aires.

—Lo único que dije fue...

—Todos oímos lo que dijiste. La cuestión es que lo dejaste en ridículo y eso le sacó de quicio. Es a la gente como él a la que tenemos que convencer.

—Lo siento.

—No pasa nada. Solo te lo digo para que lo sepas la próxima vez.

Abbie se sintió ridícula. Hacinada con media docena de compañeros en la parte trasera de la vieja furgoneta Volkswagen de Hacker, estuvo meditando un rato. Siendo como era una perfeccionista orgullosa, nunca recibía bien las críticas, aunque fueran bienintencionadas. Pero no iba a dejar que aquello le amargase el día ni a permitir que Hacker se enterase de que la había ofendido, y cuando llegaron a Missoula estaba riéndose otra vez con los demás.

El plan consistía en volver a la casa de Todd y Eric, una vivienda destartalada situada en la Cuarta que daba al río por la parte de atrás. Pero cuando pararon en la licorería a comprar un barril de cerveza, Abbie dijo que tenía que trabajar y que iba a volver a la residencia. Hacker se ofreció a llevarla, pero ella dijo que le apetecía caminar.

—Sin rencor —dijo él en voz baja.

—Claro.

Les deseó buenas noches a todos y le dio las gracias a Hacker educadamente por el paseo y por haberla dejado ir con ellos. Pero no pensaba volver a llenar ningún sobre para él ni en broma. Y en cuanto a acostarse con él, quizá cuando las ranas criasen pelo.

13

A Sarah nunca le había entusiasmado el día de Acción de Gracias. Suponía demasiado trabajo y demasiada tensión, elementos que parecían multiplicarse cada dos años, cuando les tocaba recibir a la madre de Benjamin. Cuando el padre de él estaba vivo, sus suegros siempre se quedaban en casa y —de nuevo, cada dos años— Sarah y Benjamin viajaban a Kansas, donde surgían tensiones de distinto orden (la mayor parte de ellas entre Benjamin y su padre), ante las que Sarah se sentía más como una espectadora que como una participante y podía relajarse un poco. Si alguien le hubiera dicho que un día sentiría nostalgia por aquellas celebraciones de Acción de Gracias en Abilene, jamás lo habría creído.

Había metido el pavo en el horno a las ocho y media, y al mismo tiempo que se iba caldeando, también lo hacía el ánimo de Sarah. Cada veinte minutos más o menos, Margaret aparecía en la cocina para preguntar si podía hacer algo, y por muchas veces que Sarah le diera las gracias y le dijera que todo estaba bajo control y que no hacía falta, ella no dejaba de rondar por allí haciendo pequeños comentarios sobre la forma en que estaba preparando la cena. Le parecía muy «interesante» que Sarah embadurnase el pavo tan pocas veces y muy «raro» que no enharinase las patatas asadas.

Sarah había dejado que la ayudara a poner la mesa de la cena, más para librarse de ella que para otra cosa, pero incluso entonces Margaret había ido a buscar la plancha para alisar las arrugas del mantel de lino blanco. La ofensa definitiva fue el reajuste que Margaret hizo del centro de mesa de mahonias y lilas que Sarah había tardado una hora en preparar la noche anterior. La pobre mujer seguramente no era consciente de que cualquiera de sus actos podía ser interpretado como una crítica, pero justo cuando Sarah se estaba diciendo que no debía actuar como una paranoica y que su suegra tenía buenas intenciones, la sorprendió deslizando un dedo furtivamente por un estante para ver si tenía polvo.

Luego estaban las historias, repetitivas hasta la saciedad, sobre amigas o vecinas de Abilene, casi siempre gente que Sarah no conocía, o sobre algo que había aparecido en un programa de televisión que ella no había visto nunca, o sobre una heroica o divertida escapada de Benjamin cuando era niño que todos habían oído ya veinte veces.

Margaret Cooper era una mujer menuda y redondeada, con una permanente enlacada de color gris y una sonrisa constante y nada convincente en la que la boca ejercía un protagonismo absoluto, mientras que los ojos permanecían impasibles. A sus casi ochenta años, seguía siendo robusta y meticulosa en su apariencia. Pero durante los doce meses que hacía que Sarah no la veía, la repetición se había vuelto casi implacable. Aunque uno le comunicase con delicadeza que ella ya le había contado alguna cosa, la mujer insistía en contarlo otra vez.

Mientras tanto, Benjamin había desaparecido, como acostumbraba a hacer cuando su madre venía de visita. Se había pasado la mayor parte de la mañana encerrado en su estudio hablando por teléfono, probablemente con Martin o Eve Kinsella sobre los espantosos cuadros que ella estaba haciendo para su nuevo bloque de oficinas. Y cuando entró fue directamente a la sala de estar, se repantigó en el sofá al lado de Abbie y se quedó escuchando sus relatos épicos sobre los bosques de Montana. De haber tenido un momento para sentarse, a Sarah también le habría gustado escucharlos. Abbie, la pobre, se había ofrecido a ayudar, pero Sarah le había dicho que lo más útil que podía hacer era entretener a su abuela y evitar que entrase en la cocina.

Sarah no sabía qué mosca le había picado a Benjamin últimamente. Antes solía ayudarla, pero ahora apenas movía un dedo. Salvo, claro está, en el gimnasio, que se había convertido en su nueva obsesión. En cuestión de un año debía de haber perdido unos cinco kilos y aseguraba que el ejercicio le hacía sentirse mucho mejor, aunque desde luego no parecía haberlo hecho más feliz. Daba la impresión de que la cara se le alargaba cada día un poco más. Tal vez se la estuviesen estirando todos aquellos músculos recién tonificados.

Sarah era consciente de lo mucho que él echaba de menos a Abbie. Todos la echaban de menos. Pero él lo afrontaba replegándose en sí mismo. Ella apenas lo veía. Benjamin se levantaba cada mañana a las seis para ir al gimnasio e iba de allí al trabajo. Y cuando llegaba a casa, la mayoría de las veces decía que tenía trabajo pendiente y se llevaba la cena al estudio.

Josh, por su parte, siempre estaba fuera con sus amigos o en su habitación, hablando con Katie Bradstock o escuchando aquella música horrible y atronadora y haciendo ver que estudiaba. Era un misterio cómo podía siquiera escucharse a sí mismo pensar. De modo que la mayoría de las veces Sarah cenaba sola, tal vez veía un poco la televisión y luego, en torno a las nueve y media, se iba a la cama a leer. Cuando Benjamin se metía en la cama, normalmente ya se había dormido. Hacía casi dos meses que no hacían el amor. A él ya no parecía importarle. Las pocas veces que Sarah había intentado tomar la iniciativa él había dicho que estaba demasiado cansado.

Había hecho todo lo posible para que las cosas cambiaran. Todos los libros sobre el tema decían que combatir el síndrome del nido vacío —o, en su caso, el nido medio vacío— requería esfuerzo. De modo que el fin de semana anterior, cuando Josh se había quedado a dormir en casa de un amigo, había reservado mesa en una nueva marisquería que había abierto en Oyster Bay para darle a Benjamin una sorpresa.

El local estaba lleno de gente, el ambiente era animado y la comida estaba deliciosa, y Sarah había intentado por todos los medios entablar alguna conversación. Pero Benjamin no parecía querer saber nada del asunto. Naturalmente, contestaba sus preguntas. Pero no hacía ninguna propia, y aproximadamente media hora después de haber llegado se habían quedado en silencio, mirando a su alrededor a la demás gente que, por supuesto, estaba hablando y divirtiéndose. Sarah recordaba que solían burlarse de las parejas casadas de los restaurantes que se quedaban sentadas con cara de tristeza y aburrimiento, y que Ben se inventaba diálogos de lo que podría estar pasando por sus cabezas. Ahora ellos eran una de esas parejas. Aquello casi le partió el corazón.

El hecho de verlo tan alegre y renovado ante la presencia de Abbie, bromeando con ella cuando todos estaban sentados alrededor de la mesa con el mantel sin arrugas, en cierto modo empeoraba las cosas. Pero Sarah estaba intentando no pensar en ello. No dejaba de obligarse a sonreír y a reírse con los demás, a ser positiva. Aquel era el día en que todas las familias tenían la obligación primordial de ser felices y no pensar en las grietas que pudiera haber en las paredes. El pavo, pese a no estar debidamente lacado, fue considerado un éxito por todos. Y aunque Margaret solo había probado un pequeño bocado de su tarta de calabaza antes de apartar su plato con cuidado, a todos pareció gustarle. Benjamin estaba preguntando a Abbie por la decisión de ir a la reunión de la OMC que se iba a celebrar en Seattle la semana siguiente y por la clase de protesta que ella y sus amigos estaban planeando.

—¿Qué significa OMC? —preguntó Margaret.

—Es la Organización Margina al Cowboy —intervino Josh.

Abbie había cometido antes el error de contarle a Sarah en presencia de Josh que solo había visto a Ty una vez desde el verano y que se sentía un poco culpable. Gruñó y le lanzó una mirada rápida y fulminante.

—Josh, a ver si maduras. Es la Organización Mundial del Comercio, abuela. Un club de países ricos que hacen todo lo posible por engañar a las zonas del mundo en vías de desarrollo y mantenerlas en estado de pobreza.

—Eso me recuerda algo —comenzó Margaret. A todos se les cayó el alma a los pies—. Benjamin, ¿te acuerdas de cuando fuiste a aquel mitin de protesta contra la guerra de Vietnam cuando estabas en la universidad...?

«Oh, Dios —pensó Sarah—, ya empieza. La historia de la melena.» Abbie y Josh se cruzaron una sonrisa cómplice. Benjamin sonrió cansado.

—¿... y Harry Baxter te vio en las noticias de la televisión con aquella melena y vino a la tienda y le dijo a tu padre que parecías una chica?

—Sí, mamá, me acuerdo.

—¿Sabías, Abbie, que tu padre llevaba el pelo largo hasta los hombros?

—Sí, abuela. Lo he visto en las fotos.

—Siempre estaban protestando por una cosa u otra. La guerra, los derechos de los negros o lo que estuviera de moda en aquella época.

—Se llaman derechos civiles, mamá. Y no creo que hayan pasado de moda.

—Como se llamen. De todas formas, yo lo encontraba guapo y no se parecía en nada a una chica. ¿Y sabías, Abbie, que después de eso llevó barba?

—Sí, abuela. Nos lo has dicho.

—¿De verdad? Ah, lo siento.

Pero siguió de todos modos. Les contó que varios meses más tarde, estando de vacaciones, Harry Baxter vio a Benjamin con barba y comentó que parecía la mujer barbuda de un circo.

—La próxima vez que vino a la tienda le dije que podía largarse a otra parte.

—¿Qué tal está Harry Baxter? —preguntó Sarah, aparentando interés.

—Oh, cielos, Sarah, el pobre murió hace años. Pero Molly sigue viva. Lleva uno de esos cochecitos eléctricos para tullidos y se pasa el día aterrorizándonos.

—Minusválidos, mamá —dijo Benjamin en voz baja.

—Tullidos, minusválidos, es lo mismo. No soporto los melindres de la corrección política. Hay que llamar al pan pan y al vino vino.

Sarah se dio cuenta de que Josh iba a hacer un comentario malicioso y le lanzó una mirada fulminante justo a tiempo.

No supo cómo aguantaron el resto de la velada y el día siguiente sin que se produjera ningún asesinato ni nadie resultara gravemente herido. El sábado por la mañana, cuando Benjamin metió por fin a su madre en el coche y se la llevó al aeropuerto mientras Sarah se quedaba con Abbie y Josh, diciendo adiós con la mano alegremente, fue como si les hubieran quitado un peso de diez toneladas de sus vidas.

—Es la última vez —dijo Josh terminantemente, y subió la escalera hacia su habitación dando fuertes pisadas—. Si vuelve otro día de Acción de Gracias, me largo de casa.

Sarah no se molestó en discutir. Rodeó los hombros a Abbie con el brazo.

—Venga —dijo—. Vamos a preparar café. Creo que no he tenido una conversación como Dios manda contigo desde que has vuelto a casa.

Hicieron el café y lo subieron por la escalera de madera al pequeño altillo con vistas al jardín y a la terraza donde hacían barbacoas en verano. Había hecho un otoño templado y los abedules que Sarah había plantado a lo largo de aquellos años todavía tenían hojas. Relucían con un tono amarillo brillante y moteado a la luz del sol.

A los lados de una mesita de caoba, había dos sofás color crema colocados el uno frente al otro, y se arrellanaron en uno de ellos mientras la luz del sol caía a raudales sobre ellas. Abbie le pidió a Sarah que se quitara los zapatos, posó los pies de su madre sobre su regazo y se los masajeó al tiempo que se lo contaba todo sobre la universidad; cosas que sin duda ya le había explicado a Benjamin, pero que él, como era natural, no se había molestado en comunicarle. Y aunque Sarah escuchaba cada una de sus palabras, había una parte de su ser que únicamente podía mirar asombrada y orgullosa a su niña bonita, tan hermosa y rebosante de vida. El masaje resultaba delicioso.

—¿Dónde has aprendido a hacer esto?

—¿Te gusta?

—Es increíble.

—Bien. Me imaginaba que lo necesitabas. Me lo ha enseñado Mel, mi compañera de habitación. ¿La abuela siempre ha sido así?

—No. Ahora es peor, con toda seguridad.

—No escucha. Parece que estuviera esperando para poder contar otra de esas historias sobre papá que hemos oído millones de veces.

—Tal vez sea un proceso natural: la gente que has querido se vuelve poco a poco menos agradable para que no sea tan duro cuando se vayan.

—¿Tú crees?

—Podría ser.

Las dos se quedaron mirando por la ventana un rato. Dos arrendajos azules estaban persiguiéndose frenéticamente entre los abedules.

—¿Qué le pasa a papá?

—¿A qué te refieres?

—No lo sé. A lo mejor solo es porque estaba la abuela. Pero parece muy estresado. Un poco distante, ¿sabes? Como si no estuviera aquí.

—Bueno, no le están yendo muy bien las cosas en el trabajo. Él y Martin han perdido un par de proyectos importantes. Van a tener que despedir a unas cuantas personas. Probablemente eso sea lo que le preocupa.

Sarah casi logró convencerse a sí misma.

—Ah. ¿Y tú?

—¿Yo? —Sarah se rió—. Ya sabes, sigo siendo la de siempre.

—Mamá, ya soy adulta.

—Lo sé, cielo. Pero estoy bien, de verdad.

—Mientes fatal.

—No estoy mintiendo. Últimamente no ha sido muy fácil convivir con él, con todo lo que está pasando. Te echamos de menos. Los dos.

—Oh, mamá.

—Oye, no pasa nada. Lo superaremos. En la mayoría de sentidos es estupendo. Tengo que cocinar menos, lavar menos ropa... De hecho, volver a tenerte en casa es una lata.

Abbie esbozó una sonrisa de escepticismo.

—Dame el otro pie.

—Sí, señora.

Esa noche, después de cenar, Abbie preguntó si les molestaba que saliera unas horas para quedar con unos amigos del instituto. Sarah procuró no mostrar su decepción y dijo que, naturalmente, no les molestaba. «Ve a divertirte», le dijo. Josh aprovechó el momento para informarles de que se iba a celebrar una «especie de fiesta» en casa de Freddie, su mejor amigo, y para preguntarles si, ya que Abbie iba a salir, él también podía marcharse. Benjamin lo llevó aparte para mantener otra charla paterna con él sobre el alcohol y la hierba. El último mes el muchacho había vuelto a casa visiblemente colocado en dos ocasiones. Josh lo había negado rotundamente, pero los dos estaban preocupados por él. Abbie dijo que lo llevaría a la fiesta y lo recogería más tarde. Volverían antes de medianoche, prometió.

De modo que se dieron las condiciones idóneas para lo que, como Sarah comprendería más tarde, Benjamin debía de haber estado planeando durante todas las vacaciones y probablemente desde mucho antes. Tal vez desde hacía semanas o incluso meses. Al cabo de una hora los chicos se habían ido y un silencio expectante se hizo en la casa. Sin duda, Benjamin no tardaría en murmurar que tenía que trabajar y se marcharía a su estudio. Pero los minutos pasaron y se quedó. Desde la cocina, Sarah vio cómo ordenaba distraídamente las cosas que los chicos habían dejado en el salón. Lo llamó alegremente y le preguntó si le apetecía pavo frío con ensalada de col y tomate.

—Claro.

Le preguntó por qué no abría una botella de vino.

—Claro.

Él entró en la cocina, cogió una botella del estante y se puso a descorcharla al otro lado del separador donde ella estaba preparando la cena. Se trataba de una barra larga y estrecha de granito gris pulido, la clase de complemento presente en toda cocina, donde iban a parar las cosas que no tenían otro destino: revistas viejas, fajos de cartas y facturas pendientes, y un gran cuenco de madera donde guardaban las monedas y las llaves del coche. El único sonido que se oía era el ruido seco que hacía Sarah con el cuchillo al trinchar el pavo. El silencio de Benjamin inundaba la habitación como una nube invisible. Tal vez ella debiese poner un poco de música. Él cogió dos copas del armario y al dejarlas en el separador junto a la botella abierta, emitieron un tintineo.

—Parece que Abbie tiene buen aspecto —dijo ella jovialmente.

—Sí.

—Vaya, lo que daría por volver a tener su edad.

Entonces se dio cuenta de que él estaba cambiando el peso de un pie al otro con nerviosismo. Dejó de trinchar el pavo y lo miró. Estaba muy pálido.

—¿Estás bien?

—La verdad es que no.

—¿Qué pasa? ¿Te encuentras mal?

Él tragó saliva. Durante un largo espacio de tiempo se hizo un silencio absoluto. Y entonces Sarah lo supo. Supo exactamente lo que él le iba a decir.

—Sarah, yo...

Ella dejó de golpe el cuchillo sobre la encimera de granito de forma ruidosa.

—No —dijo.

—Sarah, cariño, no puedo...

—¡No lo digas! ¡No te atrevas a decirlo!

—Me tengo que marchar. No puedo vivir así...

—¡Cállate! ¡Cállate! ¿De qué demonios estás hablando?

Por un momento, pareció que él se hubiera quedado sin voz. Sus ojos tenían una terrible mirada de súplica. Ella se lo quedó mirando fijamente, esperando una respuesta, pero él fue incapaz de sostenerle la mirada. Bajó la vista y permaneció allí, moviendo la cabeza.

—¿Tienes una aventura?

Sarah se oyó a sí misma. Oyó cómo gruñía aquella palabra, cómo casi la escupía, como si estuviera intentando quitarse un mal sabor de boca. Él negó con la cabeza, sin mirarla todavía. Como un cobarde llorón. Al verlo, algo estalló dentro de Sarah. Echó a correr y rodeó el extremo de la barra dispuesta a ponerle la mano encima.

—¡Tienes una aventura! ¡Cabrón! ¡Tienes una aventura!

Se abalanzó sobre él como un animal rabioso, dando golpes sin un destino claro, en la cabeza, en los hombros y el pecho. Él se tapó la cara, pero no se apartó, y dejó que ella lo insultase y le diese bofetadas y puñetazos. Y el hecho de que se quedara allí quieto, con un aspecto tan lastimero y degradado, como un mártir lánguido de un dios caprichoso, no hizo más que avivar la furia de Sarah.

Entonces, de repente, ella se separó y permaneció con los ojos apretados, agarrándose la cabeza con las manos, tapándose los oídos demasiado tarde para evitar oír lo que ahora sabía, con la boca torcida en un grito mudo.

—Sarah...

Él intentó tocarla con una mano, pero en cuanto la rozó, ella se puso a repartir golpes y a gritar.

—¡Nooo!

Entonces lo miró y vio las lágrimas que caían por la cara de Benjamin. Lo vio allí, desolado e impotente, y se puso a sollozar con los hombros encorvados y estiró la mano para atraerlo lentamente hacia ella, mientras los dos lloraban. La voz de Sarah sonó débil como la de una niña asustada.

—No, Benjamin, no. Por favor. Por favor, no lo digas.

Él la rodeó con los brazos y ella apretó la cabeza contra su torso, intentando profundizar en él y hallar algún lugar en su interior donde todavía la pudiera querer y desear. Mientras le rogaba suavemente: «Por favor, por favor», notó que el cuerpo de Benjamin temblaba al contacto con el suyo. Aquello no estaba pasando, él no lo decía en serio, era imposible.

—Sarah, cariño. Yo...

Ella le tapó la boca con la mano.

—Chis. No quiero oírlo. Por favor.

Y entonces la idea de que otra persona estuviera entre aquellos brazos, de que otra mujer aspirara el aroma cálido y familiar que siempre había sido suyo y nada más que suyo, le pasó por la cabeza y se le clavó en el pecho; Sarah se revolvió y lo apartó de un empujón.

—Es Eve, ¿verdad?

Él vaciló y negó con la cabeza y empezó a decir algo, pero ella sabía que tenía razón.

—¿Te has acostado con ella?

Su voz parecía la de otra persona. Era grave y temblorosa, como una capa de hielo a punto de romperse.

—No es eso, es...

—¿Te has acostado con ella?

—¡No!

—Mentiroso.

—Te juro que...

—¡Mentiroso! ¡Mentiroso de mierda!

Él movió la cabeza con gesto de disgusto y empezó a alejarse. Sin embargo, la imagen resultaba tan impactante que Sarah no pudo soportarla y echó a correr hacia él, lo agarró y le hizo darse la vuelta para que volviera a abrazarla. Pero algo había cambiado, y aunque él la rodeó obedientemente con los brazos, ya no tenían fuerza, resultaban fríos, como si dentro de él se hubiera accionado un último interruptor.

Ben no supo cuántas horas pasaron. El tiempo parecía suspendido, y su transcurso solo estaba marcado por la fluctuación de sus respectivos sentimientos de dolor. Ella vagaba por la casa como un alma en pena, y él la seguía y se la encontraba sentada en una escalera en postura encorvada o desplomada en el rincón de una habitación que no usaban, sollozando o mirándose fijamente las manos como una catatónica. Algunas veces arremetía contra él con los puños, le gritaba y lo insultaba, y un momento después lo agarraba y lo arrastraba hasta sus brazos y le suplicaba, preguntándole por qué, ¡por qué!, y diciéndole que seguro que podían hacer que su relación funcionase después de todos aquellos años. Ella podía hacer que funcionase, podía cambiar. Si él le diera una oportunidad. Por los niños, por ellos. Por favor, Benjamin, por favor. Solo una última oportunidad.

En la terraza, abrazados el uno al otro en medio del frío aire nocturno mientras el viento agitaba las ramas de los abedules iluminados, los sollozos de Sarah se apagaron y una triste calma se apoderó de ellos. Entraron para resguardarse del frío, y él le sirvió vino de la botella que había abierto en lo que ahora parecía otra vida y se llevaron las copas al salón, se sentaron en el sofá y estuvieron hablando.

Ella permaneció sentada, tensa y erguida, y con una vocecilla que se le quebraba a veces, le preguntó por Eve, y él contestó con toda la cautela y la sinceridad que pudo, y le dijo que, lo creyera o no, no se habían acostado. Empleando una frase que había ensayado —y que ahora, al pronunciarla, sonaba como tal—, le dijo que Eve no era el motivo de su partida, sino la catalizadora. Él esperaba que Sarah estallase en cualquier momento, o que como mínimo lo interrumpiese, pero no lo hizo. Se limitó a permanecer inmóvil, bebiendo el vino a sorbos y mirándolo. Y mientras ella lo escuchaba, Benjamin advirtió que algo empezaba a cobrar forma dentro de ella: una nueva opinión de él, una nueva lente o un nuevo prisma a través del cual lo vería a partir de entonces, con mayor dureza, más nítidamente y enfocado con más claridad.

La mirada fija y silenciosa de Sarah estaba empezando a desconcertarle, pero procuró mantener un tono de voz tranquilo y mesurado. Le dijo que era infeliz desde hacía mucho tiempo y que, si ella era sincera consigo misma, reconocería que entre ambos las cosas no iban bien desde hacía años. Él ya no era la persona con la que ella se había casado. Y de todas formas se habían casado muy pronto, ¿o no? Fue entonces cuando reparó en que ella estaba moviendo la cabeza con gesto de incredulidad. No apartó los ojos de él, sino que tan solo sacudió la cabeza levemente, de forma casi imperceptible, como si no pudiera creer lo que había oído.

—¿Qué pasa? —dijo él.

—Así que es eso, ¿no?

—¿A qué te refieres?

—Compartes la vida con alguien durante casi un cuarto de siglo, tienes hijos con ella, y entonces decides que os casasteis demasiado jóvenes, que no eres feliz y te marchas.

Él tuvo que inclinarse hacia delante para oír aquello, pues Sarah lo dijo en una especie de susurro entrecortado y tembloroso. Pero ahora hablaba con un nuevo tono que lo desconcertó, con una ira creciente que era más fría, más inflexible y controlada. Y le asustó. Tal vez por ese motivo se vio obligado a defenderse, a justificarse, y pronunció unas palabras de las que más tarde se arrepentiría.

—Nunca me he sentido querido por ti. Nunca. Y cuando te miro, nos miro a los dos y nuestra forma de ser, y pienso que todo va a ser así el resto de nuestras vidas... —Se detuvo y tragó saliva—. Y no puedo, Sarah. No puedo hacerlo. Tiene que haber algo más.

Ella se lo quedó mirando largamente, con la barbilla alzada. Prácticamente era una mirada de evaluación objetiva, glacial y regia. Entonces tragó saliva, asintió con la cabeza lentamente y por fin apartó la vista.

—Entonces, ¿cuándo se lo vas a decir a los niños?

—Esta noche. O mañana por la mañana. ¿A ti qué te parece mejor?

Ella se echó a reír.

—Por favor. Es tu fiesta, no la mía.

—Entonces se lo diré esta noche.

—Perfecto. Vaya, Benjamin, tú sí que sabes hacer bien las cosas. Felices vacaciones.

Alzó su copa y apuró el vino. Luego se levantó y se dirigió a la puerta, donde se detuvo y, un momento después, se giró despacio para situarse de cara a él.

—Te equivocas al decir que nunca te he querido. Siempre te

has equivocado en eso. Lo que estás diciendo en realidad es que no te he querido como a ti te hubiera gustado que te quisiera. Estás tan obsesionado por controlarlo todo que incluso quieres controlar la forma en que la gente te quiere. Y yo he vivido con eso todos estos años, intentando ser lo que tú querías que fuera. Pero nadie puede estar a la altura de lo que tú quieres, Benjamin. Nadie.

Se quedó allí un rato, mirándolo, con el rostro tembloroso pero desafiante, mientras intentaba contener las lágrimas. Y entonces asintió levemente con la cabeza con expresión tajante, se giró y se marchó.

Él permaneció allí un instante y a continuación la siguió hasta la cocina. Sarah estaba tirando a la basura el pavo y la ensalada que habían quedado en los platos. Él se acercó a ella por detrás e intentó posar las manos en sus hombros, pero ella lo rechazó violentamente.

—No me toques.

Intentó ayudarla a recoger, pero ella le dijo que no lo hiciera. Ella podía hacerlo, aseguró. De modo que volvió a la sala de estar y se sentó en el salón. Minutos más tarde, oyó unos pasos y se giró, y la vio nuevamente de pie en la puerta, mirándolo. Llevaba algo en la mano derecha, pero tenía los brazos cruzados y él no podía ver de qué se trataba.

—Esta es tu casa, Benjamin. Yo soy tu mujer. Estos son tus hijos.

Descruzó los brazos y lanzó lo que estaba sujetando al otro lado de la habitación de tal forma que aterrizó en el sofá junto a él. Era una foto enmarcada de Abbie y Josh que habían tomado dos años antes en unas vacaciones que habían hecho en Canadá, donde habían ido a esquiar. Sarah se volvió y desapareció, y él oyó el golpeteo familiar de sus zapatos en las escaleras de madera. Se preguntó si debía seguirla, pero decidió que no. Con la vana esperanza de hallar algo con que distraerse y deshacerse del peso opresivo que notaba en el pecho, encendió la televisión y se arrellanó en el sofá para esperar a sus hijos.

Martin le había dicho que debía de haberse vuelto loco. Él

era la única persona que sabía lo que Ben había estado planeando. Un día de la semana anterior había invitado a Martin a tomar una copa por la tarde después del trabajo. Era algo que casi nunca hacían, y Ben notó que su viejo amigo sentía curiosidad, incluso cierto recelo.

Estaban en un bar junto a Jackson Avenue, uno de esos locales modernos que rebosan estilo pero carecen de alma. Les sacaban veinte años largos a todos los presentes, y la música estaba tan alta que tenían que gritar para oírse. Dedicaron unos cinco minutos a charlar sobre sus hijos y hacer planes para el día de Acción de Gracias, hasta que Martin fue al grano y le preguntó qué pasaba.

—Voy a dejar a Sarah.

—¿Que vas a hacer qué?

Ben le contó lo de Eve, y Martin dijo que se lo había imaginado. ¿Por qué si no iba a haber insistido en comprar aquellos cuadros tan horribles?, dijo. No podía creer que los dos todavía no se hubieran acostado.

—Entonces, ¿por qué coño no te la tiras y acabas de una vez?

—No lo sé.

—¿Que no lo sabes? ¿Hay alguien ahí, Ben? ¿Estás loco? ¿Quieres tirarlo todo por la borda y ni siquiera sabes por qué? ¡Joder!

Ben no sabía qué decir, salvo que las cosas no iban bien entre él y Sarah desde hacía mucho tiempo y que sentía que necesitaba marcharse. Respirar. Volver a sentirse vivo.

—¿Con cuánta frecuencia la has visto?

—¿A Eve? No lo sé. Cuatro o cinco veces, quizá. Hablamos mucho por teléfono.

—Joder.

—Ella me hace sentir...

—Vivo.

—Pues sí, la verdad.

Martin movió la cabeza con gesto de incredulidad y se quedó mirando su vodka martini. Luego lo bebió de un trago y pidió otro. Ben no esperaba precisamente compasión. Los dos no se llevaban demasiado bien desde hacía muchos meses. Aunque Martin no lo había dicho claramente, Ben sabía que lo culpaba por no recibir más encargos y, concretamente, por perder el proyecto que habían estado desarrollando durante casi dos años. Como había ocurrido en el caso de la McMansión, Ben había perdido los estribos con los clientes y todo el acuerdo se había malogrado. La diferencia era que esta vez no había sido por una cuestión de principios. Simplemente no soportaba a aquella gente.

—¿Y dónde vas a vivir?

—Al principio iré a casa de mi madre.

—¿En Abilene? Genial.

—Luego, si las cosas salen bien con Eve, buscaré un sitio en Santa Fe.

—¿Y nosotros? ¿Y el trabajo? ¿Vas a venir todos los días desde Abilene?

—De eso es de lo que quería hablar contigo.

—¿Quieres dejarlo?

—Es lo que tú quieres. O a lo mejor me tomo un año sabático...

—¿Un año sabático? Joder, Ben. Estás como una puta cabra.

Aquella era toda la ayuda y comprensión que podía ofrecerle su mejor amigo. Al día siguiente, cuando entró en la oficina, le dijo a Ben que sería mejor que cortasen por lo sano. Le pidió con serenidad que pensase en un precio razonable por su parte del negocio, teniendo en cuenta la caída de la empresa y todo el dinero que debían. Martin añadió que tal vez debiera pensar en buscarse un abogado. Ben sintió la primera brisa fresca de su nueva vida independiente, como si ya hubiera empezado.

Cuando los chicos volvieron a casa él estaba dormido frente a la televisión, que estaba emitiendo *Casablanca*. La película estaba acabando; el avión ya había despegado. Bogart y Claude Rains se alejaban paseando entre la niebla.

Sarah había oído el coche y había bajado. Ben salió a la entrada. Josh tenía los ojos como los de un conejo albino y estaba riéndose, probablemente de algo de lo que él y Abbie habían estado hablando de camino a casa. La sonrisa de Abbie desapareció inmediatamente. Miró a Sarah, que se hallaba al pie de la escalera, con la cara tan blanca como su albornoz, y luego a Ben, que seguía desorientado debido al sueño y estaba intentando poner en orden sus ideas. Vio cómo el miedo asomaba a los ojos de su hija.

—¿Mamá? ¿Qué pasa?

—Vuestro padre tiene algo que deciros.

—Abbie —comenzó Ben—. Josh...

Se detuvo. El corazón le latía tan fuerte que apenas podía oír sus pensamientos. Lo único que se le había ocurrido decir parecía haberse borrado.

—Por Dios, papá, ¿qué pasa?

—Vuestra madre y yo vamos a separarnos...

—No —lo interrumpió Sarah—. Diles la verdad. Vuestro padre va a dejarnos.

A Abbie se le empezó a descomponer la cara.

—¿Qué? —dijo—. ¿Te marchas?

—Cariño...

—¿De qué estás hablando?

Miró desesperadamente a Sarah, esbozando una sonrisilla lastimera de incredulidad con los labios. Como si aquello pudiera ser una broma terrible y elaborada.

—¿Mamá?

Sarah se encogió de hombros y asintió con la cabeza.

—Es cierto.

Josh estaba mirando a Ben y se le formaron unas arrugas en torno a los ojos mientras fruncía el ceño intentando comprender lo que estaba pasando.

—¿Lo decís en serio?

—Sí, Josh.

—¿Así de simple? —dijo Abbie.

Le temblaban los hombros y estaba mordiéndose el puño. «Santo Dios —pensó Ben—, ¿qué estoy haciendo? Martin tiene razón, debo de haberme vuelto loco.» Alargó la mano, pero Abbie retrocedió, con la cara crispada por la conmoción y el disgusto.

—Papá —dijo Josh—. No puedes hacer esto. Quiero decir...

Se quedó sin palabras y permaneció con el ceño fruncido, boquiabierto.

—Todo va a ir bien, Joshie. De verdad...

—¡No! ¡No va a ir bien! —gritó Abbie—. ¡Idiota! ¡Nos vas a arruinar la vida!

Ben intentó acercarse nuevamente a ella, pero esta vez Abbie le golpeó la mano, se giró y echó a correr sollozando hacia la escalera. Sarah no hizo nada para detenerla y se apartó para dejarla pasar. Los tres se quedaron en silencio mientras ella subía la escalera corriendo. Cerró la puerta de su cuarto de un golpe que sacudió toda la casa. Sarah ladeó la cabeza y dedicó a Ben una sonrisa irónica.

—Buen trabajo, Benjamin.

Y se volvió y subió la escalera detrás de Abbie.

14

La idea de disfrazarse de frutas transgénicas se le ocurrió a Mel y en su momento pareció muy divertida. Habían dedicado todas las tardes de la semana anterior al día de Acción de Gracias a confeccionar sus disfraces con papel maché pintado, y el de Mel, una fresa colorada con la cabeza de un pez con cara de estupefacción asomando por delante, era de largo el mejor. Todo el que lo veía se tronchaba de risa.

El domingo Mel los había llevado a todos desde Missoula en la furgoneta de Hacker, con los disfraces de frutas sujetos precariamente a la baca. Fue un milagro que llegaran intactos, que era más de lo que se podía decir de Abbie en aquellos momentos. Se suponía que su disfraz era un cruce entre un tomate y una oveja, pero ya no se parecía a ninguna de las dos cosas. Con la lluvia continua, se estaba transformando de nuevo en una pasta de papel. Las dos patas delanteras se habían desprendido, así como la cola, y toda la pintura roja le goteaba por la parte de delante del anorak empapado y los pantalones. Eric y Scott, que avanzaban a su izquierda, ya se habían deshecho de sus disfraces, y Abbie no tardaría mucho en seguir su ejemplo. A su izquierda, el disfraz de Mel todavía lucía una apariencia perfecta. Probablemente le había dado una capa de pintura impermeable a escondidas. Y más allá de Mel estaba Hacker, que no había hecho ningún disfraz, pues sin duda se consideraba por encima de algo tan infantil.

Era temprano y el centro de Seattle era un mar rugiente de

personas. Miles de manifestantes, decenas de miles, se hallaban apelotonados codo con codo en cada calle, marchando todos juntos en dirección al centro de congresos. Y pese al frío y la lluvia, todos parecían estar pasándoselo en grande, levantando las manos y gritando, riéndose y cantando.

¡No hay poder como el poder del pueblo
Y el poder del pueblo no se detendrá!

Había gente disfrazada de árboles y elefantes, tortugas y ballenas —disfraces que parecían mucho mejor preparados contra la lluvia que el tomate oveja de Abbie—, y encima de ellos ondeaba un llamativo manto de pancartas que denunciaban los males de la Organización Mundial del Comercio. El tipo que iba delante de ellos llevaba una con un dibujo enorme de Drácula clavando sus sangrientos colmillos al planeta. La mujer que había junto a él agitaba otra que ponía: «OMC. O lo arregláis o no hay nada que hablar». Los que no estaban cantando estaban tocando silbatos, dando bocinazos, tocando campanas o aporreando tambores a una docena de ritmos diferentes.

Y no solo eran estudiantes y hippies. Había gente de todas las edades, colores, credos y nacionalidades: de taxistas a obreros de la construcción, pasando por encargados de la limpieza y oficinistas. Y además, el acto parecía estar causando impacto. Corría la voz de que ya habían conseguido detener la ceremonia inaugural y de que todos los peces gordos de la política estaban o refugiados en las suites de sus hoteles o asediados en sus limusinas. De hecho, toda la ciudad se hallaba en estado de sitio y la policía se limitaba a esperar, incapaz de hacer nada.

Era totalmente asombroso, como una especie de carnaval épico, la muestra de solidaridad más increíble que Abbie había visto en su vida. Estaban haciendo historia. Se trataba de uno de esos acontecimientos que cambiaban el mundo, como el concierto de Woodstock, la caída del muro de Berlín o el mitin en el que Martin Luther King Jr. le dijo al mundo que había tenido un sueño. Y Abbie estaba participando y siendo testigo de todo. En el futuro podría contárselo a sus hijos y sus nietos. Ojalá pudiera sentir que era más partícipe de ello, que se hallaba plenamente implicada. Y es que por mucho que se esforzaba por bloquear las imágenes de lo sucedido el fin de semana, entraban en su cabeza y lo estropeaban todo.

Había estado a punto de no acudir. El día antes por la mañana, su madre prácticamente la había llevado a la fuerza al aeropuerto. Abbie había dicho que no iba a ir de ninguna de las maneras. Debían estar todos juntos. Se quedaría en casa esa semana; de hecho, tampoco iría a la universidad. Pero su madre no se había dejado convencer.

Ella se había portado de forma increíble. El domingo, mientras el cabrón de su padre se paseaba tranquilamente por casa recogiendo cosas y preparando su equipaje, ella había mantenido la cabeza alzada y no había derramado una sola lágrima. Por Dios, si incluso había sido amable con él y le había ayudado a buscar sus malditas gafas. Evidentemente, todo era una fachada que tarde o temprano acabaría resquebrajándose. Pero no había sido así. Durante todo el día, incluso después de que él se marchara, había cuidado de Abbie y Josh, abrazándolos y consolándolos en todo momento, como si el dolor les perteneciera exclusivamente a ellos.

Pobre Joshie. Parecía que no supiera qué hacer. Después de que su padre comunicara la noticia y Abbie se fuera a toda prisa a su habitación gritando, Josh había seguido a su madre al piso de arriba y las había encontrado a las dos llorando y abrazadas la una a la otra. Y se había sentado al pie de la cama y se había quedado mirando tristemente la pared. Todavía estaba colocado e intentaba entender el alcance de lo que había pasado. Pero al día siguiente, incluso después de la terrible y gélida despedida, cuando los dos se habían quedado en la puerta mientras su madre les rodeaba los hombros con los brazos y contemplaban cómo su padre se alejaba por el camino de entrada de la casa, con todas sus cosas apiladas en el maletero de la ranchera, el pobre chico no parecía saber si podía llorar o si tenía que comportarse como el hombre valiente de la casa.

—Abbie, escúchame —había dicho su madre esa noche, cuando los tres se hallaban sentados a la mesa de la cocina, tomando una cena que a ninguno le apetecía comer y después de Abbie acabara de anunciar que no iba a volar a Seattle al día siguiente—. Escúchame. No vamos a dejar que esto nos destruya. La vida tiene que seguir. Puede que tu padre vuelva y puede que no. Yo creo que volverá. Pero estas cosas pasan, y ninguno de nosotros puede hacer nada al respecto. O él entra en razón o no lo hace. Mientras tanto, seguiremos con nuestras vidas, ¿vale? Así que vas a ir a Seattle, jovencita, y le vas a dar a esos... capullos de la MOC...

—OMC.

—Eso. Vas a ir y les vas a dar lo que se merecen. De mi parte, también. No sé quiénes son ni qué han hecho, pero ya no me gustan.

Los tres se habían reído. De una forma un poco histérica, pero se habían reído.

Luego habían llegado George y Ella y había habido más lágrimas, pero ninguna derramada por su madre. Su abuela pensaba quedarse unos cuantos días y hasta ella le había dicho a Abbie que se ciñera al plan y tomara el avión, aunque su abuelo había comentado que la idea de la protesta era un lamentable desatino y se hallaba claramente inspirada por anarquistas y comunistas, y que la OMC era, en realidad, una de las pocas fuerzas positivas que quedaban en el mundo. Abbie estaba demasiado cansada y agotada emocionalmente para discutir.

De modo que allí estaba, calada hasta los huesos e intentando disfrutar de la experiencia de llevar un disfraz de tomate, que para entonces se había vuelto tan blando y pegajoso que decidió deshacerse de él. Sin romper el paso, consiguió bajárselo hasta los pies y quitárselo grácilmente. Mel le dedicó una sonrisa. Ella era la única persona a la que le había dicho que su padre se había ido y le había dado órdenes estrictas de no contárselo a los demás. Lo que menos quería Abbie era que todos empezaran a compadecerse de ella y a tratarla como si fuera una especie de inválida.

¡La OMC se tiene que acabar!
¡La OMC se tiene que acabar!

La lluvia parecía estar amainando y, mientras desfilaban, el cielo empezó a despejarse. Entre los edificios, pudo ver el mar y el puerto, y dos enormes barcos de mercancías anclados cerca de la costa. Nunca había estado en aquella ciudad. Pegada abruptamente a la orilla del mar, resultaba todavía más impresionante de lo que había oído.

Delante había una columna de humo negra y ondulante y, a medida que la marcha avanzaba, vio un contenedor de escombros que había sido incendiado y cuyo fuego había sido avivado con neumáticos. La muchedumbre se separó para pasar por delante. De repente, por debajo de la algarabía, oyó un ruido de cristales rotos, pero no pudo ver de dónde venía ni de qué se trataba. A su derecha, una multitud de manifestantes que entonaban proclamas estaba sitiando una hamburguesería McDonald's. Tenían una pancarta que ponía: «Resiste la McDominación», y algunos de los presentes estaban golpeando las ventanas y las puertas. En las paredes, habían garabateado con pintura negra «McMierda» y «McCarne asesina».

Los policías que habían visto hasta entonces se habían mostrado relajados y amistosos. Una pareja de ellos que seguían la marcha montados en bicicletas de montaña incluso habían sonreído y habían bromeado con ellos. Pero los que veían ahora tenían un aspecto completamente distinto. Parecían de alguna clase de cuerpo antidisturbios. Iban vestidos todos de negro, llevaban cascos y máscaras antigás, chubasqueros largos, pantalones de cuero y botas militares. Permanecían inmóviles como estatuas, cortando las calles laterales, con las porras preparadas.

—Uau —dijo Mel—. ¿Quiénes son esos tíos?

—Son de la convención de dobles de Darth Vader —dijo Eric.

Como siempre, llevaba su acordeón e inmediatamente empezó a tocar el tema de *La guerra de las galaxias*. Todos los que había a su alrededor comenzaron a cantar y a gritar: «¡Que la fuerza os acompañe!». Resultaba imposible saber si a alguno de los policías le hizo gracia. Las viseras de los cascos y las máscaras antigás les tapaban completamente la cara.

De repente, un helicóptero pasó volando con gran estruendo por encima de sus cabezas y todos se agacharon mientras el aire vibraba con el ruido de las aspas. Poco a poco, los manifestantes redujeron la marcha y se quedaron parados un largo rato, entonando proclamas y cantando, rodeados de tiendas y bloques de oficinas, cada vez más apretados debido al cordón policial y a la presión de los manifestantes que venían detrás.

Abbie nunca llegó a saber cómo ni por qué empezaron a torcerse las cosas. Más tarde, algunos culparon a unos cuantos policías nerviosos que empezaron a disparar sin ton ni son. Habían incendiado otro contenedor, y el humo negro y acre no paraba de sobrevolar la multitud, de modo que a veces resultaba imposible saber lo que estaba pasando. Entre la gente, Abbie vio un círculo de manifestantes que se habían inmovilizado y gritaban con los brazos unidos y cubiertos por tubos de metal.

¡Escuchad la voz de la gente del pueblo!
¡No tenemos voto, no tenemos asiento!

Y por debajo empezó a oírse otra voz, que a cada repetición se volvía más severa y amenazadora. Alguien que utilizaba un megáfono les estaba diciendo a todos que desalojasen la zona, que estaban infringiendo la ley del estado y de la ciudad y que todos aquellos que se negasen a dispersarse serían detenidos por conducta indisciplinada.

Al principio Abbie no sabía qué era aquel olor. Creyó que debía de tratarse de algo que se estaba quemando en los contenedores. Entonces los ojos empezaron a escocerle y, al instante, la gente que tenía delante se dispersó y vio una lata que rodaba por el suelo desprendiendo gas. Alguien gritó que era gas lacrimógeno. Un joven que se había llevado una máscara antigás se acercó corriendo, cogió la lata y se la arrojó a los policías, que estaban empezando a avanzar por la calle en dirección a ellos. Tenían preparados los escudos de plástico y las porras, y todo el mundo, excepto unos cuantos manifestantes desafiantes o temerarios, comenzó a retroceder con nerviosismo ante ellos.

A los pocos minutos, el ambiente había cambiado. De momento, el aire estaba dispersando el gas, pero rápidamente cundió el pánico.

Abbie vio a través de un hueco de la multitud cómo uno de los manifestantes que se habían mantenido firmes era reducido a porrazos por unos policías y cómo el cuerpo sin fuerzas de otro era llevado a rastras. Alguien que lo presenció empezó a gritar insultos y a chillar, y un par de personas comenzaron a arrojar todo lo que encontraron a los policías. Pero el cordón avanzaba de forma constante. Entonces una chica que se encontraba a escasos metros por delante de Abbie cayó ante ellos sacudiéndose violentamente y empezó a gritar y a revolcarse por el suelo, al tiempo que se llevaba las manos a una pierna.

—¡Mierda! —gritó Eric—. ¡Nos están disparando!

Justo cuando dijo aquello, se oyó una repentina salva de estallidos y otros dos manifestantes se echaron a gritar y cayeron. Uno tenía las manos en la cara. Abbie vio que la sangre le corría entre los dedos.

—¡Están disparando balas de goma! —gritó Hacker.

Probablemente lo hizo con intención de tranquilizarlos, pero Abbie no se dejó engañar. En su vida había estado tan asustada. Hacker y Scott estaban ayudando a Mel a quitarse el disfraz, cuya expresión de repente parecía mucho menos divertida.

—¡Vamos! —dijo Hacker—. ¡Salgamos de aquí!

Pero del dicho al hecho había un trecho. Salvo los pocos que estaban haciendo frente a la policía, todo el mundo estaba intentando escapar. Había demasiadas personas, se respiraba demasiado pánico y nadie parecía saber qué camino seguir. Con el movimiento de la gente, se estaban viendo arrastrados en dirección a una calle lateral, pero de repente las personas situadas delante de ellos empezaron a agacharse. Les chorreaba agua por todo el cuerpo, y por un momento Abbie no supo de dónde procedía. Entonces vio la furgoneta de la policía, con su cañón de agua, y al instante el chorro le dio a Mel en el pecho y la lanzó hacia atrás dando volteretas.

Abbie echó a correr hacia ella, se arrodilló a su lado y le preguntó si se encontraba bien, y Mel asintió con la cabeza, aunque parecía demasiado conmocionada para saberlo. Le caía un hilillo de sangre de la nariz. Hacker y Scott la agarraron uno por cada lado y la levantaron. Mientras se la llevaban a rastras, Hacker le gritó a Abbie por encima del hombro que no se alejase.

Una vez que consiguieron escapar del cañón de agua, Abbie se detuvo y miró atrás en busca de Eric. No había rastro de él. Entonces divisó su acordeón en el suelo, hecho pedazos. Gritó a Hacker y los demás que parasen, pero no podían oírla. Estaban cerca de un contenedor en llamas, y súbitamente el aire se vio de nuevo invadido por el humo negro. Cuando el ambiente se despejó y Abbie miró en la dirección donde los había visto por última vez, habían desaparecido.

Echó a correr, pero debía de haberse desorientado, pues ya no había tanta gente y se percató de que debía de estar dirigiéndose otra vez hacia el cordón policial. Otro helicóptero pasó por encima de ella y, al alzar la vista hacia él, chocó con un hombre que corría en la dirección contraria. El impacto la sorprendió y la dejó sin aliento, y se quedó inmóvil, respirando con gran dificultad e intentando averiguar hacia dónde correr, pero su cerebro se hallaba paralizado por el pánico.

Fue entonces cuando la lata de gas lacrimógeno apareció deslizándose entre los escombros y derribó a Abbie de nuevo. Al desplomarse, su cráneo chocó contra el suelo y vio un destello de luz blanca. No supo cuánto tiempo estuvo sin conocimiento, tal vez solo unos segundos, pero cuando volvió a abrir los ojos estaba mirando al cielo y se preguntó qué era aquella extraña niebla negra y por qué el aire vibraba tanto. Entonces, a medida que el mundo volvía a cobrar forma, se dio cuenta de que había un helicóptero directamente encima de ella y tuvo la súbita certeza de que iba a aterrizar justo sobre su persona. Se puso de rodillas con dificultad, se levantó e intentó echar a correr, pero descubrió que no podía debido al dolor que notaba en la espinilla, donde le había impactado la lata de gas. El aire que había a su alrededor se estaba inundando rápidamente de gas lacrimógeno, le ardían los ojos y los pulmones, y no tenía la más mínima idea de hacia dónde correr. Sola en medio de la confusión, Abbie permaneció quieta, se llevó las manos a los ojos y empezó a gritar.

Lo siguiente de lo que tuvo conciencia es de que alguien la había agarrado del brazo y la estaba llevando a rastras. Lo primero que pensó es que se trataba de un policía y se puso a gritar y a dar golpes.

—¡Por Dios, estoy intentando ayudarte!

Los ojos le escocían y le lloraban, y lo único que podía ver era la protuberancia negra de una máscara antigás, lo que le hizo pensar que, a pesar de lo que aquella persona había dicho, era un policía. Entonces la máscara se levantó y vio una cara delgada con barba incipiente, unos intensos ojos azules y un largo cabello moreno recogido a la manera de un pirata debajo de un pañuelo rojo. Iba vestido todo de negro, pero desde luego no parecía un poli.

—Ten, ponte esto —dijo.

Tenía un ligero acento; alemán o escandinavo, tal vez. Antes de que pudiera protestar, el hombre se había quitado la máscara antigás y se la estaba poniendo, colocándole las gafas y el filtro de aire sobre la cara. Prácticamente de forma inmediata, el aire se volvió respirable. A través de las gafas vio cómo él se quitaba el pañuelo y lo empapaba con agua de una botella que sacó de un bolsillo de su anorak. A continuación se lo ató encima de la nariz y la boca como un bandido.

—Venga, vamos.

La rodeó con un brazo y empezó a guiarla entre la gente. A Abbie le dolía la pierna, pero pronto se olvidó de ella y se rindió, sin pensar en los demás ni en ella misma ni en el lugar al que la conducía aquel extraño.

Quizá todo se debiera a que estaba aturdida por el golpe que se había dado en la cabeza al caer. Envuelta por la máscara, con el estruendo amortiguado de los helicópteros, los gritos y las sirenas, sentía un extraño distanciamiento, como si de repente el mundo se moviera en cámara lenta y estuviera en un sueño o viéndolo todo en las noticias de la tele. Lo único que recordaría más tarde serían imágenes aleatorias: una mujer sangrando tumbada sobre un lecho de cristales rotos; un monje budista con una túnica carmesí, rezando de rodillas con el cuerpo encorva-

do y pegando su cabeza rapada a la acera; pancartas rotas y piso-
teadas por todas partes; y un tambor africano con la piel rasgada
rodando por una calle vacía en dirección al mar.

—¿Estás bien?

Abrió los ojos y parpadeó, pero al no ver nada sintió una oleada de pánico y creyó que el gas la había cegado. Se incorporó y
se frotó los ojos. Los notaba como si alguien le hubiera arrancado
una capa de piel. Alzó la vista hacia el lugar del que parecía proceder la voz y vio una figura vaga que se alzaba por encima de ella.

—Sí, creo que sí —dijo—. Dios, mis ojos.

—Ten, lávatelos.

Él se arrodilló y colocó un cuenco con agua en el suelo, junto al colchón sobre el que ella había estado tumbada. Mientras
Abbie se lavaba los ojos, él prendió una cerilla y encendió una
vela, y cuando ella volvió a mirar, vio la cara delgada del hombre
y sus ojos azul claro. Él no sonrió y se limitó a darle una toalla
para que se secara. La tela olía a gasolina.

—Gracias.

—Déjame ver la zona de la cabeza donde te has dado el golpe.

Abbie se giró para que pudiera examinar la herida. Tenía puesto un jersey marrón grande que no era el que llevaba antes. Era
áspero y estaba grasiento, y olía a lana de oveja mojada. Probablemente él se lo había puesto porque su ropa se había empapado, y aunque no le agradaba no recordar el momento en que él
lo había hecho, se alegraba de que se lo hubiera colocado porque en aquella habitación hacía un frío que pelaba. Al menos todavía llevaba puestos sus pantalones.

—Tienes un buen chichón. Hay un pequeño corte, pero no
necesita puntos. Quédate quieta mientras te lo limpio.

Él humedeció la toalla en el cuenco y se la aplicó con cuidado en la parte de atrás de la cabeza. La habitación era pequeña y
olía a humedad, y las paredes estaban agrietadas y desconcha-
das. El suelo estaba compuesto únicamente por tablones, algunos de los cuales faltaban, y no había muebles; solo montones de

ropa, trastos y viejos periódicos y revistas. Había otro colchón debajo de una ventana que había sido tapada con una manta vieja. Abbie oía a gente hablando en la habitación de al lado y a través de la rendija de la puerta entornada vio sombras moviéndose en una pared.

—No es nada. Vivirás. Sufriste una conmoción y te desmayaste. Has dormido cuatro horas. Estaba preocupándome. —Levantó una mano—. ¿Cuántos dedos hay aquí?

—¿Dieciocho?

Él estuvo a punto de sonreír. Le entregó una taza.

—Es té. Aquí también tienes agua. Debes beber. Tienes una contusión en la pierna, pero no es grave.

Ella notaba punzadas de dolor en la espinilla.

—Gracias. ¿Dónde estamos?

Él se encogió de hombros.

—En una casa. Una casa okupa.

—¿Y quién eres tú?

—Un okupa.

Abbie le lanzó una mirada hosca por encima del borde de la taza, y esta vez él sonrió. Resultaba difícil determinar cuántos años tenía. Veintitantos, treinta quizá. A pesar de su barba incipiente, tenía algo refinado, casi femenino. Era guapo y parecía que supiera que ella lo encontraba atractivo.

—Me llamo Rolf. Y tú eres Abigail Cooper, de la Universidad de Montana.

—Has estado hurgando en mi cartera, ¿eh?

—He gastado todo el dinero y he usado las tarjetas de crédito. Me lo he pasado bien.

—No te cortes. Es Abbie, por cierto.

Él asintió ligeramente con la cabeza con aire formal. Se levantó y se dirigió a la puerta, al tiempo que le decía por encima del hombro que cuando le apeteciese tenía comida en la habitación de al lado.

—Gracias.

—De nada.

—Y gracias por... ya sabes... por sacarme de allí.

Él se volvió y la miró, asintió de nuevo con la cabeza y acto seguido salió. Abbie permaneció sentada un rato, sosteniendo la taza con ambas manos y bebiendo el té a sorbos. Era demasiado dulce, pero al menos estaba caliente y resultaba reconfortante. Se preguntaba qué habría sido de los demás y si Eric y Mel estarían bien. No debería ser difícil encontrarlos. Todos habían anotado el número de móvil de Hacker por si se separaban.

Cuando se sintió lo bastante fuerte, se levantó y fue deambulando a la habitación de al lado. Rolf, otros dos hombres y dos mujeres se hallaban sentados con las piernas cruzadas en el suelo alrededor de un cuenco grande de arroz con verduras, comiendo con los dedos. Había una tercera mujer sentada en el rincón que estaba trabajando con un ordenador portátil. Todos alzaron la vista cuando Abbie entró sonriendo y dijo «hola». Un par de ellos contestaron y los demás se limitaron a asentir con la cabeza.

—Aquí —dijo Rolf, a la vez que se movía para hacerle sitio a su lado—. Sírvete.

Se sentó y cogió un puñado de arroz, y se dio cuenta del hambre que tenía. Aquella habitación era más grande que la otra, pero estaba igual de vacía, con solo tres colchones y montones de trastos. Se hallaba iluminada con velas metidas en botes y una lámpara parpadeante de gas butano con una pantalla rajada. Una de las paredes estaba cubierta de recortes de periódicos, fotografías y grafitos garabateados.

—¿No tendréis teléfono por casualidad? —preguntó.

Por algún motivo, aquello les resultó a todos increíblemente divertido, aunque Abbie no sabía bien por qué. Después de todo, la mujer del ordenador portátil parecía tenerlo enchufado a una especie de toma de corriente. Tal vez fuese por la forma en que lo había dicho. Notó que las mejillas se le arrebolaban y confió en que no resultase visible.

—Hay una cabina de teléfono en la calle —dijo Rolf—. Hasta hoy teníamos un teléfono móvil, pero don Servicial lo ha perdido. —Le dio un golpecito en la cabeza al chico de al lado.

—No ha sido culpa mía. Aquel poli imbécil me lo quitó.

—Tú estabas con el grupo que iba disfrazado de frutas, ¿verdad? —dijo una de las mujeres.

—Sí.

—¿Por qué?

—Se suponía que éramos frutas transgénicas.

—Ah, claro.

—¿Eso es lo que os enseñan en la Universidad de Montana? —dijo el hombre sentado al lado de él.

Tenía una maraña de rizos de rastafari y un aro de plata que le atravesaba una ceja. A Abbie le entraron ganas de darle un puñetazo en la nariz, pero decidió hacer caso omiso de su sarcasmo y dijo que sí, que impartían clases sobre el uso de la genética en la agricultura, aunque ella no había asistido a ninguna.

—Fascinante.

—Pues sí, la verdad es que sí.

—¿Y hay allí muchos activistas ecologistas?

Fue Rolf quien hizo la pregunta, y como parecía sincera y cordial y a ella le dio la impresión de que estaba intentando compensar la grosería de los demás, le brindó una contestación más extensa y entusiasta de lo que tal vez requería la ocasión. Se dirigió a Rolf y le habló de Hacker, de quien suponía que él habría oído hablar (no era así), de Acción Forestal y de la protesta contra la venta de madera del mes anterior. Y aunque no sabía qué interés podía tener en presumir delante de él, se sorprendió, no mintiendo exactamente, pero sí adornando las cosas un poco y haciendo que su encontronazo con los taladores pareciera más peligroso de lo que en realidad había sido.

Si no claramente impresionado, Rolf pareció al menos interesado. Y tal vez porque ella sentía cierto temor reverencial hacia él y estaba fascinada por aquellos preciosos ojos azules, no se dio cuenta de que el tipo de las trenzas estaba sonriendo y moviendo la cabeza y de que las mujeres sentadas a ambos lados de él también estaban sonriendo. Cuando Abbie reparó en ello, se había entusiasmado un poco y estaba hablándole a Rolf de las excursiones que los estudiantes hacían a las montañas en busca de hierbas nocivas.

—¿Te refieres a hierbas para fumar? —dijo Trencitas.

Abbie se detuvo un instante y miró al individuo con los ojos entornados. Tenía pinta de haber estado fumando. Se volvió de nuevo hacia Rolf sin molestarse en responder y continuó.

—Es increíble lo que se puede encontrar allí arriba. Tres clases distintas de centauras, lechetrezna, lengua de perro...

—Tío, esa lechetrezna da un subidón que te cagas.

—Basta ya, tío —dijo Rolf.

Abbie había tenido suficiente. Se giró para situarse de cara al tipo de las trenzas.

—Muy bien, ¿y qué hacéis vosotros que sea tan importante?

Trencitas se limitó a mover la cabeza y reírse para sí.

—No, en serio —dijo Abbie, airadamente—. Cuéntamelo, estoy interesada. Qué hacéis, ¿eh?

—Niñas ricas de universidad cogiendo hierbas. Joder, qué cursi.

—¡Que te den!

—Oh, por favor...

Rolf le dijo otra vez que parara y a continuación se inclinó hacia delante y posó la mano en el hombro de Abbie, tratando de calmarla. Ella lo rechazó.

—Abbie, no es que pensemos que lo que hacéis no tenga valor. Solo que nos parece un poco... ¿cómo decirlo? Irrelevante, marginal quizá. Como cambiar de sitio los muebles del *Titanic*.

—Ah, vale. Gracias.

—No, en serio. No estoy siendo maleducado. Simplemente realista. Todo ha llegado demasiado lejos. Las grandes empresas están destruyendo el planeta, y nadie va a escuchar las protestas de nadie ni todo lo demás. Fíjate en lo que ha pasado hoy. Fíjate en lo que te han hecho.

Estiró la mano para tocarla, pero ella se movió y no dejó que lo hiciera.

—Hoy en día los gobiernos de los países industrializados están regidos exclusivamente por empresas multinacionales. Los políticos simplemente son sus marionetas. La democracia es una barraca de feria. Así que para causar algún impacto, para conseguir que la gente que manda se pare a escuchar y piense en lo que están haciendo, hay que hacerles daño. De forma personal. Hay que hacerles daño de verdad.

—¿Y qué estabais haciendo hoy? —dijo ella con aspereza.

Rolf se echó a reír.

—Oh, no. Lo de hoy era solo por diversión.

La mujer que había estado todo el tiempo trabajando con el ordenador portátil se sentó al otro lado de Rolf y cogió un puñado de arroz. Parecía satisfecha de sí misma. Por su lenguaje corporal, a Abbie le dio la impresión de que se trataba de la novia de él.

—¿Está todo arreglado? —preguntó Rolf en voz baja.

—Sí.

—Bien. Buen trabajo.

Abbie se levantó. Se encontraba un poco mal y quería irse y coger aire en los pulmones. Alejarse de aquellos tarados y encontrar a Mel, a Hacker y a los demás.

—¿Te marchas? —dijo Rolf.

—Sí.

—¿Me devuelves el jersey? —dijo Ricitos, con una sonrisa de satisfacción.

Asqueada por llevar puesto algo de él, rápidamente se lo quitó y lo tiró al suelo. Rolf le dio su anorak y la ayudó a ponérselo. Seguía mojado. La acompañó a la puerta.

—¡No te pases con la lechetrezna! —gritó Ricitos.

Abbie estaba en la puerta y se volvió para mirarlo.

—Antes de hacer la revolución, gilipollas, aprende un poco de modales.

Salió fuera y desde allí oyó las carcajadas. Rolf bajó la escalera con ella y la siguió hasta la calle, y a continuación la acompañó hasta la cabina telefónica. Hacker pareció tranquilizarse al oír su voz. Dijo que irían a recogerla inmediatamente. Rolf le explicó cómo encontrar aquel lugar.

Se quedaron esperando sentados el uno al lado del otro en los escalones de una casa en ruinas. Él le dijo que toda la zona estaba siendo desalojada con el objeto de llevar a cabo obras de demolición. Iban a construir oficinas. Lió un cigarrillo y se lo ofreció a Abbie, pero ella lo rechazó. La media luna moteada se alzaba sobre los tejados, y permanecieron largo rato sin hablar, contemplando cómo se movía lentamente por el cielo.

—Siento lo que ha pasado allí arriba —dijo él—. Ese tío es un idiota.

Abbie no contestó. Se sentía pequeña y sola y, por primera vez desde hacía muchas horas, había estado pensando en su padre y su madre, en lo que había ocurrido en su casa y en lo fastidiado que de repente parecía todo su mundo. Notó que le brotaban lágrimas en los ojos, pero logró contenerlas y, o él no se percató, o hizo ver que no se había dado cuenta. Le preguntó a Abbie de dónde era, y ella tuvo que esperar unos instantes para poder fiarse de su voz y contestarle.

—¿Y tú?

—Nací en Berlín. Hace doce años que vivo aquí.

—¿En Seattle?

—No. Aquí y allá. Me aburro si me quedo en un sitio.

Sacó un bolígrafo de su bolsillo y escribió un número en la solapa del paquete de papel de fumar, lo arrancó y se lo entregó, al tiempo que le decía que allí siempre habría alguien que sabría cómo dar con él. Le pidió el número de ella y, tal vez debido a que seguía un poco confundida y no recordaba el de la residencia, Abbie le dio el número de teléfono de su casa. Entonces la furgoneta de Hacker bajó por la calle. Scott iba con él, y los dos se alegraron mucho de verla. Le dijeron que Mel estaba bien. A Eric le habían llevado al hospital, donde debería permanecer como mínimo dos semanas. Se había fracturado la pelvis, lo que no le preocupaba tanto como haber perdido su acordeón. Abbie les presentó a Rolf y los tres se estrecharon la mano. Luego volvió a darle las gracias por ayudarla y cuidar de ella y se subió a la parte trasera de la furgoneta.

Mientras se alejaban, le dijo adiós moviendo ligeramente la mano a través de la ventanilla, y él la miró directamente a los ojos y le devolvió la sonrisa. Y en ese momento ella supo que algún día volvería a verlo. Dobló con cuidado el pedazo de papel que le había dado y lo guardó en su cartera.

15

El nuevo milenio acababa de empezar y el mundo entero rebosaba esperanzas de paz y buena voluntad hacia todo el género humano... Y todas esas chorradas. Solo hacía una semana que había empezado el nuevo siglo y a Sarah ya no le gustaba. Estaba sentada ante su escritorio en el pequeño despacho que tenía en la parte trasera de la librería, tratando de concentrarse en lo que estaba leyendo en la pantalla del ordenador, que era casi tan deprimente como el resto de aspectos de su vida en aquel momento. Incluido el tiempo, que era frío, húmedo y brumoso, «un tiempo para cortarse las venas», como solía definirlo Jeffrey, aunque ese día no había utilizado esa expresión, probablemente por temor a que ella hiciera tal cosa.

Las cifras de ventas de las vacaciones de Navidad eran todavía más desalentadoras de lo que ella había temido, y todo se debía a la recién inaugurada sucursal de una de las grandes compañías, interestatales y a cierta compañía librera de venta por internet cuyo nombre, como ocurría con *Macbeth* en los teatros, estaba prohibido pronunciar entre aquellas paredes. Los precios de aquellas empresas eran tan ridículos que perfectamente podían regalar los malditos libros. A través de la puerta podía oír cómo Jeffrey atendía pacientemente a una cliente, la única que había entrado en la última hora y media: una mujer que buscaba un libro pero que no recordaba ni el título, ni el autor ni tan sólo su temática.

—¿Tiene idea de la editorial del libro? —preguntó Jeffrey amablemente.

—¿La qué?

—Que Dios nos asista —murmuró Sarah.

Jeffrey se había portado estupendamente. Había llevado el negocio prácticamente sin ayuda durante las fechas previas a Navidad. Sarah había acudido a la tienda la mayoría de días porque no soportaba estar sola en casa, pero sabía que a menudo había sido más un estorbo que una ayuda. Durante la semana irreal que siguió a la partida de Benjamin y a la vuelta de los chicos a clase, Jeffrey la llamaba dos o tres veces al día y siempre pasaba a verla de camino a su casa, provisto de comida, flores o una botella de vino. Ese período se había convertido en una especie de fiesta de sucesión o de velatorio. En cuanto su madre había vuelto a casa, Iris había ido a visitarla, y constantemente recibía a amigas que acudían a animarla, por lo que algunas noches había media docena o más de personas en su cocina, hablando, cocinando, comiendo, bebiendo, llorando o riéndose, y nadie dejaba que Sarah moviera un dedo, ni siquiera para poner el lavaplatos. Ella hablaba, lloraba y se reía tanto que el agotamiento resultante la había hecho poner fin a aquellas sesiones y volver al trabajo en busca de reposo.

—Así que es una novela, pero no de ficción —estaba diciendo Jeffrey—. Una novela de no ficción. Ah, ¿se refiere a algo como *A sangre fría*, de Truman Capote?

—¿Algo como qué?

A Sarah y a los chicos les horrorizaba quedarse en casa a pasar la Navidad y el Año Nuevo, sobre todo con aquella tontería de la nueva era. Entonces, como llovida del cielo, recibieron una llamada de Karen Bradstock para invitarlos al Caribe. Resultaba que Karen sabía lo de Benjamin porque Josh se lo había contado a Katie por correo electrónico. Un cliente increíblemente rico de Tom que evadía impuestos tenía una casa en la isla de Mustique y se la había ofrecido a ellos para que pasaran allí dos semanas enteras con todos los gastos pagados. También iban a acudir otros amigos, pero la casa tenía tropecientas habitaciones, de modo que Karen les había ofrecido la oportunidad de disfrutar de unas vacaciones navideñas inusuales. Sarah no la dejó escapar.

La isla era hermosa, aunque extrañamente antiséptica, sin nada remotamente parecido a una cultura local. Según Karen, había sido comprada hacía años por un excéntrico aristócrata que prefería tenerla vacía para poder ofrecer largas y suntuosas fiestas a los aburridos miembros de la familia real británica. En la actualidad, era propiedad de cierta compañía financiera y servía exclusivamente de refugio para personas sumamente ricas.

Los Bradstock habían invitado a dos parejas de Chicago, a ninguna de las cuales Sarah le tomó excesivo cariño. Una de las mujeres la trataba como una inválida y no paraba de ofrecerle cosas y de preguntarle con una mirada tan afectuosa como exasperante cómo se sentía. Aquello hacía que a Sarah le entrasen ganas de gritar. Le parecía increíble que hubiera gente incapaz de comprender que lo mejor era tratarla con normalidad; la amabilidad estaba bien, pero la compasión afectada prácticamente hacía que deseara matar a alguien.

Por suerte, Karen parecía entenderla. Las dos tenían muchas cosas que contarse y, a pesar de la presencia de los otros invitados, siempre encontraban tiempo para charlar en privado largo y tendido. Benjamin no era forzosamente el tema de sus conversaciones. De hecho, algunos días, incluso cuando caminaba sola por la playa o se quedaba sentada junto a la piscina leyendo, Sarah conseguía pasar media hora entera sin pensar en él.

El pequeño Will, que había crecido unos sesenta centímetros desde la última vez que ella lo había visto, era ahora un fanático de los deportes y la mayor parte del tiempo desaparecía con su padre para jugar a tenis o a golf. A Josh no le importaba. Estaba demasiado encaprichado con Katie, y el sentimiento parecía mutuo. La única que no parecía pasárselo bien era Abbie.

Al día siguiente de llegar a la isla, anunció que detestaba aquel sitio. Dijo que estaba lleno de banqueros fascistas acompañados de sus mujeres bulímicas y atiborradas de Botox, y que si veía a otro imitador barato o a otra vieja gloria del rock con arrugas, vomitaría. La situación habría resultado más incómoda si Karen no hubiera dicho que estaba absolutamente de acuerdo con ella y no la hubiera secundado con vehemencia en los debates que continuaban durante la cena, en los que Tom y Will eran tildados inevitablemente de «neoimperialistas» y «dinosaurios criptocolonialistas», fuera lo que fuese lo que aquello significara. Tom manejaba aquellas discusiones con brillantez, devolviendo los golpes que recibía, pero siempre con buen humor. Sin embargo, en ocasiones Abbie llegaba demasiado lejos.

—Dios, está muy enfadada —le dijo en voz baja Sarah a Karen tras un enfrentamiento especialmente feroz.

—Claro que lo está. No hay mayor peligro que el de una mujer despechada. Y tú no eres la única que se siente despechada. Por mucho que tú y Ben le digáis que lo que ha pasado no ha tenido nada que ver con ella y que ha sido porque las cosas iban mal entre vosotros, probablemente ella no lo vea de esa forma. Deberías llevarla a ver a alguien para que hablara con ella.

—¿Te refieres a un psiquiatra?

—¿Por qué no? ¿Acaso no estás yendo tú a uno?

—No soy ese tipo de persona.

—¿Qué tipo de persona? Cuando enfermas vas al médico, ¿no?

—Oh, no sé. A lo mejor voy. Alguna vez.

—Allá tú. No es asunto mío. Pero quizá deberías planteárselo Abbie.

Sarah ya lo había intentado, pero no tenía ganas de hablar de ello, en parte por lealtad hacia Abbie y en parte porque había desperdiciado la oportunidad. La semana anterior, al visitar al médico para que le recetara más somníferos, le había hablado de la ira de Abbie. Él había dicho que sería buena idea que se sometiera a una terapia y que él la pondría en contacto gustosamente con un especialista. Primero Abbie debería pasar a verlo por su consulta. Pero cuando Sarah se lo dijo, su reacción no pudo ser peor.

—¿Cómo? ¿Crees que estoy loca?

—No, cariño, claro que no. Es solo que...

—Si es lo que piensas haz que me encierren.

—Vamos, Abbie...

—¡Mamá! Vale, estoy furiosa con él. Pero ¿no va siendo hora de que alguien se ponga furioso? Está permitido, ¿no? Tú te controlas tanto que cualquiera diría que te da igual.

—Eso no es justo.

—Llevaré esta situación como yo quiera. Déjame en paz.

Celebraron la entrada del nuevo milenio en un bar restaurante de la playa que se erguía sobre el agua en unos pilares de madera y era regentado por un antillano llamado Basil, a quien Abbie consideraba el único ser humano auténtico de toda la isla. Sarah se había prometido que no iba a ponerse sentimental, pero cuando llegó la medianoche, encendieron los fuegos artificiales y todo el mundo empezó a abrazarse, besarse y desearse feliz año nuevo, cuando Abbie y Josh acudieron a su encuentro y los tres se quedaron allí, abrazándose entre ellos como tres almas perdidas, no pudo contenerse. Todos lloraron, incluso el pobre Josh. Pero aquella fue la única vez que Sarah permitió que ocurriera.

Al volver a casa, encontró en el contestador automático un mensaje de Benjamin, que llamaba con nerviosismo desde la casa de su madre en Abilene (o eso aseguraba él) y les mandaba a todos recuerdos deseándoles feliz año nuevo. «Sí, claro», pensó Sarah.

Al principio la llamaba muy a menudo, y casi siempre, muy a pesar suyo, Sarah terminaba llorando y gritándole. En ocasiones él también lloraba y la llamaba «cariño» y le decía que la quería, lo que la sacaba tanto de quicio que le entraban ganas de hacer pedazos el teléfono. Porque si la quería, si realmente la quería, ¿qué demonios hacía lejos de ella? Al final le dijo que dejara de decir aquello y le pidió que no llamara durante un tiempo.

Entonces Beth Ingram lanzó su pequeña bomba. Sarah no supo si lo hizo a propósito o no. Probablemente sí. El caso es que un día estaban hablando y Beth se mostraba muy dulce y alentadora con ella, y entonces, sin darle importancia, comentó cómo debía de haberse sentido Sarah la otra vez. Sarah le dijo que disculpase, que esperase un momento, y le preguntó a qué se refería con la «otra» vez. Beth vaciló y se ruborizó ligeramente, y le dijo a regañadientes que tiempo atrás había hablado con la mujer de un socio de ICA en una fiesta y había dejado escapar que Benjamin había tenido una aventura con una joven abogada que de vez en cuando les preparaba las escrituras de traspaso. Al parecer, en el trabajo absolutamente todo el mundo lo sabía. Beth dijo que había dado por hecho que Sarah también estaba enterada.

Sarah perdió los estribos y esa noche, tras demasiadas copas de vino, llamó a casa de la madre de Benjamin, pero no encontró al muy cabrón. Margaret dijo que no sabía dónde se encontraba y que estaba lejos en viaje de negocios. «Ah, claro. En Santa Fe, seguro, follando con aquella putita pintora. La Catalizadora.» Sarah lo llamó al móvil y le dejó a modo de mensaje un aullido devastador, ebrio y acusatorio, del que se arrepintió en cuanto colgó el auricular, y aún más a la mañana siguiente, una vez sobria.

Las noches eran lo peor. Cuando los somníferos no surtían efecto, se quedaba tumbada sola en aquella cama enorme con un peso que se retorcía en sus entrañas, esperando a que amaneciera. A veces estiraba una pierna a través de la cama y notaba el espacio frío y sin arrugas que proclamaba a gritos la ausencia de su marido. Tras las primeras semanas, para demostrarse su valor, se colocaba en medio. Pero no le parecía bien; de algún modo le resultaba demasiado terminante, como si al hacerlo estuviera admitiendo que él no iba a volver. Porque iba a volver, ella lo sabía. No podía dejarla de aquella manera, ni tampoco su casa y sus hijos, ¿verdad? ¿Verdad?

Una semana antes de Navidad, él viajó desde Kansas para ver a sus hijos y traerles regalos. Le compró a cada uno un teléfono móvil para que pudieran llamarlo a cualquier hora, según dijo, lo que provocó una carcajada despectiva de Abbie. «Ni lo sueñes», dijo.

Se quedó en la ciudad en casa de un amigo y salió con los chicos a cenar. Quería que Sarah también fuera, pero a ella no le apetecía y era lo único que podía hacer para convencer a Abbie de que fuera. Más tarde, la pobre chica volvió a casa llorando a lágrima viva y corrió directamente a su habitación. Joshie se quedó sentado con cansancio ante la mesa de la cocina y le contó a Sarah que Abbie no había pronunciado una palabra civilizada en toda la noche y que se había limitado a escupir veneno a su padre y a hacer comentarios sarcásticos.

Ahora, en la tienda, oyó a Jeffrey despedirse de su cliente y minutos más tarde apareció en la puerta del despacho, llevándose las manos a la cabeza con incredulidad.

—¿Lo has oído?

—Has estado fabuloso.

—Creo que deberíamos cerrar esto y abrir una tienda de discos.

—¿Ah, sí?

—Así cuando viniera alguien que no supiera el título, el artista o la discográfica, por lo menos podría tararear la maldita canción.

Sarah se rió. Asintió con la cabeza y volvió a concentrarse en el ordenador.

—¿Cómo está el panorama?

—Deprimente. Vamos a abrir una tienda de discos.

—Esa no es la respuesta correcta. Se supone que deberías decir: «Bueno, Jeffrey, en estas circunstancias, teniendo en cuenta el estado de la industria, la intensa competencia, la proliferación de medios de comunicación alternativos y otras opciones de entretenimiento o, hablando claro, el hecho de que a ninguna persona de menos de treinta años le importan un pito los libros o no está dispuesta a hacer algo que requiera mayor capacidad de concentración que la de un mosquito hiperactivo; teniendo todo eso en cuenta, creo que lo hemos hecho muy bien. Gracias Jeffrey».

—Bravo.

Él se inclinó hacia Sarah y le dio un beso en la frente.

—Vamos a cerrar y a comer a alguna parte —dijo él.

—Buena idea. Y me fumaré uno de tus cigarros.

El tema del día era «Expresa tu humanidad». Al menos eso era lo que Ben creía que había dicho la mujer vestida con la malla y el sarong rojo justo al principio, cuando estaban dentro de aquel círculo grande, todos descalzos y cogidos de las manos. No había podido oírlo bien porque tenía ante él un ventilador eléctrico que repartía aire por toda la estancia. Podría haber sido «Expresa tu *humoridad*». Pero, por lo que él sabía, aquella palabra no existía, de modo que se decidió por «humanidad». Sin duda lo que estaban haciendo algunas de las personas que le rodeaban era gracioso. Sobre todo el viejo de la barba gris, que iba vestido con un traje de ceremonia morado y un turbante, como un talibán colocado, y daba vueltas por la habitación con los ojos cerrados apretando un pimiento morrón contra su pecho. A lo mejor él tampoco había oído bien la sugerencia de la mujer y estaba cubriéndose las espaldas.

Se llamaba «coro de expresión corporal». Eve y Lori asistían todos los domingos por la tarde, junto con cincuenta o sesenta personas con ideas afines, para expresar lo que tocara cada día mediante el baile y el movimiento. El lugar de reunión era un gran edificio con el techo alto y el suelo de parquet. Estaba justo al lado de la vía del ferrocarril, y la proximidad era tal que aunque la música estuviera muy alta todo el local se estremecía cuando pasaban los trenes.

La música era estrictamente *new age*; mucho sonido de olas rompiendo y ululantes cantos de ballenas. Ben siempre se había preguntado por qué se suponía que el lenguaje de las ballenas era tan relajante y maravilloso cuando nadie sabía lo que aquellas criaturas se estaban diciendo entre ellas. Las ballenas se peleaban como todo el mundo, ¿no? A lo mejor en realidad se estaban gritando unas a otras. «Cabrona jorobada, este es el último plancton que me quitas. Anda, búscate la vida. Ve a resoplar un poco.»

En ese momento Lori estaba en el otro lado de la habitación, expresando su humanidad, y quizá algo más, con un joven de irritante atractivo que llevaba coleta. El tipo se había quitado la camiseta, algo que por lo visto podían hacer los hombres pero no las mujeres, al menos desde hacía varias semanas, pues una sueca llamada Ulrika había exhibido sus encantos y un pobre hombre con un triple *bypass* había sufrido un colapso y habían tenido que llevárselo fuera. Por lo visto, incluso en Santa Fe la autoexpresión tenía sus límites.

Otra regla insalvable era que el baile no debía entrañar contacto. Pero algunos no parecían saberlo o bien les traía sin cuidado. Varias parejas estaban retorciéndose en el suelo, entrelazadas de forma tan intrincada que costaba averiguar a quién pertenecía cada miembro. Ben temía que no pudieran desenredarse. Iban a acabar formando un nudo imposible de deshacer. Alguien tendría que llamar a los bomberos.

Sin embargo, la mayoría de gente, como Ben, estaba bailando sola. De vez en cuando alguien se acercaba furtivamente, sonreía y se ponía a bailar con él un rato y luego se marchaba a otra parte. Eve se encontraba a unos diez metros de distancia en ese momento, bailando de forma sinuosa con los ojos cerrados y una media sonrisa leve en el rostro. Llevaba un top de lino blanco muy corto y unos pantalones rojos ceñidos que dejaban a la vista sus caderas y su ombligo, y estaba tan increíblemente sexy que la humanidad de Ben estaba deseando expresarse de una forma que iba a tener que esperar.

A ella le preocupaba la idea de llevarlo allí y había dicho que no sabía si aquello le interesaría. Tal vez pensaba que se burlaría o que estaría demasiado nervioso y cohibido para participar. Le había dicho en broma que tendría que llevar leotardos o al menos, unos pantalones cortos elásticos. Al final Ben no era, con mucho, la persona de mayor edad ni la de aspecto más serio y, con su camiseta gris y sus tejanos azules descoloridos, no se sentía demasiado fuera de lugar.

Durante los primeros quince minutos, cuando todos habían empezado ya a bailar, Eve se había mantenido cerca de él sin parar de mirarlo para juzgar su reacción. No era el mejor bailarín del mundo y, a decir verdad, todo resultaba bastante hilarante. Pero estaba intentando entrar en ambiente y casi estaba divirtiéndose. Ojalá pudiera relajarse más, dejarse llevar y despejarse un poco la cabeza.

Aquella era su tercera visita a Santa Fe desde que había dejado a Sarah y se trataba de la más larga hasta la fecha. Afuera, la nieve había desaparecido. La primavera prácticamente estaba asomando. Llevaba allí dos semanas enteras y, aunque no sabía exactamente por qué —pues deseaba quedarse con todas sus fuerzas—, le daba la impresión de que había llegado el momento de volver a Kansas. Ahora eran amantes y por fin las cosas iban bien entre ellos. Más que bien. Se hallaban en ese estado de excitación y ansiedad en el que dos personas son incapaces de mantener las manos quietas. Jamás había soñado que pudiera ocurrir tan rápido.

Dos meses antes, en diciembre, la había llamado desde la casa de su madre en Abilene y le había dicho con voz temblorosa que ya lo había hecho, que se había marchado. Y tras una larga pausa que había durado varios segundos trascendentales, ella había dicho en voz queda:

—Ven.

Y esa misma noche él recorrió ochocientos kilómetros entre la niebla y la nieve a través de las llanuras y las superficies heladas de Oklahoma y el oeste de Texas. Llegó justo después del amanecer, y tras dar con la casa, llamó a la puerta suavemente. Ella llevaba un chal negro de lana sobre un camisón blanco, y tenía una cara de preocupación tan pálida como el alba. Pero lo hizo pasar y lo abrazó. Él no quería hacerlo, se había prometido que no lo haría —pues cómo podría ella, cómo podría cualquier mujer, querer a un hombre tan inexperto, tan frágil y miserable—, pero no pudo evitarlo y rompió a llorar. Y ella lo abrazó. Durante un largo rato se quedó allí abrazándolo.

Luego lo acompañó hasta la cocina y preparó café, huevos escalfados y tostadas de pan de trigo, y con los codos en la mesa y la barbilla apoyada en las manos, mirándolo fijamente y sonriendo con dulzura, esperó a que Ben terminara de comer. Parecía como si a los dos les costase creer que estuviera allí. Entonces el pequeño Pablo, de tres años y medio, a quien Ben todavía no conocía, salió de su habitación vestido con su pijama, se sentó con ellos a la mesa y empezó a hablar con él como si encontrarlo allí fuera lo más natural del mundo.

Pero cuando ocurren cosas importantes la gente casi nunca se comporta como uno espera. Era el caso de la madre y la hermana de Ben, por mencionar solo a dos personas. Con razón o —lo más probable— sin ella, Ben había considerado que no podía contarle por teléfono a ninguna de las dos que había dejado a Sarah. Tenía que decírselo en persona. Había llamado a su madre desde Nueva York para decirle que iba a quedarse en su casa y, como era natural, ella se había puesto contentísima. La noche que llegó a Abilene su madre cocinó para los dos la comida favorita de Ben: carne asada a la cazuela.

Naturalmente, él sabía que su madre se disgustaría al oír lo que tenía que contarle. A cualquier madre le pasaría lo mismo. Pero ella siempre le había profesado tal adoración y había creído tanto en él, confirmando cada una de sus acciones y sus decisiones, incluso aquellas que él mismo sabía que no eran acertadas, que esa noche, cuando por fin le comunicó la noticia después de cenar, su reacción lo pilló completamente por sorpresa. Su madre se puso alterada, furiosa, excitada. Incluso le pegó en el brazo. ¿Cómo había sido capaz de dejar a su mujer y a sus hijos? ¿Cómo había sido capaz?

—¡Hiciste una promesa! —gimió, entre lágrimas, que parecían fruto tanto de la ira como de la tristeza—. ¡Una promesa! Vuelve, Benjamin. ¿Me oyes? ¡Vuelve con ellos! ¡Hiciste una promesa!

Al final se tranquilizó y estuvo llorando mientras él intentaba explicarle con delicadeza por qué se había marchado. Pero era imposible hacerlo sin contarle cosas que él no deseaba oírse decir ni compartir con nadie, y menos con su madre. Así que habló empleando tópicos, diciendo que «desde hacía muchos años», y pese a haber hecho «de tripas corazón», él y Sarah no eran «felices juntos», que las cosas no iban «bien entre ellos» y que los dos habían «cambiado» y se «habían distanciado». Y finalmente aquel sermón pareció, si no convencerla, al menos ablandarla y conseguir que aceptara con tristeza que ya estaba hecho y que por mucho que lo reprendiera no iba a cambiar las cosas. Ella le dijo entre lágrimas que lo único que quería, que lo único que siempre había querido, era que él fuera feliz.

Si la reacción de su madre le sorprendió, la de su hermana casi le provocó un desmayo. Al día siguiente viajó a Topeka para comer con ella. Sally era cinco años mayor que él, lo bastante para que de niños no llegaran a conocerse bien. Sabedor de que era el objeto del favoritismo descarado de su madre, Ben siempre había tratado a su hermana con cierta delicadeza, como si ella pudiera, con razón, tener celos de él. Las pocas veces que la veía le aliviaba comprobar que no parecía albergar ese tipo de sentimiento. Todavía no, al menos.

Sally era lo que solía decir una mujer atractiva, más que guapa o hermosa. Poseía los intensos ojos marrones y las gruesas cejas de su padre. Era más alta de lo que a ella le gustaría y andaba ligeramente encorvada, como si cargara con un peso invisible sobre sus hombros. Se había casado con un contable llamado Steven, un hombre tan sumamente aburrido que Abbie incluso había acuñado un verbo que hacía referencia a él. Que algo o alguien te «stevenizase», o sentirte «totalmente stevenizado» eran expresiones que habían sido asimiladas desde hacía tiempo en el léxico de la jerga familiar. Sally y Steven tenían dos hijos que por desgracia parecían haber heredado la mayoría de genes de su padre. Los dos se habían hecho contables.

Ben pretendía llevarla a un restaurante, pero Sally había preparado la comida en su cuidada cocina, con cortinas de encaje y una colección de ranas de cerámica en el alféizar de la ventana. Steve estaba trabajando, de modo que solo estaban ellos dos y las ranas. De nuevo, Benjamin esperó hasta que la comida —chuletas de cerdo a la parrilla seguidas de tarta de limón y merengue— concluyera para darle la noticia. Mientras hablaba, comprendió por la forma en que su hermana entornaba los ojos que no iba a escaparse fácilmente. Cuando terminó, se hizo un inquietante silencio que no auguraba nada bueno.

—¿Quién te da derecho? —susurró ella.

—¿A qué te refieres?

—¿Quién te da derecho a marcharte?

—Bueno...

—¡Todos somos infelices! Todas las parejas que conozco lo son. No conozco un solo matrimonio que pueda decir que es feliz con la mano en el corazón.

Ben se encogió de hombros y se removió ligeramente en su silla.

—¿Tú conoces a alguno?

—Bueno...

—¿Lo conoces? Me refiero a un matrimonio feliz de verdad. Yo, no. ¡Forma parte del lote, idiota! ¡Sé realista, Benjamin! ¿Crees que mamá y papá eran felices? ¿Lo crees?

—Bueno...

—¡Pues claro que no! Nadie lo es. Pero eso no quiere decir que tengas que levantarte y marcharte. «Ay de mí, soy tan infeliz que voy a abandonar a mi mujer y a mis hijos.» ¡Por Dios, Ben, sé realista!

Ben se quedó paralizado por la sorpresa. Pero ella no había terminado. De hecho, apenas había empezado. Siguió con su sermón y le dijo que era una víctima de nuestra ridícula y desbarajustada cultura consumista en la que a todo el mundo se le bombardeaba constantemente con perniciosas promesas de felicidad y, lo que todavía era peor, se le decía a cada paso que tenía derecho a ser feliz. Y que si no lo era, podía serlo si se hacía con un coche nuevo o un lavaplatos nuevo o un conjunto nuevo o un nuevo amante. Sally dijo que los mensajes estaban por todas partes, en todas las revistas, en todos los estúpidos programas de televisión, alimentando la avaricia y la envidia, haciendo que la gente se sintiera insatisfecha con lo que tenía, convenciéndola de que podían cambiar las cosas y ser felices, triunfadores y hermosos si conseguían un estupendo nuevo producto o una novia nueva o una nueva cara o un par de tetas de silicona nuevas...

Si no se hubiera quedado tan asombrado o no se hubiera sentido tan absolutamente consternado por su diatriba, Ben se habría puesto en pie para ovacionarla. En realidad, bajó la vista, asintió con la cabeza y trató de parecer convenientemente escarmentado. Y media hora después, tras haber negado dos veces que hubiera otra persona de por medio, pues para entonces tenía demasiado miedo de reconocerlo, le dio un beso de despedida y se dirigió a la puerta de entrada con los hombros casi tan encorvados como los de ella. No estaba stevenizado, sino total e ignominiosamente sallificado.

El baile había concluido y todos los participantes se hallaban de nuevo formando un círculo, solo que esta vez estaban sentados en el suelo con los ojos cerrados, cogidos de las manos en silencio. Ben sostenía la mano del talibán que había estado dando vueltas, quien parecía haberle tomado cierta simpatía. Se estaba preguntando dónde había puesto el tipo su pimiento.

Al cabo de otros veinte minutos más o menos, durante los cuales todo aquel que quería compartir lo que le había parecido la experiencia podía hacerlo, la sesión tocó a su fin. Todo el mundo volvió a calzarse. Lori se acercó y abrazó a Ben, y luego llegó Eve y los dos hicieron otro tanto.

—¿Qué te ha parecido? —preguntó ella con nerviosismo.

—Genial.

Eve le dedicó una mirada de escepticismo.

—De veras. Me lo he pasado muy bien.

Ben le rodeó los hombros con el brazo, y ella le abarcó la cintura con los suyos. Desprendía un cálido y delicioso olor a sudor. Lori estaba observándolos y sonriéndoles.

—¿Sabéis una cosa? —dijo—. Formáis una pareja estupenda. Incluso os parecéis el uno al otro.

—¿Es un cumplido? —dijeron Ben y Eve al unísono.

—Por supuesto.

Pablo se había ido a pasar el fin de semana con su padre, de modo que tenían la casa para ellos solos. Ben encendió fuego en la chimenea de piedra con forma de arco del dormitorio mientras Eve preparaba té verde, cuyo sabor por fin él estaba empezando a apreciar. El sol de los últimos días de invierno entraba por la ventana y caía oblicuamente sobre el edredón blanco de la cama, inundando la habitación de un tenue fulgor ambarino. Se desnudaron el uno al otro lentamente, acariciándose el cuello con la boca como si fueran gatos, y luego se colocaron en el foco de luz situado sobre la cama. La piel de ella sabía a sal, y Ben le besó los hombros, los pechos y las axilas, y recorrió con la mano la larga curva ahuecada de su vientre para descubrir que estaba caliente y abierta.

El temor que había empañado sus primeros encuentros sexuales había desaparecido ya y había sido relegado a un recoveco oscuro de la mente de Ben. Aún había ocasiones en que ese temor trataba de apoderarse de él, susurrándole que aquello no estaba bien y acusándolo de culpable y traidor. Pero si antes habría hecho caso de aquella voz y se habría marchado desanimado, ahora podía bloquear el sonido en sus oídos. Si Eve no hubiera sido tan paciente con él, tan comprensiva, y no se hubiera mostrado tan aparentemente imperturbable ante sus fracasos iniciales como amante, él ya se habría largado avergonzado hacía tiempo. Pero ella parecía entenderlo y acallaba los intentos autocompasivos de Ben por explicarse.

Ahora estaba dentro de ella, ajeno todavía a su forma y su tacto, y observaba la pálida inclinación de su barbilla, sus labios abiertos, sus pestañas bajadas, su pelo derramado como tinta sobre la almohada y la sombra de sus cuerpos unidos moviéndose muy lentamente sobre el áspero enlucido rosado de la pared. Ahora estaba allí, con ella. Estaba allí...

16

Había pasado menos de un año desde la última vez que había estado allí. Pero al igual que muchas otras cosas en la vida de Abbie, durante aquellos meses el lugar había sufrido una transformación total. Ella y Ty estaban sujetando a sus caballos en la cima del mismo risco al que habían subido dos veranos antes con el padre de él y desde la que habían visto al águila dorada elevarse sobre el río. Habían llegado allí siguiendo la misma ruta, avanzando entre la salvia a lomos de la misma pareja de caballos. Pero ahí acababan las semejanzas. El paisaje que contemplaban ahora pertenecía a un planeta desolado.

—Dios mío —murmuró ella.

—Ya te dije que no lo reconocerías.

Incluso las montañas parecían cambiadas aquella mañana gris y sofocante de mayo; más oscuras, con una lejanía mayor que resultaba inquietante. El río estaba bajo y lucía un color ceniciento, y parecía que hubieran echado cal en sus orillas. Río abajo, donde antes los remansos emitían un murmullo y relucían entre los sauces, ahora había un desierto de guijarros y barro endurecido, todo ello manchado de blanco en las zonas donde el agua salada se había secado. El agua había matado a los potros y el ganado de los Hawkins.

—¿Ves los álamos de allí abajo? A estas alturas todos deberían estar echando hojas. Están muertos. Hasta el último de ellos. Creíamos que conseguirían sobrevivir, pero no ha sido así. ¿Y ves aquello de allí abajo? ¿Donde mi padre te llevó a ver los potros? En esta época del año aquellas praderas solían estar tan llenas de flores que no podías caminar sin mancharte la ropa de amarillo. Míralas ahora.

Abbie permaneció en la silla de montar, sacudiendo la cabeza.

—No me lo puedo creer.

Ty se rió.

—Vaya, pues no has visto ni la mitad. Vamos, te lo enseñaré.

Él hizo dar la vuelta a su caballo y azuzó al animal para que avanzara. Volvieron por donde habían venido, pasaron junto a la hendidura de roca rojiza y atravesaron el campo cubierto de salvia. En lugar de girar a la izquierda en dirección al rancho, torcieron a la derecha y se encaminaron hacia las montañas para luego ascender por un valle serpenteante, salpicado a cada lado de cantos rodados y pinos nudosos, algunos de los cuales, según le había dicho el padre de Ty a Abbie, tenían más de mil años.

Mientras subían por el valle oyó un rumor que se fue haciendo cada vez más fuerte hasta que llegaron a un recodo. Ty detuvo su caballo, y ella se le acercó lentamente y también paró.

—Bueno, ahí lo tienes —dijo él—. Antes eran buenos prados. Ahora que ha desaparecido la capa superficial del suelo, ya no va a crecer nada, ni siquiera cuando esos tipos se hayan marchado.

Delante de ellos había sido excavado un extenso camino de tierra que atravesaba el valle de lado a lado, y al fondo había un mar de barro seco, revuelto y surcado por huellas de neumáticos. Había cables de alta tensión y tuberías, y una serie de bloques de cemento con la parte superior blanca que Ty dijo que eran los manantiales.

El ruido procedía de unos edificios bajos de paredes blancas con generadores y torres de perforación; había unos camiones de aspecto extraño aparcados al lado, todo ello rodeado de una valla de tela metálica y señalizado con carteles que ponían PELIGRO y PROHIBIDA LA ENTRADA. Ty dijo que era una estación de compresión y que había otras más adelante, así como tanques donde se suponía que quedaba contenida el agua liberada por la perforación. Lo cual era gracioso, según él, porque siempre tenían fugas y rebosaban líquido. Además, todo estaba mal vallado, de forma que mantener alejados a los caballos y al ganado era una pesadilla. «Una de tantas», añadió irónicamente.

Era fin de semana, de modo que no había nadie allí. Pero Ty dijo que cualquier otro día habrían tenido que esquivar camiones cada pocos minutos y que no podrían ver casi nada debido a las nubes de polvo.

—Aquí es donde mi padre solía dar sus cursillos sobre caballos. Siempre decía que era el sitio más bonito del rancho, con las montañas a lo lejos, el bosque y todo lo demás, y que si alguien empezaba a quejarse del precio de sus caballos, nada más llegar aquí arriba dejaban de protestar. Una mujer le dijo una vez que pagaría el precio solo por la vista.

Ty se colocó bien el sombrero y guardó silencio un rato. Abbie se podía imaginar lo que estaba pensando.

Dos días antes, al hablar con él por teléfono, había notado por su tono de voz que pasaba algo. En un principio había supuesto que simplemente se estaba haciendo el ofendido porque había pasado mucho tiempo desde la última vez que ella lo había llamado. Lo cierto era que la única persona a la que llamaba entonces era a su madre. Desde que había vuelto a la universidad tras aquel espantoso viaje a Mustique, se había convertido en una especie de ermitaña. Nunca salía y todas sus amigas, excepto Mel, prácticamente la habían dejado de lado. Se había volcado en sus estudios, escondida un día tras otro en su cuarto o en la biblioteca de la universidad, informándose sobre las catástrofes que asolaban al mundo. La ira parecía ayudarla a sentir menos lástima por sí misma. Pero cuando se había enterado de todo lo que había pasado Ty, se había sentido egoísta y culpable. Al preguntarle por teléfono qué ocurría, y solo tras una larga pausa, él le había dicho en voz baja que su padre había sufrido un derrame cerebral.

Abbie se había comprado un coche de segunda mano, un pequeño Toyota azul marino, con el dinero que su abuelo le había dado por Navidad, y después de hablar con Ty viajó hasta Sheridan para verlo. Sabía que no recordaría el camino por los senderos de grava que conducían al rancho, de modo que acordaron reunirse en el hotel Best Western. Él estaba pálido y demacrado y la abrazó tan fuerte y durante tanto rato que Abbie se dio cuenta de que tenía los nervios a flor de piel.

Dijo que tenía que contarle lo que había pasado antes de que fueran al rancho porque no quería que su madre lo oyera, de modo que pasearon por la calle principal hasta llegar a una pequeña plaza y se sentaron el uno al lado del otro en un banco. Había una estatua de bronce de un vaquero con el pelo largo, unos zahones y un rifle apoyado en el hombro, como si fuera a tener que utilizarlo en cualquier momento, y Ty se lo quedó mirando mientras le relataba lo que había sucedido.

Fue en febrero, dijo. Solo un par de semanas después de que las motoniveladoras se pusieran manos a la obra y empezaran a cortar la carretera. Su madre y su padre se habían negado a firmar el contrato que les había mandado la compañía Gas y Petróleo McGuigan. En lugar de ello habían contratado a un abogado y estaban solicitando más garantías de que la tierra volvería a quedar como estaba.

Entonces, una mañana, dos hombres se habían presentado sin avisar en la casa del rancho y habían dicho que las excavadoras llegarían al día siguiente y que al cabo de una semana empezarían a perforar. El abogado había hecho lo que había podido, pero había sido inútil, dijo Ty. Era como hablar con una pared. La compañía de gas no quería saber nada. Al día siguiente, según lo prometido, habían llegado las máquinas, y al poco tiempo todo el lugar se había convertido en un cenagal.

—Tenían a unos diez o doce hombres trabajando allí arriba, un grupo que habían traído de México, todos trabajadores ilegales. Y McGuigan no les ofreció ninguna clase de ayuda, ni siquiera les puso lavabos portátiles, así que hacían sus necesidades en el prado. Había papel higiénico sucio por todas partes, incluso cerca de nuestra casa. Era absolutamente repugnante.

»Mi padre y yo subíamos e intentábamos razonar con ellos,

pero la mayoría no sabía inglés y los que lo hablaban decían que aquello no tenía nada que ver con ellos y que debíamos llamar a la compañía, pero allí tampoco querían hablar con nosotros. Y mientras tanto, mi madre no paraba de llorar a moco tendido, con el corazón roto...

»Bueno, al final mi padre consiguió ponerse en contacto por teléfono con el mismísimo J. T. McGuigan, el director general o el presidente o como quiera que se llame, que estaba en Denver. Y ese tipo empezó a chillarle y a decirle a mi padre que la culpa la tenía él y que debería haber firmado el contrato.

»Dos días después, cogió un avión y hubo una reunión en el despacho del abogado, y McGuigan, que resulta que es un tipo enorme, un ex marine o algo así, se puso a gritar y a darles golpecitos con el dedo a mi madre y a mi padre... Mierda, Abbie, yo debería haber estado allí, pero esa semana tenía que estar en Bozeman.

»Así que mi madre se llevó un buen disgusto y mi padre intentó calmarla. Y ella no paraba de decirle a McGuigan: "No puede hacer esto, no puede hacernos esto". Entonces se quedaron en silencio y él se acercó a mi madre, le apuntó a la cara con el dedo y dijo: "Mire, señora, a ver si me explico. Es como si usted y yo estuviéramos casados. Puedo hacer lo que me dé la real gana, cuando quiera y donde quiera, y a usted no le queda más remedio que aguantarse".

»Esa misma noche mi padre tuvo el derrame.

Al volver hacia sus coches, Ty le dijo que su padre había regresado a casa del hospital hacía aproximadamente un mes, pero que había perdido el habla y estaba casi totalmente paralizado.

—Se pasa todo el día sentado delante de la televisión. Antes no solía verla, pero no sabemos qué otra cosa hacer con él. Le hablamos y le leemos. Creemos que entiende lo que decimos y que sigue ahí, en alguna parte, encerrado en sí mismo, aunque a veces... —Ty se detuvo un momento y tragó saliva—. A veces llego a pensar que quizá sería mejor que no estuviera.

—¿Qué tal está tu madre? —preguntó Abbie con suavidad,

y al tiempo que lo hacía se dio cuenta de lo estúpido de aquella pregunta.

—Te lo puedes imaginar.

Como había dicho Ty, cuando llegaron a la casa del rancho, su padre estaba hundido en su sillón mirando fijamente la televisión. Abbie lo saludó, pero el hombre ni siquiera parpadeó. Estaban emitiendo un documental sobre naturaleza. Una manada de hienas estaba intentando arrebatarle un pequeño jabalí a su madre. Martha dio a Abbie un gran abrazo y aunque le brotaron las lágrimas, consiguió evitar el llanto. Mientras cenaban, mantuvieron una alegría precaria; Martha le hizo a Abbie toda clase de preguntas sobre la universidad y le dijo lo mucho que sentía que Ty hubiera dejado los estudios. Le comentó que a lo mejor ella lo convencía para que los retomara.

—Oh, mamá —dijo Ty con cansancio.

En la televisión, las hienas también estaban cenando.

—La cuestión, Abbie, es que él piensa que es indispensable y que su pobre y vieja madre no puede encargarse de este sitio sin él.

—Yo no pienso eso.

Cambiaron de tema. Entonces Martha preguntó con delicadeza por Sarah. Era evidente que Ty la había puesto al corriente.

—Se encuentra bien, gracias. Está un poco mejor. Ha empezado a fumar, lo cual es un poco raro. Hacía más de veinte años que lo había dejado.

—No seas demasiado dura con ella.

—No lo soy. Es su vida.

—¿Y tu padre? ¿Qué tal está?

—Bien, supongo. La verdad es que no lo sé.

Él le mandaba correos electrónicos constantemente, y aunque al principio ella le había enviado respuestas breves y en su mayoría mordaces, ahora ya no se molestaba en contestar. La llamaba al móvil tres o cuatro veces a la semana, pero normalmente ella lo dejaba sonar y luego escuchaba sus mensajes, en los que siempre decía las mismas chorradas. Que la quería y la echaba mucho de menos y que tenía muchas ganas de hablar con ella, y si podía ir a verla a la semana siguiente, o la otra, o cuando a ella le pareciese bien. A veces, para quitárselo de encima, contestaba la llamada y le decía con frialdad que estaba muy ocupada y que no, lo sentía, pero no le venía bien que fuera, ni esa semana ni ninguna otra. No sabía cuándo se le iban a quitar las ganas de castigarlo. Quizá cuando el sonido de su voz ya no la hiciera hervir de ira y resentimiento. El hecho de que lo echara terriblemente de menos no hacía más que avivar aquellos sentimientos. Él siempre había estado allí cuando ella lo había necesitado, siempre había sido su partidario más leal y su mentor. Y Abbie detestaba lo débil y perdida que se sentía sin él.

Esa noche Ty acudió a su habitación y, aunque su encuentro sexual se vio teñido por una tristeza mutua, al menos les brindó consuelo. Aun así, Abbie no consiguió dormir y se quedó con la cabeza apoyada en el pecho de él escuchando sus tenues ronquidos y, en algún lugar en la oscuridad, los lejanos aullidos de un coyote.

Uno de los perros del rancho había dado a luz una camada de cachorros. Ty solo había encontrado hogar a tres de ellos que ahora tenían doce semanas. Uno de ellos, un perrito flacucho con las patas blancas y la cola enroscada, se encariñó de Abbie y la seguía a todas partes y no la dejaba sola. Ninguno tenía nombre, de modo que Abbie lo llamó Sox. Ty le dijo que se lo llevara a Missoula, y aunque ella se sintió tentada, dijo que no y que le era totalmente imposible.

Se quedó allí dos días y el segundo, cuando los empleados de la compañía de gas volvieron al trabajo, presenció con sus propios ojos el tráfico constante de camiones que desfilaban por el valle y las nubes de polvo que levantaban. Ty dijo que iban a intentar entablar un pleito contra la compañía, aunque su abogado decía que no tenían ninguna posibilidad y que sería como quemar cientos de miles de dólares durante los siguientes dos años.

La mañana que se marchó, Abbie se despidió de Ray y le dio un beso en la frente, y entonces él emitió un sonido tenue, pero ella se imaginó que probablemente estaba carraspeando. Martha le hizo prometer que volvería pronto. Ty le mostró el camino hasta Sheridan con su vieja camioneta, y antes de llegar a la interestatal, se pararon en la cuneta para despedirse.

Ty sacó con cuidado del suelo del asiento del pasajero una caja de cartón que contenía el cachorro y una manta y lo colocó en el asiento trasero del Toyota. Abbie intentó protestar, pero él la conocía demasiado bien y no estaba dispuesto a aceptar un no por respuesta. Le dijo que si no salía bien, lo único que tenía que hacer era devolverle el bicho. Le preguntó qué planes tenía para el verano, y Abbie dijo que todavía no había hecho ninguno. Probablemente se quedaría un tiempo en Missoula y buscaría trabajo. A lo mejor volvía a casa una semana o dos para estar con su madre. Aunque, teniendo ahora a Sox, no sabía cómo iban a salir las cosas.

—Nuestra residencia para perros tiene unos precios bastante razonables —dijo Ty.

La rodeó con el brazo y se quedó abrazándola un rato, sin que ninguno de los dos hablara, envueltos por el sonido de los coches al pasar.

—Te quiero, Abbie.

Era la primera vez que él se lo decía, la primera vez que alguien se lo decía, exceptuando a su madre y a su padre. Y estuvo a punto de echarse a llorar, pero no lo hizo y se limitó a abrazarlo y darle un beso. Se sentía mal por no contestar que ella también lo quería, pero no era lo que sentía y no estaba dispuesta a mentirle. Mientras se alejaba en su coche, lo vio por el retrovisor, de pie junto a su camioneta, observando cómo se marchaba. El cachorro se había quedado dormido.

En el campus de la Universidad de Montana se respiraba una atmósfera de relajación ante el final de las clases y la proximidad del verano. Aunque el semestre había terminado oficialmente, nadie parecía tener prisa por marcharse. Los álamos que había a lo largo del río Clark Fork lucían un vivo color verde, hacía un tiempo despejado y cálido, y el ambiente resultaba de lo más prometedor. Los estudiantes pedaleaban en sus bicicletas a la sombra de los árboles o recorrían tranquilamente las pocas manzanas en dirección a Rockin' Rudy's para echar una ojeada a los discos o a Bernice's Bakery o Break Expresso para comprar mocas helados y rosquillas, o simplemente se tumbaban al sol en la exuberante hierba primaveral del Óvalo y se relajaban haciendo planes.

Mel y Abbie habían retirado todas sus cosas de su habitación del edificio Hall y habían dejado la mayoría de ellas en la casa que Todd y Eric tenían en la Cuarta, donde Abbie se había instalado hasta que supiera qué iba a hacer en el verano. Todos los demás ya lo tenían planeado desde hacía semanas e incluso meses.

Mel y Scott ya se habían ido a Perú. Habían intentado convencer a Abbie para que fuera con ellos, pero ella no estaba dispuesta a ir a ninguna parte sin Sox. Eric y Todd se iban a marchar a Idaho, donde habían encontrado trabajo de monitores de *rafting* en el río Salmon. Tras seis semanas con escayola, la cadera de Eric se había soldado, y aunque cojeaba un poco, creía que podría manejar una balsa con media docena de personas a bordo. Maldita sea, decía, si Meryl Streep podía hacerlo, él también. Se iba a llevar su nuevo acordeón para torturar a los veraneantes alrededor de la hoguera del campamento.

De modo que a principios de junio la casa quedó libre para Abbie y su cachorro. Saltaba a la vista que nadie la había limpiado desde hacía años; las ventanas estaban tan sucias que apenas se podía ver a través de ellas. Ni siquiera había un aspirador, así que Abbie tomó prestado uno y se pasó tres días seguidos limpiando y fregando. Aquello hizo que se sintiera como su madre, pero al menos tuvo la mente ocupada en algo. Al tercer día, por la mañana, poco después de que Sox descubriera una pizza entera fosilizada debajo del sofá de la sala de estar, sonó su teléfono. El número de la llamada era local, pero ella no lo reconocía.

—Amas de Casa Anónimas, dígame.

—¿Abbie?

Estuvo a punto de colgar.

—Papá. ¿Dónde estás?

—Estoy en el Holiday Inn Parkside.

—¿Qué? ¿En Missoula? ¿Qué estás haciendo aquí?

—Abbie, ya lo sabes. He venido a verte.

—Pero ¿por qué no me has avisado? Ahora mismo estoy un poco...

—Abbie, cielo. Por favor...

Le preguntó dónde estaba y si podía pasar a verla. Por razones que ni ella misma acababa de entender, no quería que la visitara. Probablemente solo quería hacerle daño, negarle cualquier información a la que él creería que un padre tenía derecho. Le dijo que se reuniría con él en el vestíbulo del hotel al cabo de una hora y colgó.

Inmediatamente se arrepintió de haberlo hecho y le faltó poco para llamarlo y decirle que no iba a acudir. Pero hacía cinco meses que no lo veía, desde aquella cena espantosa antes de Navidad, y no quería que pensara que le concedía mucha importancia. No, iría. Le demostraría lo poco que él significaba ahora en su vida.

Como mucho, se tardaba diez minutos en cruzar el puente, y se pasó los cincuenta restantes en un estado febril de confusión, con el corazón latiéndole a toda velocidad, preocupada por lo que le iba a decir y lo cruel que debía ser. Se dio una ducha y se lavó el pelo, y dedicó como mínimo veinte minutos a decidir qué iba a ponerse, mientras se maldecía por ser tan boba. ¿Qué más daba lo que llevara puesto? ¿Qué demonios importaba? Se puso un vestido, se lo quitó y se puso otro, y finalmente se decidió por unos tejanos azules y una camiseta blanca de manga larga.

Sox estaba cada vez más familiarizado con los paseos. Ya no necesitaba correa e iba detrás de ella. Pero el tráfico en el puente podía ser peligroso, de modo que le puso la correa para no tener que preocuparse por él.

Vio a su padre antes de que él la viera a ella. De hecho, la miró directamente una vez, pero no la reconoció, probablemente porque no sabía de la existencia de Sox o porque ella llevaba gafas de sol, quizá porque se había cortado el pelo. Él estaba esperando fuera, debajo del gran pórtico de cemento, y acababa de llegar un autocar lleno de huéspedes, de modo que la entrada estaba abarrotada. Estaba más delgado y tenía el pelo más largo. No paraba de consultar el reloj con nerviosismo. Entonces la vio.

—¡Eh!

Se acercó a ella, la rodeó con los brazos y le dio un beso, y Abbie tuvo que echar mano de toda su fuerza de voluntad para no sucumbir, para no venirse abajo y aferrarse a él. Pero de algún modo lo consiguió. Lo único que le dio a cambio fue un abrazo simbólico. No pensaba ofrecerle nada más. Ni besos ni lágrimas. Nada. Él la cogió por los codos para examinarla. Abbie se dio cuenta de que su padre estaba haciendo esfuerzos para no llorar.

—¿Qué tal estás, cariño?

—Muy bien. ¿Y tú?

—Estoy bien. Mucho mejor después de verte. ¡Eh! ¿Quién es este? ¿Es tuyo?

—Sí. Se llama Sox.

Se agachó para acariciar las orejas al animal, y Sox se retorció, empezó a saltar y se puso a lamerle la cara sin parar.

—Eh, amigo, ya me he lavado esta mañana.

Él propuso que fueran a comer a algún sitio, pero Abbie dijo que con el perro no era posible. En lugar de ello, subieron paseando a North Higgins para comprar emparedados y zumo, y luego bajaron hasta Caras Park y se sentaron en la hierba contemplando el río y comieron al aire libre. Había una escultura de una trucha enorme que, por alguna razón, parecía inquietar a Sox. Se puso a ladrarle y luego vio una ardilla y la persiguió hasta un árbol, bajo el cual pasó la siguiente media hora, mirándola desde el suelo con la cabeza ladeada y gimiendo de vez en cuando.

Su padre le hizo un montón de preguntas sobre la universidad y lo que había estado haciendo, y ella le contestó con respuestas terminantes y objetivas, no abiertamente groseras pero sí distantes. Lo suficientemente informativas, pero desprovistas de cualquier cosa que pudiera interpretarse como entusiasmo o emoción. Notó que poco a poco él captaba su intención, pues al cabo de un rato dejó de hacer preguntas y su rostro pareció quedarse sin vida, y al final permaneció mirando el río, masticando en silencio su emparedado.

—Bueno, ¿qué tal tu nueva vida? —preguntó ella con aspereza.

Él se volvió y la miró unos instantes antes de contestar.

—Abbie, lo siento mucho.

Ella soltó una risita y apartó la vista.

—Sé que os he hecho mucho daño. A todos.

—¿Ah, sí?

—Por supuesto.

—¿Sabes una cosa? ¡Creo que no tienes ni puta idea de lo que nos has hecho!

—Abbie, vamos...

—¡No, no me vengas con esas! Nos has destruido. Has destruido todo lo que teníamos. Y crees que puedes presentarte aquí como si nada, decir cuatro cosas bonitas y arreglarlo todo. Pues no puedes, ¿me oyes? ¡No puedes, joder!

En su vida había soltado un taco delante de su padre, y la violencia de la palabra la sorprendió tanto como a él. Por no hablar de las personas que les rodeaban. Ahora la gente los miraba fijamente, y le llenó de satisfacción comprobar lo mucho que aquello molestaba a su padre. «Que miren y que oigan, y que el muy cabrón lo pase mal.» Abbie estaba al borde de las lágrimas y de repente se levantó y se puso a caminar por el césped pavoneándose para ir a recoger a Sox, que seguía vigilando a la ardilla desde debajo del árbol. Cuando volvió junto a su padre, él también se había levantado.

—Cariño, por favor...

—¿Qué?

—No somos la primera familia a la que le pasa esto.

—Ah. ¿Y se supone que eso tiene que hacer que todos nos sintamos mejor?

—No, claro que no. Solo quiero decir que...

—Escucha, papá. No me dijiste que ibas a venir...

—Me habrías dicho que no vinieras.

—Bueno, de todas formas, tengo que ir a un sitio.

—¿De verdad?

—Sí. ¿Crees que es mentira o...?

—Entonces podemos quedar más tarde. Para cenar, tal vez.

—Lo siento, no puedo.

Él se quedó tan decepcionado y desolado que Abbie casi se dio por vencida. Casi.

—Abbie...

—Papá, me tengo que ir, ¿vale?

Se acercó a él llevando a Sox en brazos y le dio un beso casi sin llegar a tocar su mejilla. Él trató de abrazarla, pero ella se apartó.

—Adiós.

—Abbie...

Se giró y echó a caminar enérgicamente hacia el puente, y luego subió la escalera que daba a la calle, sin mirar atrás una sola vez. Se preguntaba si él la seguiría y, cuando estaba en mitad del puente, miró hacia atrás en dirección a donde habían estado. Pero él se estaba alejando del parque, con la cabeza gacha, para regresar al hotel.

Más tarde, cuando dejó de llorar, llamó a su madre y le contó lo que había pasado. Le explicó lo terrible que había resultado el encuentro y le dijo lo increíble y egoísta que había sido por parte de él aparecer de repente de aquella manera. Como si después de lo que había hecho pudiera chasquear los dedos y conseguir que la gente acudiera corriendo. Su madre la escuchó emitiendo sonidos de asentimiento, pero a Abbie le dio la impresión de que no la estaba escuchando con toda la atención que merecía.

—¿No te parece increíble? —dijo.

—Cariño, es tu padre.

—¿Qué?

—Te quiere mucho. A lo mejor deberías darle un respiro.

—Ah, ¿así que piensas que soy yo la que está siendo poco razonable?

Su madre suspiró y dijo que no con un tono de voz cansino.

Trató de explicarle lo que quería decir, pero Abbie no quería escucharla. Dios. Era surrealista que una mujer tuviera que disculpar al hombre que acababa de abandonarla. ¿Qué era ella, un felpudo? Su madre cambió de tema y le preguntó si iba a volver pronto a casa. Abbie dijo que todavía no lo había decidido, pero que probablemente se quedaría en Missoula y buscaría trabajo.

—¿Y si Josh y yo vamos a verte? Podríamos ir juntos a algún sitio bonito.

—Claro.

—Vale, vamos a pensarlo. Ah, casi se me olvida, te ha llamado un chico, dijo que os conocisteis en Seattle. Ralph, creo que dijo.

—Rolf.

—Rolf, eso. Va a volver a llamar. ¿Te molesta que le dé tu número de móvil?

Abbie meditó un instante. No había vuelto a pensar en él desde hacía meses.

—No, claro —dijo—. No me importa.

17

Todo el mundo estaba apiñado contra la barandilla de la derecha del barco: a babor. ¿O era estribor? Josh nunca se acordaba de si dependía del lado hacia el que uno estuviera mirando. Mucha gente había llevado prismáticos y casi todos tenían cámaras. Su padre había olvidado ambas cosas, algo que a Josh no le importaba. Algunos idiotas incluso estaban haciendo fotos en ese momento de una amplia extensión de mar, donde las únicas señales de vida eran tres barcos parados repletos de idiotas similares. Desde allí se podían ver los patéticos flashes de sus cámaras. Como si con aquello bastase para iluminar la cola de una ballena a medio kilómetro de distancia. Y eso en el caso improbable de que una ballena decidiese salir a la superficie. Josh se imaginaba a aquellas personas al volver a sus casas, enseñando las fotografías de las vacaciones a sus amistades. «Y aquí hay una del mar. Y aquí otra... y otra.» De todas formas, lo más probable era que todo fuese una estafa. Ya llevaban allí dos horas y únicamente habían visto a unas cuantas gaviotas aburridas. Seguro que no se divisaba una sola ballena a la altura de cabo Cod desde hacía cien años.

—¡Aquí! ¡Mirad!

Alguien situado detrás de ellos al otro lado del barco —siempre había algún listillo— estaba gritando y apuntando con el dedo, y todo el mundo se giró y echó a correr en dirección a él. El propio Josh se había planteado gastar aquella broma gritando: «¡Por allí sopla una!» cuando todos estuvieran desprevenidos. La gente se giraría y él les diría: «¡Capullos!» o «¡Qué lástima, os lo habéis perdido!». Miró a su padre y los dos se cruzaron una mueca de diversión.

—Lo siento —dijo su padre—. No es muy emocionante que digamos, ¿verdad?

—No pasa nada.

Se pusieron a pasear detrás de los demás.

Habían sido unos días extraños. Habían pasado todo aquel tiempo juntos ellos dos solos. Era algo que nunca habían hecho antes. En vacaciones siempre habían estado los cuatro, como en La Divisoria, y en un principio había resultado extraño no tener a Abbie o a su madre cerca. Al comienzo su padre parecía estirado e incómodo, como si realmente no supiera lo que debían hacer o de qué debían hablar.

La idea original era que Josh viajase a Kansas a ver a su abuela y luego fuera a Santa Fe a pasar un tiempo con su padre y Eve. Aunque habría sido un tanto raro verlos a los dos juntos, Josh no habría tenido inconveniente. De hecho, sentía bastante curiosidad. Pero a su madre la idea la había dejado completamente helada, de modo que su padre decidió cambiar de planes y alquiló una casa destartalada en cabo Cod, justo en las afueras de Princetown. Era lo bastante grande para albergar a ocho o diez personas. Tal vez era la única casa que había podido conseguir o tal vez tenía la esperanza de que Abbie y su nuevo novio cambiaran de opinión en el último minuto y fueran.

Josh nunca habían estado en cabo Cod y no creía que fuera a darse prisa en volver. Princetown resultó ser un lugar de vacaciones para gays —lo cual le parecía perfecto—, pero por las noches, cuando él y su padre salían a cenar e iban caminando juntos por la calle, Josh no podía dejar de pensar que la gente los estaba mirando. Sobre todo cuando su padre le ponía el brazo en los hombros, como solía hacer. A Josh le entraban ganas de llevar un letrero que pusiera: ES MI PADRE, ¿VALE?

Incluso en el viaje en coche hasta allí pronto se quedaron sin temas de conversación, al menos sin temas triviales o neutros que no guardasen relación con la separación o —como al parecer iba a acabar el asunto, una vez que los papeles se tramitasen— el divorcio. Era un poco absurdo, como si hubiera un elefante en una habitación y a todo el mundo le diese miedo hablar de él. Charlaban sobre el instituto, sobre los amigos y los planes académicos de Josh para el año siguiente (en realidad, no tenía muchas ganas de ir a estudiar a ninguna parte, pero si le obligaban a punta de pistola, probablemente intentase conseguir una plaza en la Universidad de Nueva York). Sabía que su padre preferiría hablar de lo que le había pasado a la familia, pero al menos durante el primer par de días no supo cómo sacar el tema sin que pareciera forzado. Josh estuvo a punto de decir: «Papá, no pasa nada. Adelante, hablemos de ello, no me importa». Pero no lo hizo y se limitó a mirar cómo el pobre hombre no paraba de moverse y se ponía cada vez más tenso hasta que los únicos temas de conversación que les quedaron fueron el tiempo y una lista entera de cosas aburridas que su padre había encontrado en su guía de viaje de cabo Cod.

—Por lo visto Norman Mailer tiene una casa aquí —dijo su padre una mañana, mientras desayunaban en la pequeña y miserable cocina. La estancia olía como si hubiera algo peludo muerto debajo de las tablas del suelo.

—¿Quién es Norman Mailer?

—Josh, ¿de verdad no lo sabes? Tu madre se quedaría horrorizada.

Josh se encogió de hombros.

—¿Es algún jardinero famoso o algo por el estilo?

—Es uno de los mejores escritores norteamericanos.

—¿Qué ha escrito?

Hubo una larga pausa, y a continuación su padre esbozó lentamente una tímida sonrisa.

—¿Sabes, hijo? No recuerdo ninguno de los libros que ha escrito.

—¿Los has leído?

—No. Ni uno. Ni se te ocurra decírselo a tu madre.

Al final, la última noche, se decidieron a hablar del elefante.

Y estuvo bien. El único problema era que su padre no paraba de preguntarle cómo se sentía y no parecía creer a Josh cuando decía que estaba bien. Daba la sensación de que su padre quisiera oír que estaba totalmente hecho polvo y que necesitaba someterse a terapia. Como si estuviese adoptando una gran fachada, haciéndose el despreocupado y el valiente, y por debajo el dolor y la ira lo estuvieran desgarrando.

Pero no era así. Naturalmente, ver a su madre tan disgustada todo el tiempo resultaba duro y a veces muy pesado, como aquella noche en Montana, cuando se había venido abajo con Abbie y Josh había tenido que sentarse en la cama y abrazarlas a las dos mientras ellas sollozaban y lloraban a lágrima viva.

Sin embargo, lo cierto era que no estaba enfadado con su padre. Simplemente sentía lástima por él. Por lo visto el pobre hombre se había ido de casa porque no era feliz, pero su marcha no parecía haberlo hecho más feliz. A veces, cuando Josh lo miraba y lo pillaba desprevenido, lo sorprendía con aquella expresión de tristeza. Por supuesto, lamentaba lo que había ocurrido, pero no estaba furioso, ni siquiera resentido. De hecho, le preocupaba que aquello significara que tenía algún problema o una deficiencia emocional. A lo mejor debería sentirse como Abbie. Quizá debería pasarse la semana gritando improperios a aquel hombre, diciéndole que lo que había hecho era una vergüenza, y recordándole que era pésimo como padre, marido y ejemplo.

Pero Josh no se sentía así. Todo era tan confuso que no sabía cómo se sentía. Salvo a veces un poco avergonzado y culpable. Porque, a decir verdad, no le importaba demasiado que su padre se hubiera ido. ¿No era espantoso admitir algo así? Sin embargo, era cierto. Dejando de lado el hecho de que aquello había hecho tan infeliz al resto de su familia, a Josh le daba igual.

Si acaso, había hecho que en cierto sentido su vida mejorase. Ya no se encontraba a la sombra de su padre. Él ya no estaba allí, constantemente encima de él, diciéndole que no se pasase con la hierba, que no bebiera y que no saliera hasta muy tarde. O dándole la lata por no haber entregado un papel a tiempo. De repente, había pasado de ser un adolescente problemático a ser el hombre de la casa. Él era ahora el pilar, el puntal, el que arreglaba los plomos, cortaba la leña y quitaba la nieve del porche con la pala.

Naturalmente, Josh ni siquiera había insinuado aquello la noche anterior, durante la conversación que habían mantenido en el pequeño restaurante al que habían acabado yendo casi todas las noches porque el resto de sitios eran demasiado ruidosos o estaban demasiado llenos de gente. Por un lado, su padre podría haberse alegrado de oírlo. Pero por otro, podría haberse disgustado al descubrir que no lo echaba mucho de menos o, en verdad, que no lo echaba de menos en absoluto. De modo que Josh se había quedado escuchando mientras su padre seguía disculpándose y luego había hecho todo lo que había podido por contestar las preguntas sobre su madre y Abbie, procurando dar a sus respuestas un barniz lo más positivo posible para que el pobre hombre no se castigase todavía más. Porque ¿qué sentido tenía decirle lo destrozadas y tristes que estaban realmente? ¿Y lo raro que era todo? Allí estaba Josh, a un año todavía de ir a la universidad, haciendo de puntal, de hombre de la familia, incluso con su padre. Santo Dios.

La semana que él y su madre habían pasado con Abbie había sido más o menos tan divertida como uno de los ataques de asma que solía padecer cuando era pequeño. Josh no había visto a su hermana desde principios de año, cuando habían vuelto de Mustique (que quedaría grabado para siempre en su corazón como el sitio donde por fin había perdido su virginidad bajo las palmeras con la deliciosa Katie Bradstock). El cambio que Abbie había experimentado era totalmente asombroso. Se había cortado el pelo muy corto y se lo había teñido de negro, e iba vestida como si hubiera salido de una cripta. Su madre se había portado estupendamente. Apenas se había inmutado e incluso le había dicho que estaba muy guapa. Era evidente que Abbie se sentía un poco decepcionada.

Pero no era solo su aspecto. También era la forma en que ahora hablaba y lo que decía. Cada frase que pronunciaba estaba salpicada de tacos. Durante toda la semana no paró de decir una y otra vez que el mundo y todo lo que había en él estaba jodido y no tenía remedio. Que las grandes empresas estaban jodiendo los ríos, los bosques, todo el planeta. Y que todos lo aceptábamos y lo permitíamos alegremente.

Todo empezó en el mismo momento en que llegaron a Missoula, cuando echó a su madre un rapapolvo por haber alquilado un todoterreno. Era algo que siempre habían hecho en Montana, y Abbie nunca había cuestionado aquella decisión. Como solía decir su padre, en el oeste, a menos que conduzcas un todoterreno, no le sacas provecho al dinero.

—¿Tienes idea de la puta gasolina que consumen estos cacharros? —dijo.

—No, cariño —dijo su madre tranquilamente—. ¿Cuánta puta gasolina consumen?

—¿Cuántos kilómetros puedes recorrer? ¿Veinte por cada cuatro litros? ¿Y sabes cuánto dióxido de carbono y otras mierdas lanzan a la atmósfera?

—Me imagino que mucho porque si no no estarías tan disgustada.

Josh sugirió a Abbie que se calmara un poco, lo que ejerció precisamente el efecto contrario. Su hermana montó en cólera de tal forma que su madre tuvo que volver al mostrador de la compañía Hertz y cambiar el vehículo por un Subaru utilitario.

No iban a ir a La Divisoria bajo ningún concepto. Aquel sitio traía demasiados malos recuerdos a su madre, aunque Abbie dijo más tarde que deberían haber ido para exorcizar sus fantasmas y hacer un corte de mangas a su padre. En lugar de ello, habían hecho reservas en un horrible rancho para turistas llamado Lazy Spur, a una hora de Missoula. La comida era espantosa, la gente todavía más, y los caballos tenían aproximadamente cien años y siempre estaban intentando morder a todo el mundo. Abbie se había llevado a Sox, desobedeciendo la norma que impedía tener perros en las habitaciones o en cualquier dependencia del rancho. Ella y el propietario tuvieron una buena riña sobre aquel particular, y probablemente habrían llegado a las manos si su madre no hubiera intervenido y hubiera negociado un arreglo.

Su madre se imaginaba que parte de la ira y de aquella nueva visión siniestra del mundo que tenía Abbie guardaba relación con su nuevo novio, el chico alemán que había conocido en Seattle. A Josh le resultaba interesante y le pareció una lástima que no llegaran a conocerlo. Abbie dijo que Rolf viajaba mucho y que esa semana estaba en Eugene, Oregón, visitando a unos amigos. Más tarde dejaría escapar que en realidad había vuelto a Missoula dos días antes de que Josh y su madre volvieran a casa.

—¿Ni siquiera podemos conocerlo? —preguntó su madre—. Solo saludarlo.

—Él no hace esa clase de cosas —dijo Abbie.

—¿No saluda?

—No le va lo de conocer a los padres. Toda esa mierda burguesa.

—Ah. Bueno, pues hazlo tú en nuestro nombre, ¿vale? Salúdalo de parte de los burgueses de mierda.

—Sí, claro.

Después de estar en el Lazy Spur y de aguantar la furia de Abbie, la estancia en cabo Cod con su padre casi resultó divertida. El avistamiento de ballenas era una actividad difícil de evitar si uno estaba en Princetown, sencillamente porque no había muchas más cosas que hacer, sobre todo cuando hacía un tiempo tan deprimente, la casa carecía de televisión, y en los cines no proyectaban ninguna película que uno no hubiera visto ya. Pensándolo bien, tal vez aquel fuera el motivo por el que no había ninguna ballena, ni siquiera ballenas gays. Todas se habían aburrido tanto que se habían largado a otra parte.

Justo cuando aquello se le pasó por la cabeza, alguien situado junto a la barandilla se puso a gritar, y todo el mundo empezó a chismorrear, a estirar el cuello y a mirar con sus prismáticos.

—¡Allí, mirad! —gritó la mujer—. ¡A las diez en punto!

Por un instante, Josh no supo a qué se refería y de repente temió que todos tuvieran que quedarse allí otras cinco horas, pero entonces se dio cuenta de que estaba señalando la dirección. Y en ese momento pudo verla. Estaba a unos trescientos metros y tenía aproximadamente el tamaño de una hormiga; un bulto negro elevándose lentamente sobre el agua.

—¡Mirad! ¡Mirad cómo echa un chorro!

Entonces el capitán, o el avistador de ballenas jefe o lo que fuera, se despertó y empezó a decirle a todo el mundo por el altavoz lo que ya habían visto por sí mismos. Se trataba de una ballena perfecta, dijo, que era el nombre que los balleneros les habían dado debido a la gran cantidad de aceite que contenía su grasa. En otras palabras, era perfecta, la mejor ballena que se podía matar, un nombre que Josh supuso debía enorgullecer al pobre animal hasta que descubría sus implicaciones.

Notó la mano de su padre posada en su espalda.

—Bueno, ahí la tienes, Joshie. Ha merecido la pena la espera, ¿no?

Por un momento, Joshie pensó que lo estaba diciendo en serio, pero entonces vio que sonreía.

—Desde luego.

—¿Qué piensas de las ballenas? ¿Tenemos que salvarlas o no?

—Pienso que... tenemos que salvarlas.

Ahora el animal se estaba sumergiendo, y su enorme cola quedó suspendida en el aire un instante y luego se hundió lentamente levantando una oleada de espuma. Y después de aquello no volvieron a verla. El condenado bicho no apareció más. Pero había alegrado el día a un montón de gente y todos volvieron a casa con una sonrisa en el rostro, sintiendo que sus vidas se habían visto enriquecidas un poquito.

Al día siguiente, regresaron a casa y durante el viaje charlaron, escucharon música y pararon de vez en cuando, haciendo bromas convenientemente cariñosas a costa de Abbie, en establecimientos de Starbucks y McDonald's. Su conversación sobre el elefante de hacía dos días parecía haber aliviado la tensión entre ellos y, por primera vez desde que él recordaba, Josh se sentía relajado en compañía de su padre.

—Ya sé que tendrá que pasar un tiempo —dijo su padre cuando estaban de pie junto al coche, esperando a que el transbordador los llevara a Long Island—. Pero me gustaría mucho que algún día vinieras a Santa Fe y, ya sabes, conocieras a Eve como es debido.

—Me encantaría.

Ninguno de los dos dijo nada durante un rato; se quedaron contemplando los barcos del estrecho, las aves marinas que volaban en círculo y el transbordador que se acercaba.

—¿Os vais a casar?

Su padre se echó a reír. Josh no sabía por qué. Tal vez estuviera nervioso.

—Es demasiado pronto, Joshie. Tu madre y yo todavía no nos hemos divorciado.

—Lo sé, pero tú y Eve prácticamente estáis viviendo juntos, ¿no?

—Estoy con ella mientras busco un sitio para mí solo.

—¿Vas a trabajar allí?

—Eso espero, Josh. He estado hablando con unas personas y me han ofrecido un trabajito. Quiero volver a diseñar casas. Es lo que siempre me ha gustado, pero por algún motivo dejé de hacerlo. Supongo que estaba un poco perdido.

Pareció sumirse en sus pensamientos. En la orilla había una bandera con las barras y estrellas que ondeaba al viento, y el cordón para izarla emitía un tintineo contra el mástil.

—A lo mejor me planteo hacerme arquitecto —dijo Josh. No lo decía en serio. Solo quería complacer a su padre, y era lo primero que le había venido a la cabeza.

—¿Lo dices en serio?

—Sí.

—Es estupendo, Joshie. No tenía ni idea. Sabes dibujar bien. ¿Cómo se llamaba aquel juego al que siempre estabas jugando en el ordenador?

—SimCity.

—Eso. Se te daba muy bien.

—Todavía juego de vez en cuando.

—¿Ah, sí?

Le puso una mano a Josh en el hombro.

—Creo que serías un arquitecto muy bueno.

A medida que se acercaban a Syosset con el coche, la conversación se fue apagando. Incluso a la luz del sol de última hora de la tarde, la sombra de su hogar roto parecía extenderse y acallar sus voces. Josh entró primero en la casa, y su madre armó un gran alboroto al verlo, sin mirar una sola vez a su padre, que se había quedado atrás y estaba esperando con timidez. Por fin, después de hacer un montón de preguntas a Josh sobre el viaje y decirle que tenía que lavarse el pelo, se volvió y miró en dirección a su padre, y le dedicó una tenue sonrisa extraña y formal.

—Hola —dijo ella.

—Hola, cariño.

Se besaron en la mejilla como un par de témpanos de hielo.

—Hemos visto una ballena —dijo Josh.

Era el tipo de comentario que haría un niño de cuatro años.

—¿De verdad?

—Sí. Era una ballena perfecta.

—Vaya, me alegro de que no fuera defectuosa.

Josh cogió su bolsa y se giró al pie de la escalera para mirar hacia atrás. Su padre sonrió y le hizo la señal de la victoria.

—Casi paz, tío.

Josh le contestó con su dedo y medio.

Subió su bolsa a la habitación y dejó a sus padres de pie en la entrada como dos extraños. Oyó cómo su madre decía algo en voz baja y airada y luego cómo su padre le contestaba con cansancio. Era algo sobre la carta que había recibido de los abogados de su padre. Josh no quería saberlo. Puso música y llamó a Freddie con el móvil para preguntarle qué iban a hacer esa noche y si tenía algo bueno para fumar.

18

Lo más triste de todo era que nunca llegabas a ver el resultado de tu esfuerzo en todo su esplendor. Tenías que entrar a hurtadillas, prepararlo todo y luego largarte lo más rápido posible sin ser visto. La idea era que, cuando el edificio ardiese en llamas, estuvieras fuera de la ciudad y a varios kilómetros de distancia. Naturalmente, al día siguiente podías ver las fotografías de los restos carbonizados en los periódicos, pero no era igual que ver cómo saltaba todo por los aires.

Lo que más le gustaba a Abbie era escribir eslóganes con spray en las paredes y las grandes ventanas de los escaparates. Aquel era básicamente su trabajo; Rolf se encargaba de provocar el incendio. El hecho de saber que un vigilante podía doblar la esquina tranquilamente en cualquier momento proporcionaba un subidón de adrenalina. Se había vuelto muy ingeniosa con lo que escribía. Sus mayores logros hasta la fecha eran CONTAMINADORES COMODONES y COCHES CAROS = EGOÍSMO AMERICANO, una combinación que tenía cierta cadencia rítmica. Rolf decía que no debía pasarse de lista y no ser excesivamente críptica. Por ejemplo, según él, «Expoliadores» o «Avaricia estadounidense» eran conceptos excesivamente sofisticados. También le aconsejó que variase lo que escribía y cómo lo hacía para que la policía creyera que había muchas más células operando de las que existían en realidad. Lo único que había que repetir eran las siglas «FLT». O, mejor aún, si el tiempo y el espacio lo permitían, escribirlo al completo: «Frente de Liberación de la Tierra».

El único aspecto en el que Rolf era verdaderamente estricto era en lo tocante a pasar demasiado tiempo en el lugar en cuestión. Decía que la forma de que a uno lo pillasen era entretenerse, de modo que Abbie no le llevaba la contraria. Probablemente era la única persona que había conocido en toda su vida cuyas instrucciones seguía gustosamente y cuyas opiniones sobre cualquier tema respetaba, normalmente sin discusión. Rolf sabía tantas cosas que casi daba miedo, como si tuviera un ordenador asombroso en la cabeza. Se le podía preguntar cualquier cosa sobre política, medio ambiente, asuntos internacionales, sobre el acta de los derechos humanos o el país más ignoto que a uno se le ocurriera, e invariablemente sabía la respuesta. A ella le encantaba quedarse sentada o tumbada a su lado y dedicarse a escucharlo.

Abbie era consciente de que el temor reverencial y la conformidad que Rolf le inspiraba guardaban relación con los diez años de diferencia que él le llevaba. Y evidentemente, también con lo que estaba ocurriendo entre ellos en el plano sexual. Desde el primer momento, él la había dejado boquiabierta. Tenía un cuerpo tan ágil y hermoso. Ella dejaba que le hiciera cosas que jamás habría imaginado que le gustarían. Cosas que si alguien se hubiera atrevido a planteárselas antes, la habrían escandalizado e incluso repugnado. Era como si él hubiera abierto una habitación secreta en su interior en la que ahora ella entraba por voluntad propia y de forma espontánea.

Claro que no era estúpida. Sabía que él la había conocido en un momento en que era vulnerable y prácticamente estaba volviéndose loca de la ira y el dolor que la dominaban. Pero en pocos meses le había brindado un rumbo en la vida, le había hecho sentir que volvía a ser valiosa, la había convencido de que ella, de que ellos dos juntos, podían causar un verdadero impacto en el mundo. Y, pasara lo que pasase, siempre se sentiría en deuda con él por ello.

A excepción de la semana que Abbie había estado con Josh y

su madre, habían pasado el verano en la carretera o viviendo en la casa de la Cuarta, que habían tenido para ellos solos. Durante esa época, habían atacado dos concesionarios de todoterrenos —uno en Sacramento y otro en Portland— y habían quemado un total de dieciocho vehículos. El caso de Portland había sido increíble. Por lo visto, las llamas se habían podido ver a más de dos kilómetros de distancia. El suceso había aparecido en la portada de todos los periódicos e incluso había ocupado un lugar destacado en la CNN durante unas cuantas horas. Lo habían visto en la habitación de un motel situado a las afueras de Seattle, donde habían estado escondidos durante dos días riéndose, pidiendo comida china y follando hasta que Abbie estuvo tan agotada que era incapaz de seguir y se había acurrucado como un animal herido para luego quedarse dormida.

Su incursión más reciente, hacía dos semanas, no había sido tan exitosa. Habían ido a Reno con el objeto de incendiar unos apartamentos que estaban siendo construidos en una tierra que debía estar protegida. Pero algo había salido mal y el fuego se había apagado. Aun así, dos de los mejores grafitos de Abbie habían aparecido en las noticias locales: BASTA DE VIOLAR A LA NATURALEZA y VOSOTROS LO CONSTRUÍS, NOSOTROS LO QUEMAMOS; aunque habría resultado más impresionante si realmente lo hubieran hecho. Rolf se había enfadado mucho por aquel fracaso y desde entonces había estado intentando averiguar qué había fallado. Normalmente utilizaba trapos de algodón empapados con gasóleo y un sistema de ignición retardada que consistía básicamente en un cóctel de fijador para el pelo y cloro granulado como el que se utilizaba para limpiar piscinas. Decía que iba a encontrar algo mejor para la próxima vez.

Ya estaban a finales de agosto y la gente estaba empezando a regresar a Missoula. Primero habían aparecido Eric y Todd, y luego Mel y Scott, que habían llegado rebosantes de historias sobre sus aventuras veraniegas y se habían dedicado a consolar a Abbie por haberse quedado en Missoula, donde debía de haberse aburrido como una ostra. Ella se alegró de verlos y le pareció divertido tener un secreto como el suyo. Todo el mundo fue amable con Rolf. Pero a Rolf no le interesaba el trato social, y cuando la casa se llenó, se marchó discretamente. Dijo que tenía que irse unos días. Nunca le decía adónde iba, y ella no se lo preguntaba, aunque esta vez se lo imaginó. Rolf le propuso que mientras estaba fuera buscase un sitio para que viviesen los dos solos.

Con el semestre de otoño a punto de empezar, era demasiado tarde para ponerse a buscar piso. Todos los sitios mínimamente decentes ya estaban ocupados. Al tercer día, Abbie encontró un pequeño apartamento en una casa ruinosa situada en una esquina de Helen Street. El edificio estaba cubierto de tablas mohosas, y la habitación propiamente dicha era oscura y olía a humedad. Estaba en el primer piso, pero tenía una entrada propia en lo alto de una escalera de incendios medio en ruinas que al pobre Sox le costaba subir al principio. El cuarto de baño era del tamaño de un armario y la cocina cuyas superficies se hallaban cubiertas por una capa de grasa estaba en unas condiciones deprimentes. Mel la ayudó a trasladar sus cosas, y luego las dos limpiaron el lugar a conciencia, le dieron una mano de pintura de emulsión blanca y compraron unas cortinas de terciopelo rojo por cinco dólares en la tienda del Ejército de Salvación de West Broadway. A comienzos de la semana siguiente, cuando Rolf llamó para decir que volvía, casi parecía un lugar habitable.

Él nunca decía cuándo iba a volver, y Abbie había aprendido a no preguntar. A veces llegaba a las cinco de la madrugada y se metía en la cama a su lado y le hacía el amor. Era el segundo día de clase, y Abbie decidió saltarse la clase de laboratorio de biología de dos horas a la que debía asistir. Con Sox metido en la cesta de alambre de su bicicleta, se dirigió a una tienda de productos ecológicos para comprar algo especial para cenar.

Rolf era un estricto vegetariano y por ese motivo Abbie también lo era ahora, aunque sus elevados principios todavía peligraban al oler una vaharada de pollo asado a la brasa o de beicon frito en una sartén. Decidió hacer *parmigiana*, uno de los platos preferidos de él. Compró tomates, albahaca, berenjenas, mozzarella y parmesano, todo ello orgánico (algo en lo que Rolf no era tan inflexible, pero casi).

Hacker iba a dar una fiesta esa noche, y Mel la llamó e intentó convencerla para que asistiera. Dijo que todos iban a asistir. ¿Por qué no llevaba a Rolf con ella? Si para entonces todavía no había vuelto a casa, podía dejarle una nota en la que le dijera que fuera a la fiesta.

—¿Sabes? Creo que me quedaré aquí —dijo Abbie—. Tengo que hacer unos ejercicios y...

—Abbie, venga, nos lo pasaremos de miedo...

—Ya lo sé, pero no me apetece.

—Parecéis un viejo matrimonio.

—Sí, dentro de poco le haré un jersey.

Todo el mundo sentía curiosidad por Rolf. Lo único que sabían era que se habían conocido en Seattle y que él era quien la había «salvado» cuando las cosas se habían puesto feas. Mel decía que era muy romántico y lo había apodado el Caballero, como si llevara una armadura reluciente. Todos tenían curiosidad por saber a qué se dedicaba y de dónde venía, de modo que Abbie les contó lo que Rolf le había dicho que contara: que estaba haciendo un doctorado sobre el cambio social y ambiental a nivel internacional en la Universidad de Washington, pero que le estaba llevando mucho tiempo. Incluso se tardaba mucho en decirlo, bromeaba ella, y a continuación cambiaba rápidamente de tema de conversación. Aunque le habría gustado decirles la verdad, Abbie no podía contarles mucho más.

Colocó unas velas y una botella de vino sobre la mesita, cocinó la *parmigiana* y preparó una ensalada, y a las ocho en punto lo tenía todo listo para servir. Pero dos horas más tarde, después de haber sacado otra vez a Sox a pasear por el parque y a lo largo del río y de volver a casa y ver que Rolf todavía no había llegado ni la había llamado al móvil, sacó la cena del horno porque se estaba resecando, se sentó a la mesa y se puso a comer sola mientras leía un libro. Se trataba de una biografía de Fidel Castro que Rolf le había recomendado. Aunque ella jamás habría osado decírselo, le estaba resultando más que pesada.

Él apareció a las ocho y media de la mañana siguiente, justo cuando Abbie y Sox salían por la puerta para dirigirse al campus, donde ella tenía que hacer un par de recados antes de ir a clase. Como siempre, traía un vehículo distinto. Casi siempre eran furgonetas corrientes sin rasgos que las identificasen. La de esta vez era una vieja Nissan gris. Ella nunca le preguntaba cómo ni dónde las conseguía.

Abbie se quedó esperando en la pequeña plataforma que había en lo alto de la escalera de incendios y observó cómo él subía los escalones en dirección a ella, con Sox a su lado, sin atreverse a bajar a recibirlo. Rolf no sonrió ni dijo nada, y no le quitó los ojos de encima hasta que llegó junto a ella. Entonces pasó directamente al apartamento, y Abbie volvió a entrar detrás de él y cerró la puerta. Rolf se giró y, sin decir una palabra, deslizó sus manos dentro de la cazadora de ella, la abrazó por las caderas y la besó, y luego la llevó a la cama cogida de la muñeca y la folló.

Estaban sentados con las piernas cruzadas en el suelo, con el plano desplegado ante ellos y todas las fotografías que Rolf había tomado. Había numerado cada fotografía y había escrito notas claras en el dorso, donde detallaba lo que aparecía en ellas. Las imágenes que estaban viendo en la pequeña pantalla plegable de la cámara de vídeo de Rolf eran mucho menos nítidas porque había tenido que registrarlas desde dentro de la furgoneta. Él le comentaba las imágenes mientras le explicaba lo que estaban viendo.

La calle estaba bordeada de árboles y había coches aparcados a ambos lados. Era un barrio elegante, pero no tan selecto como Abbie se había imaginado; se trataba de una zona residencial de clase media como cualquier otra. Las casas no eran muy grandes, pero se hallaban bastante separadas y ligeramente apartadas de la carretera. Tenían jardines elegantes y coches caros aparcados en las entradas de las casas. Pero no había vallas, ni verjas, ni ninguno de esos carteles de seguridad que advertían de una posible respuesta armada. Ahora la cámara estaba enfocando algo con el zoom.

—¿Esa es la casa? —dijo Abbie.

—Sí.

Rolf congeló la imagen.

—Es una calle tranquila —dijo—. Por la noche apenas se ven coches. Después de medianoche solo pasan dos o tres cada hora.

—¿Ese coche de la entrada es de él?

—Lo dejan ahí para que la gente crea que hay alguien en casa. Las luces de dentro están conectadas a un temporizador para dar esa impresión. Se encienden y se apagan todas las noches exactamente a la misma hora.

—No es precisamente un palacio. Creía que sería mucho más lujosa.

—No sientas lástima por él. Tienen un palacio en Aspen y otro en Miami donde su mujer pasa la mayor parte del tiempo. Esta casa solo la usa él cuando está en Denver, e incluso entonces pasa la mayoría de noches al otro lado de la ciudad tirándose a su querida.

—¿Cómo sabes todo eso?

Él le lanzó una mirada hosca y no contestó. Se trataba de la clase de pregunta que ella no debía hacer. Era evidente que Rolf tenía acceso a alguna red de información, pero lo único que le había dicho era que conocía a «unas cuantas personas» que podían averiguar cosas por él. En cierta ocasión, ella le había preguntado si la mujer de la casa okupa de Seattle, la que estaba en un rincón trabajando con un ordenador portátil, era una de ellas. Pero Rolf decía que no debían discutir sobre aquellos temas y que era mejor que ella no supiera demasiado. Abbie procuraba que su secretismo no le molestara ni le hiciera daño, pero le resultaba difícil. Le hacía sentir que la estaba tratando con condescendencia y que no confiaba plenamente en ella.

—Está bien —dijo—. Pero ¿cómo podemos estar seguros de que la noche que lo hagamos no va a haber nadie? Tienen hijos, ¿no?

—Dos chicos. Los dos van a la universidad y viven lejos. De todas formas, tengo el número de teléfono de la casa. Hay un teléfono público a solo tres manzanas de allí. Lo único que tenemos que hacer es llamar. Y si alguien contesta, nos largamos.

Rolf continuó explicándole las imágenes del vídeo. Ahora estaban viendo un lugar distinto, una callejuela estrecha sobre la que se inclinaban unos árboles a modo de túnel. Un muro de hormigón recorría uno de los lados, salpicado de puertas y contenedores.

—La fachada de la casa está demasiado expuesta y hay luces que se activan con el movimiento. Este es el callejón trasero. Puede que también haya luces en la parte de atrás de la casa, pero si se encienden, nadie las verá. Todo el jardín está rodeado de árboles.

La imagen era inestable y oscura, pero cuando la cámara se elevó para grabar por encima del muro, a Abbie le dio la vaga impresión de que se trataba de la parte trasera de la casa. Había una piscina con un pequeño cenador encalado y una pequeña pendiente con parterres llenos de flores y unas vidrieras.

—Debe de haber alguna alarma.

—¿En la casa? Por supuesto.

—Entonces, ¿cómo vamos a prender fuego? Si rompes una ventana, sonará la alarma.

Él sonrió.

—Tienen un gato. No te preocupes, la mujer se lo lleva a todas partes. Ahora mismo probablemente esté tomando el sol en Florida. Pero tienen una pequeña gatera en la puerta de la cocina. Podemos atarle una lata de gasolina a Sox en el lomo y hacerlo entrar.

—¿Qué?

Él sonrió abiertamente. Rolf no solía gastar bromas y cuando lo hacía no acostumbraban a ser tan graciosas, pero aun así Abbie se sintió estúpida por no pillarla a la primera. Sox estaba en el sofá, con la cabeza apoyada en las patas delanteras, observándolos. Rolf acarició las orejas al perro.

—El chucho tendrá que empezar a ganarse el sustento algún día, ¿no?

—Oh, cariño, ¿a quién está llamando «chucho» papá?

Abbie cogió a Sox y se puso a mecerlo. El animal se revolvió e intentó lamerle la cara.

—Tendré que pensar algo cuando lo vea —continuó él—. He descubierto un sistema de ignición mejor, pero quizá esta vez tenga que usar gasolina. Puedo hacer un agujero y meter un tubo. De todas formas, eso es asunto mío.

A Abbie le latía el corazón a toda velocidad. Aquella era la misión más importante que habían tenido hasta la fecha. Y mientras que los concesionarios de todoterrenos y los apartamentos vacíos resultaban de algún modo anónimos, aquello era algo personal. Estaban observando la casa de J. T. McGuigan, de Gas y Petróleo McGuigan, el responsable de destruir el rancho de Ty y arruinar las vidas y el sustento de sus padres. Y ahora el cabrón lo iba a pagar. Iban a reducir su casa a cenizas. Abbie solo lamentaba —bueno, casi— que McGuigan no ardiese con ella.

Pero el FLT era estricto en cuanto al uso de la violencia. Ella se sabía las directrices de memoria. Era legítimo infligir «daño económico» a aquellos que se aprovechaban de la destrucción del medio ambiente. Pero había que tomar «todas las precauciones necesarias a fin de evitar hacer daño a animales, seres humanos y no humanos», una definición que por desgracia parecía incluir a cerdos como J. T. McGuigan.

Hasta junio de ese año, cuando Rolf le había revelado su vida secreta —o, al menos, una pequeña parte de ella—, Abbie nunca había oído hablar del FLT. Lo que él le dijo hizo que sospechara que estaba haciéndose otra vez el hombre misterioso y evasivo. Pero poco a poco llegó a la conclusión de que probablemente no había más que contar. Según le explicó, el grupo estaba inspirado en el Frente de Liberación Animal, que tenía como objetivo las granjas para la cría de animales de pelo y los laboratorios de investigación farmacéutica. Los miembros del FLT eran personas que, como Rolf, creían que el movimiento medioambiental había perdido el rumbo, había sido mutilado y dominado por abogados y organizaciones que prácticamente habían crecido y se habían envilecido y burocratizado tanto como las mismas corporaciones y ministerios contra los que se suponía que estaban luchando.

Rolf le dijo que el FLT no tenía una estructura centralizada ni liderazgo ni jerarquía. Simplemente eran personas que seguían el dictado de sus conciencias y que actuaban de forma individual o en células, como estaban haciendo ellos dos. Y mientras se ciñesen a las directrices, podrían atacar donde quisieran y cuando quisieran en su nombre.

La idea de incendiar la casa de McGuigan había sido de Abbie, y estaba encantada y orgullosa de que Rolf la hubiera aceptado de tan buena gana. Ella lo hacía por Ty y por sus padres; iba a vengarse en su nombre enviando una señal a McGuigan y al resto de cabrones codiciosos, aprovechados y destructivos para que comprendiesen que lo que estaban haciendo no era aceptable y que no iba a ser tolerado. Por supuesto, había otro motivo que Abbie no se habría atrevido a mencionar a nadie y que apenas había reconocido para sí misma. Y era que, haciendo aquello por Ty, en el futuro podría sentirse menos culpable por haberlo rechazado.

Después de la visita que Abbie le había hecho en mayo, él la llamaba prácticamente a diario y le pedía que volviera o se ofrecía a ir a Missoula. Pero ella siempre buscaba excusas y ahora Ty apenas la llamaba. No le había contado lo de Rolf y ni siquiera le había insinuado que había otra persona en su vida. Tal vez la ruptura hubiera sido menos dura si ella hubiera sido más sincera. Pero no quería hacerle daño y era demasiado cobarde. En cualquier caso, le daba la impresión de que él se lo había imaginado. Pero, en realidad, ¿qué demonios importaba aquello? Era agua pasada. Él pertenecía a su vida anterior. Era un chico encantador, pero ella ya no podía seguir con aquel rollo romántico.

Rolf apagó la cámara y cerró la pantalla.

—Bueno —dijo Abbie—, ¿cuándo vamos a hacerlo?

19

Fue tal como él había dicho que sería. Habían pasado por delante tres veces en el Toyota de Abbie y habían visto cómo las luces se encendían y apagaban exactamente a la hora que él había dicho. El coche estaba aparcado en la entrada, como en el vídeo. En torno a la medianoche, volvieron a la carretera y recorrieron un par de kilómetros hasta una gasolinera, donde compraron unos bocadillos, fruta y una botella de agua. Encontraron un pequeño parque y llevaron a Sox a pasear y dejaron que hiciera sus necesidades.

Rolf siempre se quejaba de tener que llevar al perro con ellos, pero Abbie se negaba a ir sin él. Era su mascota de la suerte, decía. Y también una buena tapadera, pues les daba un aire hogareño, como si formasen una pequeña familia. Y hasta la fecha, en sus tres incursiones, el animalito se había portado como un ángel y se había quedado esperando acurrucado en el coche. La única concesión que había hecho Abbie era quitarle la etiqueta que llevaba en el collar con su número de teléfono por si se perdía.

Durante toda la semana había hecho sol y calor, pero estaban a finales de septiembre y las noches se estaban volviendo frías. El pronóstico meteorológico había vaticinado que llegarían nubes por el oeste, y en ese momento estaban avanzando y tapando lentamente las estrellas. Habían dejado la furgoneta en una silenciosa calle situada cerca de un terreno abandonado próximo a la carretera, y a las dos menos cuarto fueron a recogerla y aparcaron el Toyota en su lugar. Se pusieron sus cazadoras de color oscuro y se aseguraron de que llevaban todo lo necesario, y a continuación regresaron y pasaron por última vez por delante de la casa, justo a tiempo para ver cómo las luces del piso superior se apagaban exactamente a las dos y nueve minutos, como Rolf había dicho. Aparcaron cerca de la cabina telefónica que había a tres manzanas de la vivienda, y Abbie se quedó esperando en la furgoneta, tarareando una melodía al azar para tranquilizarse mientras miraba cómo él marcaba el número. Rolf permaneció un rato en la cabina, escuchando, y luego colgó, regresó con aire despreocupado y volvió a meterse en el vehículo.

—Ha saltado el contestador automático —dijo.

—Espero que hayas dejado un mensaje.

Abbie estaba intentando aparentar que no estaba nerviosa. Él no contestó; se limitó a lanzarle una de sus miradas y arrancó el motor. A ella le pasó por la cabeza que algunas personas siempre dejaban que saltara el contestador automático, aunque estuvieran en casa. Pero no dijo nada. Rolf ya le había dicho que se estaba poniendo demasiado neurótica y que él sabía con seguridad que no había nadie. Lo había comprobado. La mujer y los hijos estaban fuera, y McGuigan había viajado a Houston para asistir a una conferencia de la industria del gas.

Volvieron siguiendo una ruta distinta por unas calles que parecían todas iguales y, cuando llegaron a la calle de McGuigan pasaron de largo y se metieron en el callejón de detrás. Rolf apagó los faros y recorrieron lentamente el túnel formado por los árboles inclinados, mirando los jardines traseros de las casas para asegurarse de que no había ninguna señal de vida.

Pararon antes de llegar a la puerta de atrás de la casa de McGuigan, apagaron el motor y se quedaron a oscuras, con las ventanas bajadas, escuchando. Detrás de ellos, en una de las casas por las que habían pasado, había un perro ladrando. Pero al poco rato pareció aburrirse y dejó de ladrar, y lo único que Abbie oyó entonces era el pulso urgente de su sangre. Sox estaba acurrucado mirándolos con los ojos muy abiertos desde el pequeño lecho que tenía en la parte de atrás, apretujado entre los envases de plástico con gasóleo y gasolina, junto a la mochila negra que contenía las herramientas de Rolf y el material de ignición.

Se pusieron los guantes y los gorros negros, y Abbie volvió a inspeccionar sus bolsillos en busca de los dos aerosoles de pintura negra. Ya había pensado lo que iba a escribir en las paredes del cenador, adonde no llegaría el fuego, según le había dicho Rolf.

—¿Lista? —dijo él.

Ella asintió con la cabeza.

—¿Has apagado el móvil?

—Sí.

—Está bien, vamos.

La verja trasera estaba cerrada, pero no resultaba difícil trepar por el muro. Rolf saltó por encima apoyándose en un brazo, y ella le entregó la mochila y los envases con el combustible. A continuación, volvió a alzarse y la ayudó a subir; saltaron la tapia y bajaron al jardín. Permanecieron agachados unos instantes mientras sus ojos se acostumbraban a la oscuridad, observando el vaho de su aliento en el aire fresco. Abbie alzó la vista. Las nubes se estaban haciendo más densas, y algunas estrellas centelleaban en los huecos. Rolf se puso la mochila y agarró los dos envases de combustible.

—No te separes —susurró.

Se movió rápidamente a la derecha, manteniéndose agachado, con las rodillas flexionadas y la cabeza y los hombros encorvados hacia delante. Había un camino que llevaba directamente a la piscina y al césped, pero Rolf la condujo a un lado del jardín y se dirigieron hacia la casa bajo los árboles que crecían a lo largo de la valla, sorteando los arbustos y los parterres.

En caso de que hubiera luces de seguridad, estas no se encendieron. Y al poco rato Rolf la estaba guiando más allá de la piscina y del cenador, por encima de un pequeño muro de hormigón y a lo largo del borde del césped, hasta que por fin llegaron a una terraza enlosada y a la casa sin que se encendiera ninguna luz. Rolf dejó los recipientes, se quitó la mochila y la puso con cuidado entre sus pies. Se quedaron un rato jadeando, con la espalda pegada a la fría pared de ladrillo, mientras escuchaban. Se oía el lejano zumbido monótono del tráfico, pero nada más.

La puerta con la pequeña gatera se hallaba a menos de cuatro metros de donde estaban entonces. Más allá, sobresaliendo por encima de la parte trasera de la casa, había una especie de solana o de invernadero, con las persianas entreabiertas y puertas de dos hojas de cristal. Rolf se disponía a moverse cuando Abbie vio algo al mirar en la oscuridad. Dentro de la solana. En las sombras. La cabeza y los hombros de alguien que estaba allí de pie, mirando. Le puso una mano a Rolf en el hombro.

—Allí dentro hay alguien.

Él se volvió para mirarla, y Abbie le señaló con los ojos. Rolf siguió su mirada y los dos se quedaron inmóviles un largo rato.

—Solo es una planta, por Dios —susurró él.

Tenía razón. Abbie se dio cuenta. No era más que una planta de plástico o una especie de palmera. La estancia estaba llena de ellas. Se sintió ridícula.

—¿Cuántas veces tengo que decírtelo? —declaró él—. Están fuera. Vamos, coge tú los bidones.

Él cogió la mochila, se dirigió hacia la puerta y se agachó junto a ella. Abbie lo siguió con los envases de combustible. Se quedó mirando por encima del hombro de Rolf, mientras él empujaba la gatera con un dedo. La tapa se movió. Rolf alzó la vista hacia ella y sonrió.

—¿Lo ves? Nos lo han puesto fácil. Vamos, deprisa, ve al cenador y haz tu parte, esto no tardará mucho. Quédate allí abajo y espérame.

Empezó a abrir la mochila. Abbie se giró y volvió por el mismo camino, en dirección al cenador, sintiéndose todavía como una idiota integral y tan distraída reprendiéndose a sí misma que se olvidó de la pequeña tapia de hormigón, tropezó y cayó de bruces contra un arbusto. Una de las ramas le dio en la cara y por poco no le sacó un ojo. Abbie estuvo a punto de gritar, pero logró contenerse. Se levantó con dificultad y se encaminó, esta vez con más cuidado, hacia el cenador.

Una de las paredes estaba cubierta de hiedra, pero había otra que daba a la parte trasera de la casa que resultaba perfecta. Incluso parecía que la hubieran encalado especialmente para la ocasión. Sacó el aerosol negro del bolsillo de su cazadora y se puso manos a la obra.

Rolf le había advertido que no escribiera nada que pudiera relacionarlos de alguna forma con el rancho de los padres de Ty ni con aquella zona, así que puso en letras grandes y negras FLT en las dos esquinas superiores, y a continuación escribió al pie: DESTRUCTOR DE LA NATURALEZA Y LA AVARICIA DEL PETRÓLEO PROVOCA EXPOLIOS. Luego, justo en medio de la pared, empezó a escribir: LOS CODICIOSOS DEL GAS SERÁN CASTIGADOS, pero cuando llegó a la palabra «SERÁN», se le acabó la pintura. Mientras sacaba el otro bote de aerosol del bolsillo, oyó un rumor y un chasquido detrás de ella.

—¿Qué coño estás haciendo?

Abbie estuvo a punto de dar un brinco del susto. Una linterna le enfocaba directamente a los ojos y, por un momento, fue incapaz de ver nada. Entonces distinguió la boca de la escopeta. Un hombre la estaba apuntando justo al pecho.

—No te muevas. ¡No te muevas, joder! ¿Lo has entendido? Quédate donde estás. Ya he llamado al número de emergencias, ¿vale? ¡Los polis están de camino, pero como te muevas te vuelo la puta tapa de los sesos!

Deslumbrada por el resplandor de la luz, solo alcanzaba a ver la forma borrosa de su cara. Era joven; debía de tener veintipocos años. Se fijó en que iba descalzo.

—Dios, ¿eres una chica?

Ella asintió con la cabeza. En ese preciso instante vislumbró la figura de alguien que se movía detrás de él. Si hubiera alguien más con él, seguramente habría gritado. Tal vez fuera Rolf. Tenía que ser él. Procuró no mover los ojos ni siquiera para parpadear.

—¿Qué es eso?

El joven estaba leyendo la pintada de la pared situada detrás de ella.

—¿FLT? ¿Quién coño sois?

Y entonces vio con claridad que se trataba de Rolf. Estaba acercándose sigilosamente al joven por detrás. El más mínimo ruido, el chasquido de una rama, y el tipo se giraría y dispararía. A lo mejor tenía que decir algo, intentar distraerlo para asegurarse de que no oyera nada.

—Escucha —dijo Abbie—. Lo siento...

—¿Que lo sientes? Muy buena.

—¿Te importaría no enfocarme con eso a la cara?

—¡He dicho que no te muevas, joder!

—Te pagaré.

—¿Qué?

—Te pagaré por los desperfectos. Solo es una broma...

Rolf estaba ahora justo detrás de él. Tenía algo en la mano: una especie de palo, un trozo de madera o tal vez una llave inglesa. Pero al levantar el objeto se vio un destello y se oyó un ruido sordo procedente de la casa, y el joven se giró para mirar y vio a Rolf allí, a punto de golpearlo. Se apartó a un lado para que no le diera en la cabeza y recibió un golpe en el hombro. Rolf se abalanzó para quitarle la escopeta y la agarró por el cañón. El joven soltó la linterna, y Abbie avanzó y se subió a su espalda de un salto e intentó rodearle el cuello con las manos.

La parte de atrás de la casa estaba ahora toda iluminada, y las llamas salían rápidamente por la puerta de la cocina y la ventana situada junto a ella. A continuación se oyó una segunda explosión más fuerte y las ventanas de la solana se rompieron, pues el fuego se había propagado hasta allí. Rolf y el joven estaban forcejeando para hacerse con la escopeta, mientras gruñían, chillaban y maldecían, y Abbie seguía subida a la espalda del joven, agarrándolo de la cabeza con todas sus fuerzas y tirándole del pelo. El joven gritó e intentó quitársela de encima, pero siguió sujetando con fuerza la escopeta.

Entonces el arma se disparó. Abbie notó como si un caballo le hubiera dado una coz en el pecho. Parecía que el estallido le hubiera destrozado los tímpanos. Todo se detuvo por un instante. Observó con los ojos como platos cómo Rolf retrocedía dando traspiés, con la casa ardiendo a su espalda, y tuvo la certeza de que había sido él quien había recibido el disparo. Aún tenía los brazos alrededor del cuello del joven, pero él ya no hacía fuerza, de modo que lo soltó despacio y, aunque los oídos aún le retumbaban, oyó cómo gemía y notó que empezaba a desplomarse debajo de ella. El muchacho cayó de rodillas y ella dio un paso atrás. Y a la luz de la linterna caída, vio una mancha oscura que se extendía por la parte de detrás de la sudadera del joven.

Entonces él empezó a emitir un terrible gorjeo. Abbie lo rodeó aterrada para situarse junto a Rolf y vio la sangre que manaba del agujero chamuscado y humeante del pecho del joven.

—Oh, Dios —exclamó—. Oh, Dios mío.

El chico estaba mirándose con incredulidad y a continuación alzó la vista lentamente hacia Abbie y abrió la boca como si quisiera decir algo.

Rolf la cogió del brazo y empezó a tirar de ella.

—Vamos.

—No podemos...

—¡No hay tiempo!

La llevó a rastras por el camino en dirección a la verja. Abbie intentaba correr, pero seguía mirando al joven, cuya figura se perfilaba ante la casa en llamas. Tropezó dos veces y Rolf tuvo que pararse a levantarla del suelo. La verja no estaba cerrada con llave, sino con cerrojo, y él retiró el pestillo y la abrió de golpe. Una vez que salieron al callejón, echaron a correr hacia la furgoneta. No la habían cerrado con llave para poder escapar más rápidamente. Rolf abrió la puerta del pasajero, metió a Abbie de un empujón y volvió a cerrarla. Acto seguido rodeó el vehículo corriendo, entró en la furgoneta y buscó las llaves en su bolsillo.

—Mierda —dijo—. ¡Mierda! ¡Mierda! ¡Mierda!

No las encontraba. Se oyó un chillido procedente del exterior; alguien estaba gritando: «¡Eh! ¡Eh!», y los dos miraron por la ventanilla trasera y vieron a un hombre que corría por el callejón en dirección a ellos. Rolf había encontrado las llaves y las estaba metiendo en la ranura de contacto. El motor arrancó a la primera, pero la persona que los estaba persiguiendo había llegado hasta ellos y, cuando la camioneta empezó a alejarse, el hombre abrió de un tirón las puertas traseras.

—¡Parad! ¡Parad, hijos de puta!

No era joven, debía de tener cuarenta y tantos años, pero era corpulento y atlético. Estaba intentando subirse a la parte de atrás de la furgoneta, que para entonces ya se alejaba rápidamente. Sox, del que Abbie se había olvidado completamente hasta entonces, estaba en su lecho ladrando. Ella estiró la mano para cogerlo, pero estaba demasiado lejos y tenía demasiado miedo para acercarse a ella. El hombre tenía apoyada una rodilla en el umbral de la parte trasera y estaba intentando meter la otra. Pero habían llegado al final del callejón y, cuando Rolf dio un volantazo a la derecha, salieron a la calle virando bruscamente. La furgoneta chirrió y se inclinó sobre dos ruedas, y el hombre se soltó y cayó rodando por la calle como si fuera un muñeco de trapo. Y con él cayó todo lo que había en la parte trasera de la furgoneta, incluido Sox.

—¡Para! —gritó Abbie—. ¡Hemos perdido a Sox!

—¿Estás loca?

—¡Sox ha desaparecido! ¡Se ha caído!

—Ni hablar.

—¡Rolf, tienes que parar!

Abbie intentó agarrar el freno de mano, pero él soltó un golpe y la apartó de un empujón, y ella se dio un golpe contra la ventanilla.

—¡Cabrón!

—¡Cállate! ¡Cierra la puta boca!

Abbie miró hacia atrás, pero no se veía al perro por ninguna parte. Se miró las manos y al ver que las tenía manchadas de sangre, empezó a gemir.

En pocos segundos todo había dado un vuelco y se había descontrolado. No podía creer que aquello estuviera pasando. La cabeza le daba vueltas como un tiovivo: la casa en llamas, el joven arrodillado mirando el humo que le salía del pecho, la mirada de sus ojos al alzar la vista hacia ella.

Miró a Rolf con los ojos empañados por las lágrimas. Estaba

respirando con dificultad, con la cara crispada de la concentración, mientras conducía la furgoneta frenéticamente por un laberinto de calles. Casas, escaparates, el destello de los faros de los coches que pasaban, una ambulancia con la sirena resonando y todas las luces encendidas.

—Tenemos que volver.

—Cállate.

—Ha sido un accidente. Se lo podemos explicar. Tenemos que volver y explicárselo.

—Abbie, cállate.

—¡Rolf, si muere, creerán que lo hemos matado nosotros!

—¡Ya está muerto, idiota!

Habían llegado a la carretera, y Rolf redujo un poco la velocidad, sin dejar de mirar alternativamente la carretera que se extendía ante ellos y el espejo retrovisor. Comenzaron a oírse más sirenas y luego se vieron unas luces brillantes a lo lejos; dos coches de policía se dirigían rápidamente hacia ellos. Pero pasaron a toda velocidad sin reducir la marcha.

—Joder, deja de llorar —dijo Rolf.

Había señales que indicaban la dirección de la autopista. Otro coche de policía pasó por delante, y luego la carretera quedó despejada. Rolf redujo la velocidad, miró por el retrovisor y a continuación giró rápidamente a la izquierda y se metió en una calle lateral. Y tras tomar otras dos curvas, pronto se hallaron en el terreno abandonado y aparcaron la furgoneta detrás del Toyota.

—Vamos —dijo—. ¡Abbie, vamos! ¡Muévete!

Pero ella no podía moverse. No le quedaban fuerzas. No podía dejar de mirarse las manos. Había intentado limpiarse la sangre en los pantalones, pero todavía le quedaba debajo de las uñas y en los nudillos.

Rolf salió rápidamente y abrió la puerta del Toyota. Volvió corriendo, la sacó de la furgoneta a rastras y la llevó por la acera hasta el coche, sin dejar de mirar en ningún momento a su alrededor para ver si alguien se acercaba o los estaba observando. La dejó en el asiento del pasajero y cerró la puerta. Ella oyó que Rolf abría el maletero y cogía algo, y durante unos segundos se hizo el silencio hasta que el maletero se cerró de golpe y él se colocó en el asiento del conductor y arrancó el motor. Cambió rápidamente de sentido, frenó al lado de la furgoneta y bajó la ventanilla. La ventanilla de la furgoneta también estaba abierta, Rolf encendió una cerilla y la arrojó a través de ella, al tiempo que pisaba el acelerador. Abbie miró hacia atrás y un segundo después notó que el aire se volvía más denso y vio que la furgoneta estallaba en llamas detrás de ellos.

Poco después estaban en la autopista, atravesando unos arcos de luces anaranjadas que brillaban por encima de ellos como si fueran las puertas del infierno, mientras salían de la ciudad y se adentraban en la oscuridad. Abbie estaba tan obsesionada con la imagen de sus manos manchadas de sangre ajena, que ni sabía ni le importaba el lugar al que se dirigía y el tipo de vida que le esperaba.

20

Si había una cosa que Eve siempre había detestado más que ser fotografiada era que le preguntasen por su trabajo. De modo que ser entrevistada por una cadena de televisión por cable local era un doble revés. El reportero aparentaba unos catorce años y le había confesado que normalmente cubría las noticias relacionadas con el baloncesto, y que no sabía nada en absoluto de arte. Y no era falsa modestia. Realmente no sabía nada.

La hicieron ponerse ante uno de sus nuevos cuadros, y no uno del que ella precisamente hubiera decidido hablar; de hecho, no le gustaba y no lo habría incluido en la exposición si Lori no la hubiera obligado. Pero a la mujer de la cámara le gustaba el color y dijo que si Eve se colocaba delante, el fondo quedaría mejor y podrían captar a algunos visitantes en la toma, así como a una bonita planta en una maceta que había junto a la ventana.

—Entonces —estaba diciendo el chico de catorce años—, ¿pinta a trozos, ya sabe, se centra primero en una parte pequeña y luego pasa a otra y así sucesivamente? ¿O lo pinta todo de golpe y luego lo va rellenando?

Eve veía a Ben apoyado contra la pared, con su copa de vino tinto. Estaba hablando con Lori, pero por la forma en que estaban sonriendo, sabía que estaban escuchando la entrevista manteniéndose a cierta distancia. Los muy cabrones...

—Bueno, supongo que el método cambia de un cuadro a otro

—respondió Eve—. En el caso de este, tenía una idea muy clara de las figuras que quería y de la forma en que las iba a relacionar entre ellas. Y luego te dejas llevar. E inevitablemente acaba pasando algo que cambia lo que tenías pensado, como una especie de accidente.

El muchacho se quedó perplejo.

—¿Se refiere a un accidente de coche?

—No, me refiero a algo que ocurre en el lienzo. Cometes un error y, de repente, al retirarte y mirarlo te parece que ofrece algo mejor de lo que habías planeado.

Se dio cuenta de que el muchacho no tenía la más mínima idea de lo que estaba hablando. Tal vez debiera empezar a hablar de baloncesto.

La galería estaba más tranquila ahora que la gente había empezado a salir poco a poco a Canyon Road. Había sido una gran fiesta, aunque Eve prácticamente no conocía a nadie. Sabía que Lori había estado trabajando duro en la confección de la lista de invitados, tratando de atraer a nuevos clientes para que no asistiese el grupo de amigos y parásitos de siempre que solo acudían por el Pinot Noir y los canapés. Con el objeto de disuadir a los gorrones, muchas de las galerías se negaban a servir algo más fuerte que el ponche en las inauguraciones de las exposiciones, pero Lori había conseguido que el vino no dejase de fluir sin por ello dejar de vender un montón de cuadros. Durante toda la noche, Eve la había visto corriendo de un lado a otro, pegando pequeños círculos adhesivos en los cuadros. Y bastantes de ellos eran rojos, lo que significaba que el dinero había cambiado de mano y que el acuerdo podía darse por cerrado. Las verdes, que abundaban más, indicaban que el cuadro estaba reservado durante una semana sin depósito, de modo que no merecía la pena entusiasmarse demasiado. Normalmente aquello quería decir que alguien había bebido demasiadas copas de vino y que al día siguiente se olvidaría de todo.

Afortunadamente, el chico de catorce años parecía haberse quedado sin preguntas. Hacía tiempo que Eve se había quedado sin respuestas.

—Muchas gracias —dijo él.

—De nada. Muchas gracias a vosotros por venir.

El chico y la cámara se alejaron sin rumbo para grabar más imágenes de los cuadros, y Eve se dirigió hacia Lori y Ben e hizo una mueca a medida que se aproximaba a ellos. Él le ofreció su copa de vino y ella la cogió y bebió un trago.

—Ha sido impresionante —dijo él.

—Chorradas. Con vosotros dos aquí riéndoos, no era capaz de conectar ni dos ideas.

—Él tampoco, así que hacíais una pareja perfecta.

La rodeó con el brazo y la besó en la mejilla. Lori se inclinó hacia ella.

—Hemos vendido un montón de cuadros —dijo, en un susurro cómplice—. ¿Lo has visto? Veintitrés, quizá veinticuatro. Fantástico.

—Y Lori dice que esta vez solo se quedará el cinco por ciento —dijo Ben.

—En tus sueños, amigo.

Se echaron a reír. Entonces Lori dijo que tenía que ir a ayudar a Barbara, su ayudante, que estaba en el escritorio del vestíbulo, recibiendo el dinero de los depósitos y encargándose del papeleo. Eve alzó la vista hacia Ben. Estaba muy guapo con su camisa negra de lino y sus pantalones de algodón blancos. Todavía la tenía rodeada con el brazo y entonces le dio un pequeño apretón.

—Estoy muy orgulloso de ti —dijo.

—Oh, venga ya.

—Deberías haber oído algunas de las cosas que decía la gente. Estaban alucinados.

—¿De verdad?

—Sí, decían que era el mejor Pinot Noir que habían probado en una inauguración.

Eve le pellizcó en el brazo.

—No, en serio. Todo el mundo estaba asombrado. Podrías haber vendido esos dos ángeles lobo veinte veces. ¿Te acuerdas de la mujer de Los Ángeles del vestido rojo y los pendientes? Se los ha quedado mirando unos diez minutos. Le ha faltado poco para echarse a llorar.

—Puede que eso no sea bueno.

—Lo es. Le ha encantado. Estaba teniendo un momento de catarsis.

Eve sonrió, estiró los brazos y lo besó.

—Te quiero —dijo en voz baja.

Habían cenado en El Farol con Lori y su último novio, Robert, quien trabajaba en una instalación militar de alta tecnología en San Diego y tenía que ir a menudo a Los Álamos para asistir a unas reuniones de tan alto secreto que apenas le permitían hablar de ellas consigo mismo. Era un hombre delgado y menudo con gafas de montura dorada y la cara puntiaguda. Tenía la costumbre de bombardear a su interlocutor con datos que resultaban bastante interesantes, pero que no desembocaban prácticamente nunca en una auténtica conversación. Ben le causaba una gran impresión.

—¿Sabéis cuántos seres humanos hay en el mundo? —preguntó Robert entre cucharada y cucharada de *crème brûlée*.

Todo el mundo lo había olvidado.

—Seis mil millones.

Hizo una pausa a la espera de alguna señal de reconocimiento.

—¿Sabéis cuántos pájaros hay?

Nadie lo sabía.

—Cien mil millones.

Lo repitió por si alguien no lo había oído.

—¿Sabéis cuánta parte de la Tierra es terreno y cuánta agua?

—No —dijo Ben—. Pero me da la impresión de que lo vamos a saber dentro de poco.

Robert optó por pasar por alto aquel comentario. Eve cruzó una mirada con Ben e hizo un esfuerzo por no reírse.

—Un tercio es tierra y dos tercios agua. Eso nos da cuatrocientos cincuenta y cinco kilómetros cuadrados de tierra. Lo que significa...

Hizo una pausa en busca de cierto efecto dramático. Ben se inclinó hacia delante totalmente serio, como si estuviera fascinado, y presionó su rodilla contra la de ella, intentando hacerla reír.

—... dos coma cinco pájaros por cada cuarenta áreas.

Los tres hicieron todo lo posible por mostrarse asombrados y edificados.

—¿Dónde los encuentra Lori? —preguntó Ben más tarde, cuando subían por la colina en dirección al coche—. Quiero decir, ¿qué ha visto en ese tipo?

—Dice que es increíble en la cama.

—¿De verdad? Dios. ¿Le susurra al oído bonitos datos y cifras?

—Sí. Al parecer eso pone muy cachonda a la gente.

—¿Ah, sí?

—Desde luego.

—¿Sabías que Polinesia es casi el anagrama de «isla de pino»?

Ella soltó un gemido leve.

—Solo falta una de...

—Basta, basta.

Siguieron caminando un rato, mientras el ruido de sus pisadas resonaba contra las paredes de adobe y Ben la rodeaba con el brazo cariñosamente. Hacía una noche clara y la temperatura había bajado; el otoño estaba dando paso gradualmente al invierno. Dios, pensó Eve, llevaban juntos casi un año. Y habían pasado dos años, casi exactos, desde aquella noche en Nueva York, cuando vieron *Bésame, Kate* y cenaron juntos. A veces parecía un suspiro y otras toda una vida.

Ella nunca había esperado que su relación fuese sencilla. Desde el principio, incluso al conocerse, había sido consciente de que él tenía propensión a la tristeza. Y a veces se preguntaba si había sido aquel rasgo el que la había atraído. Aunque nunca le había ocurrido antes de forma consciente, sabía que era posible que una mujer confundiera el amor con la lástima y aceptara a un hombre con la esperanza de salvarlo. O ver a un hombre como una especie de desafío y convencerse a sí misma de que ella y nadie más que ella lo podía rescatar, cuidar y hacerlo feliz. Eve no creía que fuera esa clase de mujer; de hecho, rogaba a Dios que no fuera así. Pero ¿cómo podía una estar segura?

A decir verdad, Ben tampoco era esa clase de hombre. Y Eve prefería pensar que se había enamorado del hombre al que había vislumbrado tras aquella tristeza. El hombre que, día a día, Ben parecía más capaz de mostrar. Como la noche anterior, cuando había estado tan relajado, alegre y divertido. Cuando actuaba así, ella se convencía de que no había nadie en el mundo con quien deseara estar más que con él.

Pero había ocasiones en las que se preguntaba si conseguirían seguir adelante. Nunca había conocido a un hombre que fuese tan susceptible a la culpabilidad. Él era un especialista en la materia, un maestro del sentido de la culpa. Y el primer mes después de dejar a Sarah e irse a vivir a Kansas, durante el cual viajaba a Santa Fe a pasar una semana o dos cada vez, se estaba castigando tanto que Eve había estado a punto de pedirle que dejara de visitarla, al menos hasta que se hubiera aclarado. Parecía que tuviera un pozo sin fondo al que arrojase todo aquello de lo que pudiese culparse y cada día se regodease en ello.

No solo era por Sarah y los niños. Muchas veces era por su madre. El hecho de vivir con ella lo estaba volviendo loco. Se enfadaba con ella porque siempre estaba hablando de él y contando una y otra vez las cosas maravillosas que había hecho de joven, y Ben terminaba diciendo algo hiriente y luego se pasaba la semana siguiente sintiéndose culpable por ello. Incluso le irritaba que en menos que canta un gallo ella pareciera haber olvidado su primera reacción a la decisión de Ben de abandonar a Sarah y se hubiera dedicado a reescribir la historia. En una ocasión la había oído decir a una amiga por teléfono que él nunca había sido feliz con Sarah y que, en realidad, era un santo por haberla aguantado tanto.

Su principal fuente de culpabilidad era, naturalmente, Abbie. Eve recordaba haberlo consolado a principios de año diciéndole que era cuestión de tiempo y que al cabo de unos meses su hija empezaría a sentirse mejor y a comprender su actitud un poco más. Sin embargo, la cosas no parecían ir por buen camino, la hostilidad de la chica se había afianzado y se había vuelto más firme. Ben había vuelto de Missoula prácticamente destrozado. A Eve le habían entrado ganas de llamar a la chica por teléfono y decirle que madurase y que dejase de ser tan condenadamente egoísta, pero, por supuesto, no lo había hecho.

Desde entonces, Ben había intentado hacerse a la idea de que, al menos durante un futuro previsible, había perdido a su hija. Por lo menos había seguido el consejo de Eve y se había buscado un terapeuta. La única vez que había acudido a uno había sido después de que su padre muriera y, en esa ocación, solo le había hecho dos o tres visitas. Ella le había oído hablar despectivamente de lo que llamaba la «cultura de los loqueros». En general, decía que la gente solo debía «seguir con sus vidas». Pero era evidente que había llegado a la conclusión de que él no era capaz de ello y había buscado a un especialista de su agrado y ahora lo visitaba obedientemente dos veces por semana.

No le contaba a Eve gran cosa de sus sesiones, pero por lo visto solían centrarse en el hecho de que, en casi todos los aspectos de la vida, lo que uno se acostumbraba a hacer pronto se convertía en lo único de lo que era capaz. El dolor y la culpabilidad podían convertirse fácilmente en hábitos, al igual que hurgarse la nariz en el coche. La culpabilidad, según le había dicho el terapeuta, era el mecanismo natural para que uno reconsiderase o anulase algo que había hecho. Pero si uno estaba realmente seguro de que no quería anularlo, la culpabilidad actuaba como el matón de un colegio cuyo único interés fuera que uno se sintiera mal. El terapeuta había sugerido a Ben que cuando sintiese la tentación de sumirse en su pozo de culpabilidad, tal vez debiera detenerse al borde, echar un vistazo a su interior y decidir si ese día quería zambullirse en él.

De vez en cuando todavía se regodeaba en aquel sentimiento, pero ya no lo hacía a diario. Y a medida que transcurría el verano, Eve había apreciado cómo se relajaba y se animaba cada vez más. Pablo lo adoraba, y el sentimiento parecía mutuo. Ben tenía un don natural para tratar a los niños, y a Eve le encantaba oír cómo los dos hablaban y se reían, y disfrutaba viendo cómo hacían «cosas de chicos», pasándose un balón de fútbol americano, jugando a béisbol o fingiendo que eran luchadores de sumo.

Al comienzo, cuando Ben se había mudado allí, se había mostrado firme en su decisión de buscar un sitio para él solo y no había parado de visitar casas y apartamentos que nunca resultaban del todo adecuados. En un principio, ella no lo había desanimado. Hasta entonces, el máximo tiempo que habían pasado juntos había sido un par de semanas, y aunque todo había salido bien, en cierto modo el hecho de que él se mudase de forma permanente parecía una decisión demasiado prematura, demasiado importante. Pero era fácil convivir con Ben, probablemente porque tenía muchos años de experiencia. Y al poco tiempo, sin que ninguno dijese nada, los dos habían aceptado que iba a quedarse. Aun así, él había alquilado un pequeño apartamento en la misma calle de la casa de Eve y lo utilizaba ahora como despacho.

Eve tenía que conseguir que dejase de ser tan quisquilloso y escrupuloso. A Ben le gustaba que todo estuviese en su sitio, mientras que ella era más relajada y dejaba las cosas tiradas. Bueno, está bien, era descuidada. A veces lo sorprendía ordenando las cosas detrás de ella o comprobando que había cerrado la puerta del coche con llave (ella nunca se tomaba la molestia de hacerlo). En esas ocasiones, le lanzaba una mirada y él levantaba las manos y se disculpaba.

—¿Por qué tienes que cerrar la puerta con llave?

—La gente roba cosas.

—Hace diez años que no cierro una puerta con llave y nadie me ha robado nada.

—Eso es porque tienes mucha suerte.

Ella intentaba hacerle saber que lo que él veía como precaución y prudencia se podía interpretar como si esperase que ocurriese lo peor. Y si uno esperaba lo peor, curiosamente, siempre acababa ocurriendo.

—Ponme un ejemplo —dijo él.

—Dios, hay tantos.

—Solo uno.

—Vale. Hacer que Pablo lleve casco cuando monta en bicicleta.

—Por Dios, se podría caer.

—¿Ves a lo que me refiero?

—¿Me estás diciendo que al llevar casco es más fácil que se caiga?

—Sí, probablemente.

—Eve, sabes que eso es una chorrada.

—Puede que sí y puede que no. Pero los niños tienen que aprender. No los puedes proteger de todo. Como el otro día, cuando estaba trepando a un árbol y tú te pusiste tan nervioso por si se caía.

—Podría haberse roto el cuello.

—Una posibilidad remota.

Ben movió la cabeza con gesto de incredulidad. Ella se acercó y lo abrazó.

—Mira, cariño —dijo Eve—. Lo único que estoy diciendo es que si tienes pensamientos negativos, atraes las cosas negativas. Los pensamientos positivos tienen poder.

Él no dio su brazo a torcer, pero al menos aquello pareció hacerle reflexionar. Unos días más tarde, mencionó que Sarah lo había acusado de tener la manía de controlarlo todo. Preguntó a Eve si pensaba lo mismo y, cuando ella le dijo, de la forma más delicada posible, que así era, se pasó dos días enteros deprimido. Pero estaba mejorando y se estaba esforzando de verdad.

Eve sabía que Ben echaba de menos a sus amigos y que se sentía dolido y rechazado por aquellos que, a los ojos de él, se habían aliado ciegamente con Sarah, lanzándose a juzgar sin ni siquiera intentar escuchar la otra versión de la historia. Pero la actitud que más le molestaba era la de Martin, quien había sido su socio y su mejor amigo. Después de hablar con Josh en cabo Cod, Ben había ido a recoger los cuadros que habían encargado a Eve para el bloque de oficinas de Cold Spring Harbor. Martin se había negado a colgarlos y se habían quedado acumulando polvo en el garaje de ICA. Había hecho esperar veinte minutos a Ben en la recepción, y luego se había mostrado frío y brusco y lo había tratado casi como a un extraño.

En otro tiempo, un menosprecio de ese calibre lo habría tenido preocupado toda una semana, ahora rara vez le dedicaba más de un día. Eve se imaginaba el esfuerzo que aquello debía de suponer para un hombre que durante toda su vida se había preocupado excesivamente por la opinión que los demás tenían de él. Ahora, incluso cuando enviaba un correo electrónico a Abbie, como hacía prácticamente todos los días, o la llamaba y le dejaba un mensaje sin que ella le contestase nunca, Ben se negaba a dejar que aquello lo arrastrase al pozo.

Habían llegado a casa. Aparcaron el coche y atravesaron la pequeña entrada de adobe con forma de arco, con su puerta chirriante de madera de pino descolorida, y entraron en el jardín. No soplaba ni una brizna de viento, y las campanas que colgaban del cerezo no emitían ningún sonido. Todavía había rosas amarillas a lo largo de la barandilla del porche situado junto a la puerta de la cocina, y Eve cogió una al pasar y se la llevó a la nariz. Los pétalos tenían una consistencia quebradiza debido a la escarcha, pero aún se percibía un rastro de su aroma. Le ofreció la flor a Ben.

María, la niñera, estaba dormida en el sofá con la televisión encendida, y Eve tuvo que posar una mano en el hombro de la chica para despertarla. Ben se había olvidado de coger el móvil y lo había dejado en el dormitorio, y María dijo que había sonado varias veces, pero que no le había parecido oportuno responder. Le pagaron y la chica se marchó a su casa. Mientras Eve iba a ver a Pablo, Ben se dirigió al dormitorio a escuchar el buzón de voz.

Había tres mensajes, de una urgencia cada vez mayor, y todos eran de Sarah. Preguntaba si él podía llamarla. Era importante. ¿Dónde demonios se metía?

Sarah había creído que alguien le estaba gastando una broma. Jeffrey siempre la estaba llamando y poniendo voces graciosas, haciéndose pasar por los bomberos, por algún escritor famoso e irascible o por el servicio de gigolós del condado de Nassau para ofrecerle un fin de semana especial. De modo que cuando sonó el teléfono y el hombre que había al otro lado de la línea se presentó como el agente especial Frank Lieberg del FBI, inmediatamente dijo: «Sí, claro, y yo soy J. Edgar Hoover. Estás despedido, amigo». Hubo una pausa y a continuación el hombre preguntó, esta vez en un tono más confidencial, si realmente estaba hablando con la señora Sarah Cooper, y fue entonces cuando se imaginó que no debía de tratarse de una broma.

—Perdone —dijo—. Sí, soy yo... no se ha equivocado.

—Señora Cooper, ¿es usted la madre de Abigail Cooper, estudiante de segundo año de la Universidad de Montana?

Fue como si sonase una campana. Se sintió como si de repente se hubiera quedado sin aire en los pulmones. Consiguió contestar afirmativamente en voz baja.

El agente Lieberg le preguntó si sabía dónde se encontraba Abbie, y Sarah dijo que, naturalmente, estaba en la universidad y le pidió que le explicase qué pasaba. Se hallaba de pie en la cocina y había estado preparándose la cena. Las rodillas le habían empezado a flaquear de tal forma que tuvo que apoyarse en la encimera. En la televisión situada al otro lado de la habitación, Al Gore estaba besando a su mujer y saludando con la mano a una multitud de Florida que no paraba de vitorearlo.

Hacía más de una semana que no hablaba con Abbie ni recibía un correo electrónico suyo, pero en aquellos días aquella era la tónica general. En realidad, Sarah había intentado hablar con ella por teléfono. Como siempre, había saltado el contestador y le había dejado otro mensaje alegre e informal en el que le pedía que la llamara, aunque procurando no hacerla sentir culpable.

—Señora Cooper, la llamo desde nuestra oficina de Denver. Preferiría que este asunto se tratase cara a cara. Me gustaría que unos colegas de Nueva York pasasen a visitarla. ¿Le viene bien?

—Supongo que sí. Pero ¿de qué se trata? ¿Le ha pasado algo a Abbie?

—Señora Cooper...

—Escuche, no puede llamar de repente y no decirme...

—Mis colegas le dirán cuanto puedan. Por el momento, lo

único que puedo decirle es que necesitamos hablar urgentemente con Abigail...

—Abbie.

—Para hacerle unas preguntas relacionadas con un incidente que tuvo lugar el pasado fin de semana en Denver.

—¿En Denver? ¿Qué clase de incidente? ¿Ella está bien?

—Por ahora no tenemos motivos para pensar lo contrario. Estamos teniendo dificultades para ponernos en contacto con ella. Señora Cooper, ¿se encuentra en este momento con usted el padre de Abbie?

—Ya no vive aquí. ¿Qué clase de incidente?

Él no estaba dispuesto a contarle nada más. Dijo que sus colegas llegarían al cabo de una hora. Quería saber si entonces iba a haber alguien con ella, y Sarah le dijo que para entonces su hijo estaría en casa.

Sarah llamó de inmediato a Josh al móvil y le pidió que fuera a casa rápidamente; a continuación hizo la primera llamada a Benjamin, pero se activó el maldito buzón de voz. Probó con Abbie y obtuvo el mismo resultado. Se conectó a internet y buscó los sucesos que habían tenido lugar en Denver el fin de semana anterior. Pero no disponía de suficiente información para restringir la búsqueda y no encontró nada que le resultase familiar.

Los dos agentes del FBI se presentaron poco antes de las ocho. Salvo por la falta de sombreros, podrían haber salido de un departamento de casting. Trajes oscuros, corbatas, pelo cortado a la moda... No querían nada de beber e incluso les costó sentarse a la mesa de la cocina. Josh y Sarah se colocaron enfrente de ellos y escucharon. Y mientras ella oía lo que los agentes tenían que decir, fue como si su corazón extrajese toda la sangre de sus venas y la sustituyese por terror líquido. Tenía la mesa agarrada con fuerza y los nudillos blancos. Josh posó una mano en su antebrazo con delicadeza y la dejó allí.

Un joven había sido asesinado de un disparo en el pecho y la casa de su padre había sido reducida a cenizas. Dos personas habían sido vistas en una furgoneta gris que más tarde había aparecido incendiada. Un hombre que había intentado detenerlos se encontraba en coma con graves lesiones en la cabeza. Un perro había caído de la furgoneta y había sufrido tales heridas que más tarde había sido sacrificado. Llevaba un microchip de un veterinario implantado en la nuca. En el chip figuraban el nombre, la dirección y el número de teléfono de su propietaria: una tal Abigail Cooper de Missoula, Montana. Abbie no había asistido a clase, ni había pasado por su apartamento, ni había sido vista por nadie en el campus o en la ciudad desde hacía diez días.

Le preguntaron por las ideas políticas de Abbie y si Sarah tenía conocimiento de que fuera miembro de algún grupo ecologista radical. Lo único que Sarah pudo decirles es que pertenecía a Greenpeace, un dato que por algún motivo les hizo sonreír. Los agentes dijeron que se referían a grupos más extremos como el Frente de Liberación de la Tierra, del que Sarah no había oído hablar nunca.

Lo cierto era que si Abbie solía hablar constantemente de todas sus actividades ecologistas, de los encuentros a los que asistía y de las campañas en las que participaba, últimamente no lo hacía. De hecho, en verano, a Sarah le había dado la impresión de que ahora lo consideraba una pérdida de tiempo. «Como cambiar de sitio los muebles del *Titanic*», recordaba haberle oído decir. Su instinto maternal le dijo que tal vez no fuera prudente mencionar aquello.

Los dos agentes preguntaron si podían ver la habitación de Abbie. Sarah estaba tan aturdida por todo lo que había oído, que los acompañó hasta el piso de arriba sin rechistar. Se quedó en la puerta mirando mientras ellos echaban un vistazo alrededor. Con sus pósteres, sus fotos y sus adornos, sus trofeos y sus peluches, el cuarto casi parecía un altar. Le preguntaron si le importaba que cogieran unos pelos del cepillo de Abbie que reposaba en el tocador. Los agentes dijeron con delicadeza que aquello podía ayudarles a descartar a su hija de la investigación. También querían fotos recientes de ella. Sarah no vio motivos para negarse.

Cuando Benjamin llamó, ella estaba en la cama. Se había tomado un somnífero, pero no le había hecho efecto, ni siquiera con el whisky que se había tomado antes de subir al dormitorio, de modo que había vuelto a encender la luz y estaba intentando leer. Pero no paraba de pensar. Había leído el mismo párrafo cinco veces. Aparte de Benjamin, la única persona a la que había llamado era a Iris. No quería que nadie más lo supiera. Iris la había consolado diciéndole que probablemente todo fuera una terrible confusión o un malentendido. Se había ofrecido a tomar un avión por la mañana para visitarla, pero Sarah la había disuadido. Le había prometido que volvería a llamarla en cuanto tuviera noticias. Cuando oyó la voz de Benjamin, algo estalló dentro de ella.

—¿Dónde demonios has estado? —chilló—. Llevo toda la noche intentando ponerme en contacto contigo.

—Lo siento, yo...

—¡Dios, me he estado volviendo loca!

—¿Qué pasa?

Se sintió mal por echarle semejante rapapolvo, ¿qué culpa tenía él? Pero no podía evitarlo. Habían pasado semanas desde la última vez que habían hablado e incluso entonces había sido con motivo del divorcio, para tratar un nuevo asunto que él y sus abogados estaban intentando conseguir. Por supuesto, cada vez que ella intentaba enfrentarse con Ben, la culpa siempre era de los abogados, nunca de él. Le relató la visita de los agentes del FBI y todo lo que habían dicho. Él escuchó en un silencio solemne, haciéndole preguntas de vez en cuando para que le aclarase detalles que no había entendido.

—Lo primero que haré será ir allí —dijo él una vez que Sarah hubo terminado.

—¿Adónde? ¿A Denver?

—A Missoula. Tenemos que encontrarla. Allí debe de haber alguien que sepa dónde anda. ¿Estás bien?

Ella tragó saliva al tiempo que los ojos se le llenaban de lágrimas.

—¿Sarah?

—¿Tú qué crees?

—¿Por qué no vienes tú también? Podemos reunirnos en Missoula.

—¿Y Josh? No puedo dejarlo aquí.

—Está bien, tal vez pase primero por Nueva York.

—¡Benjamin, no seas ridículo! ¿De qué demonios serviría eso?

—De acuerdo. No iré.

Él se sintió avergonzado. Sarah se lo podía imaginar al otro lado del teléfono, con cara de tristeza. Entonces un pensamiento la asaltó penetrando en su cabeza como un cuchillo y no pudo evitar expresarlo en voz alta.

—¿Está escuchando ella todo esto?

Por un momento se hizo el silencio. Parecía que él no entendiese a quién se refería o que estuviera fingiendo no saberlo. Probablemente los dos estaban juntos en la cama.

—¿Y bien? ¿Está escuchando?

—No, Sarah —dijo él con voz de cansancio—. No está escuchando.

21

El joven policía apartó la cinta de plástico colocada al pie de la escalera en la que se leía PROHIBIDO PASAR y se hizo a un lado para que ellos pasaran. El agente Jack Andrews lo saludó con la cabeza y le dio las gracias; luego condujo a Ben por la destartalada escalera de incendios hasta el pequeño rellano metálico que había en el exterior de la puerta del apartamento. Tenía un panel de cristal roto y un visillo sucio detrás. El agente Andrews abrió la puerta con llave y entró primero.

El apartamento era estrecho y dentro hacía frío y olía a humedad. La única concesión al lujo eran unas cortinas de terciopelo rojo excesivamente largas. En el suelo había un cuenco con comida para perro.

—La vida del estudiante, ¿eh? —dijo Andrews.

Ben se encogió de hombros, asintió e intentó sonreír.

—¿Así que usted no había estado aquí?

—No. La última vez que vine ella vivía en una casa de la Cuarta. Eso fue en primavera.

—Ya hemos estado allí. De modo que no la veía a menudo.

—Desde que su madre y yo nos separamos ella no ha estado muy... No, no la veía muy a menudo. ¿El piso estaba así la primera vez que vinieron ustedes?

—Nos hemos llevado algunas cosas para examinarlas. Un ordenador, papeles, fotografías y otras cosas. Todo lo demás se encuentra más o menos como estaba.

—¿Tienen permiso para hacerlo? Quiero decir...

—Sí, señor. Lo tenemos.

Antes, en su despacho del edificio del FBI, al otro lado del río, ya le había hablado a Ben de los otros incidentes: los incendios provocados en los que habían aparecido grafitos parecidos en las paredes. Habían tenido lugar en tres estados distintos, uno de los motivos por los cuales el FBI había intervenido en el caso. El otro motivo era que claramente se trataba de actos de terrorismo.

Ben se había reído al oírlo. ¿Terrorismo? ¿Sacramento, Reno, Portland? La idea de que Abbie recorriese el oeste a toda velocidad provocando incendios resultaba demasiado absurda para expresarla con palabras. Y en cuanto al incidente de Denver... Por Dios. Andrews había sonreído en actitud compasiva y había bajado la vista en dirección a sus notas. Luego le había preguntado por su novio, el joven que se hacía llamar Rolf. Quería saber si Ben lo había conocido o había hablado con él, y Ben había contestado que ni él ni Sarah lo habían visto nunca.

Habían obtenido el registro telefónico del móvil de Abbie y estaban repasando concienzudamente todas las llamadas que ella había realizado o que había recibido desde que lo tenía. Andrews dijo que habían encontrado algunas llamadas realizadas desde un número de Sheridan, Wyoming; concretamente desde la casa de un tal Ray Hawkins. ¿Le decía algo a Ben aquel nombre?

—Debe de ser Ty. Si mal no recuerdo, su padre se llama Ray. Ty y Abbie estuvieron juntos un tiempo. Aunque no sé si últimamente seguían juntos. Mi mujer sabrá más sobre el tema.

Ben se puso a caminar por el apartamento sin saber lo que estaba buscando o por qué le habían pedido que visitase aquel lugar. Pero estaba claro que tenía que hacer algo. El móvil de Andrews sonó y el agente lo cogió y salió por la puerta para contestar. Lo único que Ben pudo oír fue que repetía varias veces «Sí», «Está bien» y «De acuerdo», y luego el hombre regresó a la habitación mientras volvía a guardarse el teléfono en el bolsillo.

—Señor Cooper, tengo que informarle de que esta mañana nuestra oficina de Denver ha dado a conocer el nombre y la fotografía de su hija a los medios de comunicación. No sabía que fuese a ocurrir tan pronto.

—¡Santo Dios!

En ese momento el policía apareció en la puerta.

—¿Señor?

Andrews se acercó a él y el policía le dijo algo en voz baja.

—De acuerdo, gracias.

El policía bajó por la escalera. Andrews volvió con Ben.

—Será mejor que nos pongamos en marcha. Un equipo de televisión viene de camino.

—¿Qué? Dios mío.

—Tenemos que irnos.

Pero era demasiado tarde. Cuando bajaban por la escalera, una camioneta y una furgoneta con una especie de antena en el techo estaban aparcando en la calle. Las puertas se abrieron y un grupo de personas salió en tropel provistos de cámaras y micrófonos. El policía extendió los brazos para intentar refrenarlos, pero era demasiado trabajo para un solo hombre.

—¿Señor Cooper? ¿Señor Cooper? ¿Podemos hablar un momento, por favor, señor Cooper?

Andrews trató de protegerlo mientras se dirigían hacia el coche.

—Por favor, damas y caballeros —dijo—. Si son tan amables de dejarnos pasar... Gracias, muchas gracias.

Pero no sirvió de nada.

—¿Tiene noticias de Abbie, señor Cooper?

—Caballeros —dijo Andrews—. El señor Cooper seguramente ofrecerá un comunicado más adelante. Ahora no está en situación...

Ya estaban en el coche. Andrews estaba abriendo la puerta del lado del pasajero para que Ben entrara, pero todos los reporteros estaban apiñándose en torno a él y empujándolo. Ben consiguió sentarse en el asiento, pero no se agachó lo suficiente y se dio un golpe en la cabeza. Andrews estaba intentando cerrar la puerta, pero el reportero tenía el micrófono metido debajo de la nariz de Ben.

—Señor Cooper, ¿cometió Abbie el asesinato?

—¿Usted qué demonios cree? —gritó Ben—. ¡Por supuesto que no!

La puerta se cerró de golpe y Ben bajó el seguro y procuró no mirar a la cámara ni las caras que seguían haciendo preguntas mudas a través del cristal. Se sentía como un criminal. Andrews estaba en el asiento del conductor y arrancó el motor.

—Lo siento mucho.

Ben estaba demasiado conmocionado para hablar. Se limitó a mover la cabeza con gesto de incredulidad.

—El caso, señor Cooper, es que no la hemos visto mucho últimamente —dijo Mel—. Desde que ella y Rolf empezaron a verse, andaban juntos los dos solos.

Estaban sentados en una esquina de un bullicioso restaurante llamado The Depot, cerca de la vía del tren. En las paredes había cuadros del Oeste, aunque estaban pintados con ironía y lucían chillones colores fluorescentes rosa, morado y verde lima. La música estaba alta, pero al menos así podían hablar sin ser oídos. Mel estaba situada frente a él al otro lado de la mesa con su novio Scott, mientras que Ben se hallaba junto al tipo mayor de la barba al que le habían presentado como Hacker, aunque por lo visto no era su nombre real. Todos habían pedido filetes, los más grandes que Ben había visto en su vida, y para entonces los tres habían dado buena cuenta de ellos. Ben apenas había tocado el suyo. No tenía hambre.

Había sido Mel la que había aceptado hablar con él y, al llegar allí —tarde, tras otra larga y devastadora conversación con Sarah— a Ben le había sorprendido encontrar a los demás esperando con ella. Cuando él la había llamado por la tarde, después de que la pesadilla de los medios de comunicación se hubiera calmado por fin, Mel había manifestado su recelo. Quizá Abbie le había hablado mal de él. O quizá simplemente estaba afectada, como todo el mundo, por lo que estaba ocurriendo. Al principio se había mostrado reacia a citarse con él, pero finalmente había accedido. Indudablemente, había reclutado a Scott y a Hacker como apoyo moral. Sin embargo, para entonces todo el mundo se sentía un poco más relajado.

—¿Puedes hablarme de Rolf? —preguntó Ben—. Lo único que sabemos es que ella lo conoció en Seattle.

—¿Sabe, señor Cooper? —dijo Mel—. Apenas llegamos a conocerlo. Lo saludamos un par de veces. Eso es todo.

—¿Está estudiando aquí o a qué se dedica?

Mel lanzó una mirada a Scott con cierto nerviosismo y a continuación los dos miraron a Hacker, como si fuera él quien tuviera que contestar. Hacker se aclaró la garganta.

—No. Él hizo correr el rumor de que estaba haciendo un doctorado en Washington. Pero no es cierto. Conozco a mucha gente allí y nadie ha oído hablar de él. Estuvo viviendo un tiempo en Seattle en una casa okupa con otras personas. Allí es donde fuimos a recoger a Abbie después de que resultara herida en la manifestación. He pedido a un amigo que eche un vistazo al lugar, pero allí ya no queda nadie.

Bebió un trago de su cerveza y prosiguió.

—Para serle sincero, no creo que su verdadero nombre sea Rolf.

—¿Por qué?

—Señor Cooper, hace unos cuantos años que estoy involucrado en actividades medioambientales. Tengo fama de utilizar la llave inglesa de vez en cuando.

—¿La llave inglesa?

Los tres sonrieron entre ellos.

—¿No ha leído *The Monkey Wrench Gang*, de Edward Abbey?

—No, la verdad es que no. Pero sé a lo que te refieres. Poner clavos en los árboles y esa clase de cosas.

Hacker se hizo el sorprendido.

—¡Dios me libre! Sí, esa clase de cosas. El caso es que se llega a conocer a cierto tipo de gente. Hay una especie de red. Y de vez en cuando aparece algún tipo que tiene sus propias prioridades, ya sabe a qué me refiero. Entonces corre la voz.

Ben no sabía de qué estaba hablando Hacker y su cara debía de reflejarlo. Parecía que estuviera intentando decirle algo sin tener que expresarlo claramente. Hacker miró a Scott y a Mel. Scott asintió con la cabeza, y Hacker se inclinó hacia delante para acercarse a Ben y continuó.

—Hace unos años se produjeron unos sucesos bastante feos. Algunos en Oregón, pero la mayoría en el norte de California. Cartas bomba, explosivos caseros, esa clase de cosas. La mayoría de objetivos eran agencias federales, el Departamento de Administración de Fincas, el Servicio Forestal, compañías madereras y mineras. No hubo muertos, pero bastantes personas resultaron heridas. A un alto ejecutivo de una empresa maderera le volaron el brazo. El caso es que por aquella época había un tipo que muchos amigos sospechaban que estaba implicado. Con un ligero acento europeo, alemán, tal vez suizo. Alto y delgado, con cierto atractivo. Se hacía llamar Michael Kruger o Kramer, algo así. Con el tiempo acabaron arrestando a tres o cuatro personas que fueron a la cárcel por mucho tiempo. Pero él desapareció.

—¿Crees que esa persona es Rolf?

Hacker levantó las manos.

—No lo sé. Puede que sí, puede que no.

—¿Le has contado esto a alguien?

Hacker se echó a reír.

—¿Se refiere a los polis? No, señor.

—¿Te importa si lo hago yo?

Hacker se recostó, cogió su cerveza y sonrió irónicamente.

—Imagino que ya lo saben todo.

Ben le preguntó a qué se refería, pero Hacker se negó a dar más detalles. Se limitó a preguntar a Ben si el FBI pensaba hacer públicos la fotografía y los detalles sobre Rolf como habían hecho con Abbie. Ben solo pudo repetir lo que Andrews le había dicho: que todavía no disponían de datos lo suficientemente sólidos sobre la identidad de la otra persona implicada para seguir adelante. Hacker se rió con escepticismo.

—Sí, claro —dijo. Y terminó su cerveza.

Cuando se despidieron en la calle después de salir del restaurante, Mel le estrechó la mano y dijo que estaba segura de que Abbie no había cometido ninguna estupidez y que todo iba a ir bien. Ben sonrió y dijo que sabía que así sería. Ella le dio un beso en la mejilla, se giró enérgicamente y se marchó con los demás. Fue lo mejor que podía haber hecho pues, por alguna razón, aquel pequeño gesto afectuoso hizo que a Ben se le inundaran los ojos de lágrimas y estuvo llorando durante todo el camino de vuelta al hotel.

Sarah le había dicho que la llamara después de la cita, fuera la hora que fuese. De modo que una vez en la habitación, iluminada únicamente por la lámpara de noche y el parpadeante fulgor azul de la televisión sin sonido, marcó el número de teléfono que antaño había sido el suyo. Pero sonó el contestador automático. La voz que se oía seguía siendo la de Abbie, que había sido grabada hacía dos años como mínimo.

«Hola, has llamado a la casa de los Cooper. Ahora mismo todos estamos muy ocupados y enfrascados en cosas importantes para hablar contigo, pero si dejas un mensaje ingenioso y enrollado, te volveremos a llamar. ¡Adiós!»

—¿Sarah?

Pensó que debería colgar, pero no lo hizo. Dejó un breve mensaje y luego decidió probar a llamarla al móvil.

—¿Benjamin?

—Hola. He llamado al número de casa.

—Estamos en casa de Martin y Beth.

—¿Joshie está contigo?

—Sí. Hemos tenido que marcharnos. La casa está asediada por los reporteros y los equipos de televisión. Hemos tenido que salir a escondidas por la parte de atrás. Ha sido una pesadilla.

Parecía aturdida, frágil, con los nervios a flor de piel.

—En las noticias han dicho que la buscan por asesinato. —Entonces su voz se quebró—. Oh, Benjamin...

—Cariño.

Sarah estaba sollozando. Él casi no podía soportar oírla.

—Oh, cariño.

—Por favor, ven. Por favor.

Era una de esas tardes perfectas de otoño, clara, cálida y tranquila, en que todo se halla inundado de luz cálida. Los arces del jardín trasero de los Ingram ofrecían un despliegue de color ámbar y rojo, con sus sombras alargadas proyectadas a través del césped. Sarah los había estado mirando durante cinco minutos enteros. Se encontraba en el porche, apoyada contra la pared, junto a las puertas abiertas que daban a la cocina, fumando otro cigarrillo. Se le estaba yendo de las manos. Ese día había fumado medio paquete. Iba a dejarlo. Al día siguiente, quizá.

—¿Sarah?

Beth estaba en la puerta. Se había tomado el día libre para estar con ella.

Sarah entró detrás de ella y se dirigió a la entrada pasando por la cocina. A continuación, recorrió el suelo pulido de madera y el triángulo alargado de luz que se derramaba sobre él a través de la ventana situada en mitad de la escalera. Beth abrió la puerta y salió al exterior resplandeciente, mientras el taxi se alejaba por el camino de entrada. Benjamin estaba allí, con su larga gabardina color piedra, y dejó su bolso en el suelo para que Beth pudiera darle un abrazo. Sarah se quedó en la puerta, protegiéndose los ojos de la luz del sol, y observó cómo se dirigía hacia ella. Ben tenía ojos de cansancio y estaba dedicándole una sonrisa hermosa, valiente y triste. Oh, Dios, pensó Sarah. ¿Cómo era posible que ya no estuviera con ella en un momento como aquel, cuando su mundo se había tambaleado?

Ben abrió los brazos y ella se aferró a él como si lo hiciera a la vida misma, y rompió a llorar mientras sus hombros y todo su cuerpo se estremecían. Él le puso las manos en la nuca, la estrechó contra su pecho y le acarició el pelo como solía hacer. Y cuando finalmente ella pudo alzar la vista hacia él, la besó en la frente y le enjugó las lágrimas dulcemente con los dedos, sin que ninguno de los dos pronunciara palabra.

Beth estaba mirándolos, secándose también las lágrimas. Los

dos la siguieron hasta la casa rodeándose mutuamente con los brazos y en la entrada volvieron a abrazarse.

—Hueles a avión —dijo ella.

—Es mi nueva colonia: queroseno para hombre.

—Oh, Benjamin. Dime que esto no está pasando.

—¿Está aquí Joshie?

—Se ha empeñado en ir a clase.

—¿Los reporteros siguen fuera de casa?

—He pasado con el coche por delante a las dos de la tarde —dijo Beth—. Todavía había un par de ellos. Alan dice que cuando hagáis el comunicado probablemente os dejen en paz.

Beth los había puesto en contacto con un abogado amigo de la familia llamado Alan Hersh, especializado en casos destacados que despertaban un gran interés por parte de los medios de comunicación. Había estado colaborando con la policía en nombre de ellos. El plan era que diesen una rueda de prensa a la mañana siguiente en la que aparecerían Benjamin y Sarah, en ella leerían un comunicado aprobado por ambos. Hersh también quería que Josh estuviera presente. A Sarah le horrorizaba la idea.

Entraron en la cocina y Beth les hizo sentarse y les sirvió una copa de vino a cada uno, y aunque todavía no eran ni siquiera las seis, los dos opusieron únicamente una resistencia simbólica. Benjamin preguntó por los hijos de los Ingram, quienes estaban en la universidad. Beth dijo que les iba muy bien. Al poco rato se quedaron sin temas de conversación.

—¿Te has enterado de que hoy han detenido a Ty? —preguntó Sarah.

—¿Que han hecho qué?

—Su madre me ha llamado. Estaba destrozada. El padre del chico que recibió el disparo en Denver es el dueño de la empresa que ha estado sacando gas en su rancho. Han tenido muchos problemas con él. Por lo visto, ha arruinado todo el lugar. La policía sabe lo de Ty y Abbie y está al tanto de todas las llamadas que él le hizo al móvil. Al parecer, creen que puede estar implicado de alguna manera, incluso que él era la otra persona que iba en la furgoneta con Abbie.

—¿Ty? —dijo Benjamin—. Imposible.

—Es lo que yo digo. Pero ellos dicen que tiene un móvil.

Sarah también le comunicó que esa misma tarde Hersh le había dicho que tuviera cuidado con lo que decía en sus conversaciones telefónicas y correos electrónicos, que había «muchas posibilidades» de que estuvieran siendo intervenidos para comprobar si Abbie intentaba ponerse en contacto con ellos. Además, le había explicado que la cuenta bancaria y las tarjetas de crédito de Abbie ya debían de haber sido canceladas. Y las cuentas de Benjamin y Sarah sin duda también serían controladas por si intentaban enviarle dinero.

—No podrán hacer eso, ¿no? —dijo Benjamin.

—Él ha dicho que lo mejor es que demos por sentado que vamos a estar vigilados.

—¿Qué? ¿Vayamos a donde vayamos? ¿Vamos a tener siempre a alguien siguiéndonos la pista? ¿Y Joshie también? ¿En el instituto?

Sarah se encogió de hombros. Benjamin movió la cabeza con gesto de disgusto.

—No me lo puedo creer. Beth, ¿tú te lo crees?

—Tal vez yo haya visto demasiadas películas.

Josh llegó del instituto y Benjamin se levantó y le dio un largo abrazo. Luego Martin llegó a casa y los cinco cenaron y trataron de hablar de otras cosas, pero todo parecía un tanto falso. Martin y Benjamin no hablaban desde hacía mucho tiempo, y aunque ambos hicieron un esfuerzo, era evidente que todavía existía un resto de recelo mutuo.

El teléfono no paraba de sonar. El FBI y Alan Hersh querían ultimar los detalles para la rueda de prensa y les enviaron un borrador del comunicado. Sarah, Benjamin y Beth entraron en el estudio y se situaron alrededor de Martin y su ordenador, y después de rehacerlo se lo mandaron de vuelta por correo electrónico. Básicamente, decía lo maravillosa que era Abbie, lo orgullosos que estaban de ella y lo convencidos que estaban de su inocencia. Terminaba con un llamamiento directo a ella para que se entregase y ayudase a aclarar las cosas.

«Te queremos, cielo —concluía—. Por favor, vuelve a casa.»

—¿Te das cuenta de que la tienes que leer tú? —dijo Benjamin.

—No puedo.

—Cariño, yo estaré a tu lado. Y Joshie, también. Sabes que yo lo haría, pero del modo en que han ido las cosas entre Abbie y yo, creo que necesitara oír esas palabras de tu boca.

Sarah se mostró reacia durante un rato, pero sabía que él tenía razón. Tendría que encontrar la fuerza de alguna manera.

La casa de los Ingram tenía un edificio anexo para los invitados que sobresalía en el jardín trasero con un toque típicamente martinesco. Tenía su propio porche y tres habitaciones dobles, cada una con su propio cuarto de baño. La distribución sacó a Beth del apuro de tener que plantear quién iba a dormir en cada habitación. Sarah y Josh habían dormido la noche anterior en un cuarto cada uno, y Ben ya había dejado su maleta en el tercero. Después de ver las noticias de última hora en la televisión —en las que, gracias a Dios, no se hizo ninguna mención a Abbie ni al asesinato—, los Ingram les desearon buenas noches y se retiraron, y los Cooper subieron arriba para dirigirse al edificio anexo.

Los tres se quedaron sentados un rato en la cama de Sarah y estuvieron hablando. Josh les habló del vídeo que él, Freddie y otros chicos del curso superior estaban haciendo en el instituto. Luego se levantó y les deseó buenas noches, y se fue a su habitación. Benjamin pareció interpretar aquello como la señal de que él también debía marcharse. Ahora que se habían quedado los dos solos, de repente parecía incómodo, y se levantó y se desperezó. El día siguiente iba a ser largo y duro, dijo. Y después de inclinarse y besarla en la mejilla, se dirigió a la puerta.

—No te vayas —dijo Sarah en voz baja.

Él se giró y la miró.

—Duerme aquí. Por favor. Necesito que estés conmigo. Solo esta noche.

Él cerró la puerta y volvió a la cama. Se sentó junto a ella, la rodeó con los brazos y la abrazó con fuerza.

Se desvistieron con discreción, como dos desconocidos. Resultaba extraño ver su bolsa de aseo al lado de la de Sarah en el cuarto de baño y todas las cosas que ella reconocía pero que ya no pertenecían a su vida. Su maquinilla de afeitar, el pequeño estuche de manicura de piel rojo que ella le había regalado, el desodorante que siempre usaba... Cuando Sarah salió del cuarto de baño, él ya había apagado las luces. Se metió en la cama a su lado y durante un largo rato los dos permanecieron tumbados, mirando el techo por separado y las figuras y sombras de la habitación que poco a poco se iban destacando.

—Te echo de menos, Benjamin. Mucho.

—Oh, cariño.

—Me las arreglo sin ti de un día a otro. Pero es como si...

Tuvo que tragar saliva. «No llores —se dijo—, no llores.»

—... como si ya solo quedara una mitad de mí. La otra ha desaparecido.

Él se dio la vuelta hacia ella y la rodeó con el brazo. Y como era de esperar, al notar su roce, Sarah no pudo reprimir las lágrimas.

—Te quiero, Benjamin.

Probablemente más tarde él pensaría que lo había planeado todo. Pero no era así. No había ningún plan. Simplemente la lenta e inexorable conjunción de dos almas heridas. Sarah se giró hacia él y, al rodearle la cintura con el brazo, notó la calidez de su cuerpo, su forma y sus ángulos familiares, la presión de su torso contra sus senos. La mejilla de ella contra su mandíbula áspera, los labios en la cavidad más suave de su cuello. Aspiró su inolvidable aroma.

—Sarah, escucha, nosotros...

—Chis. Por favor, no digas nada.

Ya había notado que él se había excitado al contacto con su muslo, y al presionar su pelvis contra él, percibió que su sexo crecía y se endurecía. Se levantó el camisón y metió la mano dentro de sus pantalones cortos y lo abrazó mientras notaba cómo se estremecía. Él buscó su boca y la besó, y se colocó encima de ella, descendió entre sus muslos abiertos y la penetró.

Volvía a ser suyo. Aunque solo fuera por aquella noche triste y robada, era suyo.

22

Abbie solo había estado una vez en San Francisco. Había sido en unas vacaciones, cuando tenía más o menos doce años, y se habían alojado en un hotel que había resultado ser un lugar al que la gente acudía a recuperarse de operaciones de cirujía estética. Todo el mundo llevaba vendas; algunos tenían la cabeza y la cara completamente envuelta y tenían que tomar el desayuno por las aberturas que les habían dejado en la boca. Su padre decía que era un casting para *El hombre invisible*. Estaban en pleno verano, pero no habían visto el sol ni una sola vez, ya que la ciudad se hallaba cubierta por una neblina de humedad. A pesar de ello, se lo habían pasado bien y habían hecho todas las cosas propias de los turistas: habían montado en los tranvías, en el teleférico, habían curioseado en los puestos de Fisherman's Wharf y habían comprado camisetas.

Esta vez era un poco distinto.

Estaba en el sucio pasillo situado fuera del despacho del encargado, justo al lado de los servicios, esperando a que le dieran su dinero. Había una bombilla pelada y las paredes eran de un rojo brillante, con pequeñas manchas blancas en las zonas donde habían arrancado carteles, y la pintura había caído al despegar la cinta adhesiva. El único que quedaba ponía PRIVADO, PROHIBIDO PASAR, y alguna persona extraordinariamente ingeniosa había insertado la palabra «MIEMBRO» delante de «PRIVADO» y, para aquellos que no captasen la gracia, había garabateado una ilustración obscena debajo.

Al otro lado del pasillo podía ver el resplandor rojizo y el ambiente lleno de humo del bar, donde, como siempre, los fanáticos del *heavy-metal* se habían apropiado de la máquina de discos. Siempre ponían la música tan alta que había tenido que aprender a leer los labios para atender a la gente. Cuando su turno terminaba, normalmente pasaba una hora como mínimo hasta que los oídos dejaban de zumbarle.

Era medianoche pasada y ya llevaba cinco minutos esperando. Detrás de la puerta cerrada, Jerry, el encargado, ciento diez kilos repugnantes de humanidad, estaba contando las propinas a la vez que hablaba por teléfono con uno de sus groseros amigos. Probablemente aquel era el motivo por el que estaba tardando tanto. La capacidad para hacer varias cosas al mismo tiempo no se contaba entre sus facultades.

—Genial —estaba diciendo—. Muy bien, grandullón. Te tengo que dejar. Sí. Hasta luego.

Cuando la puerta se abrió, vio que Jerry se impulsaba nuevamente sobre su silla con ruedecillas hasta el escritorio, donde el dinero se hallaba dividido en cinco pequeños montones entre un montón putrefacto de hamburguesas rancias, pizzas, tazas de café y Dios sabe qué otros seres que vivían entre ellas. El despacho, como todo lo demás en Billy Z's, incluida la cocina, era un peligro para la salud. Abbie no tenía ni idea de quién era Billy Z o quién podía haber sido. Tal vez se trataba de alguien que había comido algo del menú y había muerto. O que había sobrevivido, motivo por el cual era famoso.

—Hola, Becky, perdona.

Abbie se limitó a saludarlo con la cabeza. El hombre cogió uno de los montones y se lo entregó. Abbie se puso a contarlo.

—Aquí solo hay dieciocho dólares.

Él dio un mordisco a la hamburguesa y se encogió de hombros.

—Ha habido poco movimiento.

Ella no quería discutir. Se metió el dinero en el bolsillo del abrigo y se giró para marcharse.

—¿Estás bien?

—¿Qué?

—No hablas mucho.

—¿Y...? No me pagas por hablar.

—Eh, tranquila, nena. Allá tú.

A ella le entraron ganas de tirarle algo, pero se limitó a lanzarle una mirada y se volvió y salió de allí.

Aquel gilipollas seboso la había tenido esperando tanto rato que había perdido el autobús a Oakland. Echó a correr cuesta abajo, pero el vehículo ya se estaba alejando y se metía en la autopista, de modo que se sentó contra la pared, encendió un cigarrillo y esperó al siguiente. Aparte del tráfico de la autopista, la única señal de vida que se veía era un gato negro que había en la acera, al otro lado de la calle, fuera de la chatarrería con sus torres apiladas de coches aplastados. Estaba acicalándose bajo el foco de luz que arrojaba una solitaria farola. De vez en cuando se quedaba quieto y clavaba sus ojos amarillos en Abbie unos instantes, y luego seguía lamiéndose las garras despreocupadamente.

—Eh, chico —dijo ella con suavidad—. Vamos, ven aquí.

Pero, naturalmente, el gato no la obedeció.

Era casi abril, pero hacía una noche fría y húmeda y parecía que todavía fuera invierno. A lo mejor era el tiempo lo que la hacía sentirse tan deprimida. La vida le resultaba más llevadera los días despejados y soleados, pero cuando hacía uno como aquel, se le caía el alma a los pies. Y cuando aquello ocurría, lo único en lo que podía pensar era en llamar a su madre.

La última vez que había oído su voz había sido por televisión, rogando a Abbie que se entregase. Había sido bastante duro verlo, aunque Abbie no recordaba gran cosa porque se había quedado muy colocada con las pastillas que Rolf le había dado. Había ocurrido poco después de que llegaran a Los Ángeles y se escondieran con algunas personas que él conocía en la ciudad. Los días se habían sucedido de forma confusa, y las semanas se habían convertido en meses. Ella se quedaba tumbada en la cama, y Rolf le traía comida o algo para fumar y le hacía el amor.

No recordaba el día de Acción de Gracias ni las Navidades. Pero todavía podía evocar la imagen de su madre, su padre y el pobre Josh allí de pie, tan pálidos, nerviosos y valientes, delante de todos aquellos reporteros, mientras las cámaras disparaban sus flashes y los micrófonos aparecían por todas partes, y a su madre diciendo que sabían que era inocente y que la querían mucho.

Tal vez, si hubiera tenido la cabeza más despejada, los habría llamado justo entonces e incluso habría ido a una comisaría de policía y habría anunciado quién era. Aunque Rolf tampoco habría accedido a perderla de vista el tiempo suficiente para hacerlo. Sabía que a él le preocupaba que cometiera una estupidez como aquella. No paraba de decirle que tenían que dejar pasar un tiempo hasta que las cosas se olvidaran y toda la locura de los medios de comunicación se calmase. Y, por supuesto, como siempre, tenía razón.

La casa donde se habían instalado al principio estaba en Whittier, en la interminable extensión del este de Los Ángeles. Era un barrio en estado ruinoso pero no demasiado violento, la clase de lugar donde la gente no se metía en tus asuntos y al que los polis no se acercaban a menos que se cometiera algún asesinato. Había dos tipos y una mujer viviendo en la casa, y Abbie nunca llegó a saber con seguridad a qué se dedicaban. Dos de ellos salían cada mañana como si fueran al trabajo, pero uno siempre se quedaba en casa. En vista del movimiento constante de gente, se imaginó que lo más seguro es que fueran camellos. Sabía que uno de los tipos tenía una pistola y se figuraba que probablemente tuvieran más. Pero todos eran amables con ella, mucho más amables que los capullos que había conocido en la casa okupa de Rolf en Seattle. La trataban con simpatía, incluso con respeto. Por otra parte, ya no era una niña rica universitaria en busca de hierbas exóticas.

Poco a poco, el horror que le producía el recuerdo de aquella noche en Denver empezó, si no a desaparecer, al menos a situarse en lo que Rolf llamaba su «contexto». Él le decía constantemente que lo que había sucedido era un accidente y que no debía dejarse convencer por la forma en que los medios de comunicación tergiversaban los hechos. Decía que se sentía mal por la muerte del hijo de McGuigan, y Abbie lo creía. Por lo visto, al saber que sus padres estaban fuera, el chico había llevado a su novia a casa. Probablemente oyó algún ruido en el jardín y, al ver a Abbie, había salido con la escopeta y había pasado justo por delante de Rolf. Por suerte, cuando la casa empezó a arder en llamas, la chica ya había salido. Según Rolf, la muerte del chico era una cagada grave y lamentable, pero a veces pasaban esas cosas en primera línea de batalla. Y era importante no olvidar lo que McGuigan había hecho a los padres de Ty, cómo había arruinado sus vidas y las de innumerables personas más. J. T. McGuigan era, más que nadie, el responsable de la muerte de su hijo, y no ellos.

Rolf había dicho todo aquello antes de que vieran en las noticias que la policía había detenido a Ty. Aquel había sido el momento en que Abbie se había desmoronado y había estado a punto de entregarse. Incluso se había puesto el abrigo y se disponía a salir a la calle a buscar un teléfono, pero Rolf la había detenido y la había agarrado mientras ella gritaba e intentaba golpearlo. ¿Cómo era posible que aquellos idiotas creyeran que Ty tenía algo que ver con lo ocurrido? Rolf había dicho que probablemente fuera una trampa de los federales para conseguir que ella se entregara. Y al final había tenido razón, pues unos días más tarde Ty había sido puesto en libertad sin cargos. Afortunadamente, tenía varios testigos que podían demostrar que la noche que había muerto el hijo de McGuigan él estaba en Sheridan. No obstante, según los periódicos, los cabrones de los federales todavía no habían descartado la posibilidad de acusarlo por conspiración.

Abbie le había rogado una y otra vez que le permitiera llamar a su madre, pero Rolf no le había dejado. Dentro de poco, le había dicho, pero todavía no. Era peligroso. Sin embargo, le había dejado escribir una carta que había revisado con cuidado por si a ella se le escapaba algo. Lo único que decía en la misiva era que se encontraba bien, que lo ocurrido había sido un accidente y que sentía todo lo que les estaba haciendo pasar. Rolf había dicho que no la podían enviar desde Los Ángeles y se la había mandado a un conocido suyo que vivía en Miami quien, a su vez, debía enviarla a Nueva York. Abbie no sabía si había llegado a su destino.

El gato del otro lado de la calle seguía con su aseo personal. El escaso interés que había mostrado por las palabras zalameras de Abbie había desaparecido. El autobús estaba llegando. Ella se levantó mientras el vehículo reducía la velocidad y cuando paró a su lado y las puertas se abrieron emitiendo un silbido, se subió. Había una media docena de pasajeros. No fue hasta que se dirigió a la parte de atrás que reparó en que dos de ellos eran policías.

Uno era un hombre y la otra una mujer, y estaban sentados el uno al lado del otro charlando. A juzgar por su aspecto, los dos estaban fuera de servicio y se dirigían a casa. El hombre estaba observando cómo Abbie se acercaba con un interés que probablemente no pasaba de lo anecdótico, pero bastó para que a ella le empezara a latir el corazón con fuerza. Rolf le había dicho que lo peor que uno podía hacer era mostrarse nervioso o sospechoso. Miró al hombre directamente a los ojos y sonrió, y él le devolvió la sonrisa y apartó la vista.

Abbie se sentó a dos filas del fondo y se quedó mirando las cabezas de los policías desde detrás. Seguían conversando, aunque no podía oír de qué hablaban. Entonces el hombre se rió y Abbie supuso que estaba fuera de peligro.

Miró por la ventana a través de su reflejo; a pesar de todos los meses que habían pasado, todavía se sobresaltaba al verse a sí misma. El pelo castaño corto y tieso por el efecto del fijador, las cejas teñidas del mismo color, las pequeñas gafas rectangulares con la montura negra y los cristales lisos, y el piercing de plata a un lado de la nariz. No sabía por qué al ver a un policía seguía entrándole tanto pánico cuando apenas se reconocía a sí misma. Nadie sospecharía tan siquiera que era una prima lejana de la princesa rubia y feliz cuya foto de graduación del instituto había llenado las páginas de todos los periódicos y había aparecido una noche tras otra en la televisión, antes de que los medios de comunicación se cansaran de la historia y, por fin, pasaran a otra cosa.

Lo único que Rolf había hecho había sido dejarse barba y cortarse un poco el pelo, aunque ni siquiera lo necesitaba. Después de que los muy idiotas averiguaran que «el cómplice ecoterrorista de Abbie Cooper» no era Ty, habían hecho público un retrato robot de Rolf tan poco fiel a la realidad que parecía un chiste. Lo único que a él le fastidiaba era la edad aproximada que le habían atribuido, que según ellos se hallaba comprendida «entre los treinta y cinco y los cuarenta años».

Al cabo de una semana de llegar a Los Ángeles, Rolf había conseguido nuevas identidades para los dos. Él era ahora Peter Bauer y Abbie era Rebecca Jane Anderson. Ella tenía carnet de conducir, número de la seguridad social y tarjetas de crédito que lo demostraban. Sin embargo, en poco tiempo iba a tener que empezar de nuevo y aprender a ser otra persona, ya que Rolf no estaba contento con la calidad de sus carnets falsos y estaba intentando conseguir unos mejores, aunque más caros. Les iban a costar mil dólares cada uno, motivo por el cual Abbie tenía que servir mesas en Billy Z's.

Rolf seguía manteniendo celosamente en secreto la forma en que conseguía aquellos documentos. Siempre tenía «un amigo» en alguna parte. Pero durante los tres meses que habían pasado en Los Ángeles y los dos y medio que llevaban allí, ella había aprendido mucho observando y recibiendo encargos de vez en cuando.

Sabía, por ejemplo, que la mejor forma de conseguir una nueva identidad era mirar la sección necrológica del periódico. Lo había visto una vez en una película y había pensado que era una invención ingeniosa, pero por lo visto era verdad. Lo único que tenías que hacer era buscar a alguien de una edad similar a la tuya y solicitar por correo una copia compulsada de su certificado de nacimiento. Era increíble, pero cuando la gente moría, las distintas administraciones podían tardar meses, incluso años, en enterarse.

Conseguir una tarjeta de crédito era también un juego de niños. La gente recibía constantemente cartas en las que se les preguntaba si querían una tarjeta nueva y nueve de cada diez veces las tiraban a la basura. Lo único que tenías que hacer era hurgar en los contenedores para encontrar una, informar de que se había producido un cambio de domicilio y, ¡premio!, te mandaban la tarjeta. Naturalmente, no debías utilizarla mucho tiempo por si te trincaban, de modo que tenías que gastar rápidamente todo lo que pudieras y luego deshacerte de ella y conseguir otra. Rolf decía que era arriesgado utilizarlas para extraer dinero en efectivo en un cajero automático porque siempre había cámaras. Así que en lugar de ello, compraban artículos y los vendían. Ni siquiera importaba lo que Abbie comprase, ya que Rolf siempre sabía cómo venderlo, pero principalmente se centraban en aparatos electrónicos, ordenadores, cámaras y teléfonos; nada que fuese demasiado grande o voluminoso.

Cuando Abbie pensaba en ello se sorprendía, e incluso se asustaba un poco, de que se hubiera habituado tan fácilmente a lo que Rolf llamaba vivir «al margen». Lo cierto era que le excitaba. A veces, cuando se dejaba llevar por el entusiasmo y la fantasía, le gustaba pensar en ellos como una especie de versión ecologista de Bonnie & Clyde, aunque sabía que no debía compartir un disparate tan románticamente burgués con Rolf.

Además, no hacían daño a nadie; al menos, con las estafas de las tarjetas de crédito. Rolf decía que la responsabilidad del usuario por hacer un uso fraudulento de su tarjeta de crédito se limitaba a una multa de cincuenta dólares. De modo que eran las empresas de créditos, las corporaciones importantes, las que recibían el golpe, y no los clientes. Y como él decía, teniendo en cuenta que aquellos cabrones codiciosos estaban estafando constantemente a todo el mundo, ¿por qué iba a tener que compadecerse alguien de ellos?

En enero se habían mudado a San Francisco y después de vivir un tiempo en una espantosa casa okupa ubicada en Mission, se habían trasladado finalmente a Oakland y tenían una vivienda propia. No era gran cosa, solo un apartamento con una única habitación en un barrio olvidado de Dios, pero Abbie lo había limpiado y pintado y lo había hecho habitable, al igual que en Missoula. Rolf se reía de ella diciendo que le desesperaban sus valores burgueses. Pero ella le contestaba que le daba igual lo que él pensara (lo que no era cierto). Y de todas formas, ¿por qué era burgués no querer vivir en la miseria, rodeados de pulgas y piojos? Con un poco más de dinero, podría haber conseguido que la casa tuviera un aspecto fabuloso.

Ahora que el trauma había remitido y que volvían a estar los dos solos, eran más felices. A ella le encantaba cuidar de Rolf, cocinar para él y hacerle pequeños regalos. Cada viernes, sin falta, compraba flores frescas y las ponía en un jarrón sobre la mesa de la cocina. Y aunque él le decía que era tirar el dinero y fingía que le daban igual cosas tan triviales como aquella, ella sabía que en el fondo le gustaban. Los momentos favoritos de Abbie eran los fines de semana, cuando salían de la ciudad con el coche y recorrían kilómetros andando por las montañas, el bosque o la costa. Hablaban, se reían y hacían el amor. Ella le había confesado muchas veces que lo quería, pero él todavía no se lo había dicho nunca. Simplemente, no era propio de él decir cosas así. Fuera como fuese ella estaba segura de que la quería. Hacía dos semanas, en una playa fría y azotada por el viento, él había dibujado un corazón en la arena y había escrito dentro las iniciales de los dos unidas.

Para contribuir al pago de la nueva documentación, Rolf también había conseguido trabajo. Estaba trabajando en un bar situado en Fisherman's Wharf, y aunque el sueldo no era mejor que el de Abbie, en realidad estaba ganando cincuenta veces aquella suma. Ella no se había enterado hasta que cierta mañana encontró un extraño aparatito en el suelo del dormitorio. Al preguntarle qué era, Rolf se había limitado a sonreír. Ella se había negado a devolvérselo, y él la había perseguido por todo el apartamento hasta que Abbie había amenazado con tirarlo por el retrete si no se lo decía.

—Vale —había dicho él—. Es un lector de banda magnética. Y ahora dámelo.

Él avanzó hacia Abbie, pero ella levantó una mano y con la otra acercó el aparato al agua hasta que él se detuvo.

—¿Y qué es un lector de banda magnética?

Rolf suspiró y señaló la pequeña ranura que tenía a un lado. Si pasabas una tarjeta de crédito por ella, dijo, el aparato descargaba toda la información de la banda magnética. Si sabes adónde acudir, puedes vender la información por cincuenta dólares por tarjeta. Huelga decir que Rolf sabía adónde acudir. Dijo que podía conseguirle uno para que la utilizase en Billy Z's, pero Abbie rechazó la idea. Era demasiado cruel y descarado, demasiado personal, había dicho. Estafar a las personas de aquella manera, cuando acababas de atenderlas y sonreírles y estabas intentando conseguir una propina decente, no le parecía bien. Rolf sacudió la cabeza y soltó una carcajada.

El autobús llegó a Oakland, y Abbie tenía que bajar en la siguiente parada. Todo el mundo había bajado excepto los policías. Y por primera vez, la mujer se giró y miró hacia atrás en dirección a ella, y Abbie experimentó un acceso de paranoia. A lo mejor sabían quién era. Pero aunque no lo supieran, no debía dejar que se enteraran de dónde vivía. Tal vez debiera quedarse en el autobús hasta que ellos bajaran y luego tomar otro autobús de vuelta. Pero, mierda, era tarde y estaba muy cansada. Se reprendió por ser tan boba.

Cuando el autobús empezó a reducir la velocidad, se levantó y se dirigió hacia delante. Pero con los nervios se olvidó del semáforo que había al pie de la cuesta. Estaba en rojo, el autobús paró, y Abbie llegó a las puertas demasiado pronto y tuvo que quedarse allí de pie, justo delante de los policías. La estaban mirando fijamente y trató de aparentar que no se había dado cuenta o no le importaba. Se levantó el cuello del abrigo.

Entonces uno de los policías habló y, aunque ella no había oído lo que había dicho, sabía que se estaba dirigiendo a ella. Miró al hombre.

—¿Perdón?

—He dicho que no te preocupes. Pronto llegará la primavera.

—Ah. Sí. Eso espero.

El autobús volvió a ponerse en movimiento. Abbie sonrió y apartó la vista, con la esperanza de que la conversación hubiese concluido.

—¿Trabajas hasta tarde?

Ella asintió con la cabeza, intentando parecer cansada y mostrando una jovial resignación.

—Sí. Así es. Ustedes también, ¿no?

—Sí, pero mañana no. Lo único que voy a patrullar mañana va a ser el campo de golf.

—Estupendo.

El autobús estaba parando, aunque pareció que las puertas tardasen una eternidad en abrirse. Pero, por fin, se abrieron con un sonoro silbido.

—Buenas noches —dijo Abbie, al tiempo que salía del autobús.

—Buenas noches.

Cuando llegó a casa, las luces de la sala de estar estaban apagadas y solo se veía el brillo de la televisión que venía de la puerta del dormitorio. Llamó a Rolf mientras cerraba la puerta principal haciendo girar la llave dos veces, pero no hubo respuesta. Entró en la habitación y lo vio tumbado en el colchón que habían rescatado de un contenedor. Estaba trabajando con su nuevo ordenador portátil, pero cerró la pantalla en cuanto ella apareció.

—Hola —dijo Abbie.

—¿Cuántas veces tengo que decirte que no me llames Rolf?

—Perdona. Tú me sigues llamando Abbie.

—Porque sé que a la hora de la verdad no me equivocaré.

Ella se quitó el abrigo y se arrodilló en la cama junto a él.

—¿Y qué te hace pensar que yo sí?

—Eres nueva en todo esto. Tienes que practicar.

—Sí, señor.

Abbie lo besó en la frente y luego en la boca con más intensidad, pero no obtuvo la más mínima respuesta.

—¿Me he metido mal en la cama? —dijo—. ¿Qué he hecho?

Por un instante, él no contestó y se quedó mirando la televisión que reposaba sobre una caja de madera junto a la puerta. El volumen estaba bajado. El presidente Bush estaba paseando por un rancho, vestido de vaquero, con un perro negro absurdamente pequeño trotando a su lado.

—Tenemos que irnos de aquí —dijo él.

—¿Por qué? ¿Qué le pasa a este piso?

—Me refiero a la ciudad, por el amor de Dios.

—¿Irnos de San Francisco?

—¿Has estado bebiendo? ¿Por qué estás tan lenta de reflejos?

—Dios. ¿Qué te pasa?

Él se apartó, salió de la cama y entró en el cuarto de baño.

—Rolf... Por favor, dime lo que ha pasado.

—Alguien ha hablado. No sé quién. A lo mejor has sido tú.

—¿Qué?

—No lo sé. Me he enterado hoy. Los federales han estado haciendo preguntas. En fin, el caso es que tenemos que marcharnos. Mañana.

—¿Y adónde iremos?

—No lo sé. A Chicago. A Miami, quizá.

—¿Están listos los nuevos carnets?

—Eso también se ha jodido. Y no tenemos dinero. Vas a tener que pedirles a esos padres ricos tuyos.

23

Josh se había hecho más o menos a la idea de que todo había acabado entre él y Katie Bradstock. Solo la había visto una vez desde que se había ido a Ann Arbor. Todavía se enviaban correos electrónicos, pero los suyos eran siempre más apasionados que los de ella. Tal vez aquel fuera el problema. Katie ni siquiera se molestaba en acusar recibo de los mensajes eróticos que él le escribía sobre cosas íntimas que se habían hecho el uno al otro o que todavía podían hacerse, y que Josh consideraba que podían excitarla (desde luego él se excitaba al escribirlos). Él le ponía cosas del tipo: «Recuerdo las sombras de tus pezones a la luz de la luna». Y ella contestaba: «El lunes jugamos a baloncesto y luego nos fuimos todos a Wendy's». Probablemente se había echado un novio nuevo en la universidad. Tenía que ser eso.

Entonces se le ocurrió que, como Abbie se había dado a la fuga, tal vez Katie se sentía avergonzada, creyendo que todo lo que se decían estaba siendo examinado por algún pervertido del FBI. Y quizá era así. Pensándolo bien, a él también le daba vergüenza. De todas formas, Katie Bradstock y sus pezones iluminados por la luna estaban a ochocientos kilómetros de distancia, en Ann Arbor, mientras que él estaba en Syosset y tenía que afrontar la realidad: aquello no iba a funcionar. Como Freddie llevaba meses diciéndole, las relaciones a distancia eran una mierda.

Por ese motivo le sorprendió tanto recibir una carta de ella en la que le decía que necesitaba verse con él. Evidentemente, se trataba de algo tan importante como secreto, pues se la había mandado al instituto y le pedía que no dijera nada de aquello a su madre ni a su padre. Recibir una carta en el instituto era algo un poco embarazoso, ya que nadie recibía cartas allí, y todo el mundo se puso en plan: «Eh, Josh, ¿de quién es la carta de amor?». La única persona a la que se lo contó fue a Freddie, quien se acarició la barbilla y le preguntó cuánto hacía que él y Katie no se veían.

—No sé, un par de meses o algo así. ¿Por qué?

—¿Unas ocho o nueve semanas más o menos?

—Sí, supongo. ¿Por qué?

—¿Y os acostasteis?

—Sí, claro. —Intentó mostrarse despreocupado y varonil. En realidad, había sido un desastre.

—Está embarazada.

¡Santo Dios! Josh se pasó los tres días siguientes en un estado agónico de confusión. Tenía que ser eso. ¿Por qué si no iba a mostrarse tan reservada? La habría llamado directamente al móvil, pero ella se lo había prohibido expresamente. En lugar de ello, le había dado un número que él no reconocía y le había dicho que lo marcara exactamente a la una en punto el siguiente jueves. Le había dado instrucciones de que lo hiciera desde un teléfono público y se asegurara de que nadie estaba mirando ni escuchando. ¡Santo Dios!

Cuando llegó el miércoles y marcó el número desde una de las cabinas telefónicas que había fuera de la cafetería del instituto, ella respondió inmediatamente. Se oía ruido de tráfico, por lo que Josh se imaginó que ella también debía de estar en un teléfono público.

—¿Qué pasa? —preguntó.

—Tengo que verte. Este fin de semana puedo viajar a Nueva York. El sábado por la tarde. En Bloomingdale's. ¿Estarás?

—Sí, supongo. Katie, ¿de qué coño va todo esto?

—Todavía no te lo puedo decir. En la planta de cosméticos,

¿vale? Estaré al lado del mostrador de Clarins. A las dos en punto. ¿Entendido?

—¿El mostrador de qué?

Ella deletreó el nombre con impaciencia. Josh tragó saliva.

—¿Estás embarazada?

—¿Qué? ¡No, por Dios! Claro que no. Escucha, tengo que colgar. Te veré el viernes. Ah, una cosa más, Josh.

—¿Sí?

—Asegúrate de que nadie te sigue, ¿vale?

Solo entonces a Josh se le ocurrió de qué podía tratarse. Qué tonto era.

—¿Es sobre Abb...?

—Por Dios, Josh, cállate. Tengo que colgar.

Y eso hizo. Y ahora estaba allí, merodeando en Bloomingdale's. Había llegado con una hora de antelación y ya había recorrido todos los rincones del centro, lanzando miradas por encima del hombro, mirando en los espejos, subiendo y bajando en los ascensores y las escaleras mecánicas, escrutando las caras en busca de alguna que pudiera estar mirándolo o haciendo como si no lo viera de forma estudiada. Era un milagro que los encargados de seguridad del establecimiento no se hubieran lanzado a por él.

Hasta el momento, no se había tomado el asunto de la vigilancia muy en serio. Se imaginaba que los correos electrónicos eran leídos y que los teléfonos de su casa estaban pinchados, tal vez incluso su móvil. Y durante unas semanas después de la desaparición de Abbie, al ir y venir del instituto, había estado pendiente de si veía a alguien mirando desde un coche aparcado o una furgoneta con las ventanillas tintadas, como siempre aparecían en las películas. Pero al poco tiempo había llegado a la conclusión de que si estaban espiándolo, debían de estar haciéndolo muy bien, porque nunca conseguía ver nada. Y también debían de estar aburriéndose como ostras. Dios, incluso él se aburría de su propia vida. Cómo debía de resultar para los pobres desgraciados que tenían que observar cómo vivía.

Freddie, que era un gran fanático de los ordenadores y de

toda clase de tecnología, decía que hoy en día todo se hacía con métodos electrónicos. Las cámaras de los satélites eran tan potentes que podían enfocar un grano con el zoom. Y si aquello era cierto, Josh no podía hacer mucho al respecto. En el tren desde Long Island había estado atento por si veía a alguien sospechoso e incluso había dado un par de vueltas en Penn Station antes de tomar un taxi hacia la 55 con Park Avenue. Luego había seguido una ruta enrevesada hasta la 59 con Lexington, lanzando miradas por encima del hombro, incluso por encima de los dos hombros, antes de entrar precipitadamente en el centro comercial.

Y cuando llegó al mostrador de Clarins y por fin dieron las dos en punto, apareció Katie Bradstock, rubia, preciosa y con cara de preocupación, vestida con una cazadora marrón ceñida con cuello de piel, unos pantalones negros y unas zapatillas de deporte plateadas. Al verla, a Josh le dio un vuelco el corazón. Ella lo vio y sonrió, pero inmediatamente comenzó a escudriñar por si había alguien detrás de él. Josh la rodeó con los brazos y la besó, y ella hizo un ligero intento por responderle, pero él notó lo tensa y asustada que estaba.

Katie le dijo que la siguiera y se alejó tan rápido que Josh casi tuvo que echar a correr para alcanzarla. Al poco rato se hallaban bajo el sol del mes de abril y recorrían la acera a toda velocidad. Era evidente que ella había localizado antes un establecimiento de Starbucks, pues entró en él directamente. Mientras esperaban a que prepararan sus cafés, él intentó entablar una conversación y le dijo que lo habían aceptado en la Universidad de Nueva York y que estaba deseando empezar el curso. Pero ella no parecía interesada. De hecho, apenas parecía atender a lo que él decía. Y no fue hasta que estuvieron instalados en el rincón del fondo, fuera del alcance de oídos extraños, cuando por fin se decidió a hablar.

—He visto a Abbie.

—¿La has visto?

—Vino a Ann Arbor. La semana pasada. Vino a nuestra casa en McKinley...

—¿Qué? ¿Se presentó sin más, llamando a la puerta?

—Josh, vas a tener que tener paciencia y dejarme hablar, ¿de acuerdo?

—De acuerdo. Perdona.

—Había estado vigilando la zona y me había seguido. Esa mañana yo había ido a clase. Al salir del edificio me volvió a seguir, y cuando me quedé sola, se me acercó por detrás y dijo en voz baja: «¿Katie?».

—Dios mío.

—Yo no sabía quién era. Lo juro por Dios. Estaba muy cambiada. El pelo, todo... Como si fuera diez años mayor. Llevaba gafas y un abrigo negro viejo. Le dije: «Perdona, ¿te conozco?». Y ella sonrió y dijo: «Katie, soy yo, Abbie».

Estaba inclinada hacia él y hablaba en un tono que no era exactamente un susurro pero casi, sin dejar de lanzar miradas por encima del hombro y de mirar alrededor de Josh por si alguien estaba observando.

—¿Y qué hiciste? —dijo él.

—Fuimos a dar un paseo y encontramos un sitio donde sentarnos a hablar.

—¿Te dijo lo que había pasado?

—La verdad es que no. Dijo que había sido un terrible accidente. Creían que no había nadie en la casa. Solo iban a incendiarla...

—Ah, solo iban a incendiarla. Entonces no pasa nada.

—Oye, tú me has preguntado, ¿vale? Y te lo estoy contando. Dijo que lo hacían para demostrar al padre del chico, el dueño de la compañía de gas, que no podía tratar a la gente como había tratado a los padres de Ty. Se suponía que no tenía que morir nadie.

—Entonces, ¿por qué no se entrega?

—Dijo que a lo mejor debería haberlo hecho, pero que ya era demasiado tarde y que nadie iba a creerlos.

—¿Así que sigue con Rolf?

—Sí. Dice que lo quiere y que él es lo único que le queda en la vida.

—Oh, no.

—Josh, necesita dinero.

—¿Cómo demonios lo vamos a hacer? Mi madre dice que el FBI controla cada centavo que gastamos.

—Abbie dijo que tu abuelo sabría cómo conseguir unos cuantos miles de dólares en efectivo que ellos no podrían localizar.

—¡Unos cuantos miles de dólares!

Josh sacudió la cabeza y apartó la vista. La clara luz primaveral que brillaba en el exterior hacía que todo pareciera surrealista. Volvió a mirar a Katie y vio que estaba llorando. Le cogió la mano entre las suyas.

—¿Tienes idea del miedo que me da esto? —dijo ella.

Josh la abrazó. Su cabello desprendía un olor fresco y maravilloso. Dios, cómo deseaba... Katie se levantó, cogió un pañuelo de papel del bolsillo y al enjugarse las lágrimas se le corrió el rímel. Una vez serena, cogió su bolso y sacó un sobre marrón cerrado.

—Me dijo que te diera esto. No sé lo que pone dentro ni lo quiero saber. No quiero tener nada que ver con esto en adelante, ¿vale? No quiero que mi vida también acabe arruinada. Ni la de mi madre y mi padre. Quiero a Abbie, o a la persona que era antes, a la Abbie que conocí, pero le dije que no volviera a ponerse en contacto conmigo. Y, Josh...

Tragó saliva y por un momento pareció incapaz de seguir. Se limpió los ojos por última vez y cerró su bolso.

—Tampoco quiero que tú te vuelvas a poner en contacto conmigo.

—Katie...

—Lo digo en serio. No me mandes correos electrónicos ni me llames. Nunca más. ¿Vale?

Se levantó y le dio un beso en la frente, y a continuación se dirigió con paso enérgico a la puerta, salió a la calle iluminada por el sol y desapareció.

Josh se quedó allí sentado un largo rato mirando fijamente el sobre que sostenía entre las manos, mientras la cabeza le daba vueltas, ocupada por tantos pensamientos y emociones diferentes que resultaba difícil concentrarse en una de ellas o en cualquier otra cosa. Joder, menudo follón. Suspiró y abrió el sobre. Dentro había una hoja de papel amarillo, arrancada de una libreta y bien doblada. Apenas se podía considerar una carta. Lo único que ponía, escrito con la letra elegante de Abbie, era:

Josh, preséntate en la esquina de la cincuenta y ocho con Madison a las tres de la tarde. ASEGÚRATE de que no te siguen. Destruye esto ahora mismo. A.

Lo tiró a la basura, pero se lo volvió a pensar y lo rescató del cubo; se dirigió al cuarto de baño y lo tiró por el retrete. Consultó su reloj. Tenía casi veinte minutos para llegar, pero aun así recorrió las dos primeras manzanas corriendo hasta que estuvo a punto de ser atropellado al saltarse un semáforo en rojo. Los furiosos bocinazos le hicieron entrar en razón y fue caminando el resto del trayecto, mientras respiraba hondo para calmarse sin mucho éxito.

Llegó cinco minutos antes de la hora señalada. Pero a las tres y veinte todavía no había aparecido nadie. Y para entonces cada transeúnte, cada conductor que pasaba con su coche, se había convertido en un agente del FBI, incluso el tropel de turistas que llevaban veinte minutos al otro lado de la calle, fingiendo que estaban mirando un plano. ¡Mierda, si hasta uno le estaba haciendo una foto! El cielo despejado se encontraba lleno de satélites que en ese momento estaban enfocando sus granos.

Justo cuando estaba llegando a la conclusión de que no iba a pasar nada que confirmara sus delirios paranoides, un taxi paró a su lado y cuando la puerta se abrió, una mujer con gafas oscuras le hizo señas para que entrara. Invadido por el temor y por sus imaginaciones, lo primero que pensó fue «Ni hablar». Pero cuando estaba retrocediendo, la mujer se quitó las gafas y Josh se dio cuenta de que estaba mirando a su hermana.

—Eh, ¿qué tal estás? —dijo ella, haciendo sitio para que se sentase a su lado—. Vamos.

El tono alegre, la clase de tono que uno emplearía con un amigo al que no veía desde hacía tiempo, lo había desconcertado y se quedó un momento mirando con la boca abierta como un imbécil hasta que ella golpeó el asiento bruscamente con la mano y, de forma inesperada, le dijo moviendo mudamente los labios que se diera prisa de una puta vez y que subiera al taxi.

Él obedeció y cerró la puerta, y mientras el taxi se mezclaba con el tráfico, se la quedó mirando al tiempo que su mente buscaba algo a lo que aferrarse detrás de la máscara de aquella extraña. Comenzó a pronunciar su nombre, pero ella lo interrumpió.

—¡Me alegro mucho de verte!

Finalmente comprendió que ella esperaba que reaccionara.

—Sí, yo también. ¿Cómo te va?

Ella se inclinó hacia delante y le dijo al taxista despreocupadamente que se dirigiera a Central Park, y a continuación volvió a arrellanarse en el asiento, miró a Josh y sonrió.

—Oh, bien —dijo—. ¿Y a ti?

—Fenomenal.

Josh lo dijo de forma inexpresiva, sin apenas molestarse en ocultar el sarcasmo. La sorpresa que le había causado verla estaba cediendo paso a la ira. Tenía mucha cara al creer que podía manejarlo de aquella forma. ¿Quién demonios se creía que era?

—Eso es estupendo —dijo ella alegremente.

Abbie lanzó una mirada al taxista, topó con sus ojos en el retrovisor, y el hombre apartó la vista. Luego se volvió para mirar rápidamente por la ventanilla trasera, con el objeto de comprobar —naturalmente, Josh ya conocía aquella rutina— si los estaban siguiendo.

—No hay nadie —dijo él.

Ella le sonrió, esta vez con más nerviosismo. Josh sacudió la cabeza y se puso a mirar por la ventanilla.

Cuando estaban atravesando el parque, Abbie pidió al taxista que parara, y por la forma en que se quedó allí sentada, Josh comprendió que esperaba que pagase él. Su hermana debía de llevar un buen rato en el taxi porque la carrera le costó treinta y cinco dólares; cuarenta con la propina. Aquello casi lo dejó sin blanca e hizo que se enfadara todavía más, como ella pudo apreciar.

—Te lo devolveré —dijo en voz baja.

—Sí, claro.

Subieron la cuesta y entraron al parque, sin que ninguno de los dos pronunciara palabra. Todo el mundo estaba disfrutando del sol primaveral: los que hacían jogging, los que practicaban el patinaje en línea y los turistas que montaban en los ridículos coches de caballos. Algunos árboles estaban en flor, y las ramas de otros lucían un verde luminoso e irreal. Josh seguía furioso. Ella entrelazó su brazo con el de él, y Josh estuvo a punto de apartarla de un codazo, pero no lo hizo.

—¿Qué tal está mamá?

—Oh, está... que se sale. Nunca ha estado mejor.

—Josh...

—¡Joder, Abbie! —Entonces la apartó moviendo el brazo, y lo hizo con mayor violencia de lo que pretendía—. ¿Qué coño estás haciendo?

Un chico que pasaba montado en un monopatín se volvió para mirarlos.

—Josh, por favor...

—Me da igual. No sé en qué juego de los cojones estás metida, pero nosotros no tenemos por qué participar. ¿Lo entiendes? ¿Eh?

Ella apartó la vista y asintió con la cabeza. Llevaba las gafas de sol y el abrigo grueso. Estaba muy pálida y tenía el cuello tan fino que se le notaban los huesos. De algún modo, el pelo negro hacía que pareciera una refugiada, una superviviente famélica de una guerra horrible.

—¿Tienes idea de lo que has hecho pasar a mamá? ¿Y a papá? ¿Y a mí y a Katie y a todos los demás? ¿Sabes a cuántas personas estás jodiendo la vida?

—Me lo imagino.

—¿Ah, sí? Y ahora decides ponerte en contacto porque necesitas dinero. Dios, Abbie. Es increíble.

—Escribí una carta.

—¿Cuándo? No hemos recibido ninguna carta.

—Le escribí una carta a mamá hace meses.

—Pues no llegó.

Pasearon en silencio un largo rato. Un hombre estaba jugando a fútbol en la hierba con dos niñas, y una mujer embarazada tumbada a la sombra de un árbol los animaba. Josh lanzó una mirada a Abbie. Estaba mirando en la otra dirección, pero advirtió el brillo de las lágrimas en sus mejillas bajo las gafas de sol.

—Joder, Abbie.

La rodeó con los brazos y la abrazó, y ella escondió la cara en el pecho de su hermano y se puso a llorar. Su cuerpo tembloroso parecía frágil como el de un pájaro, como si pudiera romperle los huesos si le apretaba demasiado fuerte. Y desprendía un extraño olor a cerrado, como el de la ropa que lleva demasiado tiempo guardada en un desván.

—Lo siento —murmuró ella—. Yo no quería que esto pasara.

—No te preocupes.

Josh también estaba a punto de llorar. Maldita sea, no había llorado desde la secundaria y no pensaba hacerlo ahora.

—Te echamos de menos. Es como si hubieras dejado un agujero enorme en todas nuestras vidas. Mamá está siendo muy valiente, pero en el fondo está destrozada y le aterra que pase otra cosa y... Joder, Abbie, no sé qué decir. Todo es tan raro y se ha liado tanto. Se suponía que las cosas no iban a ser así.

—Lo sé.

—¿Por qué no te entregas? Pase lo que pase, no puede ser peor que ahora.

—Oh, sí que puede.

—Escucha, todo el mundo sabe que debió de ser Rolf el que...

Ella se apartó de él, se quitó las gafas y se enjugó las lágrimas violentamente con el puño.

—Tú no sabes nada de él. Ni siquiera lo conoces.

—Lo sé, pero...

—¡Pues no lo juzgues a la ligera! No sabes lo que pasó. Nadie lo sabe. Fue un accidente. Todo el mundo cree que él es malo, que me ha llevado por el mal camino y todas esas chorradas, pero no es verdad. Él se preocupa más por lo que pasa en el mundo que todas las personas que he conocido en mi vida.

Estaba limpiándose furiosamente los cristales de las gafas, pero al mismo tiempo los ensuciaba con los dedos y el pulgar, como si estuviera loca. Él se las cogió con delicadeza y se las limpió bien con el faldón de su camiseta, y luego se las devolvió. Ella no lo miró a los ojos hasta que no volvió a ponérselas.

—Oye, no tengo mucho tiempo. Tenemos que hablar de dinero.

—Abbie, necesitas ayuda.

—¡Lo que necesito es dinero, joder!

Josh suspiró. Ella miró a su alrededor con nerviosismo y empezó a caminar de nuevo, y él la siguió y ajustó su paso al de ella.

—¿Se lo pido a mamá? ¿Le digo que te he visto?

—No sé. Dímelo tú.

—No tengo ni idea. De todas formas, tienen todas las cuentas intervenidas.

—Entonces compra algo.

—¿Que compre algo?

—O habla con el abuelo. Él sabe de dinero. Probablemente se dedica a blanquearlo constantemente para sus clientes importantes.

Él le preguntó cuánto necesitaba y por poco no se ahogó cuando ella contestó que veinte mil dólares. Abbie se negó a decirle para qué era y volvió a enfadarse y se alejó a grandes zancadas cuando él trató de insistir.

Para entonces ya habían llegado a Central Park West, y ella le hizo atravesar el lugar y lo llevó hasta las calles situadas más allá. Josh comprendió que estaban en una especie de misión y le preguntó adónde se dirigían, y ella le dijo que iban a una tienda de productos de electrónica, donde él se compraría un teléfono móvil de prepago para que ella pudiera ponerse en contacto con él. Dijo que ella no iba a entrar en la tienda, de modo que él tendría que asegurarse de que compraba el modelo correcto: uno que pudiera activarse sin necesidad de presentar ningún documento de identidad ni domicilio. Le explicó que le costaría unos cien dólares más o menos y que debería pagarlo en efectivo, de tal forma que la compra no quedase registrada.

Cuando Josh se quejó de que no llevaba aquella cantidad encima después de haber pagado el viaje en taxi, ella le dijo —sarcásticamente, como si él fuera idiota— que por aquel motivo iban a ir primero a un cajero automático, donde, de paso, sacaría algo de dinero extra en efectivo para ella. Josh llevaba toda su vida recibiendo órdenes de su hermana mayor, pero había algo en aquella extraña irritable y medio loca, con su lista calculada de instrucciones, que hacía que le entrasen ganas de agarrarla y sacudirla hasta que entrase en razón. Aun así, no lo hizo.

Probablemente Abbie tampoco habría prestado la más mínima atención. Toda la susceptibilidad emocional que había mostrado antes parecía haberse desvanecido. Resultaba evidente que aquello era a lo que había ido a hacer allí y parecía tenerlo todo calculado. A continuación, le dijo que el nuevo móvil estaba destinado a que únicamente lo usara ella para dejarle mensajes. Solo ellos dos debían saber el número y que él tenía el teléfono; ni siquiera su madre podía enterarse. Una vez que estuviera activado, él lo tendría apagado, excepto una vez cada mañana y cada noche, cuando revisaría su buzón de voz. Sin embargo, nunca, jamás, debía hacerlo en casa, donde las llamadas de toda clase estaban siendo registradas.

Encontraron un cajero automático en Broadway, y Josh sacó doscientos cuarenta dólares y le dio cien. Luego recorrieron unas cuantas manzanas hasta la tienda de electrónica, y mientras ella esperaba en una cafetería, Josh entró en el establecimiento y compró un teléfono móvil de prepago por ciento veinte dólares con treinta minutos de llamadas incluidos, sin que le hicieran ninguna pregunta.

Cuando fue a buscarla a la cafetería, Abbie se estaba crispando y dijo que debía marcharse. Anotó el nuevo número de teléfono y acto seguido entregó a Josh una hoja de papel amarillo en la que había escrito dos columnas con letras y cifras. En una voz tan baja que él tuvo que inclinarse para oírla, le dijo que aquel era el código que utilizarían. Nadie debía descubrirlo. Cada número del cero al nueve tenía asignada una letra del alfabeto elegida al azar. Cuando ella necesitase hablar con Josh, lo llamaría a su nuevo móvil y dejaría un mensaje de dos palabras; la primera sería un número de teléfono en clave, y la segunda le indicaría la fecha y la hora en que debería marcarlo. Si no daba resultado, debería probar de nuevo una hora después, y luego otra hora después y así sucesivamente. Nunca, señaló, debía utilizar un teléfono que no fuera público y siempre debía estar completamente seguro de que no estaba siendo observado. Cuando acabó, a Josh le daba vueltas la cabeza debido al exceso de información. Pero aun así no pudo resistirse a preguntarle si todo aquel rollo a lo James Bond era cosa de Rolf. Únicamente obtuvo por respuesta un suspiro de irritación.

El miércoles siguiente ella le dejaría un mensaje con un número al que debería llamar a la una en punto de la tarde del día después. Aquello brindaría a su madre suficiente tiempo para conseguir el dinero.

—Querrá hablar contigo ella misma —dijo Josh.

Abbie apartó la vista y pensó en ello un instante.

—Por favor —dijo él—. Deja solo que oiga tu voz.

Ella asintió con la cabeza.

—Está bien. Que ella haga la llamada. Pero solo desde un teléfono público y a la hora que te diga. Y en un sitio seguro donde tenga la certeza de que no la están vigilando. Procura que comprenda que tiene que ser muy cuidadosa. Y dile que como empiece a hacerme sentir mal, le colgaré, ¿vale?

Joder, pensó Josh. ¿Hacerla sentir mal? ¿Y toda aquella mierda de que tenía que ser muy cuidadosa? ¿No se daba cuenta de que él ya lo había entendido? Pero no dijo nada y se limitó a asentir con la cabeza.

Ella se había levantado y estaba saliendo de la cafetería, y por un momento Josh creyó que iba a dejarlo sin tan siquiera despedirse. Pero se giró y lo esperó, y cuando él se le acercó, le dedicó una sonrisilla triste en la que a Josh le pareció vislumbrar a la hermana que había conocido en el pasado.

337

—Gracias, Joshie.

—De nada. Solo espero...

—Lo sé.

Le dio un beso en la mejilla, se giró y se alejó rápidamente. Había una estación de metro al final de la manzana, y Josh se quedó mirando mientras ella se abría paso entre la multitud en aquella dirección como un delicado fantasma negro. Pensó que a lo mejor se giraría, pero no lo hizo. La acera estaba iluminada por el sol, pero la entrada del metro se hallaba a la sombra inclinada de un alto edificio. Y observó cómo Abbie atravesaba el umbral de la sombra y empezaba a descender por la escalera hasta que finalmente la oscuridad la devoró.

24

Su padre llevaba en la maldita cinta de correr unos diez minutos, y al margen de cómo se sintiera él, Sarah no creía que pudiera soportarlo mucho más. Tenía los ojos clavados en la imagen reflejada de sí mismo en la pared de enfrente, aunque ella no sabía por qué, pues no era precisamente la idea que uno pudiera tener de una bonita visión. Estaba chorreando sudor, y los pechos le bamboleaban bajo la camiseta empapada a cada paso, mientras inflaba y desinflaba los carrillos como un pez globo gruñón.

La culpa había sido de ella por ir allí. El ejercicio matutino de su padre era sagrado. Y el de un domingo por la mañana lo era doblemente. Ya le había dicho que no dos veces: la noche anterior, cuando ella había llegado, y esa misma mañana. Pero antes de volver a casa sin haberlo conseguido, Sarah tenía que intentarlo de nuevo.

—Papá, ¿no podrías...?

—Sarah, ya te lo he dicho. Es imposible.

—Por favor, escúchame un momento.

—Ya te he escuchado. Y la respuesta sigue siendo no.

—¡Basta!

Si lo hubiera pensado, no se hubiera atrevido a hacerlo. Al mismo tiempo que soltaba aquel grito, apagó la cinta de correr dándole un golpe al botón, y su padre avanzó dando tumbos y tuvo que agarrarse a las barandas para no caerse.

—¿Qué demonios te pasa?

—¡Maldita sea, papá! Necesito que me prestes atención.

Ella nunca hablaba de aquel modo a su padre y estuvo a punto de pedirle disculpas. Pero, al menos por un momento, aquello pareció surtir efecto.

—Sarah, ya lo hemos hablado diez veces.

—¡Es tu nieta, por Dios!

Él salió de la cinta y agarró una toalla de una silla.

—No se trata solo de Abbie —dijo él, mientras se pasaba la toalla—. Todos os habéis vuelto locos. ¿Cuántas veces tengo que decirlo? Lo que me estás pidiendo es ilegal, Sarah. Ilegal.

—¿Y cuándo te ha importado a ti eso?

—¿Cómo?

—Oh, vamos, papá. No me vengas con esas. No me digas que siempre has seguido las reglas. ¿Y todos esos tratos turbios, el dinero en paraísos fiscales y los viajes a las islas Caimán? No soy idiota.

—¡Cómo te atreves!

Cogió su bata y se dirigió a la escalera para subir a la cocina. Ella estaba más sorprendida que él por lo que acababa de decir. Era como si se hubiera activado un instinto maternal de protección. Pero en vista de lo ocurrido, no estaba dispuesta a parar. Lo siguió escalera arriba y entró en la cocina detrás de él. Su madre estaba tras la barra, aparentemente leyendo el periódico. Por su ceja arqueada y la ligera inclinación de su vaso mientras bebía a sorbos zumo de naranja, Sarah supo que debía de haber oído lo que había dicho en el gimnasio. Aquel era un nuevo territorio, y su madre estaba interesada en el tema. Su padre acababa de abrir la nevera y se servía un vaso de agua.

—Papá, habla conmigo.

—Ya he dicho todo lo que tengo que decir. Y tú has dicho más que suficiente.

—Podría haberte dicho que era para mí.

—Pues a lo mejor deberías haberlo hecho. ¿Para qué lo va a utilizar ella? ¿Para hacer bombas? ¿Para matar a más personas o qué?

—Sabes que Abbie no haría eso. Lo que pasó fue un accidente.

—Entonces debería entregarse y contar la verdad.

—Bueno, quizá lo haga. Si establecemos con ella algún tipo de contacto.

Su padre bebió el agua y se sirvió más sin mirar a Sarah.

—¿Papá?

—¿Qué?

—Si fuera yo la que estuviera ahí fuera, muerta de miedo y hambrienta... —Sarah se mordió el labio. Maldita sea, no iba a llorar—. ¿No lo harías por mí?

Su madre, que seguía haciendo ver que leía el periódico, murmuró algo. El padre de Sarah se volvió y le lanzó una mirada fulminante.

—¿Qué has dicho?

—He dicho que claro que lo harías.

Él apuró el segundo vaso de agua y al dejarlo en la encimera emitió un ruido sordo. A continuación volvió a enjugarse la cara y el cuello con la toalla.

—Te daré diez mil.

—Quince.

—Está bien, quince. Pero eso es todo. No quiero oír hablar más del tema. Es para ti y lo que hagas con él es asunto tuyo.

Sarah se acercó a él y lo rodeó con los brazos.

—Papá, gracias.

—Debo de estar loco.

Sarah se había imaginado que el asunto tardaría un día o dos en estar solucionado, pero una vez que su padre se duchó y se vistió, se dirigió discretamente a la caja fuerte que tenía en el estudio y al cabo de una hora ella estaba conduciendo de vuelta a casa con el dinero envuelto en una bolsa de plástico amarilla en el maletero.

A esas alturas ya estaba acostumbrada a mirar constantemente por el retrovisor para ver si la estaban siguiendo, y nunca había visto nada vagamente sospechoso. Sin embargo, ese día todo el mundo resultaba sospechoso. No solo le preocupaba la policía, sino también los ladrones. Cada peatón que esperaba a que cambiara el semáforo de repente era un atracador potencial o un ladrón capaz de asaltarla en el coche. Era la misma sensación que Josh le había dicho que había experimentado cuando iba a citarse con Abbie.

Sarah se había dado cuenta de que había pasado algo grave en cuanto el muchacho había cruzado la puerta el día anterior por la tarde, tras su misteriosa —y totalmente inverosímil— «salida de compras» a la ciudad. Josh la había hecho salir al porche y le había contado en voz baja lo que había sucedido. Y cuando Sarah consideró que le había sacado todo lo que podía sacarle (pues el chico mentía muy mal y estaba segura de que no se lo había dicho todo), preparó su bolsa de viaje, se metió en el coche y viajó directamente a Bedford. Sarah quería que su hijo fuera con ella, creyendo que su relato como testigo presencial del encuentro con Abbie podría influir en su abuelo, pero Josh había presentado una excusa pobre diciendo que había prometido ver a Freddie. Saltaba a la vista que el pobre chico todavía estaba aturdido después de ver a su hermana, de modo que Sarah decidió no insistir. Sin embargo, ahora, de vuelta a casa, acosada por policías y ladrones fantasma, deseaba haberlo hecho.

Fue entonces cuando cayó en la cuenta de que tenían que decirle a Benjamin que Josh había visto a Abbie. Tenía derecho a saberlo, aunque a ella no le entusiasmaba mucho la idea de llamarlo. La última vez que habían hablado había sido poco menos que catastrófica. Tras la noche que habían hecho el amor, ella se había convencido como una boba de que las cosas iban a cambiar de alguna manera. De que lo ocurrido con Abbie ahuyentaría la locura que se había apoderado de él y lo traería de vuelta. Él la quería, ella lo sabía. Era evidente por lo que había pasado aquella noche. Los hombres no podían fingir esas cosas.

Pero a los pocos días él decidió marcharse. A Santa Fe. Y conforme iban pasando las semanas y los meses, Sarah había comprendido que se había engañado a sí misma. Nada había cambiado. Salvo que la soledad y el dolor parecían muchísimo más intensos. Y se sentía tan estúpida, tan condenadamente estúpida por dejar que pasara lo que pasó aquella noche. ¿Cómo había podido hacer el amor con ella con tal ternura y tal arrepentimiento cuando no sentía aquello, cuando era obvio que no tenía la más mínima intención de volver a casa?

Pero el ridículo que había experimentado entonces no era nada comparado con lo que había sentido el mes anteior al volver a casa después de estar una semana en Pittsburgh con Iris y encontrarse con su vivienda vacía. De repente, el tiempo se había vuelto invernal y la caldera había pasado a mejor vida, de modo que en la casa no había ni calefacción ni agua caliente. Josh había salido de fiesta y, según parecía, toda la gente a la que llamaba había hecho otro tanto: Martin y Beth, y Jeffrey y su novio Brian. Se había puesto dos jerséis y un abrigo y había encendido fuego en la sala de estar, se había bebido una botella entera de Chianti, y luego había abierto otra y había hecho lo que había prometido que no volvería a hacer: llamar a su ex marido a última hora de la noche después de haber estado bebiendo.

Benjamin contestó con la boca llena; evidentemente estaba en plena cena íntima a la luz de las velas con la Catalizadora. Y Sarah había arremetido contra él con dureza, acusándolo de todo lo que se le había ocurrido, incluso de cosas que sabía que él no había hecho y que jamás haría. Le había echado en cara que nunca la había querido, que nunca había querido a ninguno de ellos, que lo único que le importaba era su trabajo y su maldito orgullo. Y que había arruinado y echado a perder la vida de ella, que le había arrebatado unos años preciosos en los que podría haber hecho cosas mucho más valiosas y haber tenido una carrera más seria y satisfactoria, en lugar de hacer tantos sacrificios para que luego él se los devolviera con una patada.

Por el ruido de fondo, se había dado cuenta de que Benjamin había cambiado de habitación para trasladarse a un sitio más íntimo de modo que la Catalizadora no se ruborizara. Al cabo de un rato, sus intentos por meter baza se habían vuelto más firmes y enérgicos.

—Sarah, escucha. Escucha un momento. Por favor. Voy a colgar.

—Sí, ¿por qué no? Ve a follarte a esa zorra, como hiciste conmigo aquella noche. Y de paso que te follen a ti también.

Los agentes del FBI que le tenían pinchado el teléfono debían de haberse quedado estupefactos, mientras jugaban una de sus interminables partidas nocturnas de póquer o lo que fuera que hacían para pasar el rato.

Tenía la esperanza de que el recuerdo de lo que había dicho resultase confuso con la resaca, pero no fue así. Y aunque desde entonces había intentado armarse de valor para llamarlo y pedirle disculpas, no había sido capaz de hacerlo. Sin embargo, ahora que tenían noticias de Abbie, ahora que Josh la había visto, no le quedaba ninguna excusa. Benjamin tenía que saberlo de algún modo, sin levantar sospechas.

Por la tarde, con el dinero escondido en la lavadora (parecía un lugar adecuado y, a falta de caja fuerte, tan bueno como cualquier otro), guiñó el ojo a Josh y le pidió que saliera al jardín para ayudarla a plantar algo. No tenía ni idea de si el FBI había puesto micrófonos ocultos en la casa además de pinchar los teléfonos. Desde luego habían tenido oportunidades de sobra para hacerlo. Durante los últimos meses habían pasado tantos agentes por allí con el fin de registrar las cosas de Abbie y hacerles un millón de preguntas sobre ella que les permitieran «elaborar su perfil», que habían sin duda tenido ocasión de colocar o pinchar lo que quisieran. Hasta el momento no habían dicho nada que mereciera la pena ser escuchado, pero ahora que así era, Sarah no pensaba correr ningún riesgo.

Josh no estaba al corriente de la llamada injuriosa que ella había hecho a Benjamin, de modo que se la relató evitándole los detalles escabrosos. Era increíble lo mucho que el chico había madurado desde que su padre se había marchado. Ella siempre había tratado sus cuitas emocionales con Abbie. Pero Josh se había revelado como alguien capaz de escuchar igual de bien y de manifestar idéntica sensatez, aunque mayor parquedad, en sus consejos. Antes de que a Sarah se le ocurriera tan siquiera sugerirlo, Josh dijo que él mismo llamaría a Benjamin.

Él ya lo tenía pensado. Para no alertar a los que escucharan la conversación, le diría a su padre que tenía que arreglar muchas cosas concernientes a su ingreso en la Universidad de Nueva York: impresos que rellenar, etc. Mencionaría de pasada que Sarah estaba avergonzada por la última llamada y sugeriría que los tres se reunieran para comer o cenar juntos cuando Benjamin estuviera en Nueva York. A Sarah le pareció un buen plan.

Entraron en casa y Josh subió corriendo a su habitación para hacer la llamada mientras Sarah intentaba concentrarse en la preparación de la cena. Al cabo de cinco minutos, Josh estaba otra vez abajo. Todo estaba arreglado, dijo. Benjamin llegaría en avión el viernes. Cenarían juntos. Le mandaba recuerdos.

Josh se negó a decir cómo sabía el número que tenían que marcar. Dijo que le había prometido a Abbie que no se lo diría a nadie y que de esa forma era más seguro. Al volver del instituto la tarde anterior le había entregado a Sarah un trozo de papel con un número escrito. Tenía prefijo de Nueva Jersey y, según había dicho, probablemente se trataba de un teléfono público de algún centro comercial o una gasolinera.

Sarah se había pasado toda la semana devanándose los sesos, pensando en el mejor lugar desde el que hacer la llamada, y finalmente había optado por Roberto's, un restaurante al que ella y Benjamin solían ir con frecuencia. En la parte de atrás, más allá de los servicios, había dos teléfonos públicos cubiertos, y siempre había suficiente ruido y bullicio procedente de la cocina para ocultar cualquier conversación. Además, solo estaba a cinco manzanas de la librería. De modo que el jueves por la mañana, a las doce y cuarto, como por antojo, anunció a Jeffrey que iba a invitarlo a comer.

El local no estaba muy concurrido, pero a medida que se iba acercando la una comenzó a llenarse. Se comieron sus ensaladas y charlaron sobre el negocio, y luego Jeffrey empezó a hablarle de una nueva película francesa que Brian y él habían visto en el Angelika Film Center. Sarah hizo todo lo posible por parecer interesada, aunque cada vez que alguien pasaba en dirección a los servicios lo único en lo que podía pensar era en lo que ocurriría si a la una en punto, cuando fuese allí atrás, los dos teléfonos estuviesen ocupados. Consultó su reloj. Faltaban cuatro minutos.

—¿Te encuentras bien?

—¿Perdón?

Jeffrey la estaba mirando con el ceño fruncido.

—Pareces un poco distraída.

—No, estoy bien. Jeffrey, lo siento mucho. Me acabo de acordar. Tenía que haber llamado a Alan Hersh esta mañana. Por lo visto, es algo importante y me he olvidado por completo. ¿Me disculpas un momento?

—Claro.

Cogió su bolso, se levantó y volvió a atravesar el restaurante, abriéndose paso entre las mesas, donde súbitamente cada cara parecía estar mirándola fijamente. Se sentía como Al Pacino en *El padrino* cuando va a coger la pistola escondida en los lavabos. Los dos teléfonos estaban libres. Escogió el más alejado de los servicios. Faltaban dos minutos para las dos. Dejó el bolso en el pequeño estante de acero inoxidable y sacó una bolsita de plástico con monedas y el trozo de papel que le había dado Josh. Y cuando la segunda manecilla de su reloj marcó la hora, respirando de forma acelerada y superficial y con las manos tan temblorosas que estuvo a punto de tirar las monedas, levantó el auricular, introdujo el dinero y marcó el número.

—¿Hola?

Sarah respiró con dificultad y tragó saliva, y por un instante fue incapaz de hablar. Oír su voz después de todos aquellos largos meses la conmovió profundamente.

—¿Mamá?

—Hola, amor mío.

—Oh, mamá.

Por el hilo de voz entrecortado de Abbie, Sarah comprendió

que no era la única que estaba conteniendo las lágrimas. De repente no sabía qué decir, como una boba. Había demasiadas cosas que contar y a la vez ninguna.

—¿Qué tal estás, cariño?

—Estoy bien. ¿Y tú?

—Bien, también.

Se hizo un largo silencio. Sarah oía una música de fondo y luego sonó el estruendo de un claxon. Estaba deseando preguntar a Abbie dónde estaba, pero sabía que no debía hacerlo.

—Mamá, lo siento mucho.

—Oh, cariño.

—Escucha, tenemos poco tiempo...

—Amor mío, vuelve a casa, por favor...

—Mamá...

—Todo el mundo lo entenderá si les cuentas lo que pasó...

—¡No sigas! ¡Le dije a Josh que no te permitiría hacer eso!

—Perdona, perdona.

Hubo otra larga pausa.

—¿Has conseguido el dinero?

—Abbie, cariño...

—¿Lo has conseguido?

—Sí.

—Bien. Ahora presta mucha atención. Te voy a decir lo que tienes que hacer. Es muy importante que lo hagas todo exactamente como yo te diga. ¿Tienes un boli?

Un hombre estaba recorriendo el pasillo. Sarah se giró, se secó las lágrimas y cogió el bolso. Supuso que se dirigía a los servicios, pero no era así. Iba a utilizar el otro teléfono.

—¿Mamá?

—Sí. Un momento.

Encontró un bolígrafo, pero le temblaban tanto las manos que el bolso se le cayó del estante y su contenido se desparramó por el suelo.

—¡Maldita sea!

El hombre, un joven bien parecido con una chaqueta marrón, se agachó junto a ella y la ayudó a recogerlo todo. La miró directamente a los ojos, tal vez demasiado directamente, y sonrió. ¿No sería un...? Sarah le dio las gracias, se levantó y volvió a coger el teléfono.

—Perdona —dijo, esforzándose por aparentar un desenfado que sonaba disparatado incluso a sus propios oídos—. Se me acaba de caer el bolso.

—¿Estás lista? —dijo Abbie.

Sarah notó un golpecito en el hombro y se llevó tal susto que estuvo a punto de soltar un grito. El joven tenía en la mano su pintalabios. Ella sonrió, lo cogió y le dio las gracias.

—¿Hay alguien ahí? —preguntó Abbie con ansiedad.

—No pasa nada.

—¿Quién es?

—No te preocupes, todo está bajo control.

Sabía que en ese momento tenía que parecer alegre y despreocupada. Por si acaso. Probablemente aquel hombre no fuera un agente. Ellos no actuarían de forma tan poco sutil. ¿O sí? Sabía que Abbie estaba a punto de colgar. Pero no lo hizo. Preguntó si Sarah estaba lista y empezó a dictarle sus instrucciones.

Cuando Sarah regresó a la mesa, Jeffrey dijo que había estado a punto de llamar al servicio de búsqueda y rescate. Ya casi había terminado su plato de pasta y había pedido que se llevasen el de ella y lo mantuvieran caliente. El camarero la había visto volver y le trajo el plato inmediatamente. En su vida había tenido menos apetito. Jeffrey preguntó si todo iba bien y ella dijo que sí, gracias. Todo iba estupendamente.

25

Ben llegó al centro comercial poco después de las siete y media, una hora larga antes de lo señalado. Estaba preocupado por el tráfico y también por si aquel sitio tenía uno de esos aparcamientos enormes y se perdía en aquellos oscuros laberintos y lo echaba todo a perder. De hecho, resultó ser incluso más grande de lo que esperaba, y más por casualidad que gracias a su inteligencia dio con el lugar correcto sin problemas.

La zona M, fila 18, en el rincón del fondo del aparcamiento, enfrente de las tiendas Petland y Old Navy. Podía ver el cubo de la basura negro, el tercero empezando por la izquierda, en el que tenía que tirar la bolsa. No parecía que hubiera ninguna cámara de seguridad, motivo por el cual probablemente Abbie había escogido aquel lugar. Pensó por un instante que a lo mejor ella ya estaba allí, observándolo en ese momento desde alguna parte. Si era así, sin duda lo mejor fuera no dedicarse a mirar ni a fisgar para no asustarla.

Recorrió el aparcamiento, y redujo la velocidad aquí y allá para dejar pasar a los clientes que empujaban sus carritos llenos de compras hacia sus coches, y luego salió de nuevo a la carretera y condujo un kilómetro en dirección al oeste hasta que vio una flecha roja de neón brillante y un cartel que ponía BAR RODEO. Paró, aparcó y entró en el local, y una vez en la barra, pidió una cerveza.

Estaba seguro de que lo habían seguido. Había salido por una puerta lateral del Waldorf, donde estaba alojado, luego había cruzado Manhattan en tres taxis diferentes, había atravesado Macy's y había salido por el otro lado, y a continuación había tomado un cuarto taxi hasta la empresa de alquiler de coches. Si algún agente había conseguido repetir aquel circuito y luego le había seguido la pista entre el tráfico hasta Newark, merecía un ascenso inmediato.

El bar Rodeo simulaba, sin demasiada convicción, hallarse en algún lugar del oeste. Había unos cuantos cuadros de vaqueros en las paredes y una cabeza de búfalo falsa de aspecto bastante triste que parecía estar mirando el partido de béisbol que se estaba emitiendo en la televisión de encima de la barra. El barman llevaba un chaleco de satén rojo y una de esas corbatitas negras a lo Maverick, y saludaba a todos los clientes con un «hola» indudablemente obligatorio aunque poco entusiasta.

Ben todavía no se había repuesto del todo de la conmoción que le había causado aquel asunto. Había volado a Nueva York con la esperanza de hablar con Josh de la universidad y hacer las paces con Sarah. Y allí estaba, preparándose furtivamente para tirar quince mil pavos en un cubo de la basura de Nueva Jersey para su hija terrorista.

La noche anterior, en el ruidoso restaurante de Oyster Bay, justo cuando estaba empezando a pensar que hacer las paces con Sarah iba a ser mucho más fácil de lo que había imaginado, ella y Josh se habían mirado el uno al otro, habían asentido con la cabeza y acto seguido se habían inclinado hacia delante por encima de sus filetes y le habían comunicado la noticia.

Para entonces, naturalmente, ellos estaban mucho más metidos en el ambiente conspiratorio que él. Josh no paraba de decir cosas como «ponerla al descubierto» o «hacer la entrega» como si fuera un miembro de la mafia. Ben había permanecido sentado con los ojos cada vez más abiertos. Si Josh estaba más versado en la mecánica de todo el asunto, Sarah lo estaba en el aspecto psicológico. No podía dejar de hablar de Rolf.

—Evidentemente, ese tipo la tiene completamente esclavizada —había dicho—. Joshie ha dicho que parecía una persona totalmente distinta. Y yo lo noté en su voz. Era dura, como la de un maníaco. Necesita ayuda, Benjamin. Tenemos que apartarla de ese tipo.

Ben no había necesitado que lo convencieran. Tan solo dos semanas antes había recibido una visita de un nuevo agente del FBI de Denver que por lo visto se había hecho cargo del caso después de Frank Lieberg. Se llamaba Kendrick y parecía un tipo mucho más comprensivo que cualquiera de los agentes con los que habían tratado hasta entonces. En un momento determinado, incluso había sacado su cartera para enseñarle a Ben unas fotos de su hija y había dicho que no podía ni imaginarse cómo se las arreglaría si a ella le pasara algo parecido.

Había explicado a Ben que lo sucedido con Abbie era un caso clásico de encaprichamiento, lo que había llegado a conocerse como síndrome de Estocolmo o de Patty Hearst: una joven procedente de una familia afectuosa y acomodada, en un momento de vulnerabilidad, se enamoraba locamente de un hombre carismático, inevitablemente mayor y más experimentado. El hombre la convencía de que los valores con los que se había criado eran desacertados y moralmente corruptos, y la introducía en una forma de vida en la que la criminalidad se convertía en una romántica alternativa moral, incluso emocionante. Normalmente había un deseo de escandalizar o ultrajar o incluso castigar a los padres. Y a menudo, había añadido Kendrick con cierta incomodidad, existía un fuerte elemento sexual que difuminaba la realidad y ataba a la mujer todavía más estrechamente a su nuevo mentor.

Ben había empezado a interrogarlo sobre Rolf y se había deprimido al enterarse de lo poco que parecían saber todavía. Habían pasado más de seis meses desde que él había comunicado lo que Hacker le había dicho sobre aquel hombre en Missoula, incluso les sugirió la posibilidad de que Rolf fuera el tal Michael Kruger o Kramer que había estado implicado en los atentados con bombas de hacía años. Kendrick le había dicho que habían investigado todas las posibles conexiones, pero que no habían hallado nada que arrojase nueva luz sobre su identidad.

En parte debido a su última e incendiaria llamada telefónica, y en parte porque no quería disgustarla con cosas que más o menos ella ya debía de haberse imaginado por su cuenta, Ben no le había dicho a Sarah nada de lo que sabía sobre Rolf. Y aquella noche, durante la cena, no le había parecido apropiado, sobre todo delante de Josh. Pero allí estaban, hablando de «hacer la entrega», tramando un complot en el que de algún modo Ben había pasado a ser el personaje principal y que (pese a no conocer los detalles) sin duda podía llevarlo a la cárcel si lo pillaban. «Que Dios nos asista —pensó—, nuestra niña bonita nos ha convertido a todos en criminales.»

Mientras bebía a sorbos su cerveza y miraba distraídamente el partido de béisbol por encima de la cabeza del joven barman, Ben no paraba de pensar que Sarah podía estar en lo cierto. Probablemente era ella la que debería estar haciendo aquello, y no él. Incluso antes de darse a la fuga, Abbie había dejado claro que no quería verlo. Teniendo en cuenta su frágil estado mental, la visión de su padre esa noche podía ponerla hecha una furia. En cambio, si veía a su madre, es posible que se ablandase y se conmoviese. Por supuesto, Abbie estaba esperando que fuera Josh quien entregase el dinero, y el pobre muchacho lo habría hecho de buena gana. Pero Sarah y Ben no iban a permitirlo de ninguna manera. Después de haber estado hablando de ello la noche anterior y de examinar la idea desde todos los puntos de vista posibles, habían acordado que lo haría Ben. Él era el más fuerte, físicamente hablando. Y, llegado el caso, podía agarrarla, reducirla y quizá meterla en el coche y hacerla entrar en razón para que se entregase. Quizá.

Pensó en Eve y de repente le entraron ganas de llamarla, pero recordó que, siguiendo las instrucciones de Abbie, había dejado el móvil en el hotel por si la policía utilizaba su señal para seguirle la pista. De todas formas, había hablado con ella tan solo un par de horas antes, sin darle ninguna indicación de lo que se disponía a hacer. Eve le había dicho algo que lo había desconcertado un poco.

El día antes por la tarde había encontrado a Pablo delante de la televisión, viendo una cinta de vídeo que el niño había encontrado en el armario del dormitorio. Parecía una copia de una película casera. Eve se había quedado perpleja. Dos niños que ella no reconocía, un pequeño y una pequeña, estaban chapoteando en las aguas poco profundas de una playa. Entonces la cámara hacía una panorámica y aparecía Sarah en traje de baño levantando las manos e intentando salir de la toma, mientras la voz de Ben la reprendía y se reía detrás de la cámara, diciéndole que estaba muy guapa y que se quedase quieta.

Era una de las cintas que Ben se había llevado cuando decidió exiliarse de Long Island. Había intentado verla en cierta ocasión en que Eve estaba fuera de casa, pero se había quedado sin habla y la había parado. Naturalmente, Pablo sabía que Ben tenía dos hijos mayores, pero insistía en que no eran aquellos niños y quería saber cuándo iba a conocerlos para poder jugar con ellos.

Eran las ocho y cuarto. Ben terminó la cerveza y pagó, y el barman dijo: «Vuelva pronto, ¿vale?». Ben dijo que lo haría sin duda.

Era ya casi de noche. Soplaba un aire fresco y puro, y las señales luminosas que había a los lados de la carretera brillaban intensamente con multitud de tonos vivos. Ben salió despacio del solar y se dirigió de nuevo con su coche a la entrada del centro comercial, e hizo otro circuito por las tiendas. Todas seguían abiertas, aunque había menos coches que antes. En la zona M probablemente había unos treinta o cuarenta vehículos, pero todos parecían vacíos. Tal vez ella fuera a pie.

Cuando estaba realizando el segundo circuito, el reloj del salpicadero marcó las 20.28, y al llegar a la tienda Petland se metió en la zona M y se dirigió lentamente al rincón y a la fila 18. Solo había dos coches situados a unos veinte metros del tercer cubo de basura y aparentemente no había nadie en ninguno de ellos. Podría aparcar justo al lado del cubo. Un poco más lejos, al otro lado de la franja de hormigón que separaba las secciones, en la zona L, una pareja de ancianos estaba intentando sacar algo pesado de un carrito y meterlo en la parte trasera de una vieja ranchera. Eran las únicas personas que había en las inmediaciones.

Paró junto al sitio en cuestión y dio marcha atrás para que la parte posterior del coche quedase situada a unos tres metros del cubo de basura. Cuando el reloj dio las 20.30, salió del coche dejando el motor encendido, rodeó el vehículo y permaneció junto al maletero, mientras echaba el último vistazo a su alrededor. La pareja de ancianos de la zona L estaba discutiendo, pero ninguno de ellos le lanzó tan siquiera una mirada. Ben abrió el maletero deprisa, sacó la bolsa de plástico amarilla y, con un rápido movimiento, la tiró al cubo de basura. A continuación cerró el maletero y, siguiendo exactamente las instrucciones de Abbie, volvió a meterse en el coche y se alejó.

Mientras cruzaba el aparcamiento en dirección a la carretera que pasaba por delante de las tiendas, no hacía más que mirar por el retrovisor y a su alrededor en busca de alguna señal de Abbie. Pero no vio ninguna. Frenó delante de Old Navy para dejar paso a un coche que pasaba y dobló la esquina lentamente detrás de él. Y cuando el aparcamiento dejó de verse por el retrovisor, echó un último vistazo por encima del hombro. Pero nada había cambiado. No había ningún coche nuevo ni ninguna persona cerca del cubo de basura.

Ella tenía que estar observando en alguna parte. Ningún coche lo estaba siguiendo, pero quería dar la impresión de que continuaba obedeciendo las órdenes, de modo que siguió las señales blancas de salida pintadas en la carretera como si se fuera a marchar definitivamente.

Pero no era así. Ya lo tenía pensado. Unos trescientos metros más adelante había una pequeña pendiente, y detrás de ella, unas luces. Cuando llegase allí dejaría de estar a la vista y se encontraría lo bastante lejos para que ella creyera que se había marchado. Pero al alcanzar las luces tomaría una curva a la derecha y luego otra que lo llevaría de nuevo al otro extremo del centro comercial, donde seguiría la carretera interior y volvería a dirigirse al aparcamiento.

En menos de tres minutos estaba pasando por delante de las

tiendas JCPenney y Bed Bath & Beyond, y más adelante, al otro lado de un pequeño tramo de enlace, vio la tienda de mascotas Petland. Tenía que esperar a que pasaran tres coches y miró en la oscuridad a las personas que había dentro, pero ninguna de ellas era Abbie. Una vez al otro lado del tramo de enlace, y a medida que se acercaba a la tienda de animales, miró a la derecha y vio un coche blanco, un pequeño Ford, que cruzaba el aparcamiento en dirección al rincón del fondo de la zona M, una sección muy apartada de las tiendas si lo único que uno quería era aparcar. Tenía que ser ella. Pero todavía estaba demasiado lejos para poder hacerse algo más que una vaga idea del conductor.

En la zona L, que se hallaba más cerca de donde él estaba en ese momento, vio que la pareja de ancianos seguía intentando meter el objeto de antes en la parte de atrás de la ranchera. Impulsivamente, se metió de forma brusca en la entrada de la zona L en lugar de acceder a la M y se dirigió hacia ellos. El coche blanco estaba casi al lado del cubo de basura, y de repente Ben sintió una punzada de pánico ante la posibilidad de que ella lo viera y girara y se marchara. En aquel momento estaba lo bastante oscuro y, por supuesto, ella no reconocería su coche. Pero no iba a arriesgarse a ser visto tan pronto y giró rápidamente el volante y aparcó en el espacio situado entre dos altos todoterrenos. Salió del vehículo y echó a correr.

El coche blanco estaba parando junto al cubo de basura. Parecía que solo había una persona dentro. Ben corrió tan rápido y tan encorvado como pudo, procurando que la ranchera de la pareja de ancianos se mantuviera entre él y el coche blanco. Entonces vio que la puerta del conductor se abría y salía alguien. Era un hombre. Abbie había dicho a Sarah que ella misma recogería el dinero. Pero aquel tenía que ser Rolf. Cómo habían sido tan estúpidos para no pensarlo. Él no se fiaría de que ella fuera sola. Querría encargarse él personalmente. ¿Y cómo podían estar seguros de que iba a dárselo a Abbie? Aquel cabrón probablemente fuera a robarlo. De repente, Ben sintió un acceso incontrolable de furia.

El hombre estaba caminando en dirección al cubo de basura,

a la vez que echaba un vistazo a su alrededor, intentando parecer despreocupado. Ben estaba a unos veinte metros de distancia, avanzando rápidamente a saltos, encorvado como un mono y procurando interponer la ranchera entre él y el cubo de basura. Pero la anciana lo había visto y le dio un golpecito a su marido en el hombro, claramente asustada ante la posibilidad de que fuera un atracador. Ben levantó las manos, tratando de decirles que no pasaba nada y que no se preocupasen, y por suerte ninguno de ellos dijo nada. Los había dejado atrás y se estaba aproximando rápidamente a Rolf, quien había sacado la bolsa de dinero del cubo y se dirigía de vuelta al coche. Ben estaba ahora a tan solo nueve, siete, cuatro metros de distancia.

—¡Cuidado! —gritó alguien.

Era una voz de mujer y procedía del coche blanco. Ben miró y vio una cara en la ventanilla de atrás y al momento descubrió que era Abbie. Debía de haberse quedado tumbada en el asiento trasero para no ser vista. Pero su grito había alertado a Rolf, quien se giró y vio que Ben se le estaba acercando y que casi lo tenía al alcance de la mano. Echó a correr hacia la puerta del conductor.

—¡Quieto! —chilló Ben—. ¡Hijo de la gran puta!

Rolf estaba subiendo al coche, pero Ben consiguió alcanzarlo antes de que cerrara la puerta. Lo agarró por la cazadora de piel que llevaba, le retorció la solapa e intentó sacarlo a rastras. Abbie gritaba desde el asiento de atrás.

—¡Vete! ¡Vete! ¡Márchate!

Rolf estaba pegándole, tratando de apartarlo a puñetazos y codazos.

—¡Devuélveme a mi hija, cabrón!

El coche empezó a moverse, pero Ben se abalanzó sobre Rolf, lo agarró de la pierna y tiró de ella con tal fuerza que le quitó el pie del acelerador. Se lanzó a por las llaves, pero falló.

—¡Papá, no! ¡No lo hagas!

—¡Abbie, por favor! —gritó Ben—. ¡Solo quiero hablar! ¡Por favor!

—¡Suéltalo!

—¡Por favor, Abbie! ¡Solo quiero hablar! Dile...

Entonces fue cuando el puño de Rolf le dio de lleno en la cara, justo entre los ojos. De repente Ben vio un destello, cayó hacia atrás y se desplomó. Se golpeó la parte de atrás de la cabeza contra el suelo, mientras la puerta se cerraba de golpe por encima de él y el coche se alejaba hasta convertirse en una mancha blanca temblorosa y difusa.

Y a través de la bruma distorsionada y cada vez más espesa causada por la contusión, lo último que vio fue la cara que lo miraba pegada a la ventanilla trasera, el extraño pelo negro y los ojos muy abiertos, horrorizados y asustados, de su hija.

26

De entre todas las imágenes de aquella mañana de septiembre —los aviones atravesando los edificios, las llamas contra el cielo radiante, las torres desplomándose—, la que a Eve se le quedó más grabada en la mente fue la nube ondulante de polvo que persiguió y engulló a la multitud. Fue como si tuviera que extenderse más y hasta tragarse al mundo que observaba desde el otro lado. Y cuando por fin se despejó, toda vida se había visto transformada de algún modo.

Eve no soportaba la estridente invasión de las noticias o lo que la gente solía llamar noticias. Y en verano y a principios del otoño, cuando Pablo entraba a despertarla, ponía música y abría las puertas que daban a la terraza para dejar que el sonido saliese y el sol entrase. Sus gustos en materia de música eran caprichosos, aunque la mayoría de las veces se veían determinados por lo que estaba pintando en ese momento. Esa mañana debería haber escogido a Mozart o Tom Waits, Beth Nielsen Chapling o los cantos de los monjes tibetanos, pero optó por *Las variaciones Goldberg*, de Bach.

Pablo había arrastrado una silla hasta debajo del cerezo y se había subido encima para rellenar los comederos de los colibríes. Eve estaba tumbada boca arriba en la terraza, vestida con su camisón, haciendo su tabla de estiramientos matutina. En medio de la música, oyó débilmente que el móvil de Ben estaba sonando, pero no volvió a pensar en ello hasta que él apareció en la puerta. Al verle la cara supo que había pasado algo y lo primero en lo que pensó fue en Abbie. La llamada era de Sarah, dijo. Había ocurrido algo terrible en Nueva York. La residencia de la Universidad de Nueva York, en Water Street, a tan solo tres o cuatro manzanas del World Trade Center, había sido evacuada. Josh había desaparecido y no contestaba a su teléfono. Sarah estaba prácticamente histérica.

Durante lo que pareció una eternidad, mientras el horror se exhibía por televisión, llamaron a todas las personas residentes en Manhattan que conocían, con la esperanza de que Josh se hubiera puesto en contacto con ellas. Nadie sabía nada. Los móviles ya no funcionaban. Tal vez una llamada de cada veinte se realizaba con éxito. Finalmente, casi media hora después de que la segunda torre se desplomara, Sarah volvió a llamar. Josh estaba vivo. Las ventanas de la residencia se habían roto y todo el mundo había cogido cuanto había podido y había salido. Josh se había acercado para ver si podía ayudar en algo y luego se dirigió hacia las afueras, a Penn Station, donde por fin había logrado hacer una llamada. Sarah le dijo que el chico estaba vestido a medias, que tosía, que se hallaba conmocionado y cubierto de polvo. Pero, gracias a Dios, estaba bien. Había cogido el tren y estaba camino de casa.

Aquello fue muchas semanas antes de que los Cooper llegasen a comprender que, aunque aquel día habían evitado la pérdida de su segundo hijo, sin duda se había cimentado la pérdida de la primera. La pequeña esperanza a la que se habían aferrado de que Abbie despertara de su locura y se entregara, prácticamente se desvaneció entonces. Antes de aquello, con suerte, el asesoramiento fiable de un abogado y un juez indulgente, ella podría haber suscitado una actitud comprensiva e incluso cierta compasión. Pero a medida que el mundo se endurecía y se atrincheraba y se preparaba para la guerra, las delicadas distinciones que en otro tiempo se podrían haber hecho desaparecieron ahora. Ya no existían matices grises, sino únicamente la clara división entre el bien y el mal. Y Abbie se vio irremediablemente relegada a la zona oscura.

Ben empezó a sospechar aquello a raíz de la llamada de Dean Kendrick que recibió cierto día por la tarde. Aquella llamada le dejó conmocionado. Tras las formalidades de rigor, Kendrick le había formulado toda una retahíla de lo que él llamaba preguntas «rutinarias», concernientes a cualquier posible relación que Abbie hubiera tenido con países árabes o islámicos. ¿Había viajado a Oriente Medio? ¿Sabía Ben si había tenido amigos o conocidos de aquella etnia concreta o de aquella religión en el instituto o la universidad?

—Dame un respiro, Dean —dijo Ben.

—Lo sé, Ben, perdona. Pero, por desgracia, suele haber relaciones entre esos colectivos terroristas...

—¡Colectivos terroristas!

—Ben, ya sé lo duro que es para ti pensar en Abbie de esa forma, pero es una terrorista. Escribió las iniciales de un grupo terrorista en las paredes. Es un hecho. Tenemos que examinar todos los ángulos.

Desde aquella noche terrible en Newark no habían tenido noticias de Abbie. Ben tenía la corazonada de que su hija había abandonado el país, de que ella y Rolf habían conseguido entrar en Canadá o México o todavía más lejos y estaban utilizando el dinero para empezar una nueva vida. Había vuelto a Santa Fe con el aspecto de un boxeador profesional, luciendo los dos ojos morados y la nariz rota. Naturalmente, a Eve le preocupaban más las heridas profundas que le habían infligido aquella noche.

Sin embargo, curiosamente, conforme iban pasando los meses e iba asimilando la nueva condición de Abbie, se produjo un cambio en su interior. No hablaba mucho de ello con Eve, aunque ella sabía que Ben apenas hablaba de otra cosa con su terapeuta. Pero a partir de lo que le dijo, a ella le dio la impresión de que lo sucedido aquella noche le había ayudado a trazar una especie de línea. En cierta ocasión, le dijo que la cara que había visto en la ventanilla del coche pertenecía a otra persona, a una extraña a la que ya no reconocía como su hija. Se trataba de algo que no había descubierto hasta que la había visto. Y como no había nada más que pudiera hacer al respecto, las opciones estaban claras: podía entregarse al dolor y seguir culpándose y haciendo insoportable su vida y las de las personas que lo querían, o podía entregarse a la vida y aceptar todas las cosas buenas que no estaban corrompidas, tanto las nuevas como las viejas.

El trabajo fue lo que más pareció ayudarlo en aquel proceso. Después de un comienzo flojo —muchas llamadas telefónicas, reuniones improductivas y trabajos no remunerados—, ahora tenía buenos contactos y un par de proyectos que lo entusiasmaban. Un joven productor de Hollywood le había pedido que diseñase una casa en un terreno de ocho hectáreas de desierto con pinos situado más allá de Tesuque, un terreno con unas vistas espectaculares de las montañas que lo rodeaban. A esas alturas, Ben había leído todos los libros escritos sobre arquitectura del sudoeste, sobre el adobe y muchos más acerca de la «construcción sostenible» y todas las cosas que se podían hacer por entonces para conseguir que una casa no dañase el medio ambiente. Él nunca lo dijo, pero Eve sabía que quería construir el tipo de casa que hubiera logrado que su hija se hubiera sentido orgullosa de él. Cuando le entregó sus primeros bocetos, el joven productor se puso contentísimo. En primavera comenzarían la construcción. Eve nunca había visto a Ben tan estimulado.

Ese mes de julio Josh pasó su primera estancia en Santa Fe. Naturalmente, Eve estaba nerviosa. Pero conocía demasiados cuentos sobre madrastras malvadas para percatarse de que lo peor que podía hacer (aunque de todas formas no resultaba propio de ella) era esforzarse demasiado por agradar. Sin embargo, no había necesidad de preocuparse. Aunque solo fue a pasar un largo fin de semana, Josh se mostró relajado y abierto desde el principio, y aquello la conmovió e hizo tan feliz a Ben que estuvo hablando de ello durante días. Era la primera vez que ella veía a Josh desde aquella semana fatídica en el rancho de La Divisoria y apenas lo reconocía. Había crecido, pero ya no era torpe, como si por fin se hubiera convertido en lo que se suponía que debía ser. Y dejando de lado su nuevo corte de pelo, que parecía haber sido hecho a oscuras por un marine vengativo, estaba mucho más guapo de lo que ella recordaba.

Pablo no se separaba de él ni un momento. Cada mañana despertaba al pobre muchacho a las siete en punto y lo sacaba constantemente a jugar a fútbol, a béisbol o con el disco volador, o a cazar bichos y lagartijas en la pequeña jungla que había junto al estudio de Eve. El sábado, después de desayunar en el mercado de Tesuque, Ben los llevó a todos a ver la casa, que en menos de tres meses ya estaba empezando a adquirir una apariencia espectacular. Josh parecía sinceramente impresionado. No paraba de decir lo «increíble» que era, y aunque Ben trataba de mostrarse todo lo modesto que la ocasión requería, se podía apreciar que crecía un par de centímetros con cada elogio.

La última noche que Josh estuvo allí, hicieron una barbacoa y se quedaron hasta tarde en la terraza bajo una luna gris veteada, a dos días de ser llena. Hacía mucho que Pablo se había dormido y Ben había desaparecido dentro de la casa con los platos, sin duda de forma deliberada, para dejar solos a Eve y a Josh. Se quedaron un rato mirando las ascuas brillantes del fuego, en medio del aire refrescante del jardín invadido por el ruido rítmico de los insectos.

—Pablo es un niño enrollado.

—Lo es. Tú también le pareces bastante enrollado.

Se sonrieron el uno al otro y volvieron a mirar el fuego. Ella notó que él quería decir algo más, pero tal vez no sabía cómo.

—A ti y a mi padre se os ve... bien. Felices.

—Lo somos.

—Me alegro.

—Gracias, Josh. Eso significa mucho para nosotros.

—¿Sabes la forma en que la gente habla de la felicidad o la infelicidad, como si fuera algo que pasara así, sin más?

—Sí.

—Pues a veces creo que no es así y que a lo mejor todos podemos decidir, ya sabes, elegir lo que queremos ser. O felices o infelices. ¿Sabes a lo que me refiero?

—Desde luego.

Iris llevaba al menos cinco minutos observando cómo el chico cortaba el césped de Sarah. Estaba mirando por la puerta abierta que daba a la terraza, pero se hallaba un poco apartada a la sombra, probablemente porque no quería que el objeto de su mirada lujuriosa se diera cuenta.

—Santo Dios, mira qué músculos tiene en los brazos —dijo.

—Iris, ¿te das cuenta de que técnicamente podrías ser su abuela?

—No seas ridícula.

—Por el amor de Dios, tiene diecisiete años.

—¿De verdad? Me estás tomando el pelo.

—No.

—Dios, ¿qué le está pasando al género humano? Los chicos parecen hombres a los diecisiete.

El cortacésped era una pequeña podadora John Deere con asiento, y Jason, bronceado, rubio y gloriosamente desnudo hasta la cintura, lo estaba manejando expertamente alrededor de los abedules plateados, dejando islotes de hierba más larga, exactamente como Sarah le había pedido.

—¿Quieres más té helado? —preguntó Sarah.

Iris no pareció oírla.

—Eh, señora Robinson. ¿Quieres más té?

—Ah, sí, de acuerdo.

Volvió a la mesa y Sarah le llenó el vaso. Hacía poco que habían terminado de comer. Hacía demasiado calor para comer en la terraza. Iris había acudido para hacerle compañía mientras Josh estaba en Santa Fe conociendo a la Catalizadora. No había nada malo en ello. Tarde o temprano iba a ocurrir, y Sarah no se sentía tan mal como había esperado. Y tener a Iris allí durante el fin de semana había sido estupendo. Había sido como en los viejos tiempos. Las dos solas, sin niños ni maridos. Habían salido a comer tres veces, habían dormido en la misma cama y llorado juntas mientras se comían una tarrina entera de helado con trocitos de chocolate y veían *El paciente inglés*, y habían hablado hasta que les había dolido la mandíbula.

El último mes Jeffrey había pronunciado uno de sus periódicos discursos de «lo dejo todo». Normalmente esos momentos se olvidaban, mitigados por los elogios y un aumento de salario o una participación mayor en el negocio. Pero esta vez casi parecía que lo dijera en serio. Por lo visto, Brian había vuelto a dar la tabarra con el tema de irse a California, lo cual según Jeffrey debía ser tomado casi tan en serio como cuando en una obra de Chejov uno de los personajes decía que quería ir a Moscú. Sin pensarlo un segundo, Sarah había dicho: «¿Sabes qué, Jeffrey? Quédate tú y yo dejaré el trabajo».

Él tardó un rato en darse cuenta de que no estaba bromeando. Sarah dijo que, ya que durante los últimos años más o menos él había estado llevando el negocio solo y ya poseía un cuarenta y nueve por ciento del negocio, podía quedarse con el resto. Más por el orgullo de Jeffrey que por su propio provecho, Sarah propuso un trato según el cual él pagaría unos cuantos miles de dólares por adelantado a cambio del cincuenta y uno por ciento de ella y más adelante una cantidad extra por lo que él insistió en llamar un «acuerdo de asesoría», que al parecer implicaba poco más que leer adelantos de libros, organizar algún que otro acto con escritores y asistir a muchas comidas. A Iris le pareció que estaba loca, pero a Sarah le daba igual. Había llegado el momento de cambiar.

—Pero ¿qué vas a hacer? —volvió a preguntar Iris, mientras bebía su té helado. Era aproximadamente la decimoctava vez que lo hacía. Sarah encendió otro cigarrillo.

—No lo sé. Viajar mucho. Contigo, si te apuntas.

—Cómo no. Vayamos a Venecia.

—Trato hecho. Y leeré. Tal vez hasta intente escribir algo. Ponerme en forma. Dejar de fumar...

—Liarte con Jason, el cortador de césped.

—Sí. O con su hermano pequeño.

—En serio, ¿cuándo fue la última vez que hiciste el amor?

—Ayer, contigo. ¿No te diste cuenta?

—Sarah, hablo en serio.

—¿Aparte de aquella noche con Benjamin?

—Cuanto menos hables de eso, mejor.

—No sé, casi tres años, supongo.

—Dios mío.

—No echo tanto de menos el sexo como la compañía.

—Ya lo sé, pero... Caramba. Tres años. Yo habría perdido la chaveta. ¿Por qué no pruebas con una agencia de citas rápidas?

—Iris, dame un respiro.

—Supongo que te estás cerrando.

—Exactamente. Mira, si aparece la persona adecuada, perfecto. Podría ser ahora mismo. Me gustaría. Pero no voy a salir a buscarla.

—¿Ni siquiera al jardín?

—Eres mala.

Iris volvió a Pittsburgh esa misma tarde. Y unas horas después llegó Josh, que se dedicó a desviar con habilidad todas las preguntas que ella le hizo sobre la Catalizadora, su casa, su hijo... Su discreción resultaba frustrante, pero ella la respetaba, aunque no estaba segura de si era consecuencia de la actitud protectora de Josh hacia ella o de lealtad a su padre.

En los quince meses que habían transcurrido desde la entrega del dinero, ella y Benjamin solo se habían visto en dos ocasiones, aunque habían hablado unas cuantas veces por teléfono. Sarah no olvidaría jamás la imagen de él en la puerta, con la camisa rota y cubierta de sangre, los ojos como dos meras hendiduras y la cara hinchada como la de un hombre de Neandertal. Y luego en la cocina, mientras ella le lavaba las heridas, diciendo una y otra vez lo estúpido que era y cómo lo había echado todo a perder, y arrepintiéndose de no haber cogido las llaves o haber llevado un arma o haber rajado los neumáticos...

Al mes siguiente, cuando fue a la graduación de Josh en el instituto, la hinchazón había disminuido, pero su cara seguía luciendo una paleta de tonos azules, morados y amarillos alrededor de los ojos inyectados en sangre, y el bulto de boxeador que tenía en la nariz probablemente le quedaría para siempre. Fue valiente al acudir, pues sabía que los padres de Sarah estarían presentes. Ellos apenas repararon en su presencia y se marcharon inmediatamente después de la ceremonia. Por la noche, Josh se fue a una fiesta y los dos cenaron juntos y, por supuesto, pasaron la mayor parte de la velada hablando de Abbie. Pero en cierto modo fue distinto. Parecía que algo se hubiera aclarado o se hubiera concretado a raíz de lo ocurrido aquella noche en el centro comercial. Aunque era algo que nadie había expresado, parecía que aceptasen mutuamente que la chica se hallaba fuera de su alcance y que no tenía remedio; una conclusión que se vería debidamente certificada meses más tarde por las repercusiones del 11 de septiembre.

Sarah sabía que era una locura contemplar el tema en aquellos términos, pero lo que había pasado aquella mañana, las terribles horas durante las que Josh había desaparecido, parecían ahora una perversa suerte de intercambio: su hijo se había salvado y su hija se había ido, probablemente para siempre.

A Josh le resultaba curiosa la forma en que la gente se protegía a sí misma. Como si al no hablar de algo dejase de existir o desapareciera. Tanto su padre como su madre se comportaban ahora de esa manera. Durante los cuatro días que había estado en Santa Fe, nadie había mencionado ni una sola vez el nombre de Abbie. Y no recordaba la última vez que su madre le había hablado de ella. No podía creer que ya no pensaran en Abbie a todas horas. Estaba seguro de que seguían haciéndolo. Tal vez preferían no hablar de su hermana delante de él por si se disgustaba. En fin, quién podría saberlo, a lo mejor tenían razón. Las cosas no cambiaban por mucho que se hablase de ellas.

La visita a Santa Fe no había sido ni con mucho tan terrible como había temido. De hecho, se lo había pasado bien, sobre todo jugando con Pablo. Sin embargo, resultaba bastante raro ver a su padre con su nueva familia, rodeando a Eve con el brazo como solía hacer con Sarah y comportándose con Pablo como si fuera su verdadero padre. Era curioso lo rápido que uno se acostumbraba a esas cosas. Y Eve era muy simpática. Al principio él no sabía qué esperar, si se mostraría recelosa y fría y lo trataría como a un enemigo o si se pondría en plan empalago y se esforzaría por convertirse en su mejor amiga. Pero no había hecho ninguna de las dos cosas. Se había mostrado relajada y cordial, y no había forzado las cosas en absoluto. Y a él le gustaba. Por supuesto, era bastante guapa y podía entender —bueno, casi— por qué su padre había hecho lo que había hecho.

La única vez que había tenido la sensación de pifiarla un poco había sido cuando había preguntado si podía ver la obra en la que Eve estaba trabajando en ese momento y ella lo había llevado a su estudio y le había enseñado unos cuadros enormes de hombres y mujeres desnudos. Eve le había dicho que estaban inspirados en estatuas eróticas de templos de la India, y Josh no había sabido qué decir y se había quedado allí como un imbécil, intentando no parecer incómodo.

Se sentía mal por no haber contado más cosas a su madre, pero le había parecido lo correcto y sabía que, dijera lo que dijese, haría que ella se entristeciera. ¿Cómo le sentaría que le dijera que Eve era encantadora y que ella y su padre parecían muy felices? ¿Y si le mentía y decía que Eve era una zorra y que los dos parecían terriblemente desgraciados, mejoraría las cosas? Entonces ella pensaría que todo era una cagada doble o, lo que era peor, empezaría a hacerse ilusiones creyendo que a lo mejor su padre volvía. No. Era mejor no decir demasiado.

Cenaron los dos juntos y luego Freddie llamó y preguntó a Josh si iba a ir a su casa, y justo cuando estaba diciendo que no, que había estado fuera y que iba a quedarse en casa para hacer compañía a su madre, ella le gritó desde la cocina y le dijo: «Por Dios, Josh, sal un poco». De modo que se duchó y se puso una camisa limpia, y cogió el coche para ir a casa de Freddie.

Los padres de Freddie Meacher eran muy ricos. Él no tenía una simple habitación; tenía un apartamento entero encima del garaje en el que su padre guardaba todos sus increíbles coches, incluidos dos Porsche y un Aston Martin. A Freddie siempre le habían dejado hacer prácticamente lo que había querido. Era evidente que sus padres sabían que tomaba drogas, pero nunca lo reprendían en exceso porque los dos habían ido a la universidad. Freddie estaba en la Universidad de Colorado, en Boulder, que según él era la mejor ciudad del planeta, con las chicas más guapas que había visto en su vida. Y a juzgar por las dos que habían ido a pasar unos días en su casa, no bromeaba. Una de ellas, Summer, era su novia. Tenía unas piernas largas y bronceadas y una sonrisa de complicidad.

Josh se moría de envidia. Katie seguía siendo la única chica con la que se había acostado, y desde entonces había pasado tanto tiempo que ya casi no contaba. Le gustaban muchas chicas de la Universidad de Nueva York, y a algunas de ellas parecían mostrarse receptivas, pero, desgraciadamente, no como él habría deseado. Intentaba no compadecerse de sí mismo, pero no podía evitar pensar en lo triste que era que el sexo para un chico de su edad, no demasiado feo ni totalmente inadaptado a nivel social, tuviera que seguir consistiendo en visitar furtivamente páginas web poco explícitas o en encorvarse sobre un ejemplar arrugado de la revista *Hustler*.

La amiga de Summer, Nikki (Josh habría apostado que firmaba poniendo un corazoncito, una flor o una cara sonriente sobre la última letra de su nombre), también estaba bastante buena, aunque tenía un aire más discreto. Y después de unos cuantos porros, cuando los cuatro se hallaban despatarrados en el sofá frente a la kilométrica televisión de pantalla plana de Freddie, viendo una edición en DVD recién aparecida de *Apocalypse Now* —la versión de la peluquera de la mujer del director o algo por el estilo—, y ella apoyó su cabeza en el hombro de él, Josh se emocionó y pensó por unos instantes que podía tener una oportunidad. Pero simplemente acababa de dormirse.

Más tarde salieron a la piscina y Summer y Freddie se pusieron a nadar desnudos; Josh fingió que estaba resfriado y que no le apetecía meterse en el agua, no fuera que su polla revoltosa volviera a dejarlo en ridículo. En lugar de ello, se quedó en la terraza jugando con la Gameboy de Freddie, y Nikki (por suerte, ataviada con un biquini) se acercó dulcemente y se sentó a su lado, y mientras se secaba el pelo con una toalla empezó a hacerle un montón de preguntas sobre Abbie. A esas alturas ya estaba acostumbrado a hacer de hermano de la famosa Abbie. No era tan distinto a como había sido durante toda su vida, salvo que ahora la bonita princesa se había convertido en el lobo malo. Y el valor de las respuestas que él daba dependía totalmente de la persona que preguntaba. Con Nikki, estaba dispuesto a ser lo más generoso posible. Aunque, claro está, no tan sincero.

—¿Alguna vez se ha puesto en contacto con vosotros?

—No.

—¿Nunca ha escrito una carta a tu madre y a tu padre ni ha llamado por teléfono?

—No. Nunca.

—Dios mío, ha debido de ser terrible para ellos.

—Sí. Ha sido duro.

—Y para ti también.

Josh apretó la mandíbula resueltamente, haciendo caso omiso de la vocecilla que sonaba dentro de su cabeza y le decía: «Cabronazo, mira que utilizar algo así para llevarte a alguien a la cama. ¿Cómo puedes caer tan bajo?».

Nikki era de Boston, pero sus padres se habían mudado a Colorado cuando ella todavía estaba en el instituto. Comentó que le encantaba aquello: las montañas, las excursiones a pie, el *snowboard*. Josh debería ir allí alguna vez con Freddie, dijo. Josh, que no quería parecer estrecho de mente ni ignorante ni demasiado urbano, le habló de las vacaciones que habían pasado en Montana y dijo que siempre había querido practicar *snowboard* en Colorado. En Vail o en algún sitio potente por el estilo. Lo cierto era que no se había montado en una tabla de *snowboard* en su vida. A veces, sobre todo cuando se estaba esforzando por no mirar los pechos a una chica, le salían de la boca cosas así.

Pero ¿qué importaba una bola más? Se habían vuelto unos mentirosos. Abbie había sido la causante. Y la mentira más grande de todas era la que escenificaba cada día con su padre y su madre. Porque ocultar algo así, no revelarles un secreto tan importante, era tan malo, si no peor, como decirles algo falso. Abbie había vuelto a ponerse en contacto con él. Josh había hablado con ella dos veces. Y no se lo había dicho a nadie.

Todavía tenía el móvil que ella le había hecho comprar y lo revisaba cada mañana, como ella le había dicho. El día después de que su padre volviera a casa como si se hubiera enfrentado con Mike Tyson, había recibido un mensaje: dos palabras que una vez descifradas le habían brindado un número de teléfono al que llamar. Había ido a un teléfono público y lo había marcado exactamente a la hora señalada, y durante diez minutos había permanecido a la escucha mientras Abbie maldecía, soltaba improperios y dedicaba a su padre todas las palabras malsonantes que Josh había oído en su vida. No paraba de decir que en la bolsa solo había quince mil dólares, «¡Solo quince mil jodidos dólares, serán tacaños!». Él había estado a punto de colgar, pero no lo había hecho y se había quedado con la cabeza gacha, escuchando y soportando el chaparrón, hasta que al final ella se quedó sin fuerzas y le saltó: «Muy bien, pues se acabó. Diles de mi parte que no van a tener ninguna puta segunda oportunidad, ¿vale?». Josh había estado a punto de contestarle: «Querrás decir hasta que vuelvas a necesitar dinero». Pero, una vez más, prefirió callar.

Siguió revisando cada día, religiosamente, su teléfono secreto —un aparato del que, asombrosamente, todavía nadie sabía nada excepto Abbie— y durante ocho meses no había tenido ninguna noticia. Hasta el día de Navidad del año anterior, estando en casa de sus abuelos, cuando bajó a hurtadillas a la pista de tenis para consultar obedientemente su buzón de voz y oyó la voz de su hermana, esta vez sin tono airado, solamente frágil, dándole el mensaje en clave de dos palabras. La había llamado al día siguiente y, de nuevo, se había quedado diez minutos escuchando. Solo que esta vez ella no había maldecido ni había insultado a nadie. Durante diez largos minutos se había dedicado a sollozar, diciendo lo sola y triste que estaba y las ganas que tenía de suicidarse. Josh había hecho todo lo posible para consolarla, pero ¿qué podía decir? Excepto repetir una y otra vez «Oh, Abbie» y «No lo hagas, por favor, no lo hagas, todo va a ir bien. Solo estás así porque es Navidad...». Qué comentario tan estúpido.

Ni siquiera le había dicho que volviera a casa o le había sugerido que se entregase porque no quería que empezara a gritar de nuevo. Al menos, esta vez parecía humana. Pero sí le había preguntado dónde estaba, y ella le había dicho que no fuera tonto.

370

Esta vez el número no era de un teléfono público, sino de un móvil con el prefijo 704. Aquello no significaba nada. Abbie podría haber llamado desde cualquier parte. Y cuando más tarde había vuelto a probar aquel número, preparándose por si ella contestaba y le echaba una bronca, lo único que había escuchado era una señal que le comunicaba que aquel teléfono no estaba disponible.

Cuando Josh volvió de casa de Freddie conduciendo con cuidado eran las tres de la madrugada pasadas. Nikki le había dado su número de teléfono, pero él se imaginaba que era lo único que iba a conseguir de ella. Quizá la llamaría alguna vez. O no. Ya había tenido una relación a distancia y no le apetecía volver a intentarlo.

La luz de la habitación de su madre seguía encendida y subió la escalera de puntillas. Al pasar por delante de la puerta de su habitación, Sarah lo llamó y le dijo que entrara. Estaba recostada en la cama, leyendo, con un vaso de leche a su lado sobre la mesita de noche. Cuando Josh entró en el dormitorio, ella sonrió, se quitó las gafas y dio unos golpecitos en la cama para que se sentara. Él la obedeció procurando no mirarla directamente a los ojos. No estaba muy colocado, pero probablemente lo parecía.

—¿Ha estado bien la fiesta?

—Sí. No era exactamente una fiesta. Simplemente hemos pasado el rato, ya sabes.

—¿Qué tal está Freddie?

—Bien.

—¿Cómo le va en la universidad?

—Bien.

—Eso es estupendo. ¿Estás bien?

—Claro. Solo estoy cansado.

—Anda, dame un abrazo.

Josh se inclinó hacia delante, la rodeó con los brazos y los dos se quedaron abrazados un largo rato. A ella se le notaba delgada y frágil. Él siempre le estaba diciendo que tenía que comer más, pero nunca le hacía caso. Parecía que no quisiera soltarlo. Y cuando lo hizo, Josh vio que tenía lágrimas en los ojos.

—Te quiero, Joshie.

—Yo también te quiero.

27

Abbie apoyó su espalda dolorida contra la pared encalada del edificio de la báscula y miró con los ojos entornados los extensos campos donde un centenar de figuras encorvadas seguían recolectando en filas, mientras la luz suave y dorada del sol proyectaba sus sombras negras y alargadas. Un camión estaba entrando desde la carretera, dejando una nube dorada y luminosa detrás de él. Abbie miró su reloj y vio que eran casi las seis. Iba a llegar tarde.

En la cola aún quedaba una docena de jornaleros delante de ella que esperaban a que pesasen sus cestas y les pagasen. La cesta de Abbie estaba a sus pies, y cuando la cola se movió, la empujó hacia delante con la bota por la tierra endurecida. Uno de los supervisores le gritó y le dijo que la levantara del suelo, y ella lo maldijo entre dientes, pero obedeció. Aunque uno estuviera muy cansado o llevara a sus espaldas doce largas y calurosas horas de trabajo deslomador, no podía dejar la cesta en el suelo por si se estropeaban las fresas. Como si no estuvieran ya bastante contaminadas por todos los productos químicos tóxicos con que las rociaban. Ella no iba a volver a comer una fresa en su vida.

Estaban a principios de septiembre y habían pasado tres semanas enteras desde la última vez que había visto a Rolf. Pero iba a verlo esa noche y el corazón empezó a latirle deprisa al pensar en ello y en lo que tenía que decirle. No se había hecho ninguna prueba, pero no le hacía falta. Estaba segura. Tenía una falta de dos semanas, y normalmente aquello nunca le ocurría. Y esa mañana, por primera vez, había tenido náuseas. No sabía cómo se lo iba a tomar él. Tenía la esperanza de que aquello mejorara las cosas entre los dos. Sin embargo, de una cosa estaba segura. Pasara lo que pasase, dijera lo que él dijese, y por mucho que la presionara, estaba decidida a tener el niño.

Por supuesto, tendría que encontrar el momento adecuado para decírselo. Tal vez podrían bajar a la costa, a Big Sur o a otra parte, buscar un sitio agradable donde quedarse y gastar un poco del dinero que habían ganado.

La idea de pasar un tiempo separados había sido de Rolf. Había dicho que necesitaba espacio, y cuando Abbie le había preguntado a qué se refería, se había puesto furioso con ella. Él estaba trabajando en una obra en Fresno y ganaba dos o tres veces más que ella por muchas menos horas. Al menos eso era lo que le había dicho la última vez que se habían visto. Ahora no estaba segura de nada. Ya no tenía móvil y las tres veces que había conseguido llamarlo no había contestado. Abbie solo esperaba que esta vez estuviese de mejor humor, que fuese más amable y que no se pusiese hecho una furia con ella con tanta facilidad.

Había tenido tiempo para reflexionar sobre el motivo por el que se habían torcido las cosas. Sabía que ella tenía más culpa que Rolf. Era demasiado posesiva, demasiado absorbente y celosa. Tras descubrir por primera vez que la estaba engañando, cuando vivían en Chicago, se había esforzado mucho por cambiar, por no dar a aquel asunto tanta importancia. Para él no era importante, así que ¿por qué tenía que serlo para ella? Pero en Miami, cuando lo pilló en su cama con aquella putita cubana, todo su noble razonamiento se había venido abajo.

A decir verdad, desde el principio había sabido que había otras mujeres. Rolf le decía que maduraría, que era víctima de su patético origen burgués. Según Rolf, no se pertenecían el uno al otro, y si ella quería tener otros amantes, él no veía ningún problema. Aquello le dolió, aunque no sabía porqué. Ella no quería estar con nadie más. Y mucho menos en ese momento. Bueno, esa noche y al día siguiente, y durante todo el fin de semana, haría un esfuerzo especial y los dos se reencontrarían y las cosas volverían a ir bien. Y cuando él se enterara de lo del niño quizá todo sería distinto.

—¡Siguiente!

Delante de ella, su nueva amiga Inez estaba colocando su cesta en la báscula, y el cabrón con cara de pocos amigos que había al otro lado examinó su contenido y tiró las frutas que en su incuestionable opinión estaban dañadas. Inez se enfrentó a él cuando apartó un par de fresas de apariencia perfecta, pero el hombre se limitó a lanzarle una mirada vaga y ni siquiera se molestó en justificarse. Gritó el peso a los hombres sentados detrás de él en la mesa de caballete, uno con una carpeta sujetapapeles y el otro con el dinero, y a continuación quitó la cesta de la báscula y la colocó en el montón.

—¡Siguiente!

Abbie siempre se ponía un poco nerviosa en la báscula, como todavía le ocurría en las oficinas de correos y los bancos o en cualquier sitio donde le diera la impresión de que su identidad estaba siendo escudriñada. Aparte de un puñado de estudiantes (que es lo que ella fingía ser cuando alguien le preguntaba), era la única persona de raza no hispana que había allí, y los hombres de la mesa de pago siempre parecían mirarla más de cerca que al resto de mujeres. A veces coqueteaban con ella, pero Abbie se limitaba a bajar la vista y nunca les seguía el juego. Sabía que no tenía necesidad de preocuparse demasiado. Todos los jornaleros que trabajaban allí lo hacían de forma ilegal. Nadie iba a hacerle ninguna pregunta embarazosa. De todas formas, ese día el tipo únicamente parecía interesado en las fresas.

—Estas están todas llenas de polvo.

—Y un cuerno.

—¿Qué has dicho?

—He dicho que no tienen polvo. Y si lo tienen es por ese camión que acaba de pasar. Deberías decirles que fueran más despacio.

El hombre tiró la mayoría de fresas que había en la superficie, haciendo oídos sordos a las protestas de Abbie, y luego le lanzó una mirada hosca y gritó el peso.

—¡Siguiente!

El hombre de la carpeta le preguntó el nombre.

—Shepherd.

Anotó la última cesta y pulsó unos botones de su calculadora, y el hombre que había a su lado contó la paga del día: cuarenta y ocho dólares y veinte centavos. Empujó la cantidad sobre la mesa, y Ann-Marie Shepherd, de Fort Myers, Florida, la recogió, se la metió en el bolsillo de la falda y siguió a Inez hasta las duchas.

El inglés de Inez era un poco menos rudimentario que el castellano de Abbie, pero las dos se habían hecho íntimas. Se habían conocido el primer día de trabajo de Abbie, cuando todavía no había encontrado un sitio donde alojarse. Por la tarde Inez la había metido en la parte trasera de la atestada camioneta que los llevaba a las montañas que se elevaban por encima de Salinas Valley. Cuando Abbie llegó allí, no dio crédito a lo que veían sus ojos. Sabía que aquella era la región de Steinbeck, pero no que hubiera cambiado tan poco.

Había un campamento de recolectores de fruta mexicanos, todos ilegales, que vivían en el bosque. Los que habían tenido suerte habían encontrado cuevas que utilizaban a modo de refugio, pero la mayoría dormían al raso, cubiertos con bolsas de basura de plástico para protegerse del rocío. A Abbie le asombraba lo amables y generosos que eran. Le habían conseguido una manta, una esterilla para dormir y una bolsa de plástico, y le habían dado comida y agua. Resultaba extraño que los que menos tenían eran siempre los que más daban. Había pasado la noche escuchando el aullido de los coyotes, que le habían hecho pensar en Ty.

Al cabo de unos días, Inez había conseguido encontrarle un lugar situado más cerca de los campos: un garaje con su propio fregadero y su lavabo, que compartían con diez personas más, cada una de las cuales pagaba diez dólares por noche para gozar de aquellos privilegios. Inez era tan solo un año mayor que

Abbie, pero ya tenía dos hijos que vivían con su madre en Santa Ana. Los echaba mucho de menos. El padre de los niños había desaparecido cuando ella estaba embarazada de ocho meses del segundo, pero no parecía que se lo reprochara.

—Hombres —dijo una noche que estaban sentadas bajo las estrellas, compartiendo un cigarrillo—. No pueden evitarlo. No saben quiénes son ni por qué Dios los ha creado. No se les puede odiar por lo que no saben; solo compadecerlos.

Abbie no le había dicho que estaba embarazada, aunque las náuseas matutinas iban a hacer que resultara difícil guardar el secreto.

Como era viernes por la noche y todo el mundo estaba animado, una camioneta iba a ir a Salinas. Cuando las dos se hubieron duchado y vestido, subieron en la parte de atrás del vehículo y se apretujaron entre la docena de personas que había allí, la mayoría hombres. Abbie quería lucir un aspecto inmejorable para Rolf y se había puesto un bonito vestido estampado de algodón negro y rojo que había comprado en un mercadillo de Miami. Casi nunca se miraba ya en el espejo, pero esa noche Inez la había obligado a hacerlo, y Abbie se había llevado una grata sorpresa. Era como mirar a alguien a quien hiciera años que no veía. Ya no se teñía el pelo; ahora lo llevaba más largo y se le estaba volviendo rubio debido al sol que estaba recibiendo. En su vida había estado tan bronceada. El único detalle que empañaba la imagen era el estado de sus manos. Estaban llenas de callos y de suciedad incrustada, y hacía tiempo que se mordía las uñas.

Inez también se había puesto elegante, así como los tres jóvenes sentados enfrente de ellas. Estaban coqueteando con ella. Abbie no entendía lo que decían, pero podía captar el significado. Uno de ellos parecía más interesado en ella que en Inez y no paraba de mirarla. El joven le dijo algo a los otros, quienes la miraron evaluándola con timidez y luego asintieron con la cabeza.

—¿Qué ha dicho? —susurró Abbie a Inez.

—Ha dicho que pareces una estrella de cine.

Debía reunirse con Rolf a las siete y treinta en un bar del distrito de Oldtown, cerca del cine Fox, pero estaba a media hora a pie del sitio donde la había dejado la camioneta y, cuando llegó, eran las ocho pasadas y él no estaba. Se sentó a una mesa situada cerca de la ventana para poder ver la calle y pidió un refresco, y sacó un libro de la bolsa de lona que contenía sus escasas posesiones materiales. Pasó una hora y se hizo de noche, y seguía sin haber rastro de él. Para entonces las miradas de los hombres del bar la estaban haciendo sentir incómoda, de modo que se levantó y salió a dar un paseo, tras decirle a la mujer que había detrás de la barra que si llegaba alguien preguntando por ella le dijera que volvería más tarde.

Poco antes de las diez, cuando ya estaba muy preocupada y se preguntaba dónde iba a dormir, vio que al otro lado de la calle paraba el coche de Rolf: el pequeño Ford que habían comprado en Florida con lo que les quedaba del dinero de su abuelo. Mientras él cruzaba tranquilamente la calle hablando por un móvil, la vio en la ventana y le hizo una ligera señal con la cabeza, pero no le dedicó ninguna sonrisa. Abbie se levantó y salió a su encuentro, pero tuvo que quedarse en la acera a su lado, como una boba, mientras él hacía como si no existiera y terminaba de hablar por teléfono.

—Sí. Vale. Tú también. Adiós.

Cerró el móvil de un golpecito y se lo metió en el bolsillo de la cazadora, y ella le rodeó el cuello con los brazos y lo besó en los labios.

—Pensaba que no ibas a venir.

—Tenía que ocuparme de unas cosas.

Él no le hizo ningún comentario sobre lo guapa que estaba; de hecho, pasó junto a ella sin apenas mirarla. Cuando entró en el bar, dijo que era un tugurio de mala muerte y propuso que fueran a otro sitio.

Encontraron un restaurante en la misma calle; un local más oscuro con reservados de madera y pequeños candeleros en las mesas. Se sentaron en un rincón y pidieron dos cervezas, y él se bebió la suya de dos largos tragos y pidió otra. La comida era mala, pero Abbie no estaba dispuesta a que aquello le estropease la velada y le habló largo y tendido de la recolección de fruta, la buena gente que había conocido y las duras condiciones en las que vivían. Rolf asentía con la cabeza como si ya supiera todo aquello. Prácticamente no dijo una palabra y a veces ni siquiera parecía que estuviera escuchando.

—¿Estás bien? —dijo ella al final.

—Claro. ¿Por qué?

—No sé. Estás un poco callado.

—Estoy cansado, eso es todo.

—¿Me has echado de menos?

En el mismo momento en que aquellas palabras brotaron de su boca, Abbie supo que era un comentario desacertado. Él suspiró y miró hacia arriba con desdén.

—Sí, cariiiño, te he echado mucho de menos.

Lo dijo con tal desprecio que ella tuvo que morderse el labio y bajar la vista al plato, pero no dijo nada. Derramar lágrimas por Rolf era un signo de debilidad, y sabía que no debía llorar. Pero él debió de notar lo dolida que se sentía, pues le cogió las manos en un gesto de culpabilidad.

—Lo siento. Pero ya sabes lo que pienso de toda esa mierda burguesa.

—Como echar de menos a alguien a quien quieres.

Él se acercó a Abbie, la rodeó con el brazo y le besó la sien.

—Lo siento. Te he echado de menos. ¿Vale?

Ella asintió con la cabeza, tragó saliva valientemente y sonrió.

—¿Podemos irnos a algún sitio? Solo el fin de semana.

—¿Adónde?

—No lo sé, a algún sitio cerca del mar. Quiero caminar por la playa.

—El domingo tengo que estar en Seattle.

—¿Puedo ir contigo?

—No.

Él nunca le había contado gran cosa, pero ahora no le contaba nada. Sin embargo, Abbie se había enterado por los periódicos de algunas de las cosas que habían estado ocurriendo y en las que probablemente él estaba implicado. Desde la frontera de Canadá hasta el norte de California, se habían producido una

378

serie de ataques, la mayoría de ellos contra compañías madereras y biotecnológicas, cuyos daños ascendían a muchos millones de dólares. Él decía que era demasiado arriesgado que Abbie siguiese implicándose, pero ella sospechaba que el motivo real era que en Denver le había fallado y se había mostrado demasiado débil y asustada.

En otra época la dureza de aquel veredicto le habría hecho daño. Pero ya no le afectaba. Lo cierto era que no quería verse implicada. Todavía admiraba la pasión y la determinación de Rolf. Pero los actos que en el pasado había considerado tan heroicos ahora solo le parecían vanos y peligrosos. Y también contraproducentes, pues lo único que habían conseguido era despertar simpatía por las codiciosas corporaciones que constituían sus objetivos. De todas formas, Rolf sin duda había encontrado a otras jóvenes que lo ayudasen. Y probablemente también a las que follar, aunque Abbie procuraba no pensar en ello. Lo necesitaba ahora más que nunca.

—Vayamos a algún sitio a pasar solo esta noche y el día de mañana —dijo ella. Lo besó en el cuello y le puso la mano en el muslo—. Por favor. Ha pasado tanto tiempo.

Viajaron hacia el sur durante aproximadamente una hora y poco antes de llegar a Big Sur, serpenteando a gran altura por los acantilados, hallaron un pequeño motel desde el que se veía el mar al otro lado de la carretera. En la ventana había un letrero de neón azul que rezaba: HAY HABITACIONES, y pararon el coche y aparcaron. Detrás del mostrador de recepción había una anciana dormida frente a un televisor borroso, y tuvieron que despertarla para pedir una habitación.

Abbie dejó su bolso y se volvió hacia él, y cuando Rolf cerró la puerta a su espalda, ella vio en sus ojos un destello oscuro que no reconocía.

—¿Rolf?

Él le rasgó el vestido a la altura de los hombros, la tumbó boca abajo sobre la cama y la folló de forma tan violenta y con tan poca ternura que Abbie le gritó que parara. Consiguió girarse y arremetió contra Rolf, pero él la golpeó fuerte en la cara primero con la palma y luego con el dorso de la mano. Era la primera vez que le pegaba. A continuación, la agarró del cuello y le apretó tan fuerte que Abbie creyó que iba a estrangularla. Estaba tan asustada, no solo por su propia vida sino también por la del niño que llevaba dentro, que dejó de forcejear y permitió que le hiciera lo que él quiso hasta que quedó saciado. Luego se apartó de ella dándose la vuelta y se desplomó sobre la cama.

Abbie no supo cuánto tiempo permaneció allí escuchando su respiración. Pero cuando al final estuvo segura de que se había dormido y logró armarse de valor, se apartó de él poco a poco, centímetro a centímetro, salió de la cama y recogió sus cosas en silencio. Cada vez que él cambiaba de postura, se quedaba inmóvil. Cogió las llaves del coche y un fajo de billetes de la cazadora de Rolf y pensó en cogerle también el móvil, pero cambió de opinión. El semen húmedo y cálido que le había derramado en el muslo estuvo a punto de provocarle una arcada. Se dirigió a la puerta desnuda y de puntillas y salió sin hacer ruido, respirando entrecortadamente y rezando para que el suelo no crujiera. Y no crujió.

La luna brillaba oblicuamente a lo largo de la pasarela de madera descolorida que había en el exterior. Se vistió a toda prisa junto a su sombra proyectada en la pared y caminó descalza por la gravilla fresca y gris hasta el coche. Estaba aparcado en una pendiente, bajo unos pinos descuidados, a unos cincuenta metros de la habitación; lo bastante cerca para que él pudiera oír el motor al arrancar y llegar a tiempo hasta ella. No corría ni un soplo de viento, y el único sonido que se oía eran los lejanos ladridos de un perro. Lanzó el bolso en la parte trasera del vehículo, puso el coche en punto muerto y el automóvil descendió rodando lentamente hacia la carretera, mientras la gravilla crujía bajo los neumáticos.

Cuando el coche llegó a la carretera, giró la llave de contacto y el motor arrancó renqueando. En el mar, la estela de la luz de la luna resplandecía en dirección al horizonte. Se metió en la carretera y se alejó acelerando suavemente, y volvió por el camino por el que habían venido. No sabía cuánto duraría el viaje, pero sí adónde iba a ir.

Condujo durante toda la noche y avanzó poco a poco hacia el norte hasta que encontró la Interestatal 80. Luego se dirigió al oeste y contempló cómo el sol asomaba por las sierras, brumoso, rojo e implacable. Poco antes de llegar a Reno, le entraron náuseas y paró en un restaurante de carretera, donde vomitó, se lavó y se limpió del cuerpo todo rastro de Rolf. Volvió al coche y reclinó el asiento, y estuvo durmiendo hasta que la despertó el calor y la luz resplandeciente del sol.

Tardó ocho horas en cruzar Nevada; los letreros de los lugares pasaban rápidamente ante ella: Lovelock, Battle Mountain y Elko, y el río Humboldt, que avanzaba serpenteando y lanzaba destellos a su lado. A veces salía de la interestatal para repostar gasolina o comer algo, y pasaba por pueblos abandonados y secos con tiendas hechas con tablas, extensos cámpings de caravanas y armazones saqueados de coches. Luego entró en Utah, donde la carretera avanzaba en línea recta por la interminable extensión llana del desierto, que brillaba con tonos rosados a cada lado del horizonte mientras se hacía de noche.

Poco después de medianoche pasó por Salt Lake City y entonces, pese a tener las ventanillas abiertas de par en par y al aire nocturno que entraba, cada vez más fresco y matizado por la salvia, se le empezaron a cerrar los párpados y la barbilla comenzó a caerle sobre el pecho, y supo que tenía que parar. Tomó un desvío de la interestatal y encontró un motel barato. Estaba tan cansada que a punto estuvo de dar su nombre verdadero, pero se corrigió a tiempo y el chico de la recepción le preguntó en tono de broma si se había olvidado de quién era, ante lo cual Abbie sonrió y dijo que, efectivamente, era lo que le había pasado.

Había conducido unos mil quinientos kilómetros y, al mirar el mapa al día siguiente, calculó que todavía le quedaban otros tantos. Había considerado la posibilidad de llamar a su casa, pero decidió no hacerlo. Quizá todavía tenían el teléfono pinchado. Y, de todas formas, puede que Josh no estuviera en casa y contestara su madre, en cuyo caso Abbie no sabría qué decir. Tampoco sabía qué decir a Ty después de los tres largos años que habían pasado y todo el dolor y los problemas que ella le había causado.

A primera hora de la tarde cruzó la divisoria continental, y en Rawlins giró hacia el norte en dirección a Casper. Y a medida que el sol empezaba a ocultarse tras los montes Bighorn, por fin abandonó la interestatal y entró en Sheridan. Recorrió plácidamente la calle principal, pasó por delante de la pequeña plaza donde ella y Ty habían estado sentados hablando aquel día, cuyo vaquero de bronce seguía montando guardia con su rifle apoyado en el hombro. Encontró un sitio donde aparcar y escribió en el bloc que había cogido en el motel la nota que pensaba dejar en el buzón de la entrada. Descartó las dos primeras tentativas. Las disculpas sonaban demasiado inútiles y autocompasivas. Y al tercer intento, escribió dos sencillas líneas:

Ty, el lunes al mediodía estaré junto a la estatua del vaquero. Si no vienes, lo entenderé. Con cariño, A.

Después de una ausencia tan larga, le preocupaba no recordar el camino hasta el rancho y acabar perdida en el laberinto de caminos de grava, pero incluso en la penumbra se acordó del trayecto que debía seguir. Pasó junto a un camión que avanzaba en dirección contraria y llevaba escrito en un lado «Gas y Petróleo McGuigan», y el apellido desencadenó en su cabeza la habitual conexión con la imagen del chico arrodillado ante la casa en llamas. Y mientras atravesaba la nube de polvo cada vez más clara que había dejado el camión, se preguntó cómo había podido llegar a encontrarse en un estado mental tan lamentable y haber perjudicado a tanta gente.

Cuando paró al final del camino de entrada de los Hawkins, un destello blanco le llamó la atención, y al mirar hacia la izquierda con los ojos entornados a la luz del crepúsculo, vio una pequeña manada de ciervos formada por madres y cervatillos que la estaba observando bajo una hilera de álamos. Pensó que echarían a correr entre los árboles, pero no lo hicieron y se quedaron mirando mientras ella caminaba hacia el buzón. Se detuvo y permaneció inmóvil un rato, dando golpecitos con los dedos al sobre cerrado y mirando hacia atrás a los ciervos. No supo si fueron los animales los que la desafiaron con la mirada o si simplemente se trataba del influjo de una noche solitaria más, pero en lugar de dejar la nota, se dirigió de nuevo al coche, giró el volante y se dirigió hacia la casa.

Como era de esperar, los perros llegaron corriendo y ladrando. Y antes de que hubiera aparcado, una cara apareció en la ventana de la cocina y se encendió la luz de fuera. Cuando abrió la puerta del coche, los perros parecieron acordarse inmediatamente de ella y dejaron de ladrar y empezaron a saltar a su alrededor. Ella salió del vehículo, se agachó y los acarició, y les dejó que le lamieran la cara. Se oyeron unos pasos en el porche, y al alzar la vista vio que Ty se dirigía hacia ella por el camino de grava.

—Hola, ¿en qué puedo ayudarte?

Abbie se levantó frente a Ty y vio cómo la sorpresa se reflejaba en su rostro al reconocerla. Él se paró en seco.

—¡Dios mío! —exclamó en voz baja.

—Lo siento. Si quieres que me vaya, me iré.

—No me lo puedo creer.

—No sabía a qué otro sitio... Mira, lo mejor será que me vaya.

Pero él ya estaba caminando hacia ella, y Abbie se quedó quieta, incapaz de moverse, mirándolo. Sin decir una palabra, la rodeó con los brazos, y ella empezó a temblar y se habría caído si él no hubiera estado allí para sujetarla. Ty le acarició el pelo y dejó que llorara, mientras ella pronunciaba su nombre una y otra vez y decía lo mucho que lo sentía, hasta que él la hizo callar con delicadeza y la llevó despacio hasta la casa. Su madre estaba esperando en el porche, pero Abbie tenía los ojos demasiado empañados y la luz era demasiado débil para saber si era bien recibida o repudiada. Entonces Martha dio un paso adelante y la recibió de manos de Ty, y la abrazó como si fuera su propia hija, acariciándola y tranquilizándola.

—Pobre niña —murmuró—. Pobrecita niña.

Abbie se sentía abrumada. Su primer baño desde hacía años,

la sensación de las toallas frescas, los olores y sonidos al preparar la cena, todas aquellas cosas mundanas, familiares pero olvidadas, abrieron la celda donde había encerrado todos los recuerdos de su hogar y su familia. Martha le dio ropa limpia y le puso en el plato más comida de la que Abbie acostumbraba a ver en una semana. Cuando no pudo comer más, quitaron la mesa y los tres se quedaron mirándose con una incredulidad llena de afecto pero también de recelo, y empezaron a hablar de lo que había pasado y de lo que podía pasar ahora.

Abbie se había fijado en que el sillón donde Ray se sentaba frente al televisor estaba vacío, y Ty le dijo que su padre había muerto hacía casi dos años y que su fallecimiento había sido una bendición para todos. Abbie dijo que lo sentía mucho y que le habría gustado conocerlo mejor. Luego respiró hondo y empezó a contarles lo ocurrido aquella noche hacía tres años en Denver. E intentó relatarlo con claridad, sin autocompadecerse ni adornar la historia con motivos que justificasen su actitud, y les dijo sencillamente lo que pretendían hacer y cómo las cosas habían tomado un cariz tan trágico.

Ty y su madre la escucharon haciendo preguntas de vez en cuando y oyeron también el relato censurado de su vida posterior, que según Abbie parecía una niebla sobre un valle del que no había conseguido salir hasta ese momento. Y aunque les ahorró los detalles más siniestros y habló de Rolf como si no fuera más que un fantasma de aquella niebla, dijo que había llegado a darse cuenta de la locura en la que había estado sumida y que ya no podía vivir más con ella.

Entonces Martha se levantó y fue hacia el aparador, y volvió con algo que parecía una especie de álbum de recortes.

—Mamá —dijo Ty—. Por favor, ahora no.

—Creo que Abbie tiene que verlo.

Lo colocó sobre la mesa delante de ella, y Abbie lo abrió e inmediatamente vio lo que era. Páginas y más páginas de recortes pegados de periódicos y revistas que hablaban de la detención y el encarcelamiento de Ty, fotos de la policía en las que él aparecía pálido y angustiado, con su nombre y un número colgado del cuello. Y la cara ubicua de Abbie en la foto de su graduación sonriendo al lado. Los titulares proclamaban la culpabilidad de Ty: «Arrestan a un implicado en el asesinato de Denver», «El joven de Sheridan es el amante de la terrorista Abbie», «El terrorista Tyler es detenido por asesinato». Había fotos de Ray y Martha, calumniados por asociación. Incluso los recortes más recientes acerca de la liberación de Ty —mucho más pequeños y escondidos en el interior pues, naturalmente, la noticia era menos impactante— aquellas imágenes todavía despertaban en Abbie una persistente sensación de culpabilidad.

Cerró el libro y alzó la vista. Los dos la estaban mirando fijamente. Ella se había quedado sin habla.

—Necesitaba que vieras lo que nos has hecho —dijo Martha.

Abbie asintió con la cabeza.

—No sé qué decir.

Martha asintió a su vez y le dedicó una sonrisa triste, y estiró la mano por encima de la mesa para cogerle la suya. Ty estaba mordiéndose el labio. Alargó el brazo y cogió la otra mano de Abbie, y durante un rato los tres permanecieron unidos en sus respectivas meditaciones mientras el viejo reloj de pared marcaba el paso del tiempo en medio de aquel silencio pesaroso.

—Me siento tan avergonzada —dijo Abbie finalmente.

—Lo sé, niña. Ty hablará por él, pero yo te perdono. Lo único que importa ahora es lo que vas a hacer al respecto.

—¿Ray llegó a enterarse de todo?

Por supuesto, se refería a la detención de Ty y a la posibilidad de que aquello hubiera contribuido a la muerte de su padre, pero Abbie no se sentía con el valor para expresarlo claramente.

—Creo que no —dijo Ty en voz baja.

Martha se levantó y recogió el álbum de recortes.

—Me voy a la cama. Seguro que los dos tenéis cosas de que hablar.

La besó en la frente y los dejó.

Abbie necesitaba tomar el aire. Los dos salieron fuera y atravesaron el patio, pasaron junto a los establos y recorrieron el camino de tierra que se elevaba por encima de los prados. El cielo se había nublado, y por el valle subía una leve brisa. Abbie notó en la cara el aire fresco que arrastraba las primeras notas de la fragancia del otoño. De vez en cuando, a lo lejos, por encima de las montañas, un relámpago sordo parpadeaba entre las nubes y emitía un brillo azulado. Ty le rodeó los hombros con el brazo y durante un largo rato se dedicaron a caminar sin decir nada. Se detuvieron junto a una verja y se apoyaron en la valla el uno al lado del otro, mirando el declive donde se veían las figuras de los caballos, oscuras e inmóviles, sobre la hierba del prado aclarada por el sol.

En voz baja y sin atreverse a mirarlo, Abbie dijo que desearía poder reparar todo el daño que le había causado y que ojalá hubiera una forma de corregir lo que había hecho. Dijo que sabía que su madre deseaba que se entregara y que ella también lo deseaba, pero que en ese preciso momento se sentía como una niña subida en una roca junto al mar que estuviese deseando saltar pero tuviese demasiado miedo.

—Probablemente todavía sea peligroso que estés aquí —dijo Ty, sin dejar de mirar hacia la oscuridad—. Hoy en día no sé hasta qué punto se toman la molestia de vigilarnos, pero dudo que se hayan olvidado de nosotros. Creo que todavía escuchan nuestras conversaciones telefónicas.

—Me iré por la mañana.

—No.

—Ty, hay otra cosa que quiero decirte.

Él la miró.

—Estoy embarazada.

Ty la miró largamente, y Abbie vio el dolor reflejado en sus ojos y una nueva emoción que empezaba a formarse y que todavía no podía descifrar. Se acercó a ella y la abrazó estrechándole los hombros.

—Durante estos tres años no ha habido un día que no haya pensado en ti. A pesar de todo lo que ha pasado, nunca he dejado de quererte. Y pase lo que pase, siempre estaré aquí para ti. Me parece justo que te entregues. Y tienes que hacerlo por el bien del niño. Pero antes dame unos días. Por favor, Abbie.

—Oh, Ty, ¿cómo vamos a...?

—Solo unos días para que estemos los dos solos. Podemos decidir lo que vas a hacer y luego hacerlo como es debido. Conozco un sitio al que podemos ir.

28

Boulder era tan estupendo como Freddie había dicho. De hecho, para el gusto de Josh, era demasiado estupendo. Todo el mundo era tan condenadamente guapo que se sentía como el patito feo. Todos los chicos eran altos y rubios y estaban musculosos y bronceados, y las chicas tenían una sonrisa perfecta, llevaban diamantes en el ombligo y parecía salidas de una pasarela. Era como la primera colonia de una superraza alienígena. O a lo mejor solo era así el grupo de Freddie. Qué demonios, pensó Josh. Estaba allí y hacía un tiempo maravilloso, y Nikki —solo Dios sabía por qué— todavía parecía interesada en él, de modo que iba a dejarse llevar y a pasárselo bien.

Viajar a Colorado para celebrar el vigésimo primer cumpleaños de Freddy no había sido una decisión tan fácil de tomar. Por culpa de ello, había tenido una bronca de campeonato con su madre. Pensándolo bien, no había sido muy listo. Debería habérselo preguntado en lugar de anunciarle simplemente que iba a estar fuera toda la semana. Él le había dicho que no merecía la pena hacer el viaje hasta allí y pasar menos tiempo, y que podía pedir los apuntes de las clases a las que no asistiera. De todas formas, faltaba regularmente a la mayoría de ellas, pero no había considerado oportuno mencionar aquel punto. Aun así, ella se había subido por las paredes y durante la semana siguiente de las vacaciones de verano apenas se habían dirigido la palabra. Al final, habían llegado a un acuerdo. Josh se marcharía el jueves y volvería a la universidad el martes de la semana siguiente.

Freddie compartía una casa situada junto a Spruce Street con otros tres chicos, todos ellos tan relajados, ricos y guapos como él. La vivienda se había hecho popular y era conocida como el Templo Maldito debido a la cantidad de incienso que quemaban para disimular el olor a hierba, a las cortinas y estatuas orientales, y al hecho de que no hubiera una sola silla en toda la casa, pues únicamente había cojines y colchones.

Era sábado por la noche, la noche de la fiesta, aunque en realidad la fiesta llevaba celebrándose desde que Freddie, Summer y Nikki lo habían recogido en el aeropuerto de Denver dos días antes. La casa estaba abarrotada. Por razones que solo él conocía, Freddie había contratado una empresa de catering japonesa, y unas camareras vestidas de geisha se paseaban haciendo reverencias a todo el mundo y ofreciendo *sushi* y vasitos con sake caliente, de los cuales Josh ya había bebido demasiados. El efecto no era desagradable, aunque, sumado a la cerveza y los porros que no paraban de circular, podía llegar a resultarlo. No parecía tanto un estado de embriaguez como de parálisis. Josh no notaba ciertas partes del cuerpo, y cuando volvía la cabeza, parecía que se quedase inmóvil un instante hasta que se giraba. Estaba tumbado en un montón de cojines con Nikki y otros chicos que hablaban y reían y que, sin duda alguna, se lo estaban pasando bien. Pero la música parecía estar volviéndose un poco estridente y empezó a impregnar su espalda un sudor frío.

—¿Te encuentras bien?

Nikki lo estaba mirando con el ceño fruncido.

—Más o menos.

—Estás blanco como una hoja. Vamos a tomar un poco el aire.

Lo ayudó a levantarse y lo llevó de la mano entre el gentío hasta la entrada, que estaba igual de abarrotada, pero donde no hacía tanto calor.

—Mira, no quiero ser un pesado —dijo él—. Voy a salir fuera un rato.

—Voy contigo.

—No, en serio. Gracias. Estaré bien. Solo voy a dar la vuelta a la manzana.

—¿Estás seguro?

—Sí. Luego volveré y te buscaré.

Encontró su cazadora donde la había dejado, junto a su bolsa de viaje, metida debajo de la cama en la habitación de Freddie, y a continuación se dirigió a la puerta principal y bajó la escalera que daba a la calle. El aire de la montaña era fresco y resultaba agradable, y llenó sus pulmones de él una media docena de veces mientras caminaba por la acera, procurando avanzar lo más recto posible. Cuando llegó al centro comercial de Pearl Street, estaba empezando a sentirse mejor y lo recorrió de una punta a la otra, mirando los escaparates de las tiendas, que ya estaban llenos de ropa invernal de colores vivos y equipamiento de *snowboard*; luego dio la vuelta por el otro lado haciendo lo mismo.

Tenía la cabeza más despejada y notaba las manos frías, y al metérselas en los bolsillos de la cazadora, tocó el móvil de prepago que, por fidelidad o simple estupidez, seguía llevando consigo allí donde iba. No lo había revisado desde que había salido de Nueva York, y no sabía por qué seguía molestándose en hacerlo. Abbie no se había puesto en contacto con él desde las Navidades de hacía dos años, cuando se había echado a llorar y había dicho que quería suicidarse. Por lo que él sabía, podía haberlo hecho, pero era algo en lo que procuraba no pensar. Sacó el teléfono del bolsillo y lo encendió, y unos segundos más tarde, con gran sorpresa, oyó un pitido y apareció el pequeño símbolo que indicaba que tenía un mensaje de voz.

Sin embargo, hacía tanto tiempo que no lo utilizaba que había olvidado el maldito código. Y el trozo de papel que lo especificaba estaba en Nueva York, metido entre las páginas de un viejo diccionario. Cuando oyó que Abbie deletreaba las dos palabras por segunda vez, le entró pánico. La primera palabra indicaba el número, y la segunda, cuándo hacer la llamada. Pero, maldita sea, aquello era lo único que recordaba. No hacía más que apretar el botón para repetirlo y escucharlo una y otra vez, pero no servía de nada. Entonces oyó un aviso que decía que tenía un segundo mensaje. Era de Abbie nuevamente. En él decía que había estado esperando a que la llamara, pero que a lo mejor ya no miraba el móvil o tal vez se había olvidado del código. Le dio un número y le pidió que lo marcara el domingo a las seis de la tarde. Aquel tono estridente, autoritario e histérico que había acabado resultándole tan familiar había desaparecido.

«Espero que recibas esto —empezaba el mensaje—. Si no tengo noticias tuyas, supongo que tendré que encontrar otra forma de ponerme en contacto contigo. Por favor, llama. Es importante. No se lo digas todavía ni a mamá ni a papá. Te quiero, Joshie. Te quiero de verdad.»

Durante el camino de vuelta a la casa lo escuchó cuatro veces más hasta que se aprendió el mensaje de memoria. ¿Qué podía ser tan importante? Probablemente quería más dinero. Bueno, por lo menos estaba viva. Lo que más le desconcertaba era el «Te quiero» del final. No recordaba haberla oído decirle aquello; al menos desde que había dejado de ser una niña. Cuando llegó a la casa, la fiesta estaba un poco más calmada. Las geishas se habían marchado. Miró a su alrededor y encontró a Nikki. Parecía estar con otro chico, uno de los dioses rubios. Preguntó a Josh qué tal se encontraba, y él le dijo que bien. Alguien le ofreció un porro y lo pasó sin darle una calada. Y durante el resto de noche, no bebió otra cosa que agua. Quería tener la cabeza despejada al día siguiente, cuando llegara la hora de hacer la llamada.

Cada mañana, cuando abría la puerta de la cabaña y caminaba a lo largo del riachuelo y más allá de los árboles hasta llegar a la zona donde el terreno descendía abruptamente y se podía ver el valle al este y las montañas al oeste, Abbie siempre esperaba que algo hubiera cambiado. Pero las señales que mostraban el paso de aquellos días preciados eran casi imperceptibles. El brillo amarillo de los álamos tal vez poseía un tono más vivo, sus troncos blancos resultaban más austeros a la luz suave y dorada del sol, había más nieve en las montañas, o el cielo era de un azul más intenso. Cada día el mundo lucía una belleza un poco más exquisita.

Los últimos metros del sendero que ascendía serpenteando hasta la cabaña eran demasiado empinados y tenían demasiadas piedras para poder subir en coche, de modo que aparcaron la camioneta de Ty entre los árboles de debajo. La cabaña constaba de una única habitación de tres metros de largo por tres de ancho, con una caldera de aspecto barrigudo y dos pequeñas ventanas. Era rudimentaria pero acogedora: una sola cama, una mesita y dos sillas. No había electricidad, y tenían que coger agua del riachuelo. Afuera, a lo largo de una de las paredes laterales, había un cobertizo descubierto donde cortaban y amontonaban la leña y colgaban las sillas de montar y las bridas. Y detrás, más allá del retrete que había fuera de la cabaña, había una pequeña cuadra donde guardaban los caballos.

Montaban a caballo sobre todo a primera hora de la mañana y a última de la tarde, cuando el sol inundaba la tierra de un fulgor ambarino. A veces se llevaban una tienda y comida y montaban durante todo el día, subiendo a lo alto de los montes, donde los cañones resonaban de forma inquietante con los bramidos de los alces. Cuando empezaba a hacer frío por la noche, encendían un fuego y cocinaban algo, y luego permanecían acurrucados y cubiertos con una manta, con la cabeza de ella sobre el pecho de él, y se quedaban mirando las llamas y las pavesas que ascendían en espiral hacia el enorme cielo estrellado.

El redescubrimiento de la ternura, no solo la de él sino también la suya propia, la abrumaba. Por las mañanas, Ty le rodeaba los hombros con los brazos cuando le entraban náuseas y cada noche la mecía entre sus brazos cuando se dormía. Ella sabía que lo que más atesoraba la gente eran las cosas que iba a perder dentro de poco. Y tal vez lo único que hacía soportables la lenta decadencia de aquellos maravillosos días robados y la amenaza del invierno era el desarrollo de una nueva vida dentro de la suya.

La cabaña estaba en el terreno de varios cientos de hectáreas que había comprado años antes un viejo presentador de televisión. Se había hecho construir una casa lujosa en el valle y cada verano pasaba allí dos semanas con una mujer o una novia distinta. El lugar había sido apodado localmente La Ponderosa, porque el hombre lo había decorado como un plató de una película del Oeste y, por si acaso la gente pensaba que era un impostor, había decorado la propiedad con una pequeña manada de búfalos y unos cuantos caballos espléndidos, todos ellos necesitados de cuidados. Por ese motivo había mandado construir la cabaña en un lugar apartado y fuera del alcance de la vista, en lo alto de un sendero sinuoso y lleno de piedras que ascendía por las montañas a lo largo de más de un kilómetro, y había contratado a Jesse Wheeler, un amigo de Ty, para que viviera allí.

Abbie recordaba haberlo visto el último verano que habían pasado en La Divisoria, pero solo vagamente. Ty decía que era una persona callada a la que le gustaba la soledad de allí arriba, en los montes Front, pero no pasar cincuenta semanas de un tirón, de modo que siempre estaba buscando a alguien que le sustituyese y le permitiese tomar un respiro. Cuando Abbie había aparecido en Sheridan y Ty lo había llamado, Jesse se había sentido el hombre más afortunado del mundo. Durante el verano, por fin había encontrado novia. Según él, si podía pasar un par de semanas cortejándola, podría convencerla para que se casara con él. Ty le había dicho que se tomase tres semanas. Jesse había dejado la llave de la cabaña debajo de una piedra señalada y se había marchado antes de que ellos llegaran.

Viajaron desde Sheridan por separado: Ty, en su camioneta, y Abbie, detrás de él en su coche, que habían escondido en uno de los graneros del rancho. Se sentía mal por habérselo llevado y se había sentido todavía peor cuando, al revisar el maletero, Ty había encontrado el ordenador portátil de Rolf envuelto en una toalla dentro de la rueda de repuesto. Abbie pensaba que debía encontrar una forma de devolvérselo, pero Ty no quería oír hablar de ello. Decía que estaba seguro de que dentro de ese maldito ordenador había pruebas que podrían apoyar la defensa de

Abbie. Se lo habían llevado a la cabaña y lo habían encendido, pero les había solicitado una contraseña. Ty decidió meterlo en un saco de plástico y lo había ocultado en el retrete.

Durante las dos semanas que llevaban allí, Rolf había sido la única fuente de tensión entre ellos. Ty no entendía cómo podía querer a un hombre que la había tratado tan cruelmente. Abbie no le había contado ni la mitad de lo ocurrido, y a veces ella misma tenía problemas para entenderlo. Para Ty, todo era blanco o negro: según él, Rolf era un mal tipo y tenía la culpa de todo lo que había pasado. Ella envidiaba su claridad, y no le habría costado compartirla de no haber sido por lo que estaba ocurriendo dentro de ella. Aunque apenas estaba formado, el niño parecía nublarle la visión tanto del presente como del pasado, atenuando incluso la conmoción y la violencia de la noche que había huido.

Fuera lo que fuese lo que Rolf había hecho, y a pesar de lo despiadado y duro que había sido a veces, ningún ser humano la había tocado ni la había poseído con tal intensidad. Por supuesto, ella sabía que él la había conocido cuando más vulnerable se sentía. Pero ¿cómo podía explicar aquello los sentimientos que albergaba ahora hacia él, más de tres años después? Lo cierto era que todavía admiraba su determinación y envidiaba su audacia e independencia. Y aunque en sus momentos de mayor objetividad no le quedaba más remedio que reconocer la oscuridad que anidaba dentro de él, el hecho de que estuviera enamorada de Rolf hacía pensar que dentro de ella había algo parecido, ¿no? Resistiéndose a las evidencias, esa parte oscura de sí misma todavía lo veía como un guerrero, cuya semilla llevaba ahora en su interior. Y su hijo heredaría lo mejor de ellos dos.

Hablar con Ty de temas tan dolorosos con un mínimo de franqueza, naturalmente, era imposible. Pero se trataba de algo que corría como un río amenazador por debajo de muchas de las largas conversaciones que mantenían sobre la mejor forma de que Abbie se entregara.

Por encima de cualquier otra cosa, ella quería ver a sus padres. Y no a través del cristal de la severa sala de visitas de una cárcel. Tenía que verlos antes de entregarse; tenía que ser capaz de abrazarlos y pedirles perdón. A su madre, evidentemente, tenía que pedirle perdón por todo lo ocurrido pero especialmente por haber sido tan egoísta en su ira y su dolor y por haberla apoyado tan poco cuando su padre se había ido. Pero también a él, por lo sucedido aquella noche en el centro comercial y por haber sido tan cruel con él antes de que su vida se desquiciase.

Ty consideraba el tema desde una perspectiva más práctica. Creía que si lograba ponerse en contacto primero con sus padres, ellos podrían obtener algún tipo de acuerdo. Aquellas cosas ocurrían constantemente, decía. Con buenos abogados, podrían garantizarle la promesa de atenuar los cargos a cambio de que Abbie se entregase. La consecuencia, naturalmente, sería que con la ayuda de lo que hubiera en el ordenador portátil la mayor parte de la culpa pasaría a recaer sobre Rolf. Pero los dos estaban de acuerdo en que el primer paso era llamar a Josh.

Choteau, el pueblo más cercano, era lo bastante pequeño para que los extraños no pasaran desapercibidos. De modo que viajaron en coche otros cuarenta y cinco minutos hasta Great Falls y, cuando encontraron un teléfono público, Abbie llamó al móvil de Josh y dejó un mensaje en clave. Regresaron al día siguiente por la tarde y esperaron a que el teléfono sonara, pero no lo hizo. No querían que la gente empezara a fijarse en ellos, de modo que hallaron una gasolinera al otro lado de la ciudad con un teléfono en el exterior y sin cámaras de seguridad, y esta vez Abbie le dejó un mensaje más extenso sin el código.

Cuando volvieron al día siguiente por la tarde, mientras Ty llenaba el depósito, Abbie se quedó junto al teléfono, con el dedo colocado discretamente en el botón de colgar, simulando que estaba haciendo una llamada. Y a las seis en punto, sonó el teléfono: era Josh. Ella le dijo que iba a entregarse, y él se entusiasmó y dijo que era lo correcto y que sus padres se pondrían contentísimos cuando se enterasen. Abbie le dijo dónde estaba, y entonces él le comunicó que se encontraba en Colorado. Josh dijo que iría a recogerla, que pediría prestado un coche e iría directamente o que tomaría un avión o un autobús o lo que fuera.

Pero iría, dijo; no pensaba quedarse allí de ninguna manera. Abbie le dijo que dejara el teléfono encendido y que volvería a llamarlo al cabo de un par de horas, cuando él lo hubiera verificado todo.

Se acercaron a un supermercado para hacer tiempo y compraron unas cuantas cosas que necesitaban, y luego se dedicaron a pasear. Estaban llegando nubes procedentes del oeste, y Ty dijo que el aire olía a lluvia. Encontraron un sitio donde comer y, cuando acabaron, eran ya casi las ocho; Abbie se dirigió al teléfono y volvió a llamar a Josh. Él dijo que no había conseguido que le prestasen ningún coche, de modo que había reservado un billete de avión para ir de Denver a Great Falls al día siguiente por la tarde. Le dijo el número de vuelo y la hora de llegada, y Abbie dijo que Ty iría a recibirlo. Con las medidas de seguridad que había en los aeropuertos, no quería arriesgarse a que la reconocieran.

—Te veré mañana —dijo ella.

—Vale. Oye, Abbie.

—¿Qué?

—Casi paz, tía.

—Casi paz.

Abbie colgó y se disponía a marcharse, pero vio al otro lado del restaurante que Ty estaba hablando con un viejo vaquero de la mesa de al lado. Volvió a coger el teléfono. Aquella podía ser la única oportunidad que tuviera de hacer lo que llevaba días pensando. No sabía si tendría el valor suficiente. Pero él tenía derecho a saberlo, tanto lo del niño como lo que ella pensaba hacer. Si se ponía furioso o intentaba intimidarla, simplemente colgaría. Pero al menos se lo habría dicho. Con el corazón palpitante, cogió más monedas del bolsillo y marcó el número del móvil de Rolf. Él contestó al primer pitido.

—¿Sí?

—Soy yo.

—Dios mío. ¿Dónde estás?

—Rolf, escucha...

—He estado muy preocupado. ¿Estás bien?

—Sí. Escucha, hay algo que quiero...

—He estado buscándote como un loco. Cariño, siento mucho lo que ocurrió. No sé lo que me pasó; esa noche perdí la cabeza, con toda la mierda que llevamos encima. Por favor, Abbie. Por favor, vuelve.

El tono dulce de arrepentimiento de su voz estuvo a punto de desarmarla. Se había preparado para que le gritara.

—No puedo —dijo ella—. Voy a entregarme.

—¿Que vas a hacer qué?

—Rolf, estoy embarazada. Y voy a entregarme.

Hubo una larga pausa.

—Iba a decírtelo esa noche, pero...

—Oh, Dios, Abbie. Lo siento mucho. Escucha, tengo que verte.

Ella tragó saliva. Tenía los ojos clavados en Ty y, por primera vez, él se giró y la miró fugazmente.

—No creo que sea buena idea.

—Por favor, Abbie. Tenemos que hablar de esto. Podemos solucionarlo, sé que podemos. ¿Dónde estás, cariño?

—Rolf...

—Dímelo, por favor. Iré inmediatamente.

—No. Voy a ir a casa. Josh va a venir a buscarme desde Denver.

Era más de lo había pensado decirle, pero él no reaccionó ante la noticia.

—No vas a ir a casa, vas a ir a la cárcel. O puede que a algún sitio peor. No puedes tener a nuestro hijo en la cárcel.

—Sí que puedo. Ellos solucionan esas cosas.

—Abbie, tengo voz y voto en este asunto, ¿no?

—Si quieres hacer las cosas como es debido, haz lo mismo que yo. Entrégate. Diles lo que pasó. Todo puede salir bien, lo sé.

—Abbie...

—Tengo que colgar.

—Cariño, por favor...

—Te quiero.

Colgó mientras las lágrimas le corrían por las mejillas. «Nuestro hijo», había dicho él. Se volvió rápidamente y entró corriendo en el servicio; se mojó la cara con agua e intentó calmarse. Había hecho lo que tenía que hacer. El resto dependía de él. Cuando salió, Ty estaba de pie esperándola. Parecía muy preocupado.

—¿Estás bien?

—Sí. Se me han saltado las lágrimas. Josh me ha dicho unas cosas muy bonitas, eso es todo. —Se rió de forma poco convincente al tiempo que se enjugaba los ojos—. ¡Dios, las hormonas!

—¿Va a venir?

—Mañana.

Cuando salieron del restaurante, el cielo se había nublado y soplaba un viento frío procedente del norte. Para cuando llegaron a Choteau, había empezado a llover.

29

Josh nunca había visto llover de aquella manera. Parecía un monzón. Apenas se podía ver a través de la lluvia. Ty le había llevado amablemente un impermeable para que se lo pusiera, pero le llegaba casi hasta los tobillos y en el último tramo de subida hasta la cabaña lo pisó y estuvo a punto de caerse. Entre la lluvia torrencial y el rumor del riachuelo, era imposible que Abbie los hubiera oído llegar, pero debía de haber visto la linterna de Ty, pues cuando se dirigían a la cabaña, la puerta se abrió de golpe y salió corriendo a recibirlos. Ni siquiera esperó a que su hermano se quitara el impermeable y le echó los brazos al cuello y lo abrazó, negándose a soltarlo.

Había iluminado primorosamente la cabaña con velas, había encendido la estufa de leña y tenía la cena preparada. Ty había cazado un par de urogallos el fin de semana, y Abbie los había guisado con verduras y bayas silvestres. Josh no había probado bocado en todo el día y habría sido capaz de comerse toda la olla él solo. Acercaron la mesa a la cama y Abbie se sentó allí, mientras que Josh y Ty se colocaron en las sillas a los lados. Había tanto de que hablar que ninguno de ellos sabía por dónde empezar, de modo que se limitaron a comer y a hablar de cosas sin importancia, como la lluvia, el viaje en avión y la fiesta de Freddie.

Él nunca había visto a Abbie tan hermosa. Estaba totalmente transformada y ya no era la bruja con pelo de cuervo a la que había visto aquel día en Nueva York. Tenía una especie de brillo, algo que Josh sabía que acompañaba al embarazo, junto con los vómitos y los antojos. Por suerte, Ty le había comunicado la noticia de camino a la cabaña, porque Josh había permanecido sin habla durante casi diez minutos. Se había quedado como un idiota, diciendo «Vaya» y «Dios mío», y moviendo la cabeza con gesto de incredulidad. No hacía falta que Ty dijera lo mucho que lo sentía. Al pobre hombre se le notaba en la cara. Todo era una auténtica tragedia. Y allí estaba ella, radiante y feliz a la luz de las velas. Embarazada y a punto de ir a la cárcel. A Josh le estaba costando hacerse a la idea.

El guiso estaba bueno y, cuando hubo devorado el segundo plato y apurado los huesos, por fin pasaron a hablar de cuestiones más importantes. Era evidente que Ty y Abbie habían pasado mucho tiempo planeándolo todo con detenimiento, de modo que Josh escuchó atentamente lo que tenían que decir. Habían pensado que el mejor sitio para que Abbie se entregara era Nueva York, y como viajar en avión con el carnet de identidad falso era demasiado arriesgado, ella y Josh irían en el coche de Rolf. Ty le había hecho unas cuantas pequeñas reparaciones y estaba seguro de que estaba en condiciones para llegar hasta Long Island. Dijo que podían llevarse su tienda y sus sacos de dormir si querían. Atravesar Estados Unidos en coche de punta a punta era algo con lo que Josh siempre había fantaseado. Pero ni en un millón de años habría podido imaginarse que acabaría haciéndolo de aquella forma: al lado de su hermana, buscada por asesinato.

Abbie dijo que como los teléfonos de la familia y los amigos posiblemente aún estaban pinchados, deberían esperar a llegar allí antes de decírselo a nadie. Ella podía esconderse en un motel o en otro sitio hasta que Josh se lo dijera a su madre. Su padre viajaría desde Santa Fe, tendrían su primera reunión y luego se pondrían en contacto con los abogados y harían los trámites pertinentes. Josh hizo unas cuantas preguntas, pero, en su opinión, todo era razonable. Lo único que tenían que hacer era conducir con cuidado.

—¿Y cuándo nos vamos? —dijo—. ¿Mañana?

Abbie miró a Ty y le cogió la mano, y de repente Josh vio en la cara del joven lo duro que iba a resultar para él volver a perderla.

—Habíamos pensado que podríamos tomarnos solo un día más —dijo Ty en voz baja—. Así tendrás ocasión de descansar un poco. Os esperan bastantes kilómetros.

Habían improvisado una cama para Josh en el rincón, y después de fregar los platos, apagaron las velas y se acomodaron para pasar la noche. Pese a lo cansado que estaba, Josh no podía dormir. La cabeza le daba vueltas, pensando en todo lo que iba a pasar. De modo que permaneció tumbado mirando el fulgor cada vez más tenue de las brasas y escuchando cómo la lluvia tamborileaba en el tejado.

En una ocasión, Abbie gritó: «¡No, no lo haré!» estando dormida y Josh oyó cómo Ty la calmaba en voz baja. El grito le desconcertó e hizo que se preguntase qué podía estar soñando su hermana. Se la imaginó esposada y ataviada con un traje azul claro, siendo llevada por unos carceleros por un largo pasillo hacia una puerta de acero, mientras a ambos lados la contemplaban caras entre rejas. Hizo todo lo posible por apartar aquella visión de su cabeza, pero no lo consiguió. Y cuando logró dormirse a medias, la visión se transformó en imágenes mucho peores, sacadas de películas y videojuegos violentos y de los recovecos más oscuros de su mente. Se despertó cubierto de un sudor frío y por un momento se olvidó de dónde estaba. En la ventana se veía la primera luz del amanecer. La lluvia había cesado y lo único que se oía era el sonido del riachuelo que corría con fuerza.

Fue un día frío y de mucho viento, con breves apariciones del sol y nubes bajas que pasaban rápidamente desde el norte, cuyas sombras avanzaban como gigantescas plantas rodadoras a lo largo del valle. Ty dijo que parecía el primer día de auténtico invierno. Después del desayuno, prestó un anorak a Josh y los dos salieron a dar de comer a los caballos y a buscar leña para la estufa.

—¿Quieres montar con nosotros? —dijo Ty—. Podríamos coger otro caballo del rancho.

—¿Sabes qué? Creo que os vendría bien pasar el día los dos solos. Yo iré a la ciudad a comprar unas cosas para el viaje.

—No tienes por qué hacerlo.

—Me apetece. De todas formas, nunca he montado bien a caballo. A Abbie siempre se le han dado mejor las actividades al aire libre. Yo soy más de ciudad.

Ty sonrió y le puso la mano en el hombro.

—Gracias, tío. Te lo agradezco.

—Espero que algún día podáis, bueno, ya sabes...

No sabía cómo terminar la frase, pero Ty pareció entenderlo.

—Sí. Yo, también.

Cogieron una bala de heno para los caballos y se quedaron un rato apoyados en la valla observando cómo los animales comían. Luego Ty cogió un hacha de mango corto del cobertizo y empezó a partir unos troncos con destreza mientras Josh se mantenía apartado mirándolo con admiración.

—¿Qué tal se te dan los ordenadores? —preguntó Ty.

—Bien, supongo. ¿Por qué?

—¿Sabes si se puede desactivar una contraseña?

—Creo que se puede conseguir si sabes cómo. Mi amigo Freddie seguro que sabe hacerlo.

Ty blandió el hacha y la dejó clavada en el tarugo para cortar leña. Se dirigió hacia el retrete que había fuera de la cabaña y volvió con algo envuelto en un saco de plástico negro.

—Este es el ordenador portátil de Rolf. Seguro que dentro hay toda clase de cosas que podrían ser de ayuda en el caso de Abbie. Ella todavía no es capaz de pensar en él con claridad, así que no le entusiasma la idea. Tal vez sea mejor no mencionárselo, pero creo que sería una locura que no intentásemos echarle un vistazo. A lo mejor podrías llamar a tu amigo.

Josh tomó prestada la camioneta y fue a Great Falls. Encontró un centro comercial y se compró un anorak y comida y bebida para el viaje; luego llamó a su madre con su móvil habitual para decirle que había llegado sano y salvo a Nueva York. Le relató una versión apta para padres de la fiesta de Freddie e incluso se puso un poco arrogante y —empleando el tono adecuado, malhumorado pero virtuoso— dijo que la clase a la que acababa de asistir había sido tan aburrida que no había merecido la pena volver para eso. Mentía tan bien que casi daba miedo.

Había intentado llamar a Freddie tres veces y en las tres ocasiones le había dejado un mensaje, pero hasta media tarde, cuando estaba sentado en el rincón de una librería cafetería con el ordenador portátil encendido delante de él, Freddie no le devolvió la llamada. Josh le hizo creer que el ordenador era de un amigo tonto de la universidad que se había olvidado de la contraseña. Freddie le hizo unas cuantas preguntas sobre la marca y el modelo y lo antiguo que parecía, y a continuación le dijo que tomara nota por si necesitaba repetir el proceso y pasó a explicárselo paso a paso. Al cabo de cinco minutos aproximadamente, apareció de repente la pantalla de Windows y Josh accedió al sistema. Freddie le dijo que comprobase si los ficheros personales estaban encriptados. No lo estaban.

—Freddie, eres increíble.

—Lo sé. Serán dos mil dólares.

—Son tuyos.

Durante las siguientes dos horas, Josh hurgó entre los ficheros con el corazón acelerado. Había bastantes que no le sonaban, pero muchos más que sí. Archivos y más archivos con nombres, direcciones y números de teléfono; detalles sobre compañías, sus depósitos propios, almacenes de madera y laboratorios; notas que parecían fruto de la observación relacionadas con la seguridad, los teléfonos y los cables de alta tensión; y, lo más intrigante de todo, escondida en un fichero de contactos ordenado por orden alfabético en la P de policía, una lista con unas dos docenas de nombres y números. Intentó acceder al fichero con los correos electrónicos de Rolf, pero se lo impidió otra contraseña.

Habría continuado, pero eran casi las seis y debía regresar. Abbie y Ty estarían empezando a preocuparse por él. Lo único que quería hacer antes de irse era obtener una copia de lo que había visto por si acaso el ordenador se perdía, se estropeaba o alguien lo robaba. Sin apagarlo, volvió a toda prisa al centro comercial y compró un dispositivo de memoria portátil cuyo tamaño no superaba el de su pulgar y guardó todo lo que cupo.

Cuando entró en Choteau eran las ocho pasadas y se estaba haciendo de noche. El indicador del nivel de combustible señalaba prácticamente que el depósito estaba vacío, de modo que paró en una gasolinera de la calle principal y echó gasolina. Cuando entró a pagar, tenía las manos tan frías que se le cayó un montón de monedas al suelo que rodaron por todas partes. La chica que había tras el mostrador se acercó amablemente, se arrodilló junto a él y lo ayudó a recogerlas todas.

—No hace una noche para salir —dijo.

—No, a menos que seas un oso polar.

Ella se rió. Al pagar, la chica le preguntó si estaba de paso, y él contestó que sí y, por algún absurdo motivo, añadió que venía de Canadá y que se dirigía a ver a su padre. Cuando regresó a la camioneta, el viento había amainado y estaba empezando a nevar.

Además, estaba cayendo una fuerte helada y patinó dos veces con el hielo de la carretera que conducía a las montañas, de modo que se alegró al llegar a la pista de grava. En una ocasión, al doblar una curva demasiado rápido, estuvo a punto de estrellarse contra una manada de ciervos y más adelante tomó una salida que no era la correcta y tuvo que dar marcha atrás, maldiciéndose entretanto por haber postergado tanto su regreso. Para entonces, Abbie y Ty debían de estar subiéndose por las paredes. Al pasar por delante de la casa del rancho y de los graneros, el terreno se extendió ante él, transformado en un manto blanco.

Un kilómetro y medio más lejos, al llegar al lugar donde terminaba el camino, se sorprendió al ver un coche aparcado entre los árboles donde pensaba aparcar la camioneta de Ty. Josh paró detrás del automóvil y salió a echar un vistazo. No había nadie dentro ni nada que revelase de quién podía tratarse. Buscó una linterna en el vehículo, pero no parecía que hubiera ninguna. Era una estupidez llevar todas las provisiones que había comprado a la cabaña para tener que bajarlas al día siguiente, de modo que las dejó todas, junto con el ordenador, en la camioneta y cerró las puertas con llave. Ahora nevaba sin parar y hacía mucho frío. Se cubrió la cabeza con la capucha de su nuevo anorak y enfiló el sendero ascendente.

Buscó huellas, pero estaba demasiado oscuro para ver y en caso de que hubiera alguna, probablemente habría quedado cubierta por la nieve. No dejaba de preguntarse de quién podía ser aquel coche. No parecía un coche de policía, y si fueran los polis, habría un buen montón de ellos, ¿no? A lo mejor era un vecino que se había pasado por allí o alguien que se había perdido. O quizá había vuelto Jesse, el amigo de Ty. Tenía que ser eso. No fue hasta que llegó a lo alto y empezó a ver la cabaña que tuvo la sensación de que algo iba mal. Alguien estaba gritando. Entonces una figura cruzó la ventana. Y no era ni Abbie ni Ty.

Estaba paseándose de un lado a otro de la cabaña, y las llamas de las velas se encogían cada vez que pasaba por delante y proyectaban sombras angulosas en las paredes lisas de madera. Ellos dos estaban sentados a la mesa como él les había dicho, mirándolo con recelo. Ty parecía más tranquilo de lo que ella sabía que debía de estar.

—¿Cómo os habéis atrevido? ¿Cómo coño os habéis atrevido?

—Mira —dijo Ty—, ya te he dicho que lo siento. Cuando él vuelva, lo tendrás. Entonces podrás cogerlo y marcharte.

—No me digas lo que tengo que hacer, joder.

Rolf volvió a consultar su reloj y miró por la ventana, desde donde solo se veía la nieve que caía ininterrumpidamente, sin rastro de viento. Cuando llevaban los caballos al corral, Abbie lo había visto saliendo de la penumbra y había estado a punto de desmayarse. Todavía no sabía cómo había podido encontrarlos y no se atrevía a preguntarlo. La mirada que despedían sus ojos había hecho añicos inmediatamente cualquier esperanza de que las cosas cambiaran entre ellos gracias al niño. Debía de haber perdido el juicio para imaginarse que el bebé lo empujaría a entregarse.

Si Ty no hubiera sido tan condenadamente terco con respecto a lo que había en el ordenador... Todavía le costaba creer que hubiera mandado a Josh con el aparato a llamar a Freddie, sin ni siquiera mencionárselo hasta que habían salido de paseo con los caballos y ya era demasiado tarde para evitarlo. Él había intentando convencer a Rolf de que todo había ocurrido de forma muy inocente, de que casualmente el ordenador se encontraba en la camioneta y de que podría recuperarlo tan pronto como Josh regresara. Pero Abbie sabía que Rolf no se lo había tragado. Había montado en cólera nada más ver a Ty, y el ordenador le había brindado una excusa para dar rienda suelta a su furia. Todavía no había hecho daño a nadie, pero la amenaza de la violencia se hallaba presente en cada una de sus palabras y sus actos.

—¿Dónde coño está?

—Será la nieve —dijo Ty—. A lo mejor las carreteras están cortadas.

Rolf volvió a mirar por la ventana y, en ese mismo momento, Ty lanzó otra rápida mirada al pie de la cama, y fue entonces cuando Abbie comprendió por qué. Allí era donde guardaba su escopeta cargada. Únicamente podía verse el extremo acanalado de la culata que sobresalía. Ella le lanzó una mirada colérica. Por el amor de Dios, no sería tan tonto, ¿verdad?

—Está bien, se acabó —dijo Rolf—. Ponte el abrigo.

—¿Qué? —dijo Abbie.

—He dicho que te pongas el abrigo. Nos largamos de aquí.

—Ni hablar —dijo Ty, poniéndose en pie.

—¿Estaba hablando contigo? Tú quédate donde estás. Siéntate y cierra la boca.

Rolf agarró el anorak de Abbie que estaba colgado en la parte de atrás de la puerta y se lo lanzó.

—¡Póntelo!

—Escucha —dijo Ty—. Seamos razonables...

—¡Cierra la puta boca!

—No te la vas a llevar a ninguna parte.

Ty dio un paso adelante en dirección a Rolf, y este se giró para situarse de cara a él.

—Si no te sientas, te mato, joder.

Abbie se puso el anorak apresuradamente.

—No pasa nada, Ty. Iré con él. Nos encontraremos a Josh en la carretera y él podrá recuperar el ordenador y marcharse.

—No pienso dejarte ir con él de ninguna manera. Ya te ha hecho suficiente daño.

—¿Por qué no le dices a tu pequeño vaquero que se meta en sus asuntos?

Abrió la puerta y agarró a Abbie del hombro para sacarla fuera. Ty se abalanzó sobre Rolf, pero él vio que se acercaba y le golpeó fuerte en el estómago, y a continuación le dio un empujón que lo derribó por el suelo de la habitación. Se dio contra la mesa y la tiró, junto con la vela que había encima. Abbie gritó. Ty se había quedado sin aliento, pero estaba poniéndose otra vez en pie.

—¡Por Dios! —chilló Abbie—. Iré contigo. ¡Basta!

La puerta estaba ahora abierta, y la nieve caía silenciosamente encuadrada por el marco contra el negro de la noche. Ty se movió hacia un lado en dirección a la cama.

—¡Ty, no!

No debería haber gritado, pues los ojos de Rolf se desplazaron de inmediato hasta la cama y vio la culata de la escopeta. Al mismo tiempo, Ty se lanzó a por ella, y Rolf se arrojó sobre él, lo agarró de la cadera y consiguió apartarlo antes de que alcanzase el arma. «Dios mío —pensó Abbie—, por favor, otra vez, no.» Los dos estaban en el suelo golpeándose y agarrándose del cuello y del pelo, y Abbie se quedó junto a la puerta, gritando como una posesa que parasen. Pero Rolf, que había flexionado las rodillas, se movió hacia atrás de una sacudida y propinó a Ty una fuerte patada en el pecho. Acto seguido intentó agarrar la escopeta, la cogió y comenzó a sacarla de debajo de la cama.

Cuando la figura cubierta de nieve atravesó la puerta de repente y pasó junto a ella, Abbie tardó un momento en percatarse de quién se trataba. Josh se arrojó encima de Rolf, le rodeó el cuello con los brazos y le tiró de la cabeza hacia atrás.

—¡Vete, Abbie! —gritó Ty—. ¡Márchate de aquí! ¡Vete!

No hizo falta que se lo dijera dos veces. Ver cómo tres hombres a los que quería trataban de hacerse pedazos era más de lo que podía soportar. Se volvió y echó a correr en medio de la nieve, rodeó el lado de la cabaña y vio que los caballos seguían atados a la valla donde los habían dejado cuando Rolf había llegado, con las sillas de montar cubiertas por una capa de varios centímetros de nieve. Desató el suyo y se subió a él de un salto. Le hizo dar la vuelta tirándole con fuerza de las riendas, lo azuzó con los talones, y el animal se lanzó como un caballo de carreras en la parrilla de salida, enfiló el sendero y se adentró en el bosque.

No sabía adónde se dirigía y tampoco le importaba, y aunque lo hubiera sabido, tenía la vista tan enturbiada por la nieve y la desolación que solo podía ver una imagen borrosa del camino que había ante ella. Mantuvo la cabeza agachada, con la mejilla contra la crin cubierta de nieve del caballo, y se limitó a dejar que el animal corriera. Por aquel entonces ya conocía el terreno, pero no de noche ni estando como estaba cubierto de nieve. Mientras el caballo seguía galopando en dirección ascendente y los troncos de los pinos pasaban fugazmente por delante en la oscuridad, oyó un sonido más fuerte y claro por debajo del ruido sordo que emitía el animal al golpear el suelo con las pezuñas y luego un eco resonante, y supo que alguien había disparado la escopeta. Entonces gritó y, con la angustia, espoleó al caballo con los talones para que fuera todavía más rápido.

El sendero giraba hacia la izquierda y descendía. De repente, atravesaron un arroyo chapoteando y subieron a la otra orilla de un salto; el caballo se atascó, se ladeó y avanzó con dificultad, trapaleando con los cascos. Se recuperó, y Abbie volvió a ponerlo al galope; la pendiente se volvió mucho más empinada que antes y el caballo respiraba emitiendo un sonido áspero y resoplaba como un motor oxidado.

Cuando salieron del bosque, estaban a gran altura y el terreno era más llano. Debajo de ella, a su derecha, lo único que podía ver tras el remolino de nieve era un negro abismal y comprendió que debían de encontrarse en una especie de cresta. Y un segundo después de pensar aquello, se hallaban sobre una roca o una superficie helada o ambas cosas. Las pezuñas del caballo resbalaron y el animal se tambaleó y se puso a relinchar, y Abbie notó que salía despedida de los estribos como un misil y se precipitaba en la oscuridad. Acto seguido, se dio contra la pendiente y empezó a caer, rodando, girando y dando volteretas cuesta abajo, mientras la nieve salía volando y flotaba por todas partes y se le metía en la boca y en los ojos. De repente notó una punzada de dolor en la pierna, como si se le hubiera astillado, y un crujido en el hombro, y a continuación se dio con la cabeza contra algo duro y el mundo se volvió más blanco que la nieve y se ralentizó, y siguió deslizándose, resbalando y patinando por la pendiente. La última sensación de la noche y el mundo que experimentó fue una caída larga e ingrávida, como la pirueta de una pluma rota, y el gélido abrazo del agua que burbujeaba y se cernía sobre ella.

TERCERA PARTE

30

Habían estado oyendo bramar a los alces durante toda la mañana, pero no los habían visto hasta ahora. Había una manada
de unas veinte hembras debajo de ellos, repartidas a lo largo del
riachuelo, a la sombra del valle, y un viejo macho con una magnífica cornamenta vigilando. El sheriff Charlie Riggs detuvo su
caballo con cuidado en la cresta, y Lucy, que lo seguía en su bonito poni pinto con su espléndida silla nueva, se le acercó e hizo
lo mismo. Charlie señaló debajo de la pendiente y le entregó los
prismáticos.

—Allí los tienes —dijo—. ¿Los ves?

A Lucy le daba el sol en los ojos, y él se quitó el sombrero y
lo usó como visera para protegerla.

—Sí. Uau, es enorme.

—Sí, es el macho de la manada, seguro.

—¿Cuántas puntas tiene en la cornamenta?

—Tú eres la que tiene buena vista.

—Yo diría que siete.

Llevaban fuera casi tres horas y, a medida que el valle se llenaba poco a poco de sombra, se notaba que el aire se volvía más
fresco. Estaban descendiendo hacia el principio del camino donde habían dejado el remolque. El hecho de tener que trabajar los
fines de semana había sido uno de los motivos por los que lo
suyo con Sheryl no había funcionado, de modo que al recoger
a Lucy por la mañana había considerado oportuno no mencio-

nar que iban a montar a caballo por Goat Creek. De todas formas, no parecía que estuviese trabajando, y desde luego Lucy no lo veía de esa manera. Seguro que ella sabía, como todo el mundo por aquellos pagos, que el cuerpo de la chica había sido hallado a principios de la primavera. Pero habían pasado seis meses y ya nadie hablaba de ello. Lo que su hija no sabía —y Charlie no pensaba decirle— era que los alces estaban pastando en el mismo lugar donde habían sacado a Abbie Cooper del hielo.

Cuando el riachuelo se había deshelado a finales de abril, habían peinado la zona en busca de pistas, pero no habían encontrado nada. Y desde entonces, durante la primavera y el verano, Charlie había subido allí arriba una y otra vez. No sabía cuántos cientos de kilómetros había cubierto, pero debía de haber recorrido a pie o a caballo todos los senderos existentes en un radio de treinta kilómetros, así como una gran parcela de terreno sin caminos, escudriñando el territorio en busca de algo que hubieran podido dejar, o que pudiera haberse caído o hallarse escondido. Pero en todos aquellos kilómetros y durante todas aquellas horas, no había encontrado una sola cosa que arrojara algo de luz sobre la forma en que había muerto la pobre chica.

Su obsesión por el caso se había convertido en una especie de chiste en la oficina. Cuando pedía a sus ayudantes que siguieran una tediosa línea de investigación o que indagasen una corazonada que él hubiera podido tener, veía la expresión de sus rostros. Incluso sus amigos del Grizzly Grill, donde Charlie cenaba cuando se aburría de leer en casa o se había olvidado de comprar comida, habían empezado a tomarle el pelo con relación a aquel tema y le preguntaban si había atrapado ya a su asesino. «No —contestaba él—. Todavía no. Pero estoy encima de ti, amigo.» Lo cierto era que no tenía tiempo ni recursos para encargarse de un caso como aquel, y problemente debería haberlo cedido hacía meses a los tipos de la División de Investigación Criminal de Helena.

—¿Y por qué un solo macho tiene a todas esas hembras? —preguntó Lucy.

—¿Qué te hace pensar eso? A lo mejor lo han tomado como rehén.

—Papá.

—¿Todavía no te han enseñado en el colegio lo que son los genes y todo eso?

—Claro que sí.

—Está bien. Según tengo entendido, el papel del macho consiste en esparcir sus genes por todas partes, así que el más fuerte procura evitar que el resto de machos se acerque a las hembras.

—Eso no es justo para las hembras. Los machos jóvenes son mucho más guapos que ese vejestorio feo.

—Sí, y algún día le darán una paliza y lo sustituirán.

—¿Y las hembras no tienen voz ni voto?

—No.

—Eso es sexista.

—Supongo que sí. Pero probablemente así la vida sea mucho más fácil. Vamos, me está entrando hambre.

Hicieron avanzar a los caballos a lo largo de la cresta y descendieron serpenteando lentamente hasta el claroscuro del sotobosque, donde el aire era más fresco y olía a otoño. Aproximadamente un año antes, por aquellas fechas, había caído la gran helada y la fuerte nevada. Y aunque no disponía de ningún dato que lo demostrara, Charlie creía que podía haber sido entonces cuando Abbie se había suicidado. Durante todo el invierno se habían producido varios deshielos y habían caído otras tantas heladas. Pero por lo que había podido averiguar gracias a Ned y Val Drummond y a otras tantas personas más, como cazadores y guardabosques y tipos a los que les gustaba subir hasta allí con sus motonieves, aquella primera nevada intensa y el hielo que la había acompañado no habían llegado a retirarse del todo del riachuelo.

Y aquello era más o menos todo lo que sabía. Para seis largos meses de trabajo, no era una información que le fuera a valer precisamente un premio al detective del año. Todas las pistas iniciales no habían llevado a ninguna parte. Con la idea fija de que la chica había podido morir en la época de aquella fuerte nevada de finales de septiembre, había recorrido el pueblo preguntando si alguien había visto a algún forastero por aquel entonces. La única persona remotamente prometedora que había sido vista era un joven que había llenado el depósito de su coche en la gasolinera la misma noche de la tormenta. Había pagado en metálico y se le habían caído todas las monedas al suelo. Al parecer, le había dicho a la chica de la caja registradora que había bajado de Canadá a ver a su padre, y ella se había fijado en que le faltaba la parte superior del dedo índice de la mano derecha.

Charlie se había entusiasmado porque en el local tenían cámaras de seguridad, tanto dentro como en el exterior. Pero había resultado que solo conservaban las imágenes durante un mes, y aquellas en concreto habían sido borradas mucho tiempo atrás. La chica no recordaba el modelo de vehículo que conducía el joven, pero había añadido amablemente que parecía simpático y para nada un asesino.

Durante cierto tiempo, Charlie había creído que se trataba de Ty Hawkins, el chico de Sheridan al que el FBI había tomado por equivocación como el cómplice de Abbie. Charlie había descubierto que Ty era amigo de Jesse Wheeler, quien cuidaba de La Ponderosa. La propiedad se hallaba en lo alto de la siguiente collada, bastantes kilómetros al norte de Goat Creek, pero de todas formas Charlie había subido allí arriba a hacerle una visita.

El esfuerzo había merecido la pena. Cuando Charlie lo había interrogado, Jesse se había mostrado un poco receloso e inquieto. Resultaba que había coincidido con Abbie en una ocasión, aproximadamente unos seis o siete años antes, en un rancho para turistas donde solía trabajar los veranos. El muchacho había jurado que no había vuelto a verla desde entonces y que tampoco había visto a Ty desde hacía mucho tiempo, y que durante los tres años que había estado trabajando allí Ty jamás lo había visitado. Pero a Charlie no le pareció convincente.

Se había dirigido a Sheridan y había hablado personalmente con Ty, y no había podido evitar compadecerse de él. Como jinete que era, Charlie había oído hablar de Ray Hawkins y lo había visto en acción muchos años antes en uno de sus famosos cursillos. El pobre muchacho no solo había perdido a un padre extraordinario, no solo había visto cómo perforaban su rancho y lo destrozaban en busca de metano, no solo había sido encarcelado por equivocación durante varias semanas y había acabado con la reputación mancillada al ser acusado de terrorista, sino que, obviamente, había perdido al amor de su vida.

Cuando hablaba de Abbie, podía apreciarse en sus ojos y su voz que la muerte de la chica le había partido totalmente el corazón. Le dijo que no la había visto desde hacía años. Y Charlie lo había creído. Su instinto le decía que el chico era tan incapaz de haberla matado como de matar a su propia madre. No tenía una pizca de maldad. Aun así, Charlie tenía que hacer su trabajo. Había preguntado a Ty si podía tomarle una muestra de ADN y la había enviado al laboratorio forense de Missoula para que la cotejasen con la del feto de Abbie. Y, afortunadamente, no coincidían.

Ya habían llegado al lugar donde estaban la camioneta y el remolque. Charlie observó cómo Lucy llevaba con destreza a su poni por la rampa ascendente y a continuación hizo otro tanto con su caballo. Cuando volvieron al pueblo bajo la luz cada vez más tenue, sintió que le invadía la tristeza que siempre se apoderaba de él al final de un día compartido con su hija, cuando tenía que llevarla a casa de su madre. Como solía decir su abuela, la vida era un lío. Un lío y un embrollo.

Cada dos o tres semanas, aunque no hubiera nada nuevo que contarles (y rara vez lo había), Charlie llamaba a los Cooper. Lo hacía simplemente para mantener el contacto e informarles de que el caso seguía abierto y en activo. Habían llegado a caerle bien y admiraba la dignidad con que parecían estar afrontando la pérdida de su hija. En una ocasión, había estado a punto de decírselo tímidamente a Ben, y nunca olvidaría la pequeña pausa que él había hecho y las palabras exactas de su respuesta.

—La verdadera pérdida ocurrió hace cuatro años. Por lo menos ahora sabemos dónde está.

Charlie procuraba llamarlos a los dos, pero sobre todo le gustaba llamar a Sarah. Aunque no quería reconocerlo, ella era la razón por la que se negaba a ceder el caso. A pesar de que únicamente la había visto aquella vez en Missoula, cuando ella había ido a recoger el cuerpo, la imagen de la mujer se le había quedado grabada en la cabeza. Disfrutaba con el sonido de su voz por teléfono: regia y suave, y un poco ronca, la clase de voz de la que un hombre podría enamorarse. A veces hablaban durante media hora o más, mucho más tiempo del que él podía alargar cualquier noticia sobre la supuesta investigación.

Aproximadamente un mes antes, en una de sus conversaciones, ella había descubierto que Charlie era un gran lector y, lo que era más importante, que tenían unos cuantos escritores favoritos en común. Charlie se imaginaba que ella tendría unos gustos mucho más clásicos que los suyos, pero cuando él le había dicho que le encantaban Elmore Leonard, Pat Conroy y Cormac McCarthy, ella se había entusiasmado y había dicho que *El príncipe de las mareas* y *Todos los hermosos caballos* eran dos de sus libros preferidos de todos los tiempos. Sarah había dicho que era una lástima que hubiera vendido la librería hacía poco, porque podría haberle mandado algunos de los nuevos libros con los que había topado.

La siguiente vez que hablaron, el día después de que Charlie y Lucy subieran a Goat Creek a caballo y vieran a los alces, Sarah le dijo que estaba intentando escribir algo. Sobre Abbie. Y que estaba planeando un pequeño viaje de investigación a Missoula. Le preguntó si solía ir allí por algún motivo, y Charlie mintió y dijo que iba a menudo. Sarah dijo que tal vez pudieran verse. Charlie contestó que le gustaría mucho y luego temió que aquello no sonase lo bastante profesional, de modo que añadió que para entonces esperaba poder comunicarle algún «progreso».

Ella llamó unos días más tarde para informarle de la fecha y dijo que había reservado habitación en el Doubletree, al otro lado del río y enfrente de la universidad, y le preguntó si le apetecería comer o cenar con ella el martes. Él volvió a mentir y dijo que ese día estaba muy ocupado y que no podría comer con ella, pero que no veía inconveniente en quedar para cenar. Comentó que, según se decía, la comida del Doubletree era estupenda. Y se pasó los diez días siguientes procurando dejar de pensar en ello.

Llegó allí tres cuartos de hora antes y estuvo paseando a lo largo del río, junto a los álamos cuyas hojas emitían un fulgor amarillo al atardecer, y luego cruzó el pequeño puente de madera que daba al campus, donde se quedó mirando cómo unos chicos jugaban a fútbol americano bajo los focos.

Se había cortado el pelo y se había puesto su mejor chaqueta, la de pana beis, acompañada de una camisa azul claro con botones de presión. Durante un rato había dudado si llevar el uniforme, pero había decidido que le haría parecer demasiado estirado. En lugar de ello, y para dar un toque de autoridad formal, se había llevado su maletín y llegó al Doubletree cinco minutos tarde, como si se hubiera retrasado por culpa de una reunión importante.

Ella se levantó, sonrió y le tendió la mano.

—Hola, Charlie. Me alegro de verte.

Tenía la mano fría. Él dijo que también se alegraba de verla. Sarah llevaba unos tejanos negros y una camisa blanca debajo de una chaqueta de punto abierta azul marino. Estaba ligeramente bronceada y se había hecho algo en el pelo, aunque tal vez se lo parecía porque la última vez lo llevaba enmarañado por la lluvia. Estaba deslumbrante. Él no había cenado con una mujer tan hermosa y con tanta clase en su vida.

A Sarah le parecía un detalle que él hubiera mantenido el contacto de forma tan diligente. A lo mejor se trataba del procedimiento habitual cuando trataban con los padres de una víctima y no con los de un criminal. Debido a su muerte, Abbie había cambiado claramente de categoría.

Él le estaba hablando del paseo a caballo que había dado con su hija un par de semanas antes y de cómo, al mirar pendiente abajo, se había convencido todavía más de que Abbie debía de haberse caído. Era evidente que no tenía nada nuevo o importante que contarle, pero Sarah tampoco lo esperaba y no le importaba que así fuera. Era un hombre muy agradable y estaba disfrutando de su compañía. Había pasado mucho tiempo desde la última vez que había cenado sola con un hombre, y por la forma en que él la miraba con aquellos tiernos ojos azules, Sarah notó que estaba un poco prendado.

Ella no le contó gran cosa a Charlie de lo que pensaba escribir, en parte porque le daba vergüenza y en parte porque no estaba completamente segura. Iris lo había llamado un «ejercicio de conclusión», y probablemente tenía razón.

—Entonces, ¿Lucy es tu única hija?

—Sí. Pero tiene la energía de veinte. A los seis meses ya llevaba la casa. Está llena de vitalidad, ¿sabes?

—Sí. Abbie era así.

—Lo siento, yo...

—Charlie, por favor. No pasa nada, de verdad.

Se quedó tan avergonzado que ella posó brevemente su mano sobre la de él.

—Cuéntame más cosas de ella.

Él hizo lo que le pidió y, con un poco de persuasión, acabó hablando de su matrimonio, de cómo había fracasado y de que posiblemente él había tenido más culpa que Sheryl. Dijo que si tuviera otra oportunidad, haría las cosas de otra manera, prestaría más atención, estaría más presente. Entonces, prácticamente sin venir a cuento, le preguntó a Sarah qué tal estaba Benjamin, y ella tuvo que decir que no lo sabía, pero que creía que estaba bien.

Lo cierto era que solo habían hablado un par de veces desde el funeral, y en cada una de esas ocasiones lo habían hecho de forma extrañamente formal, un poco forzada. Sarah estaba casi segura del porqué. Se debía a lo que le había dicho en el avión: que él había tenido la culpa de la muerte de Abbie. No podía creer que hubiera dicho algo tan terrible. Durante los últimos días, al estar de nuevo allí, en Missoula, y hablar de Abbie con

Mel, Scott y los demás, había tenido tiempo para reflexionar, y algo había cambiado dentro de ella. Incluso había estado pensando en escribirle y pedirle disculpas.

—Tiene una nueva vida, una nueva familia.

—Lo siento.

—Charlie Riggs, como no dejes de disculparte, voy a empezar a cabrearme contigo.

Él sonrió. Ella terminó su vino y se sirvió más.

—Somos dos adultos divorciados y solteros —continuó Sarah—. Deberíamos poder hablar de estas cosas.

—Desde luego.

—Así que Sheryl se ha vuelto a casar. ¿Y por qué no lo has hecho tú?

—Bueno. En parte, por el trabajo. Ya sabes, tengo que ocuparme de un territorio de casi seis mil quinientos kilómetros cuadrados. Uno se cansa solo de mirarlo en el mapa. Y supongo que la otra razón es que no hay muchas opciones. Allí fuera, en los montes Front, hay un montón de ganado y bichos, árboles y espacio vacío, pero no hay mucha gente.

Sarah sonrió y por un momento los dos se quedaron mirándose el uno al otro.

—¿Y tú? —dijo él.

Ella se rió.

—¿Cuántos años tienes, Charlie?

—Cuarenta y cuatro. No, cuarenta y cinco.

—¿Cuántos años crees que tengo yo?

—No he venido aquí para especular sobre esos temas.

—Adelante, a ver si lo adivinas.

—No lo sé, ¿treinta y nueve, quizá?

—Eres tan...

Él le sonrió y bebió un sorbo de vino.

—Cumpliré cincuenta el próximo otoño.

—No me lo creo.

—Es cierto. A veces me siento muchísimo más vieja. Y otras veces me siento como si tuviera dieciocho.

—¿Y cómo te sientes esta noche?

—Como si tuviera treinta y nueve.

Él se rió.

—La cuestión —prosiguió ella— es que los hombres disponibles de mi edad, quiero decir, los hombres adecuados (y, créeme, no hay muchos) solo quieren salir con mujeres veinte años más jóvenes.

—Bueno, yo diría que si son tan tontos, no se pueden considerar adecuados.

Sarah había estado preguntándose lo que le diría si Charlie le pedía que se acostase con él. Era poco probable que lo hiciera. Era demasiado educado. Lo cual era una lástima, porque la idea le atraía mucho. Si alguien iba a dar el primer paso, tendría que ser ella. Pero en su vida había hecho algo así. Y, de todas formas, lo más probable era que acabase arrepintiéndose.

—Por otra parte —dijo él—. Para ser sincero, vivir solo tiene sus ventajas. Puedes dejar lo platos sin fregar sin que nadie se enfade contigo, llenar el suelo de barro, ya sabes. Leer todo el día si te apetece.

Ella siguió su ejemplo (aunque dudaba que su comentario tuviera aquella intención) y esquivó la zona de peligro preguntándole qué estaba leyendo en aquel momento. Y durante el resto de la cena no hablaron más que de libros. Ella prometió mandarle una novela que acababa de leer. La había escrito un joven escritor mexicano y era el mejor libro que había leído en todo el año.

—Puedes hacer otra cosa por mí —dijo él, después de que ella le hubiera dejado pagar la cuenta.

—¿De qué se trata?

—Me gustaría tener más fotos de Abbie. ¿Sabes lo distinta que puede parecer a veces la gente? Enseñas dos fotografías de la misma persona y reconocen una pero no la otra. Si tuviera un par de ellas más para enseñarlas por ahí, a lo mejor le refrescaban la memoria a alguien.

Sarah cogió su bolso del suelo.

—Tengo algunas aquí, si las quieres.

Sacó el pequeño sobre de plástico que siempre llevaba consigo. Dentro había una docena de fotos de Abbie y Josh, pero ya no quedaba ninguna de Benjamin. Se lo entregó a Charlie y él examinó las fotos con cuidado.

—Este debe de ser Josh, claro.

—Sí.

—¿Qué esta haciendo ahora?

—Está en el último año de universidad. Todos estamos a la espera de lo que hará después. Estos últimos años ha tenido que enfrentarse a muchas cosas.

—Parece un buen chico.

—Es más que eso. Es increíble.

Charlie pasó a la siguiente foto. Era de Abbie y Josh y había sido tomada durante las últimas vacaciones en La Divisoria. Aparecían en primer plano, sonriendo y haciendo la señal de «Casi paz».

—Este es Josh otra vez, ¿verdad?

—Sí. Cuando era pequeño perdió la parte superior del dedo con la puerta del coche. La señal de la paz es una especie de broma familiar. Casi paz.

Charlie asintió con la cabeza, pero siguió mirando la foto. A continuación esbozó una sonrisa brusca y pasó rápidamente las últimas fotos.

—Algunas de estas me vendrían bien —dijo—. ¿Puedo hacer copias?

—Claro, quédatelas. Siempre que me las devuelvas.

—Gracias —dijo él—. Lo haré mañana.

31

Josh había estado esperando que Nikki lo llamase, de modo que, a pesar de la norma estricta que obligaba a apagar los móviles en clase, tenía activada la función de vibrador en el suyo. Estaba sentado al final de la fila del fondo, cerca de la puerta, para poder salir un momento como si fuera al servicio en caso de que ella lo llamara.

La clase trataba sobre algo llamado el Siglo de las Luces, un tema del que Josh no sabía nada. La profesora llevaba media hora hablando en tono monótono, y él había estado intentando tomar apuntes, pero al mirarlos descubrió que no tenían ningún sentido. Había escritas cosas como «el desmoronamiento de la estructura feudal», «ilustración y progreso», «sistemas teológicos humanistas». Josh tenía los codos sobre el pupitre y la cabeza apoyada en los puños por si se quedaba dormido.

—Diderot consideraba el dogma religioso absurdo y oscuro —declaró la mujer.

«Absurdo y oscuro», escribió él. Entonces notó que el móvil empezaba a temblar dentro de su bolsillo y salió sigilosamente de la clase, esperando encontrar el nombre de Nikki en la pantalla. Pero era un número que no reconocía. Dejó que se activase el buzón de voz.

No escuchó el mensaje hasta que estuvo fuera, a la luz del frío sol de noviembre, mientras se comía un emparedado de ensalada y pavo de camino a su apartamento. Cuando se enteró de quién era, estuvo a punto de atragantarse.

—Hola, Josh. Soy el sheriff Charlie Riggs, de Choteau, Montana. Estoy en Nueva York y te estaría muy agradecido si pudieras concederme media hora de tu tiempo. Hay un par de cosas relacionadas con tu hermana en las que creo que podrías resultarnos de ayuda. Puedes llamarme a este número. Es un tema un poco delicado, así que te agradecería que no le mencionases esta llamada ni a tu madre ni a tu padre ni a ninguna otra persona. Espero tener noticias tuyas. Adiós.

Josh sintió que su mundo empezaba a tambalearse. «Oh, Dios —pensó—. Ya está. Han encontrado el cuerpo de Rolf.»

Marcó el número y procuró no parecer asustado, sino interesado y atento. El hombre parecía cordial. Sería mejor no ponerse demasiado paranoico. Trataron de acordar un sitio donde reunirse, pero la cabeza le funcionaba demasiado rápido para pensar en algún lugar, de modo que el hombre sugirió el puente de Brooklyn. Dijo que solo había estado una vez en Nueva York y que alguien le había dicho que la vista desde el puente al atardecer era espectacular. ¿Qué era aquello?, se preguntó Josh. ¿El tipo estaba de vacaciones? Quedaron en reunirse a las cuatro en punto en el extremo de Manhattan de la pasarela del lado sur.

—¿Cómo lo reconoceré? —preguntó Josh.

—Yo seré el de la estrella y el sombrero de vaquero.

—De acuerdo.

—Es broma. No te preocupes, sé el aspecto que tienes.

Aquello le puso todavía más paranoico. ¿Cómo podía saber el aspecto que tenía? Faltaban dos horas para las cuatro y Josh las pasó en su habitación del apartamento. Estaba en un bloque ruinoso junto a East Broadway y lo compartía con tres chicos de la Universidad de Nueva York, quienes le caían bastante bien pero con los que no estaba muy unido. Por suerte, no había nadie en casa. Pensó en llamar a Freddie, pero decidió no hacerlo. Le había contado una pequeña parte de la historia, pero no todo lo que había ocurrido con Rolf. Ty debía de haber hablado. Tenía que ser eso. A lo mejor debía llamarlo. Pero tal vez le habían intervenido el teléfono por si Josh se ponía en contacto con él. «Dios —pensó—. Dios mío.»

No estaba seguro de por qué lo hizo, pero a las tres y media, cuando ya se había puesto el abrigo y se dirigía a la puerta, se detuvo y volvió a su escritorio. Se arrodilló y metió la mano debajo, y se puso a tantear en busca del pequeño paquete pegado con cinta adhesiva detrás del cajón. Lo despegó arrancando la cinta, se lo metió en el bolsillo y se marchó.

Charlie estaba apoyado en la barandilla, contemplando cómo el sol descendía lentamente hacia el horizonte. La ciudad presentaba un aspecto increíble, con el sol brillando en los precipicios de cristal y las luces de los rascacielos que empezaban a centellear. Estaba intentando averiguar dónde se encontraba exactamente el antiguo emplazamiento del World Trade Center, pero no conocía el sitio lo bastante para localizarlo.

Vio que Josh se dirigía hacia él e incluso a cien metros de distancia y a la luz tenue del sol, advirtió lo asustado que estaba el pobre muchacho. Llevaba un anorak negro y un gorro rojo calado hasta las cejas. A medida que se acercaba a él, reconoció fugazmente a Sarah en la cara pálida del chico. Charlie dio un paso adelante y le tendió la mano.

—Hola, Josh.

—Hola.

El muchacho le estrechó la mano débilmente y con cautela. Ya no enseñaban a los chicos cómo había que estrechar la mano. Josh se metió rápidamente las manos en los bolsillos; parecía que no quisiera mirarlo a los ojos. Charlie señaló el panorama con la cabeza.

—Menuda vista, ¿eh?

—Sí.

—Estaba intentando averiguar dónde estaban antes las torres...

—Por allí. —Josh señaló con el dedo, sin demasiado interés.

—¿Damos un paseo?

—Si quiere.

Se pusieron a caminar el uno al lado del otro por el paseo entablado, mientras el tráfico rugía debajo de ellos y las luces de los coches parpadeaban en las rendijas que había entre las tablas.

—¿De qué va todo esto?

—Estos últimos meses hemos estado intentando averiguar lo que le pasó a Abbie. Cómo llegó a donde la encontramos, con quién pudo haber estado, ese tipo de cosas. Y pensé que a lo mejor tú podías ayudarnos a aclarar unas cuantas cosas. ¿Te parece bien?

—Supongo.

—¿Conocías bien a Ty Hawkins?

—La verdad es que no lo conocía en absoluto. Él era uno de los empleados del rancho al que solíamos ir. Él y Abbie estuvieron liados un tiempo.

—Lo sé.

—Y la policía se equivocó y creyó que estaba implicado en lo de Denver.

—Sí. ¿Cuándo fue la última vez que hablaste con Ty?

Josh se encogió de hombros, manteniendo la vista al frente.

—No lo sé.

—Aproximadamente.

—Hace años.

—¿Es eso cierto?

—Sí, ¿por qué? ¿Él ha dicho otra cosa?

Charlie no contestó. Estaba intentando aparentar que sabía mucho más de lo que en realidad sabía. Ni siquiera sabía por qué había empezado preguntándole por Ty, pero parecía haber puesto el dedo en la llaga.

—¿Cuándo fue la última vez que viste a tu hermana?

Se fijó en que Josh tragaba saliva.

—Lo mismo que a Ty. Hace años. Como el resto de gente.

—Entonces, ¿qué hacías en Choteau a finales de septiembre del año pasado?

Josh se volvió para mirarlo, frunciendo el ceño y moviendo la cabeza como si no entendiera.

—¿A qué se refiere? Yo no estaba allí.

—Sí que estabas.

Josh no dijo nada. Un alegre grupo de turistas japoneses estaban haciéndose fotos con la puesta de sol al fondo. Estaba refrescando. Charlie y Josh rodearon al grupo y no volvieron a hablar hasta que estuvieron lejos.

—Josh, si no eres sincero conmigo, esto será mucho más difícil para los dos. Sé que estuviste en Choteau y también sé que estuviste en Great Falls.

Josh no dijo una palabra.

—Josh —dijo Charlie con delicadeza—. He visto el registro de tu móvil.

El chico cerró los ojos un instante; era evidente que estaba maldiciéndose.

—Y la lista de pasajeros del avión. Volaste hasta allí desde Denver. Las cámaras del aeropuerto grabaron imágenes de Ty Hawkins cuando fue a recibirte. También te registró la cámara de la gasolinera cuando se te cayeron las monedas. La chica que te ayudó a recogerlas te ha identificado a partir de las fotografías. Así que ahorrémonos tiempo y dejémonos de chorradas, ¿de acuerdo?

Charlie dejó de caminar y Josh se detuvo varios pasos por delante, pero no se giró para situarse de cara a él. Todavía tenía las manos metidas en los bolsillos del anorak.

—Cuéntame lo que pasó, Josh.

¿Qué sentido tenía seguir mintiendo? De todas formas, el hombre parecía estar al tanto de la mayor parte de la historia. Y si contaba más mentiras, probablemente no haría más que empeorar las cosas. No iba a cometer el mismo error que Abbie. Si ella lo hubiera confesado todo enseguida y le hubiera dicho a todo el mundo que no querían matar al hijo de McGuigan, puede que todavía estuviera viva. Dejó caer los hombros, se acercó a la barandilla y se apoyó en ella, mientras contemplaba el río y el puerto. Charlie Riggs se aproximó a él e hizo lo mismo. Josh respiró hondo y comenzó.

—Abbie quería entregarse. Cuando se enteró de que estaba embarazada huyó de Rolf. Le dijo a Ty que él había estado maltratándola, pegándole y... No sé. El caso es que fue a casa de Ty y los dos se escondieron en una cabaña de las afueras de Choteau, en lo alto de las montañas.

—La casa de Jesse Wheeler.

—Supongo que Ty ya se lo ha contado todo.

—Me gustaría oírlo de tu boca. ¿Cuánto tiempo estuvieron allí?

—No lo sé. Dos semanas, quizá. Estaban pensando la mejor forma de que Abbie se entregara, ya sabe, para que tuviera la oportunidad de no ir a la cárcel para siempre. Le aseguro que era una persona totalmente distinta a la de la última vez...

Josh se dio cuenta de que se estaba contradiciendo.

—¿La última vez que la viste? ¿Cuándo fue eso?

Josh suspiró. Sería mejor que lo confesara todo.

—La primavera antes del once de septiembre. Aquí, en Nueva York. Ella quería dinero. Estaba como loca. No la reconocía. En fin, en septiembre del año pasado me llamó. Yo estaba en Colorado visitando a un amigo. Así que fui a Great Falls y... bueno, ya lo sabe.

—¿Qué querían que hicieras?

—Querían que la trajera a casa. Aquí, a Nueva York. Y que concertara una reunión con mis padres. La idea era que ellos se encargaran de los abogados y todo lo demás para ver si podían llegar a algún tipo de acuerdo. Estaba tan guapa. Volvía a ser Abbie.

—¿Cómo ibas a traerla aquí?

—En el coche de Rolf. Su coche, supongo. El que ella cogió cuando lo dejó.

—¿Llegaste a conocer a Rolf?

Josh soltó una risita amarga y apartó la vista. Allí estaba. El punto sin retorno. A lo mejor debía parar en ese momento.

—¿Josh?

Él se volvió. El sheriff lo estaba mirando fijamente. Parecía un buen hombre. Probablemente lo supiera todo.

—Sí, llegué a verlo. La noche del temporal de nieve. Se presentó de repente. Dios sabe cómo descubrió dónde estaban. No es fácil dar con un sitio tan apartado como aquel. Ty pensó que

Abbie debía de haberlo llamado o algo así. O que sabía que yo iba a viajar desde Denver y nos siguió al volver hasta allí. Supongo que nunca lo sabremos.

—Continúa.

—Ty encontró el ordenador de Rolf escondido en el maletero del coche, y aquel día yo fui a Great Falls para ver si podía acceder a él desactivando la contraseña.

—Y te ayudó tu amigo Freddie.

Josh lo miró con nerviosismo.

—Josh, he visto el registro de tus llamadas, ¿vale?

—Oh, no implique a Freddie en esto. Él no sabe nada. Por favor.

—Ya volveremos a ese punto. Continúa.

—Cuando volví a la cabaña en plena nevada, el coche de Rolf estaba allí. Él estaba en la cabaña, esperando a que yo volviera con el maldito ordenador. Dios, estaba como loco. Había perdido la chaveta. Supongo que se puso así al encontrar a Abbie con Ty. Y al enterarse de lo del ordenador. Ellos intentaron hacerle creer que había sido un error, que estaba en la camioneta por casualidad, pero él sabía que estaba pasando algo. Creo que sabía que íbamos a usarlo contra él. Se lo aseguro, el tío parecía un maníaco, echando pestes y despotricando...

»E intentó llevarse a Abbie. Y entonces es cuando Ty actuó y yo entré corriendo a ayudarle. Rolf estaba sacando la escopeta de Ty de debajo de la cama y yo salté encima de él, y todo se desmadró. Los tres nos pusimos a luchar, a darnos puñetazos y a pelear.

—¿Qué estaba haciendo Abbie?

—Ty le gritó que se largara de allí. Y ella salió corriendo al establo, cogió uno de los caballos y...

Notó que las lágrimas le afloraban a los ojos. ¡Mierda! No quería llorar, pero no podía evitarlo.

—No pasa nada, Josh. Tómate tu tiempo.

El sheriff le posó una mano en el hombro y la dejó allí. Josh respiró hondo. El sol estaba desapareciendo con un último resplandor anaranjado y rojizo.

—En fin. Cuando Abbie desapareció, él se enfadó todavía más. Y el tío era fuerte. Ty es fuerte, pero, caray, él lo era aún más. Nos sacó a los dos a rastras por la puerta y nos llevó por la nieve alrededor de la cabaña. No paraba de llamar a Abbie a gritos; se notaba que quería ir detrás de ella. Yo le estaba rodeando el cuello con los brazos, y Ty estaba forcejeando para hacerse con la escopeta, mientras los dos intentaban quitársela de las manos el uno al otro. Entonces Rolf me lanzó volando y me estampó contra la valla del corral del establo, y la atravesé rompiéndola.

»Creo que debí de quedarme inconsciente un momento porque lo siguiente que recuerdo es estar allí tumbado, en la nieve, mientras los dos seguían peleándose por la escopeta al lado de la valla rota. Entonces Rolf le dio una patada a Ty en las piernas, y a Ty se le escapó la escopeta de las manos... Oh, Dios.

—No pasa nada, hijo. Tranquilo.

—Él iba a matarlo, se lo aseguro. Ty estaba en el suelo delante de él, y Rolf bajó el cañón, le apuntó directamente con la escopeta e intentó apretar el gatillo. Lo juro por Dios. Pero tenía puesto el seguro, y mientras lo buscaba Ty lo agarró de la pierna, y yo me levanté y me tiré encima de él. Le golpeé de lado, y él se giró y cayó hacia atrás... Y la escopeta se disparó. Fue un milagro que el tiro no alcanzara a nadie. Pero Rolf...

Josh podía verlo ahora. Y también oírlo. Rolf chocando hacia atrás contra la valla rota, el espantoso crujido de la carne al ser atravesada, el cambio repentino de su expresión, la mirada de horror y de asombro de sus ojos.

—Yo no quería que pasara, lo juro. Fue la forma en que cayó. En la parte donde se había roto la valla había una punta, como una lanza de madera astillada, que seguía clavada al poste. Y él cayó de espaldas justo encima y... Por un momento no supimos qué había pasado. Él se quedó inmóvil. Y entonces vimos la sangre y... la punta que asomaba por la parte de delante de su camisa. Oh, Dios.

Empezó a sollozar y tardó un rato en poder continuar.

—Lo levantamos y Ty fue corriendo a por una toalla e intentamos detener la hemorragia, pero no sirvió de nada. Lo único que pudimos hacer fue quedarnos allí y... ver cómo moría.

El cuerpo retorciéndose, la mano estirada como una garra, el torrente imparable de sangre.

El sheriff seguía agarrándolo del hombro mientras esperaba pacientemente.

—¿Qué le pasó a Abbie?

—Nunca lo supimos. El caballo volvió sin ella. Estuvimos buscándola el resto de la noche con los caballos, llamándola una y otra vez. Pero estaba cayendo tanta nieve que no se podía ver ni oír nada. No había huellas, nada. No teníamos ni idea de adónde había ido. Nos pasamos los dos días siguientes buscándola, pero no encontramos absolutamente nada.

—¿Y qué hicisteis con Rolf?

—Lo... lo envolvimos con plástico y lo metimos en el maletero de su coche, el que habían escondido en el granero. Y la sangre de la nieve... Hervimos agua, Dios sabe cuántos litros, e intentamos derretirla, luego echamos nieve fresca con la pala, pero la mancha roja no se quitaba. Ty sabía dónde había un lago grande o un embalse, a unos treinta kilómetros al sur. En lo alto de una especie de cañón. Dijo que era muy profundo.

—Lo conozco.

—En fin, al tercer día, después de haber renunciado a seguir buscando a Abbie y de haber limpiado la cabaña, reparar la valla y dejarlo todo como estaba y sin rastro de nieve, fuimos allí por la noche. Yo conducía la camioneta de Ty, y él, el coche con el cuerpo en el maletero. Fue increíble que lo consiguiéramos, con toda la nieve que había. Empujamos el coche por el precipicio y cayó al agua.

»Rolf había alquilado el otro coche, el coche en el que había venido, en el aeropuerto de Great Falls. Al día siguiente dejé el coche allí y volví a casa. Y eso es todo.

Se quedaron contemplando la vista sin decir nada durante un largo rato. Había una fina franja de color fuego que atravesaba el horizonte en la zona donde se había puesto el sol. Los edificios estaban todos iluminados. Debajo del entablado donde se encontraban, se veían los destellos y se oía el rugido del tráfico de la hora punta. Todo el mundo se iba a casa. Josh se preguntó lo que iba a decir aquel hombre. Evidentemente, ahora tenía que arrestarlo.

—¿Quién sabe esto, aparte de vosotros dos?

—Solo usted.

—¿No se lo has dicho a nadie?

—No soy tan bobo.

—¿Ni siquiera a tu madre y a tu padre?

—¿Está de guasa? ¿Se imagina cómo les sentaría algo así? Descubrir que sus dos hijos son asesinos. Ni hablar.

—A mí no me parece un asesinato, hijo.

—Con uno ya es suficiente.

Por un momento, ninguno de los dos habló.

—¿Qué pasó con el ordenador?

—Lo metimos en el maletero.

Josh sacó de su bolsillo el pequeño paquete que había cogido de debajo del escritorio. Era el dispositivo de memoria portátil. Se lo entregó al sheriff.

—Esto es una copia de lo que había dentro.

Charlie se quedó toda la noche tumbado en la cama de la pequeña habitación del céntrico hotel, escuchando el tráfico y viendo cómo las luces y las sombras se desplazaban por el techo siguiendo unas pautas que siempre variaban. Nunca le había resultado fácil dormir en una ciudad, pero esa noche no tenía nada a lo que echarle la culpa, salvo a su agitada cabeza. Parecía una máquina tragaperras en la que los mismos pensamientos se reagruparan de forma distinta en cada partida y nunca dejaran ganar al jugador.

Por supuesto, sabía cuál era su obligación. Debía dejar que la justicia dictase sentencia. Para eso estaba, y era lo que él había hecho siempre. El coche y el cadáver tendrían que ser extraídos del lago, y Josh y Ty deberían ser arrestados y acusados del asesinato. Lo más probable era que el tribunal fuese poco severo con ellos. Si creían el relato de Josh, según el cual el crimen se había cometido en defensa propia, posiblemente los dos salieran libres.

Pero nunca existía la certeza. El caso aparecería en las noticias de costa a costa, como había ocurrido con el hallazgo del cuerpo de Abbie. Un fiscal listo y ambicioso podía oler la fama o el provecho político que se podían derivar de una exposición bastante distinta de los acontecimientos. Y en medio del actual clima de miedo, el hermano y el antiguo amante de una joven con fama de terrorista podían ser acusados fácilmente de lo mismo, como Ty había podido comprobar. El pobre muchacho ya estaba lo suficientemente destrozado. ¿Cómo iba a sobrevivir a otra experiencia tan terrible? ¿Y los Cooper? ¿Y Sarah? ¿No habían sufrido ya bastante?

Charlie se maldijo por haber dejado a Josh. Se habían marchado del puente y habían tomado un taxi hasta el apartamento del chico, y habían acordado volver a verse por la mañana. Quería tener tiempo para pensarlo todo detenidamente. Pero sin duda lo que no necesitaba Josh era tiempo. Ahora estaría aterrado. ¿Y si había huido o, Dios no lo quisiera, había hecho algo peor?

Ya estaba bien. Se estaba volviendo loco. Se levantó, sacó su móvil y al empezar a marcar el número de teléfono de Josh, se dio cuenta de que eran las cuatro de la madrugada y volvió a cerrarlo. Se vistió, se puso el abrigo, recorrió el sombrío vestíbulo fluorescente, salió a la calle y empezó a caminar. Manzana tras manzana, semáforo tras semáforo, PASAR, NO PASAR; las opciones resonaban en su cabeza a cada paso.

Dos horas más tarde, cuando el cielo estaba aclarándose hacia el este detrás de él, se encontró de nuevo junto al río, contemplando la orilla negra que brillaba como cubierta de lentejuelas al otro lado del Hudson. Y por fin supo lo que iba a hacer. Absolutamente nada. Sabía el lugar donde habían arrojado el coche. El agua era allí verdosa y opaca y muy profunda. El hombre envuelto en plástico en el maletero había recibido nada más y nada menos que lo que merecía. Podía quedarse donde estaba.

Había estado toqueteando en el bolsillo el pequeño dispositivo de memoria que Josh le había dado. Sabía que debía comprobar lo que había en él. O tal vez no. Lo sacó y lo miró. Sin pensárselo dos veces, lo tiró al río tan fuerte y tan lejos como pudo. Y no vio ni oyó cómo caía al agua.

32

Fue a Iris a quien se le ocurrió que debían organizar una fiesta de cumpleaños conjunta para celebrar sus respectivos cincuenta años. Sarah no tenía previsto celebrarlo y prefería que la temida fecha pasara lo más desapercibida posible. Al principio rechazó la propuesta. Implicaría demasiado trabajo y esfuerzo. Y, además, no era nada práctico porque todos los amigos de Iris estaban en Pittsburgh mientras que los suyos se encontraban en Nueva York. «No hay problema», dijo Iris. Organizarían la fiesta en Nueva York. De todas formas, ella tenía demasiadas personas a las que invitar, y sería una forma ingeniosa de seleccionar a unas cuantas. Y después de ser presionada y acosada por ella, finalmente Sarah accedió de mala gana para que la dejase en paz.

Se fijó la fecha para el sábado después del día del Trabajo, que caía precisamente entre ambos cumpleaños. En junio, Iris fue a visitarla y recorrieron medio condado de Nassau en busca de un local, pero no encontraron ningún sitio que les gustase a las dos y no estuviese ya reservado. Los padres de Sarah le ofrecieron su casa de Bedford y se ofendieron un poco cuando ella les dijo que se lo agradecía, pero que declinaba la oferta. Si la celebraba allí, sería como la fiesta de su veintiún cumpleaños, y ella ya era una adulta. Justo cuando estaba empezando a pensar que iban a tener que suspenderlo todo, Martin Ingram les hizo una oferta que no podían rechazar.

Estaba construyendo un restaurante, una especie de *brasserie*, en un sitio fabuloso de Oyster Bay y no solo era el arquitecto, sino que también iba a ser propietario de un cincuenta por ciento del negocio. A menos que se produjera algún desastre, cosa que rara vez le ocurría a Martin, a principios de octubre se encontraría terminado, aunque todavía no estaría abierto. Tenía un suelo maravilloso de madera de arce y una enorme buhardilla con una ventana circular por la que se veía el mar. Según él, el negocio se vería beneficiado por las visitas, y les saldría gratis. Sarah tuvo que reconocer que era perfecto.

Contrataron a un organizador de fiestas profesional llamado Julian McFadyen, que era tan guapo y tan listo que Iris casi se desmayaba cada vez que se reunían para discutir algún asunto. Él se encargó de todo, incluido el envío de las invitaciones, e hizo que todo resultara tan fácil y agradable que a medida que se aproximaba el día, Sarah descubrió que realmente estaba deseando que llegara. Solo le preocupaba una cosa.

Poco después del día del Trabajo, Iris viajó a Nueva York para ultimar unos detalles con el adorable Julian, que ella se negaba a aceptar que fuera gay. Era media tarde y estaban sentados en la terraza de Sarah. Julian, que había sacado a colación el tema de los brindis y los discursos y había notado cierta disconformidad, se había retirado discretamente para que ellas pudieran discutir el asunto.

—¿Por qué tiene que haber discursos? —dijo Sarah.

—Porque es lo que se suele hacer. Cariño, ¿cuántas veces tienes ocasión de estar delante de cien personas mientras te dicen lo fabulosa que eres? Aunque le dijera a Leo que no puede dar un discurso, lo daría de todas formas.

—De acuerdo. Pero ¿y yo? ¿Quién va a dar el mío?

—Josh podría hacerlo. Y Martin. Qué demonios, hasta yo podría hacerlo.

—Oh, Iris.

—Mira, no le daremos mucha importancia. Le diré a Leo que diga algo breve y bonito.

—¿Cuándo ha dicho Leo algo breve y bonito?

—Pondremos un reloj, como en un concurso de televisión. Y a los tres minutos, se acabó.

—Todo el mundo se compadecerá de mí. No soporto ese rollo de «Pobrecita Sarah, todavía sola».

—Anda, dame un respiro.

Sarah apagó su cigarrillo.

—No quiero que Martin hable sobre mí.

—Entonces pídeselo a Josh. Ya es un adulto.

—Ya sabes lo tímido que es.

Josh estaba en Santa Fe pasando unos días con su padre. Sarah prometió que se lo pediría cuando volviera a casa.

Desde que se había graduado esa primavera, Josh los tenía a todos asombrados. De repente había anunciado que quería ser abogado. Se había cortado el pelo, se había comprado un traje y había estado haciendo prácticas todo el verano en el bufete que Alan Hersh tenía en la ciudad. Al volver a casa, a menudo comentaba noticias sobre casos y clientes y esotéricas cuestiones de derecho que Sarah fingía entender. Dentro de poco iban a empezar a pagarle para que trabajara de pasante. Si todo iba bien, al año siguiente iría a la facultad de derecho. Mientras tanto, los fines de semana se ganaba unos dólares ayudando a Jeffrey en la librería. Verlo tan activo y lleno de energía era tan emocionante como sorprendente. A veces Sarah se preguntaba si habría aterrizado una nave espacial en el césped de su casa sin que ella se hubiera enterado.

Benjamin opinaba lo mismo. Últimamente hablaban con más regularidad. En lugar de llamar siempre al móvil de Josh, él llamaba ahora a menudo al teléfono de casa y normalmente era Sarah la que contestaba. Parecía menos receloso con ella, sin duda porque ahora se mostraba más simpática con él. El asombro y la admiración que ambos sentían por la transformación de Josh había contribuido a unirlos.

—¿Qué hemos hecho mal? —había dicho él la otra noche, cuando había llamado para verificar la hora del vuelo de Josh.

—¿A qué te refieres?

—Nunca soñé que tendría un hijo abogado.

—Lo sé. A lo mejor deberíamos haber fomentado más su afición a la marihuana.

—No creo que se haya perdido mucho en ese terreno.

La razón de mayor peso por la que ahora se mostraban más agradables el uno con el otro era la carta de Sarah.

En Navidad, había escrito a Benjamin para pedirle disculpas por haber dicho que era el culpable de la muerte de Abbie. Eran unas palabras, decía Sarah, pronunciadas en un momento de tremendo dolor y desesperación. Él le había mandado una tarjeta: una serena fotografía del cielo y el mar. Lo único que ponía era «Gracias. Con cariño, siempre, Benjamin».

Por supuesto, también había sido de ayuda el hecho de que él supiera ahora lo de Sarah con Charlie Riggs. Ella y Charlie se habían tomado una semana de vacaciones en junio. Habían viajado en coche a Colorado y se habían alojado en un hotel celestial de las montañas. Habían montado a caballo juntos por los altos prados llenos de flores y recorrido a pie un trecho del camino de la divisoria continental hasta llegar a un manantial del que brotaba un arroyo que corría hacia el este y otro hacia el oeste. Y por fin se habían hecho amantes. A Sarah le gustaba mucho. No sabía si sería algo serio, y ninguno de los dos estaba forzando las cosas. Le había pedido que fuera a la fiesta y, tras interrogarla para ver si de verdad quería que estuviera presente, él había dicho que acudiría.

Por razones que Sarah no acababa de explicarse, Josh parecía más interesado que ella en que su relación funcionara, aunque todavía no conocía a Charlie. Tal vez era porque así se vería un poco aliviado de la carga que soportaba al tener que cuidar de su pobre, solitaria y vieja madre. Ella tuvo que recordarle su vieja cantinela de que las relaciones a distancia eran una mierda. Él le recomendó que se fuera a vivir a Montana, y Sarah soltó una carcajada, como si no se hubiera planteado ya la idea.

Leo había estado veinte minutos hablando de Iris sin parar y, aunque algunas de las anécdotas eran divertidas (sobre todo la de la vez que ella se lo había llevado a rastras del campo de golf delante de sus amigos), ya habían tenido suficiente, como a Iris le gustaba decir. Aun así, aquello le brindaba a Josh una buena excusa para ser breve.

La fiesta parecía estar transcurriendo sin contratiempos. Freddie, que estaba ahora encima de él, apoyado en la barandilla de la buhardilla con Summer y Nikki, había dicho que era la mejor fiesta de veteranos en la que había estado. En su opinión, la comida era genial e incluso el grupo no estaba mal.

Mientras Leo se lanzaba a contar su decimoctava anécdota, Josh repasó sus notas una vez más. Se lo tenía bien aprendido. Era increíble lo que había mejorado su memoria desde que había dejado de fumar hierba. Miró la sala a su alrededor en busca de su madre y la vio de pie junto a Martin y Beth Ingram y Charlie Riggs. Llevaba un vestido de seda negro con los hombros descubiertos y estaba guapísima. Ella y Charlie apenas se había separado en toda la noche. Era fantástico verla tan feliz.

Cuando ella los presentó, naturalmente, Charlie y Josh se estrecharon la mano como si no se conocieran.

—Tu madre me ha hablado mucho de ti —dijo.

—Lo mismo digo.

—¿Qué tal te va?

—Muy bien. Gracias.

Durante los diez meses que habían transcurrido desde su paseo por el puente, Charlie lo había llamado una docena de veces para ver cómo estaba. Nunca daba importancia a aquellas llamadas; siempre tenía algún chiste o una historia divertida que contar. La última vez que había llamado había sido en junio, justo antes de los días de vacaciones que había pasado con Sarah en Colorado. Era evidente que Charlie tenía algo importante que pedirle, pero parecía incapaz de expresarlo. Entonces Josh se percató de que lo que le estaba pidiendo era su bendición, e intentó ofrecérsela, como era de esperar.

Al verlos allí en aquel momento, al otro lado de la sala, escuchando el discurso de Leo, Josh pensó que hacían muy buena pareja. Y deseó con todo su corazón que su relación funcionase. Su madre debió de notar su mirada, pues se volvió, lo miró, sonrió y le hizo una discreta mueca para indicar que había llegado el momento de que alguien avisara a Leo. Por fortuna, no fue necesario.

—Y ahora, damas y caballeros, aunque podría seguir hablando toda la noche... —Alguien gritó: «Por favor, no, ahórratelo»—. ... Voy a ceder la palabra a ese atractivo joven de ahí al que todos conocen... y si no es así, créanme, pronto lo conocerán: ¡el señor Joshua Cooper!

Todo el mundo prorrumpió en aplausos y vítores, y Josh dio un paso adelante y atravesó la sala. Leo le cedió el micrófono, e Iris le dio un beso en la mejilla.

—Estás estupendo —susurró ella—. A por ellos, chico.

Entonces todo se quedó en silencio, y Josh sintió un acceso de nerviosismo. Miró sus notas, respiró hondo y se aclaró la garganta. El micrófono emitió un pequeño chirrido a causa de la realimentación.

—Gracias, Leo. No tengo muchos chistes sobre mi madre. Crecer con ella fue un asunto serio.

Se oyó una risita, pero aquello no era lo que él esperaba.

—Podría contarles la vez que vomité encima de su primera edición de *Suave es la noche*, pero solo tenía dos años y la verdad es que no recuerdo haberlo hecho.

Entonces se rieron. Aquello ya era otra cosa.

—O el día que a ella se le cayeron las llaves del coche por la boca de la alcantarilla en la entrada del hipermercado y tuvieron que venir los bomberos y hacer un agujero en la calle, y llevarnos a todos a casa en el camión.

Se oyó una risa sonora.

—El mejor día de mi vida, la verdad.

Los asistentes se rieron a carcajadas. Al final, aquello no parecía tan difícil. Alzó la vista hacia Nikki, que le dedicó una amplia sonrisa y le lanzó un beso. Josh se guardó las notas en el bolsillo.

—Lo cierto es que crecer con mi madre no fue ningún chiste, sino una fiesta continua. Todos los días. Ella llevaba la librería y la casa, y nos ayudaba a hacer los deberes. Para ser sincero, a mí no solo me ayudaba. En realidad me los hacía ella. Solo sacaba sobresalientes cuando mi madre me hacía los deberes. De hecho, si tengo tantas lagunas en literatura es gracias a mi madre. Ella siempre hacía que todo resultara divertido. Incluso cuando para ella no lo era tanto.

Hizo una pausa y la miró. Estaba sonriendo, y Josh advirtió que estaba haciendo esfuerzos por no llorar. Se preguntó si debía saltarse la siguiente parte, pero siguió adelante. Los fantasmas no desaparecían por mucho que uno intentase aparentar que no existían.

—Y si Abbie estuviera esta noche aquí, sin duda diría lo mismo.

El silencio se podría haber cortado con un cuchillo.

—Ella quería a mi madre con todo su corazón. Como yo. Porque nuestra madre ha sido lo mejor que podría desear cualquier niño. Es hermosa y divertida, e increíblemente sabia e inteligente. Y tiene el corazón más grande que una madre ha tenido jamás. Siempre ha estado ahí cuando la hemos necesitado. Siempre. Y todavía lo está.

Dios, ahora todo el mundo estaba llorando. Incluso él tenía ganas de llorar, pero si lo hubiera hecho habría sido un desastre. Había pensado decir algo sobre el otro fantasma presente en la sala: su padre. Nada dramático; una simple y breve mención, aunque tal vez fuera mejor abstenerse mientras él estaba delante. Miró a su alrededor, y Julian McFadyen le entregó discretamente una copa de champán.

—Así que, si tienen una copa, hagamos un brindis. Por estas dos grandes mujeres increíblemente ancianas e increíblemente maravillosas. Iris y Sarah.

Todo el mundo repitió el brindis y a continuación toda la sala estalló en aplausos, y de repente Josh se vio acosado, besado y abrazado mientras recibía palmaditas en la espalda, y durante cinco minutos fue consciente de poco más hasta que por fin la multitud se dispersó un poco y vio a su madre, con lágrimas rodando por sus mejillas y los brazos abiertos. Se dirigió hacia ella y la abrazó, y la estrechó entre sus brazos durante un largo rato.

—Te quiero —susurró Sarah—. Te adoro, Josh.

Más tarde, una vez que la fiesta hubo terminado, cuando se hallaba tumbado en la cama, cansado pero demasiado excitado para dormir, mientras Nikki roncaba suavemente a su lado, Josh pensó en lo raros que eran los seres humanos. Cómo podían ser tantas cosas distintas al mismo tiempo y experimentar tantos sentimientos encontrados. Amor y odio, alegría y desesperación, valor y miedo. Era como si fuéramos un gran disco giratorio de todos los colores imaginables, sobre el que la luz cambiase y danzase constantemente. Visualizó todas aquellas caras, jóvenes y mayores, riendo y llorando al escuchar su discurso. Independientemente de los años que uno tuviera, ya fueran diecisiete o setenta, el disco siempre estaba allí, dando vueltas. Tal vez lo que ocurría fuera que a medida que pasaba el tiempo resultaba más fácil distinguir los colores y saber con seguridad cuál era el que uno estaba mirando y lo que significaba.

Probablemente solo estaba pensando aquello porque ya no tomaba aquellas malditas píldoras, las que el médico le había recetado el año pasado después de lo ocurrido con Abbie, las que reducían el mundo a una monotonía confusa. Josh prefería el disco giratorio en todo momento. El único inconveniente era que ahora no dormía tan bien.

Solía pensar que aquello se debía al miedo que le inspiraba lo que pudiera soñar. Cuando era pequeño tenía una lista de unas diez o doce cosas que recitaba a la hora de acostarse: las brujas, los hombres lobo, la señora O'Reilly (la mujer de la limpieza de la guardería, con su ojo de cristal y su bigote), esa clase de cosas. La idea era que si pensaba en ellas, no soñaría con ellas. Y después de volver de Montana en otoño, durante al menos seis meses, incluso después de que Charlie Riggs hubiera ido a verlo y le hubiera dicho que no iba a hacer nada y que hablaría con Ty y todo quedaría en secreto, cada noche Josh se imaginaba a Rolf retorciéndose y sangrando en la nieve y saliendo lentamente del lago, con su cara corrompida y medio comida por los peces.

Quizá no conciliaba el sueño debido a la viveza de aquellas imágenes que evocaba de forma consciente, y ya no se molestaba en hacer aquel conjuro nocturno. A Charlie le preocupaba que la carga del secreto fuera demasiado pesada para él, pero ya no parecía ser así. Ver a sus padres felices de nuevo en sus respectivas vidas le compensaba lo suficiente.

Se estaba quedando adormilado. Pensó en despertar a Nikki para que volviera al cuarto de huéspedes. Pero le parecía demasiado cruel y le gustaba tenerla tumbada a su lado, y de todas formas, su madre ya no se molestaba por aquellas cosas y no se sentiría incómoda si lo descubría. Cerró los ojos y, mientras el disco de la vida seguía dando vueltas en su cabeza, pero ahora más despacio y desvaneciéndose a lo lejos, se sumió por fin en un sueño sin pesadillas.

Ben podría haber recorrido el camino con los ojos cerrados. Pero durante los seis años que habían pasado desde que había dejado de vivir allí se habían producido cambios. Habían aparecido distintas tiendas a lo largo de los centros comerciales y un nuevo bloque de oficinas junto a la estación de ferrocarril, la tienda de platos preparados Bahnhof's desgraciadamente había cerrado, y una escuela de cocina para niños ocupaba ahora su lugar. Habían plantado una hilera de cerezos que bordeaban el parque, arrodrigonados firmemente y envueltos en plástico blanco para protegerlos. Los recuerdos brotaban en cada curva del camino.

Y la casa que él había construido muchos años antes asomaba ahora entre los abedules plateados que habían plantado, cuyas hojas ya habían empezado a perder color. El cornejo de la entrada lucía un aspecto espigado y un poco mustio. Tal vez deberían haber puesto un magnolio en su lugar. La casa no estaba tan mal, aunque ahora la haría de forma diferente. Vio a Sarah en la ventana y, cuando hubo aparcado el pequeño Honda que había alquilado en el aeropuerto, ella salió por la puerta principal. Ben abandonó el vehículo y se dirigió a ella para saludarla.

Estaba preciosa. Vestía una falda de lino azul y un jersey de cachemir color crema con el cuello de pico. Llevaba un ramo

444